Ingrid und Gerhard Zwerenz
SKLAVENSPRACHE UND REVOLTE

Wir haben den Kapitalismus über all da besiegt,
wo es ihn noch gar nicht gab.
Leo D. Trotzki

Das westlich-kapitalistische System
hat einen Sozialismus besiegt,
der niemals einer war.
Gerhard Urbach

Ingrid und Gerhard Zwerenz

SKLAVENSPRACHE
UND
REVOLTE

Der Bloch-Kreis
und seine Feinde in Ost und West

Schwartzkopff Buchwerke

INHALT

VIERTES BUCH
Die Genossenschlacht von Leipzig

FÜNFTES BUCH
Unterbrochenes Endspiel

SECHSTES BUCH
Doppelblick

SIEBTES BUCH
Nach fünfzig Jahren

Erstes Buch

Notizen danach

Die ersten Studenten, die sich beim Philosophen in Leipzig einfanden, wurden scherzhaft, dazu ein wenig verwundert und anzüglich, »Blochs Jünger« genannt. Ihre Zahl wuchs vom runden Dutzend anno 1950/51 auf etwa zweihundert samt tausend Gasthörern zum Jahresende 1956 an. Fortan durfte Bloch die Universität nicht mehr betreten. Die Verfolgung der Blochianer dauerte in der DDR bis zum Staats-Ende 1989, und wer solange im Lande indirekt und mit List oder offen und unverbrämt zu widerstehen gesucht hatte, der landete vor den Richterstühlen westdeutscher Evaluierer und wurde rausgeworfen, wie das Exempel des Günther K. Lehmann in Leipzig zeigt, denn es soll kein Müntzer neben Luther, kein Marx neben Nietzsche und kein Bloch neben Heidegger sein. Du sollst keine anderen Götter haben neben mir, befiehlt der deutsche Traditionsgötze, ein Herr Professor von Staates Gnaden, der das herrschende Prinzip der Ausgrenzung exekutiert.

Vorspiel in Heidelberg anno 2003 und 1911

Erwartet nicht, daß wir hier den üblichen akademischen Sermon auftischen. Es wird nur ein bißchen geheiligt und entheiligt, wie das so ist, geht es darum, Bilanz zu ziehen. Wir greifen auf zweiundfünfzig vergangene Lebensjahre zurück. Erlebt heißt erlitten und animiert. Nachbars Wildschwein pfeift nicht, es wurde als hilfloses Jungtier gefunden und aufgezogen, nun grunzt es vor Freude. Sein Freund, der Ziegenbock, entgeht genauso dem Messer wie Hengst und Stute, die wir zusammen mit anderen Ortsbewohnern im Winter zur Rente durchfütterten. Sympathisierende Rentner auch wir. Wie Schwein, Ziege, Rösser den Messern entkommen. Schwejk legte bei Schlachtungen den Anus seinem Hund vor, denn: Arschlöcher sind ungenießbar.

Da wir einmal bei den Intellektuellen sind, Peter Zudeick drückte das in seiner Bloch-Biographie mit dem Titel *Der Hintern des Teufels* so treffend wie fragmentarisch aus. Der zur Hälfte zitierte Bloch-Satz lautet in ganzer Schönheit: »Der Hintern des Teufels ist die Unruhe, die Langeweile ist der Hintern Gottes.« Was Zudeick listig auf der Rückseite seines Buches samt Quelle vervollständigt: »Ernst Bloch an Georg Lukács, 12. 7. 1911.«

Wir sind also im Jahr 1911 angelangt, da zog es Bloch nach Heidelberg.

Zum 30. April 2003 vom DGB und von der Stadt an den Neckar eingeladen, erlaubte ich mir, an das glatte zweiundneunzig Jahre zurückliegende Ereignis zu erinnern, meine Rede ging ungefähr so: Der freundlichen Aufforderung, am Vorabend des gewerkschaftlichen, wo nicht gar proletarischen Ersten Mai 2003 hier im historischen Spiegelsaal Prinz Carl in Heidelberg zu sprechen, kommt der Geforderte gerne nach, und nicht nur, weil eine Stadt, die Amerikanern wie Deutschen gemeinsam gefällt, ein zeitgemäßer, interessanter Ort sein muß, auch nicht nur der romantischen Geschichte und des berühmten Schlosses wegen, wo jedefrau und jedermann jederzeit ihre Herzen deponieren dürfen.

Als ich in den sechziger und siebziger Jahren fürs Hörspiel und für Abend- oder Nachtstudios schrieb, begegnete mir im Hessischen Rundfunk ein Mann namens Gerd Kalow, den ich als Lyriker kannte und der mich besonders beeindruckte, als er anmerkte, in Frankfurt hause er nur provisorisch, sein wirklicher Wohnsitz befinde sich in Heidelberg auf einer über den Neckar führenden Brücke.

Er ist Redakteur im Brotberuf, dachte ich, sein Wesen aber schwebt über den Wassern, er kann nur ein Dichter von Natur sein, so wie der Neckar ein überirdisch poetischer Strom ist, bewacht von den Geistern Hölderlins, Hegels, Schellings und Blochs.

Ernst Bloch und Heidelberg verbanden sich mir erstmals anno 1952 in Leipzig, als der Philosoph seine Jugendzeit schilderte.

Ludwigshafen der Geburtsort, Mannheim mit seinen Leseabenteuern in der Schloßbibliothek und eben die Stadt am Neckar, wohin er 1911 ging, weil Freund Georg Lukács dort studierte.

In seiner Bloch-Biographie *Der Hintern des Teufels* schreibt Peter Zudeick:»Die beiden müssen in Heidelberg schon ein merkwürdiges Pärchen abgegeben haben: Hier der verwöhnte ungarische Großbürgersohn mit Adelstitel und guten Manieren, da der mittellose junge Philosoph aus kleinbürgerlichem Hause, hier der schon arrivierte und geachtete philosophische Schriftsteller, da der Erneuerer der Philosophie von eigenen Gnaden, für den nicht viel mehr als die ungeheure Selbsteinschätzung sprach, der zudem den George-Kreis, dem sein Freund Lukács nicht allzufern stand, böse zwischen die Zähne genommen hatte: Sauer und ölig sammelt es sich um George an, Ladenschwengel erscheinen mit fettem Weiheton, Spießbürger letzten Endes; eitle, eingebildete Mediokritäten tragen sich antik und katholisch zugleich, sind lächerlich in ihrer Reife, ihrer allerwohlfeilsten Geschlossenheit, ihrer Beschimpfung der Sehnsucht, dieser einzig wahren Eigenschaft ehrlicher Menschen.

Ein Markenzeichen Heidelbergs zu dieser Zeit sind die literarischen und philosophischen Zirkel und Salons. Durch die Vermittlung von Lukács kam Bloch in den Max-Weber-Kreis, ein ähnlich exklusiver Zirkel wie bei Simmel in Berlin, in dem sich der in diesen Dingen viel liebenswürdigere und gewandtere Lukács nach Blochs Erinnerung eher wohlfühlte als Bloch selbst, der dies mehr als lästige Pflicht ansah. Bloch hat gerne Anekdoten aus dieser Zeit erzählt, vorzugsweise solche, in denen er als Enfant terrible auftritt und Lukács als ›Aristokrat, der sich der bösen Streiche seines Freundes schämen muß‹, wie Gerhard Zwerenz berichtet.« Soweit Zudeick.

In der Tat kolportierte ich ein halbes Jahrhundert hindurch so manche von Bloch gehörte Geschichte und sanfte Provokation aus der Heidelberger Zeit vor dem Ersten Weltkrieg, als im Hause des Nationalökonomen Max Weber angehende Berühmtheiten zusammentrafen wie Karl Jaspers, Gustav Radbruch, Ernst Troeltsch, Friedrich Naumann, Theodor Heuss und eben mit Lukács und Bloch zwei maßgebende linke und revolutionäre Philosophen des jungen 20. Jahrhunderts. Ist das jetzt angesichts der Kriege im neuen 21. Jahrhundert einfach obsolet? Was aber ist mit dem Mathematiker und Statistiker Emil Julius Gumbel, der nachwies, daß in Deutschland in den zwei Jahren nach 1919 für 318 Morde von rechts 31 Jahre und 3 Monate Haft sowie eine lebenslange Festungshaft verhängt wurden, und für 16 Morde von links 8 Todesurteile und 239 Jahre Haft. Dies war das deutsche Maß der Gerechtigkeit und stellte die Weichen für 1933. Gumbel, der 1966 unbeachtet in den USA starb, wurde 1932 von der Heidelberger Universität die venia legendi entzogen, und der Entzug der Vorlesungsberechtigung ein Jahr vor Hitler zeigt, welch ein Ungeist herrschte. Schnell war vergessen, was diese Universität zuvor an weltläufiger Gelehrsamkeit und freiheitlichem Geist ausgezeichnet hatte.

Erlauben wir uns einen besonderen Blick zurück auf Max Webers Tafelrunde, deren Teilnehmer vom liberalen Karl Jaspers bis zu den Revolutionären Lukács und Bloch das kulturelle Feld des 20. Jahrhunderts absteckten, inklusive etwa der politischen Grenzen eines Theodor Heuss mit seiner Zustimmung zu Hitlers Ermächtigungsgesetz 1933. Kriegerische Dämonen saßen bei Max Weber noch nicht in der Runde, beherrschten aber schon Jahre vor 1933 die Universität, so daß eben ein den Gewerkschaften verbundener Statistiker Gumbel, der unbezweifelbare Zahlen vorlegte, bereits zu Weimarer Zeiten nicht mehr tragbar war. Der Professor mußte weg.

Dafür fanden sich 1933 Hitler-Adepten wie der Jurastudent Hanns Martin Schleyer an der Heidelberger Universität ein: Mitglied der SS und der schlagenden Verbindung *Suevia*. Ab 1940 Leiter des Studentenwerks im besetzten Prag, danach Spitzenposition im Präsidialbüro des Zentralverbandes der Industrie für Böhmen und Mähren. Als er 1977 im Deutschen Herbst von der RAF ermordet wird, ist er Arbeitgeberpräsident und hatte doch schon 1933 in Heidelberg Herz und Verstand verloren.

11

1975: Sherry mit Zucker oder: Ernst Bloch privat
(Ingrid Zwerenz)

Die Flucht vor der Feier gewinnt langsam Tradition. Vor der Feier, nicht vor den Ehrungen. Denn daran delektiert sich der Jubilar, was ihm nur recht und billig ist.

Indessen begeht man eben den 90. wie schon den 85. Geburtstag fern von Tübingen, der Wahlheimat nach dem dritten Exil.

Einer, der so unaufdringlich und bescheiden ist, daß er einen Briefbogen mit aufgedruckter Adresse einschließlich des Doktoren- und Professorentitels bereits unerträglich findet und als erstes auf so ein Blatt schreibt: »Das Papier mit der Kriegsbemalung oben ist ein Weihnachtsgeschenk, das auf diese Weise rasch weg muß« – macht sich aus dem Staub bei aufwendigen Anlässen.

Kriegsbemalung – das Wort stammt aus dem Jahr 1964, nicht geändert hat sich seither Blochs Understatement. Viele Leute, erzählt Karola Bloch, die uns aufsuchen in Tübingen, sind erstaunt bis entsetzt ...

Der junge, dunkelhäutige Ober vom Hotel *Sonnenhof* in Königstein, wo wir zu einer kleinen Nachfeier des 90. Geburtstags sitzen, serviert den bestellten trockenen Sherry. Wir kosten. Ernst und Karola Bloch ist er zu trocken, kurzes Überlegen, dann Griff zu den Zuckerstückchen, die noch vom Tee her auf dem Tisch liegen, beide werfen rasch einen Würfel in das schmale hohe Sherryglas. Es sei zwar wider das innere Wesen dieses Sherry, ihn mit Zucker zu trinken, sagt der Jubilar, aber es wäre sonst eine zu heftige Attacke auf die Zunge. Ein Snob oder auch nur ein Mensch mit üblichen bürgerlichen Ansprüchen hätte das Servierte zurückgehen lassen können – nicht so der Philosoph, ohnehin liegt ihm seit Urzeiten mehr am Gespräch als am Getränk.

Karola berichtet weiter über die verwunderten Besucher in Tübingen: Die winzige Wohnung, sagt sie, jahrelang nur drei Zimmer, jetzt ein viertes dazugekommen, doch immer noch unglaublich eng. Besonders für den weitausholenden Zukunftsdenker, werfe ich ein.

Also wirklich, fährt Karola fort, manche Professoren von vierzig Jahren treiben einen innenarchitektonischen Aufwand sondergleichen, Villen voller kostbarer Möbel,

Teppiche, Kunstgegenstände, wir wollen das alles nicht mehr, bleiben jetzt dort *Im Schwanzer 35*.

Die Adresse, so erinnern Gerhard und ich uns amüsiert, lieferte schon ergötzliche Momente. Vor einem Jahrzehnt, bei einer Silvesterfeier in Tübingen, auch Walter und Inge Jens waren zu Gast, zitierte Bloch aus dem Stand delikate pornographische Archetypen, so die von einem Schreiner bei Balzac, der erotisch rekurrierte und »beschloß, seinen Laden fortan geschlossen zu halten«. Vom doppeldeutigen Hosenladen geriet die Unterhaltung zwanglos auf das, was sich gemeinhin dahinter verbirgt, und Ernst Bloch freute sich in schöner Assoziation seiner Anschrift, wir hier Im Schwanzer, sagte er und bemerkte zunächst nichts vom indignierten Zug im Gesicht der lieben Inge Jens. Wir erinnern ihn an die Szene, lächeln. Inge, sagt er, ist aus Hamburg.

Aber sie zeigt sich als wahre Freundin, fügt Bloch dankbar an, sie füttert mich, begleitet mich, wenn es Not tut, sogar aufs Pissoir, vielleicht ist die Gute ja doch nicht in allen Teilen aus Hamburg.

Wie der Philosoph das Erblinden unterspielt, das Angewiesensein auf Assistenz, in der *FAZ* hat man den Kirchner hart angegangen, der ihm im Fernsehinterwiew ein Bild des Caspar David Friedrich zur Interpretation vorhielt. Von Taktlosigkeit war die Rede – wie können Sie einem Blinden eine Gemäldereproduktion vorlegen.

Bloch selbst nahm das völlig souverän, ließ sich vor laufenden Kameras erzählen, was drauf war auf dem Friedrichblatt, das Gehör schließlich steht ihm immer noch zur Verfügung und die Worte und Wertungen kommen wie vor fünfundzwanzig Jahren.

Unglaublich frisch wirkt er dort im Sonnenhof, mittags war der alerte Verleger Unseld zu Tisch; Gerhard moniert im Verlauf des Gesprächs die Verleihung des Sigmund-Freud-Preises an Bloch, wenn schon, dann hätte es der Georg-Büchner-Preis sein müssen, die Auszeichnung ist unter Wert verliehen.

Ernst hört sich das an, erinnert ähnliche Einwände bei Unseld. Der Fuchs, stimmt Gerhard zu, hat natürlich genug Gespür für solche Vorgänge. Je nun, man hat die Ehrung einmal akzeptiert, kalkulierendes Abwägen und Finessieren liegt ihm nicht, dem Weisen, was hätte ich denn mit dem Büchner-Preis zu schaffen, bin ich ein Belletrist?

Na, Literatur hast du dein Leben lang genug geschrieben, meint Gerhard, angefangen mit den *Spuren*. Die bringen noch heute die höchsten Verkaufszahlen, sagt Karola, neuerdings zieht auch *Erbschaft dieser Zeit* unglaublich an. Ich erinnere mich, fertigte 1955 in der Deutschen Bücherei große Exzerpte aus diesem Buch, nur ein Exemplar war in der Bibliothek vorhanden, man durfte es nicht mit nach Hause nehmen, später hielt ich ein Referat darüber in Blochs Seminar am Philosophischen Institut in Leipzig. *Erbschaft dieser Zeit* ist wohl das Werk mit den genauesten politischen Fakten und Analysen – »die Kommunisten sagen die Wahrheit, aber sie reden von Sachen, die Faschisten lügen, doch sie sprechen zum Menschen«, jetzt also haben dergleichen Erkenntnisse wieder Konjunktur, wird man diesmal beizeiten etwas daraus lernen? Sigmund-Freud-Preis hin oder her – an Ehrungen mangelt es dem Philosophen nicht, die Ehrendoktorwürde in Tübingen (erst wollte man zur Verleihung nur so einen kleinen ›Salatssaal‹ [Karola] nehmen, dann entschloß man sich zum zweitgrößten Raum in Tübingen), mußte schließlich in den größten umziehen, und die Leute standen einander immer noch auf den Füßen. Minutenlange Ovationen. Bloch weiß sich am Ende nicht anders zu helfen, hebt die geballte Faust – Rot Front? Erneute Beifalls-Stürme. Anbetung soll gleich umgemünzt werden in Nützliches, von einem chilenischen Professor hatte man dem Philosophen erzählt, für den die Berufung an eine deutsche Universität sich lebensrettend auswirken könnte. Am meisten, extemporierte also Bloch bei der Feier zu seinen Ehren, würde ich mich ja freuen, wenn man diesem Mann aus Chile einen Lehrstuhl hier in Tübingen anböte.

Die Faust nicht im Sack geballt, sondern offen vor Kameras, Wünsche unverstellt geäußert, nicht für sich selbst, sondern für andere, die es verdienen und Förderung bitter nötig haben. Stark ist auch Karolas Engagement für junge entlassene Strafgefangene. Fast alle Geschenke, die dem Neunzigjährigen zugedacht waren, wurden auf Wunsch in Bargeld verwandelt und gehen aufs Konto für ehemalige Häftlinge. Das hätte auch schon geklappt, freuen sich beide Blochs, beträchtliche Summen sammeln sich an.

Freude zum Geburtstag bleibt für den Jubilar noch genug, Telegramme und Briefe von Wolfgang Harich, Ernest

Mandel, vom Bundeskanzler und Bundespräsidenten und – Bloch kaut nachdenklich auf seiner Pfeife – Franz Josef Strauß!

Gerhard fällt beinahe das Sherryglas aus der Hand, unsere Tochter Catharina juchzt laut los mit der Spontaneität ihrer siebzehn Jahre, Strauß gratuliert per DIN-A4-Seiten-Brief Ernst Bloch zum Geburtstag. Wenn Strauß schon Mao beglückwünschte, dann auch Bloch, sag ich, Gelächter ringsum. Mao hat nicht gratuliert? frage ich. Über die Chinesische Mauer flatterte kein Glückwunsch, doch über die durch Deutschland, Havemann sandte einen langen Brief, Karola überlegt, ob sie eine Kopie davon als Danksagung für Aufmerksamkeiten zum Geburtstag von Ernst an die Freunde versenden soll, statt üblicher Karten. Und 'ne Kopie vom Strauß-Brief gleich dazu, schlägt Gerhard vor, was von Ernst als typischer Zwerenz-Humor definiert wird.

Im *Wagenbach Verlag* kam eben ein Buch heraus *Es muß nicht immer Marmor sein*, Interpretationsversuche zu Bloch, kein leichtes Geschäft. Gerhard gefällt der Oskar-Negt-Beitrag darin recht gut. Bloch muß das alles nach und nach vorgelesen bekommen, er hat einen tüchtigen Helfer dort in Tübingen. »Student, ungefähr im 30. Semester«, merkt der Professor an, ihm diktiert er seine Arbeiten, von daher gibt's also keine Einbußen in der Produktion.

Verglichen mit Sartre bist du ja glänzend dran, sagt Gerhard. Vor allem ist der Franzose mit seinen siebzig Jahren direkt noch ein junger Spund verglichen mit Bloch, und dennoch hat Sartre das Schreiben aufgegeben. Andererseits ist es makaber zu hören, jetzt, wo der französische Existentialist nahezu blind ist, arbeitet er wieder viel für Film und Fernsehen.

Der arme Klaus Wagenbach, sinniert Karola, die vielen Prozeßkosten, wie soll er denn solche Unsummen aufbringen, erst 25 000, dann 32 000 DM; kann man ihm denn hundert Mark anbieten? Ich würde gern helfen, doch sind wir nicht reich. Es geht uns gut, aber das Hilfswerk für die entlassenen Gefangenen schluckt Zeit und Geld. Hans Mayer hat mir auch eine große Spende dafür zugesagt, vielleicht, wenn wir jetzt nach Hause kommen, ist sie ja schon auf dem Konto.

Maihofer hat nicht gratuliert, sagt Bloch plötzlich. Im Band *Ernst Bloch zu ehren*, der zum 80. Geburtstag erschien, stand ein großer Beitrag von Maihofer. Damals war er halt noch nicht Innenminister, sag ich, wem Gott ein Amt gibt, dem erlegt er auch 'ne Reihe Rücksichtnahmen auf. Maihofer besteht nur noch aus Rücksichten, spitzt Gerhard zu.

Eine Menge Leute verändern sich bis zur Unkenntlichkeit, was ist denn mit Fritz Vilmar? fragt Ernst. Herrscht die DKP wirklich so unumschränkt an der Marburger Universität? Alle haben die Auseinandersetzungen in der Frankfurter Rundschau verfolgt, keiner kennt die Zustände an der Uni Marburg so gut, sich ein Urteil zu bilden. Das Verhältnis der DKP zu Bloch ist merkwürdig gebrochen.

Catharina erzählt, sie wüßte von verschiedenen DKP-Anhängern, die als ideologische Richtlinie zum besten gäben, Bloch sei nun einmal kein Marxist. Einige davon sitzen mit ihr in einer Klasse der Frankfurter Ernst-Reuter-Schule. Bloch macht auf diese Eröffnung hin eine weitausladende Geste mit den wunderschönen schmalfingrigen Händen, die Teetasse klirrt laut gegen das Sherryglas, doch gibt's keine Scherben.

Ernst sagt, Maihofer hält immer noch das Einreiseverbot aufrecht, das sein Amtsvorgänger gegen Ernest Mandel erließ, dagegen hab ich vor einiger Zeit wieder protestiert, wer sich so äußert, darf wahrscheinlich nicht mit einem Glückwunsch aus dem Innenministerium rechnen.

Einreise – Ausreise – wart ihr eigentlich je wieder in eurem ehemaligen Haus in Leipzig? fragt Gerhard. Am Zaun steht zu lesen: Vorsicht bissiger Hund! antwortet Bloch. Es gibt dort einen offensichtlich wehrhaften Hausmeister, wir waren nie mehr in der Villa. Der Sohn, Jan Robert, heute in Kiel beschäftigt mit der Didaktik der Naturwissenschaften, besuchte vor kurzem die zeitweilige DDR-Heimat. Betreten dufte er das Gebäude nicht, wahrscheinlich wird es genutzt als Gästehaus der Regierung.

Die Erinnerung an Leipzig bringt Karola auf Gerhards literarische DDR-Reminiszenzen in *Kopf und Bauch* sowie im *Widerspruch*: Einige Passagen über Bloch aus *Kopf und Bauch* hat der *Suhrkamp Verlag* jetzt in die Festschrift zum 90. Geburtstag seines Autors übernommen. Karola erzählt lachend, sie hätte sich bei Ernst erkundigt, ob er tatsächlich, wie im Widerspruch nachzulesen, eine Studentin in Leipzig gefragt hätte, ob sie mit ihm schlafen wolle. Bloch darauf: Eine Studentin? Mit allen wollte ich schlafen.

Wir amüsieren uns wegen dieser Schlagfertigkeit so laut, daß die Gäste der Nobelabsteige im Taunus erstaunt von Pariser Apfelkuchen und Mokka aufsehen. Der dunkelhäutige, aufmerksame Ober eilt herbei: Herr Professor? Irgendwelche Wünsche? Ich habe leider keinen Hunger, sagt Bloch und zu uns: Möchtet ihr noch etwas essen oder trinken? Ich bleibe gern noch ein wenig sitzen, fühle mich wohl in eurer Gesellschaft. Wir sind ebenfalls rundum zufrieden. Mag Maihofer nicht und Strauß doch gratuliert haben, neunzig produktive Jahre sind neunzig produktive Jahre, und ich erinnere mich des 80. Geburtstags in Tübingen, wo sich die Geburtstagsgrüße häuften mit der Floskel: Wir wünschen Ihnen alles Gute, vor allem Gesundheit, und Bloch mit der ironischen Frage reagierte: Was soll das heißen, vor allem Gesundheit? Was nützt einem Gesundheit, wenn man sonst ein Idiot ist?

1977: Das Begräbnis

Bei der Beerdigung auf dem Tübinger Bergfriedhof dachte ich, jetzt wäre die richtige Zeit für Bloch, sich mit der Tabakspfeife im Anschlag zurechtzusetzen und eine tiefgründige Geschichte zu erzählen.

Er hatte immer eine Fülle von Fabeln, Gleichnissen, Exempeln und Anekdoten zur Hand, und da ich ihn über Jahre hinweg oft erlebt und sehr genau studiert hatte, war ich nach einer gewissen Zeit versucht, die Wiederholungen ärgerlich zu finden. Denn natürlich wiederholten sich die Geschichten. Kein Fundus ist unerschöpflich, und es erging dem, der mit Bloch vertraut war, mitunter wie einem Menschen, dem ein Witz erzählt wird, der ihm nicht neu ist.

Für mich war das ein Grund, meine Haltung zu ändern, und ich beobachtete, Bloch benutzte die uns wohlbekannten Exempel meist nur vor einem neuen Auditorium, so wie er uns anfangs zum zuhörenden Nachdenken gebracht hatte. Ich bewunderte dabei die nicht nachlassende Energie des Denkers, der sich damit als exemplarischer Geschichtenerzähler auswies. Er konnte eine Fabel zum tausendsten Mal bringen und war doch voll bei der Sache. Auch veränderte

er hier ein Wort und dort einen Satz und endlich die Bedeutung. Er variierte. Wobei er seine Zuhörer entzückte und
selbst auf die dümmste Frage so gern und voll einging, daß
der Frager sich klug vorkam.

Bloch konnte unvermittelt zürnen, wenn er in seiner
Rede auf alte Gegnerschaft stieß oder bei Menschen, denen
er mehr zutraute und die er schon längere Zeit kannte, intellektuelle Trägheit feststellte. Dann zogen sich seine Züge
zusammen zur scharfen Sauerbittermiene, und es hagelte
Verwünschungen. Am schönsten waren die Leipziger Nächte, wenn wir in Blochs Haus um ihn versammelt saßen und
die Notwendigkeit von Erläuterungen und Unterweisungen
entfiel. Der Alte, damals schon auf die Siebzig zugehend,
präsidierte in statuenhafter Raucherhaltung inmitten des
Kreises, und wenn er erzählte, hakten wir anschließend
sofort ein. Die damaligen Gespräche haben sich nie wiederholen können, vielleicht weil später eine Runde so lang-
jähriger Freunde fehlte, vielleicht auch, weil abhanden kam,
was wir bis zum Herbst 1956 in Leipzig noch besaßen: den
Hoffnungsglauben an die Möglichkeiten des Sozialismus
im Sozialismus.

Ein Jahr später gab es einzelner Äußerungen wegen, die
aus diesem oder jenem Anlaß publik und der Obrigkeit zugetragen wurden, langwierige Untersuchungen und juristische Verfahren. Da hatten wir in der Zeit zwischen Stalins
Tod und dem Ungarischen Oktober ganz andere Ketzereien
gedacht und formuliert. Mag sein, die Kunde davon war
auch bis zu den Kontroll-Ohren gelangt, was vielleicht die
mißtrauischen Reaktionen der Partei erklärt, eingeschritten
aber waren die Staatsorgane nicht, wie sie dann ab Herbst
1956 einschritten – so hatten wir über Jahre hinweg außer-
ordentliche Privilegien genossen und nahezu ungehindert
laut denken dürfen, und dies gar im nicht unbeträchtlichen
Kollektiv.

Es mag ungerecht sein, dürfte aber am Fehlen dieser
besonderen Situation liegen, wenn ich Bloch im Westen
nicht mehr als derart spannend und aufregend empfand.
Seinem Reflektieren fehlte der Bezug auf die Lage. Es gab
keine Transmissionsriemen, die das Blochsche Denken auf
die Realität übertrugen. In Tübingen schrumpfte Bloch zum
Fabulierer ein, nicht weil er nur mehr fabulierte, sondern
weil seine Gedanken den Modus des objektiv-real Mögli-

chen eingebüßt hatten. Insofern, aber auch nur insofern scheint mir Wolfgang Harichs Klage berechtigt, wonach Bloch nicht hätte in den Westen gehen dürfen. Die Professoren haben unseren Universitäten die Phantasie ausgetrieben, Bloch war ein akademischer Phantast und nur deshalb ein so phantastischer Akademiker. Die Lehre war bei ihm völlig zur Methode geworden. Wie er, so müssen früher die großen Erzähler gewirkt haben: elektrisierend, beunruhigend, skandalös, unglaubhaft glaubhaft wie glaubhaft unglaublich. Ich kenne nur wenige Menschen, die so sind. Sie sind es nicht an einer Universität. Blochs akademische Laufbahn war nur als Ausnahme möglich. Er erhielt den ersten Lehrstuhl in einem Alter, in dem andere pensioniert werden, und zählte vierundsechzig Jahre, als er in Leipzig antrat. Statt in Rente zu gehen (er war weder rentenversichert noch pensionsberechtigt bis dahin), schuf er, in weiteren achtundzwanzig Jahren, ein Werk, wie es heute keiner mehr zu vollbringen vermag. Er war die Ausnahme. Die Regel ist grau.

Unsere Epiker begehen einen Fehler, wenn sie ihre Erzählhaltung einnehmen und wie die Alten raunen. Uns kommt's nur so vor als sei Epik gleich Raunen. Die großen Erzähler früher wirkten durch ihre zupackende, unschickliche, deflorierende Methode. Sie stürzten Tabus. Den Nachkommenden erscheinen die vormaligen nicht mehr als gegenwärtige Tabus. Sie sind unfähig zu begreifen, was die Leser und Hörer vordem aufgerührt hatte. So stellte sich mit der Zeit ein falscher Begriff von Erzählkunst her. Man vermeinte, die raunenden Stimmen seien es. In Wirklichkeit waren es Regelverletzungen, neue, also skandalöse Inhalte, subversive Formen mit Bedeutungsverschiebung. Bloch war den östlichen Kommunisten subversiv. Im kapitalistischen Westen wurde er zum Rauner degradiert.

Wer ihn wirklich erfassen will, muß seine Subversionen verstehen lernen. Blochs Geschichten hatten die Doppelfunktion, den Zuhörer anzuziehen und gleichzeitig auf Distanz zu halten. Was dem Neuling gewidmet sein konnte als eine gleichsam pädagogische, auch hermeneutische Methode, als sokratisches, heuristisches Vorgehen, konnte paradoxerweise gleichzeitig die Funktion bekommen, Zuhörer nicht zu nahe heranzulassen. Das hängt mit Blochs Vorliebe für Geschichten zusammen. In seinen Erzählungen blitzte seine Meinung andeutungsweise auf. Zugleich verbarg und verhüllte er sie darin. Die Vorzüge des Erzählens waren Vorzüge des Erzählers. Aber auch: Die Nachteile des Erzählens wurden zu Nachteilen des Erzählers, der eindeutige Auskünfte schuldig blieb, es sei denn, man war hinreichend firm und verstand sich auf sistierendes Nachfragen.

Der Philosoph konnte darauf unwirsch reagieren, aber auch die Hartnäckigkeit des Nachfragers belohnen. Derart waren unsere langen Leipziger Nächte in Blochs Haus beschaffen. Wir setzten dem Erzähler zu, daß er sich als Denker enthüllte. Dieser Erfahrungen erinnerte ich mich, wenn ich Bloch im Westen erlebte. Wenige Male, zur Zeit der Studentenbewegung, leuchtete es auf. Später nahm er immer mehr die Pose des Märchenerzählers ein und an.

Beim 80. Geburtstag in Tübingen – 1965 – zeigte er sich in der Form eines rüstigen Sechzigjährigen. Zehn Jahre später war er physisch gezeichnet. Der Neunzigjährige bekümmerte mich. So wollte ich den Mann nicht sehen. Ein Jahr vor dem Ende fuhren Ingrid und ich noch einmal nach Tübingen. Der große Alte saß abgemattet im Sessel. Das Bild eines kranken Vogels. Hinter dunklen Brillengläsern blicklose Augen. Körperlich geschrumpft. Die Schwäche hatte Form angenommen.

Dann nannte Walter Jens ein gutes schönes Kennwort. Der Alte erwachte aus dem vorweggenommenen großen Schlaf. Wurde lebendig. Die Gestalt straffte sich. Der Kopf ruckte, und wir erlebten eine Rede wie in den besten Tagen. Es war nicht nur eine alte Platte, die erinnert und aufgelegt worden war, wenn es auch den Anschein des Vorgeprägten hatte – Bloch zeigte sich imstande, auf Einwürfe zu antworten. Wenn ich sage, es war wie in den besten Tagen, so meine ich, man mußte bei Bloch zwei Formen der Unterhaltung unterscheiden. Zum einen verführte ihn seine Fabulierlust aus lauter Kraft und Überschuß zum Monolog. Er vermochte stundenlang zu monologisieren, eben weil er überlief von Worten. Er konnte sich im Monolog auch verhärten, was ihn monomanisch machte, dann beachtete er Fragen, Einwände, veränderte Situationen und Vorbringungen nicht mehr und erwies sich als unwillig zu Korrekturen, neuen Einsichten, Erweiterung alter Erfahrungen.

Gegen Lebensende nahm das monomanische Element zu, weniger als Form von Starrsinn als von Schwäche. Man lieferte ein Kennwort, und er spulte seine Lehre dazu ab. Nur in guten Stunden und in stimulierender Gesellschaft verwandelte er sich in die alte Leuchtgestalt, verjüngte sich in den elixierenden Hoffnungsphilosophen bis hin zu Kühnheiten gleich der, daß er einem Fernsehbefrager in Kamera und Mikrophon hineindozierte, er werde das Sterben wie ein Experiment angehen: Nachsehen was das ist: Tod – Ende – und auch wenn es nichts ist (das Nichts?), so werde man eben feststellen, was dieses Nichts sei ...

Die sinnliche Folgerichtigkeit, mit der ein denkender Greis seinem Lebenswerk vor aller Öffentlichkeit die allerletzte Nuance beifügte, erschütterte mich. Es war eine unverhoffte Kühnheit, wie sie bei naiven Christen zu finden ist. Die werten Konsumenten vermerkten nichts, nahmen die Botschaft so hin wie alles, was der Bildschirm aussendet.

Wir haben ein hoffnungsloses Publikum. Wie gut, daß der Alte erblindet war und die Zuschauerschaft nicht mehr erblicken konnte.

In politisch brisanten Zeiten stand Bloch allein. Ich weiß nicht, ob es schon vorher so gewesen ist. Während der Leipziger Jahre arbeitete Karola Bloch als Architektin und hatte beruflich oft in Berlin zu tun. In diesen Tagen war er von wichtigen neuen Nachrichten abgeschnitten. Ich informierte ihn heimlich. Ein undankbares Unterfangen.

Bloch bemerkte die Schwankungen der Partei ihm gegenüber nur an sekundären Gegebenheiten, etwa, wenn sein Öffentlichkeitsbild sich änderte, die Freundlichkeit führender Personen nachließ oder bei Publikationen geheimnisvolle Verzögerungen auftraten. Weil er nicht der SED angehörte, blieben ihm Auseinandersetzungen und Kämpfe innerhalb der Parteiorganisationen verborgen. Was in den wichtigsten Leitungen geschah, entzog sich nicht nur seiner Kenntnis, sondern auch seinem Verständnis. In diesen Fragen war er ahnungslos bis zur Naivität.

Anfangs unterrichtete ich ihn zu undosiert darüber, was die Partei beschlossen hatte, etwa wenn es darum ging, nicht nur SED-Schulungen, sondern auch Vorlesungen in bestimmten Fächern am Philosophischen Institut so zu halten, daß die Akzente sich gegen Blochs Lehrveranstaltungen richteten, wodurch die Studenten seinem Einfluß entzogen werden sollten. Erzählte ich ihm davon, so hörte er sich zwar alles ganz ruhig an, doch Stunden später übermannte ihn der Grimm derart, daß er alle möglichen Leute anrief oder zu sich beorderte. In der Empörung über die gegen ihn angezettelten Intrigen verriet er nur zu leicht, was ich ihm mitgeteilt hatte und diejenigen, denen er sich anvertraute, waren nicht durchweg zuverlässig.

Bald war klar, daß Bloch von irgendwoher Details zugetragen wurden, die er nicht wissen sollte. Man begann nach undichten Stellen zu suchen. Allzuviele Genossen kamen nicht in Betracht. In der Folgezeit war ich gezwungen, vorsichtiger zu sein. Im anbrechenden Tauwetter fanden sich endlich mehrere, die den Philosophen gegen die sich abzeichnenden Angriffe zu schützen suchten. Wir verabredeten uns und informierten Bloch reihum. Das brachte den Vorteil, daß nicht mehr nur einer in Verdacht geriet. Allerdings setzten wir uns so dem Vorwurf feindlicher Gruppenbildung aus, in den Augen der Partei ein schweres Vergehen und hochriskant für jeden Genossen. Es war grotesk. Eine Handvoll parteizugehöriger junger Wissenschaftler und Studenten suchten ihren in aller Welt als Kommunisten bekannten Professor gegen eben diese Partei in Schutz zu nehmen, der sie angehörten, nicht aber der Professor, der wiederum von der Parteiwirklichkeit so wenig durchschaute, daß er uns ständig gefährdete, weil er in seinem verständlichen Zorn sein von uns übermitteltes Wissen absolut untaktisch zu nutzen suchte.

Wie der *Spiegel* mitteilte, erhärten neueste Forschungsergebnisse die Vermutung, Hegel habe seine Vorlesungen im Drogenrausch gehalten, weil seine spezielle Schnupftabakmischung mit Cannabis indica versetzt war. Nun dürfte sich so manches rauschhafte Erlebnis bei näherem Hinsehen als Drogenfolge offenbaren, und was Bloch betrifft, ist ihm Haschisch nicht unbekannt gewesen, denn Lukács und er stellten in jungen Jahren Selbstversuche damit an.

Was allerdings die mitreißenden, berauschenden, befeuernden Blochschen Vorlesungen und Erzählstunden angeht, so hatte er Drogen nicht nötig. Es war etwas an ihm, das übers Hirn ins Herz traf. Jedenfalls bedurfte es klaftertiefer Dummheit, Bloch zuzuhören und unbetroffen zu bleiben. Das brachten nur Leute fertig, die gänzlich anders lebten, dachten, fühlten und den Eintritt in die fabelhaften Reiche nicht schafften. Die Wirkung Blochscher Lehre war derart stark, daß man sich hernach schüttelte, den Schock mit abzuschütteln.

Wir fragten uns betroffen, ob wir denn von Sinnen seien. Als bemühte Materialisten sahen wir uns gravierenden Neuheiten, ungewohnten Interpretationen gegenüber und argwöhnten endlich, es ginge nicht mit rechten Dingen zu. Die Schuld daran suchten wir nicht in unserer Unwissenheit, sondern bei dem, der uns die Augen zu öffnen versuchte.

Zweifellos ist vieles an Blochs Philosophie von der Art Unüberprüfbarkeit, die dem Rationalisten und Empiriker Unwohlsein beschert. Ich weiß noch genau, wie ich mich zu Blochs 70. Geburtstag in Leipzig mit Wolfgang Harich darüber verständigte, daß wir die gerade entstehende Hoffnungsphilosphie einmal genauer untersuchen müßten, um mehr Sicherheit im Urteil zu gewinnen.

Im Jahr darauf, als ich Harich im *Aufbau-Verlag* traf, hatten wir in kurzer Zeit einige Gesichtspunkte benannt, die wir als wesentlich für die Fortentwicklung des Marxismus ansahen. Doch die Arbeit unterblieb. Die Geschichte hatte etwas anderes vor. In Ungarn wütete der Oktober-Krieg. Hernach waren wir in der DDR abgeschaltet. Harich ließ sich auf heikle und unkluge Westunternehmen ein, die ihn ins Zuchthaus brachten. Ich habe ihn nie wiedergesehen und verließ die ungastliche DDR.

Mitunter mißfallen mir die kulturanalysierenden Passagen in Blochs Werken, weil sie zuviel »Hochkultur« enthalten und zu wenig »Underground«. Die nachlassende Sehkraft des Alten schränkte mit zunehmenden Jahren die Lektüre ein und damit die Kenntnisnahme neuer Literatur. Die fast völlige Blindheit ließ Bloch auf fremde Augen angewiesen sein. Das eigene Entdeckertum lag brach. Reporterhaftes Aufspüren, wie es das Buch *Erbschaft dieser Zeit* noch auszeichnete, entfiel. Bloch wurde gegen Ende hin immer mehr Kopf-Mensch. Es kommt darauf an, dem alten Bloch den jungen entgegenzuhalten, nicht wegen der Einsichten, aber wegen der Seh-Schärfe. Neues, das er auch in späten Jahren noch im Werk verarbeitete, war intellektuell vermittelt. Es fehlen Naturalismus, direkter Kontakt mit den Realitäten, ungefilterte Erfahrung.

Als ich Bloch kennenlernte, zählte er siebenundsechzig Jahre und war nur blind, wenn er wollte. Es gab Leute, die er bei jeder Begegnung anrempelte. Er entschuldigte sich mürrisch, packte seine Pfeife fester und rannte gegen den nächsten Menschen. In *Auerbachs Keller* sprach er einen schwarzbejackten Kellner an und bestellte seine Lieblingsspeise Bockwurst. Der Kellner, in Wirklichkeit ein Universitätsprofessor wie Bloch, aber extrem schwerhörig, schob dem sehschwachen Bloch das breite Ende seines Hörrohrs hin und schnaubte: »Wie bitte?« Daraufhin klopfte Bloch seine Tabakspfeife im Hörrohr aus. Weil ich an meinem zweiphasigen Lachanfall zu ersticken drohte, erkundigte Bloch sich verdrossen nach dem Anlaß meiner unstillbaren Heiterkeit.

»Das waren zwei Szenen aus einem Film von Chaplin«, sagte ich.

Daraufhin begann Bloch den Chaplin-Film *Modern Times* derart exakt zu beschreiben, daß mir mein Gelächter im Halse stecken blieb. Wer einen Film so gut kannte, mußte ihn genau gesehen haben. Ich kriegte nie heraus, wieviel von Blochs Blindheit echt und wieviel gespielt war. In den letzten Jahren sah er wohl wirklich nicht mehr. Ein Vierteljahrhundert zuvor aber gab es Situationen, in denen er seine damalige Kurzsichtigkeit bis zur vorgespiegelten Blindheit übertrieb.

Als er mir in Tübingen mehrfach in kurzen Zeitabständen sagte, ich käme ihm immer vor wie ein Mann, der schon dreimal verbrannt worden ist, und ich zurückfragte, wann er diesen Eindruck das erste Mal gehabt habe, antwortete er blitzgeschwinde: 1952.

Sollte diese Auskunft stimmen, muß er zum damaligen Zeitpunkt noch sehr gut gesehen haben. Mein direkter Umgang mit Bloch, der uns öfter nahe aneinanderrückte, begann erst im Januar 1953. Im Jahr zuvor hatte es nur zwei oder drei Situationen gegeben, in denen die Distanz auf das einem Kurzsichtigen Erfaßbare schrumpfte.

In Blochs Vorlesungen hatte ich einen Stammplatz, von dem aus es an die zehn Meter bis zum Katheder sein mochte. Folglich muß er mich auf diese Entfernung erkannt haben, und das paßt nun wenig zur ansonst gern zur Schau getragenen Beinahe-Blindheit. Entsinne ich mich recht, gibt es bei Schopenhauer eine Stelle, wo er von der Notwendigkeit spricht, eine kleine Schwäche besonders hervorzukehren. Die Kurzsichtigkeit übertreiben heißt auch, seine

Umgebung in Sicherheit zu wiegen und sie dabei zu beobachten. So lernt man Menschen kennen.

Jede unserer Schwächen, die wir betonen, sichert uns einen Freiraum und kann zur Stärke werden. Philosophieprofessoren lehren Philosophie. Philosophen leben Philosophie. Den Unterschied pointierte Bloch bei verschiedenen Anlässen.

Es muß 1954 gewesen sein, als er die Vorlesung unterbrach und seine Zuhörer um ihre Meinung darüber bat, ob sie bei einem Philosophieprofessor oder bei einem Philosophen hörten. Die Frage war so bissig gestellt, daß niemand eine Antwort wagte. Was nur wenige wußten: Zur gleichen Zeit sollte Bloch schon einmal öffentlich angegriffen werden. Plötzlich wendete sich das Blatt: Statt der Attacken gab es 1955 den Nationalpreis.

Im *Caffebaum* in der Goethe-Ecke verspeiste Bloch eine Bockwurst mit soviel behaglichem Ungeschick, daß die Pelle in großen Fetzen aufs Tischtuch flog. Die ringsum sitzenden Kommilitonen rissen die Augen auf. Ein so gebildeter Mann und so wenig Eßkultur! Bloch war blind genug, die Blicke der Umsitzenden nicht zu bemerken, wie die seine Heiterkeit nicht wahrnahmen, obwohl sie weder blind waren noch Blindheit vorspiegelten.

Harich wurde von Bloch gern tituliert als »mein sehr begabter junger Freund Wolfgang Harich«. Unter vier Augen gefiel Bloch sich darin, die Auszeichnung etwas abzurunden mit den anschließenden Worten: »Mein sehr begabter Freund Harich, der Schlawiner ...«

Das war im selben Ton, höchst respektierlich und anerkennend gesprochen und auch so gemeint. In Tübingen allerdings habe ich Bloch die früher gern benutzten Koseworte nicht mehr anwenden hören. Wolfgang Harich gegenüber reagierte Bloch jetzt deutlich unsicher. Die politischen Entfremdungen hatten in die individuelle Beziehung durchgeschlagen.

Nach Blochs Beerdigung trat ein kleiner, junger, bebrillter Mann auf mich zu und behauptete, ich hätte Herrn Ponto beleidigt. Ich war mir beim besten Willen keiner Schuld bewußt.

»Sie sind doch Herr Dutschke!« sagte der junge Mann. Wahrheitsgemäß verneinte ich.

Zögernd verhielt mein Belästiger, unschlüssig von einem Bein aufs andere tretend. Offensichtlich glaubte er mir nicht. Da ich mich partout nicht zum Dutschke machen lassen wollte, beteuerte ich nochmals, Rudi zwar zu mögen, aber nicht zu sein. Weil auch das nichts verschlug, riet ich grob: »Kaufen Sie sich doch 'ne neue Brille!« Das leuchtete dem Jungen ein. »Ja«, sagte er, »ich ließ sie seit drei Jahren nicht überprüfen.« Er meinte damit zwar nicht seine Brille, sondern seine Augen, aber im Falle so beharrlicher Fehlsicht ist man auch mit der ungefähren Einsicht schon zufrieden.

Vor der Kapelle des Bergfriedhofs in Tübingen erstreckt sich ein weiträumiges terrassiertes Rondell. Lange vor der Bestattung Blochs füllte es sich mit Massen junger Menschen. Schweigend harrten sie aus, während in der Kapelle drinnen die Trauerreden gehalten wurden.

Hernach, auf dem Weg zum Grab, mischten sich die jungen, meist buntgekleideten Leute mit den dunkelgewandeten Trauergästen. Bloch hätte sich an der Mischung wohl gefreut. Wir standen lange im Gedränge, Abendroths, Kipphardts, dazu kam noch Ingrid Kantorowicz, von der wir erfuhren, der gute Kanto sei krank und habe die weite Reise von Hamburg nicht riskieren können.

Ich dachte an die schönen kleinen Geschichten von Kanto, die unter dem Titel *Meine Kleider* in der DDR erschienen waren. Darunter die Story vom unverwüstlichen Mantel, den Kanto in Italien von Bloch erhalten und dann durch Spanischen Bürgerkrieg und Emigration getragen hatte.

Als wir endlich ans offene Grab treten konnten, war der Sarg unter den hinabgeworfenen Blumen schon nicht mehr zu erkennen.

Die gängige DDR-Formel »Eingeschreint im Herzen der Arbeiterklasse« hatte Bloch gern zitiert, wenn er über das Nach-dem-Tode philosophierte. Ich war derlei Versuchen einer konstruierten Ewigkeit gegenüber stets abgeneigt. Meinem Realitätsverständnis entspricht die Theologie des ewigen Lebens nicht. Ich bin schlicht ungläubig. So nahm ich Blochs Worte lediglich im materialistischen Sinne – ein Schriftsteller lebt in seinen Büchern fort, falls sie gelesen werden sollten, insofern stirbt er tatsächlich nicht. Es widerstrebt mir, daß uns der verdammte Tod und seine Tragik genommen werden. Ich beharre auf meinem Ende. Wir sollten uns darauf verstehen, es mit seiner anschließenden Ruhe auszukosten wie die vorangegangene Unruhe.

Darin wiederum traf ich mich mit Bloch, der nun das letzte große Experiment unternommen hatte, die Kategorie des Noch-Nicht ins Nicht-Mehr zu verwandeln. Es fällt mir nicht schwer, mir vorzustellen, wie er beharrlich aus der Grube heraus das angesponnene Denken weiterführt, beharrlich, denn Aufhören wäre für den Optimisten eine unerträgliche Widerlegung.

Ernst und Karola weilten gerade zu Besuch im Westen, als die DDR sich 1961 kriegerisch einfriedete. So fiel der Entschluß zur Emigration leichter. Man hatte Leipzig verlassen in der Erwartung zurückzukehren. Die Abreise erhielt erst im Nachhinein endgültigen Charakter. Der Schock bewußten Fortgangs blieb erspart. Aus einer zeitlich begrenzten westlichen Besuchsreise wurde das Dilemma des Tübinger Daueraufenthalts.

Wir haben Blochs Weggang aus der DDR nie gänzlich verarbeitet. Er selbst wohl auch nicht, wie sich in den endlosen Gesprächen und Debatten über das Ost-West-Verhältnis zeigte.

Wolfgang Harich macht es sich zu einfach, wenn er die dritte Emigration Blochs im Nachhinein als falsch bezeichnet. Er mag nicht recht ermessen können, was die fünf Jahre verordneter Schweigsamkeit für den Philosophie-Rhetor Bloch bedeutet haben – eben die Zeit von 1957 bis 1961, in der er noch in Leipzig lebte, aber das Philosophische Institut nicht mehr betreten durfte. Wer will denn wissen, ob sein Werk in der Stickluft an der Pleiße so hätte weiter gedeihen können.

Zwar hatte Bloch auch in der amerikanischen Emigration unter widrigsten Bedingungen geschrieben. Amerika kümmerte sich nicht um den Denker. Es nahm ihn nicht zur Kenntnis. Das mag beleidigend sein und wie denn auch nicht. Immerhin war es die Unkenntnis eines intellektuell unterentwickelten kapitalistischen Landes.

Die DDR, die den Philosophen ab 1957 erst bekämpfte und dann immer mehr zur Unperson verdammte, war weder kapitalistisch noch intellektuell unterentwickelt. Wenn diese DDR Ernst Bloch abstrafte, lag darin eine bewußte Kampfmaßnahme.

Bloch war kein Biermann, der aus seiner zernierten Wohnung heraus revolutionäre Lieder hätte singen können. Wir müssen die dritte Emigration des Denkers leider für ebenso gerechtfertigt halten wie die erste.

Bei der ersten zählte er zweiunddreißig Jahre. Bei der zweiten waren es achtundvierzig, bei der dritten sechsundsiebzig Jahre. Welch ein Sozialismus, der einen fast achtzigjährigen Denker in die Fremde zwingt.

Mein Buch *Ärgernisse* hatte Bloch noch in Leipzig kennengelernt. Es war dort nicht unbemerkt geblieben. Man lancierte die üblichen Bösartigkeiten in die Presse. Ich, damals noch überempfindlich, reagierte darauf mit Bösartigkeiten. Als müßte der einzelne Marxist nicht weiser und tausendfach friedfertiger sein, verglichen mit dem Truggebilde des marxistischen Staates.

Harich bekam von alldem wenig oder nichts mit. Er saß in Bautzen und büßte seine politischen Unvorsichtigkeiten ab. Ich hatte, solange ich Bürger der DDR gewesen bin, nie Verbindung zu westlichen Institutionen aufgenommen, geschweige mit dem SPD-Ostbüro. Nachdem ich in Westberlin ansässig war, arbeitete ich ganz bewußt kurze Zeit für das Ostbüro und lernte einige seiner führenden Leute kennen.

Ich erfuhr hier, wie man Harich behandelt hatte. Der war tatsächlich eines Morgens ganz naiv in ihrem Westberliner Besuchszimmer erschienen und wurde von einem subalternen Funktionär weggeschickt mit der Weisung, andern Tags wiederzukommen. Er kam wieder. So lief Harich offen und mit faustdicker Ehrlichkeit in die aufgestellten Fallen des Kältesten Krieges.

Zum Dank fälschte das SPD-Ostbüro später noch viele Worte, die Harich vor dem DDR-Gericht gesprochen hatte. Das alles brachte ich erst Jahre später in Erfahrung, und es ließ mich mit dieser SPD, der ich mich angenähert hatte, soweit brechen, daß ich mich fortan nur noch als ihr Wähler verstand, nicht mehr als ihr möglicher Genosse.

Als Blochs in den Westen gekommen waren, gab es allerhand aufgeregte Korrespondenz. Jetzt, da die Nachricht von seinem Tode eintrifft, lesen wir in den Briefschaften. Eine aufschlußreiche Lektüre, die vieles in Erinnerung ruft.

Günter Zehm, noch nicht so weit abgedriftet, aber schon auf dem Sprung, der Rechtsaußen der Schule zu werden als gelte es, die weiland Hegelianer in ihrer linken und rechten Spaltung noch zu übertreffen, Zehm erschien animiert bei uns in Köln und malte aus, wie er Bloch begegnet sei in Frankfurt. Man fuhr zusammen im Lift, »Bloch mit Aktentasche und unter einem verwegenen Hut, machte Antrittsbesuche, ganz freier Schriftsteller«, verwunderte Zehm sich, damit das Äußere und Auftreten des alten Lehrers schildernd. Er hatte Bloch nur als wohlbestallten Professor in Erinnerung. Jetzt war der Professor zurückverwandelt in seine frühere Gestalt. Vierundsechzig Jahre war er alt geworden, bis er einen Lehrstuhl erhalten hatte. Mit sechsundsiebzig stand er im Goldenen Westen, seines Lehrstuhls ledig. Ein freier Autor. Wenn das keine Karriere ist.

Zehms Erstaunen, seinen Leipziger Professor im Westen als freien Schriftsteller anzutreffen, erstaunte wiederum mich. Blochs Verankerung in einer Universität mochte als späte Wiedergutmachung gelten. Viele der akademischen Linken waren in der Weimarer Republik vom Lehrgebiet ferngehalten, von den Nazis verfolgt und nach Kriegsende in der Bundesrepublik mit Distanz, wo nicht gar Ablehnung behandelt worden. Der Leipziger Lehrstuhl war eine achtbare Leistung der DDR. Sein Entzug ein Widerruf der Leistung. Im Grunde genommen fand Bloch sich nach Leipzig wieder in seinen vorherigen Stand des freien Schriftstellers zurückversetzt, ganz wie Marx, der lebenslänglich in den Nöten der Freiheit hatte existieren müssen. Als Bloch dann in Tübingen nochmal zu Lehrstuhle kam, führte das prompt zu allerhand Merkwürdigkeiten.

In der Tübinger Friedhofskapelle hing auch ein Kranz des Ministerpräsidenten Filbinger. Wie paßt das auf Bloch? Es paßt gar nicht, zählt aber zur Geistesgeschichte.

Zur Tübinger Gastprofessur:

Ich habe nie recht begreifen können, wie sie zustande kam. In der DDR stand der Lehrstuhl für Bloch in Leipzig. Das ist jedenfalls nicht Hauptstadt. In der BRD hatte man gar keinen Lehrstuhl frei, dafür gibt's gute Gründe. Oder schlechte. Wenn aber schon Gastprofessur, warum dann nicht Westberlin oder Frankfurt? Näher an den Orten des Geschehens. Mag sein, die fürsprechenden Freunde fanden im abgelegenen Tübingen den guten Willen, der anderwärts nicht anzutreffen war. Bloch fühlte sich in Tübingen erstaunlich wohl. Anfangs gehörte zum Besuchsritual ein Spaziergang den Neckar entlang, ganz in der Nähe des Hauses, wo er zur Miete wohnte mit Frau Karola.

Die auch von mir einmal geäußerte Meinung, Bloch sei schwach in der Analyse gewesen, ist zu revidieren. Er blieb bei der Analyse, die er sehr wohl zu leisten verstand, nie stehen, weil das zur Paralyse führt. Vielleicht liegt hier seine wichtigste Lehre: Einen Gegenstand gnadenlos analysieren und dann mit Tendenz Zukunft, also Phantasiehilfe verändern. Die SPD wagte dies einmal, als sie ihre neue Ostpolitik ansetzte. Hernach verlief alles im alten Schlendrian.

Was hätte diese Partei von Bloch lernen können. Sie wollte es ebensowenig wie die SED – eine traurige Gemeinsamkeit. Bloch war unpolitisch in dem Sinne, daß er das gesamte Parteienwesen entweder nicht kannte oder nicht akzeptierte. Er war unideologisch in dem Betracht, daß er den Marxismus dort vorantrieb, wo er existentielle Leerstellen aufwies. Allerdings sparte der Philosoph die konkreten Verwirklichungsfragen aus und war sich dessen bewußt. Bis 1953 etwa hatte er sich beholfen, indem er die Oktoberrevolution und Lenin bejahte, angeschlossen ein Sichabfinden mit Stalin. Dessen Tod und der nachfolgende XX. Parteitag hatte dem Leninismus-Stalinismus Kopf und Beine weggeschlagen. Die fällige Kritik leistete Bloch von Tübingen aus, doch blieb sie sporadisch, wurde nicht essentiell und methodisch. Immerhin waren um die Mitte der fünfziger Jahre die Fragen aufgetaucht: Ob, was an Entstellungen geschah, nicht im Marxismus bereits angelegt sei, als Geburtsfehler und nicht allein spätere Entfremdung. Marx ab ovo so in Frage zu stellen, ist gefährlich. Aber notwendig. Die Marxisten dürfen sich nicht weiterhin davor drücken. Lieber eine Korrektur von Klassikerweisheiten als der Untergang des Sozialismus, der auch untergehen kann, indem er sich so nennt und gar nicht erst aufzugehen versteht. Bloch hielt bis zuletzt fest an der Oktoberrevolution als Ereignis und verstand sie in Analogie zur Großen Französischen Revolution als nicht eingelöstes Versprechen.

Tübingen – Ingrid und ich fanden kein Verhältnis zu dieser Stadt. Eigentlich mag ich die kleinen verwinkelten Universitätsgarnisonen. Für Tübingen fehlt mir die Geduld. Schon im Abbiegen von der Autobahn bei Stuttgart wurde mir unwohl. Die dreiunddreißig Kilometer Bundesstraße schlugen auf den Magen. Eine kreuzgefährliche Strecke. Dann das Städtchen. Kein Vergleich mit Leipzig. Immerhin Zuflucht. Woanders fand sich keine. Bloch sprach nur zu gern vom großen Tübinger Dreigestirn: Hegel, Schelling, Hölderlin. Ich mußte mir auf die Zunge beißen, damit der Satz nicht herausdrängte: Hölderlins Dahindämmern im Turm am Neckar ...

Die Idylle fand ich nicht ersprießlich. Das Städtchen ist gesellschaftlich völlig intakt, also von Hierarchien, ihren Konkurrenzen, Ritualen und Klatsch beherrscht. Nur reißen sie die Straßen und Gehwege auf wie anderswo, und in den Fußgängerzonen gerät man leicht unter die Autoräder. Die vielen guten und intelligenten Gesichter fallen angenehm auf. Schließlich, last but not least, hatten Blochs auch Inge und Walter Jens dort in Tübingen.

Zum klassischen Repertoire Blochs gehörte das Lied der Seeräuber-Jenny. Erstmals genoß ich die Vorstellung im sommerlichen Garten des Leipziger Hauses und bestaunte den singenden Philosophen.

Später delektierte ich mich am Staunen der anderen. Zu sehen, wie jemand Erfahrungen nach uns macht, stimmt heiter. Über ein Vierteljahrhundert durfte ich mich dabei amüsieren, Annäherungen an Bloch zu beobachten. Die Menschen reagierten sehr unterschiedlich auf ihn. Es war stets spannend. In der Art und Weise, wie jemand auf Bloch antwortete, verkenntlichte sich sein eigener Charakter. Die väterliche Wirkung, von der gesprochen wird, ich benutzte den Ausdruck auch manchmal, geht zu sehr von der zuletzt vorherrschenden Optik aus. Mindestens schwingt in »väterlich« eine Milde mit, deren Bloch fähig war, die ihn aber nicht essentiell bestimmte. Dafür war er zu männlich und zugleich weiblich-sensitiv, wie seine Pointierung der Mater-Materie zeigt. Bloch war ein verwegener Abenteurer, wie Kinder ihn lieben, also weniger Vater als großer Bruder mit nicht auslotbarer Phantasie: Kraft, Gefahr und Gefährdung.

Man übersehe doch nicht den Mann, den der zuletzt visuell hervortretende Greis verdeckt. Es ist ungerecht, die Großzügigkeit eines Lebens, dem so viele Jahrzehnte zugemessen waren, dadurch zu verkleinern, daß wir nur die zum Ende hin angenommene Form betrachten. Das hohe Alter sollte die früheren Staturen in unser Gedächtnis zurückrufen. Ein Mensch ist nicht das, was wir in den letzten Tagen erblicken. Die Leiche im Sarg wiegt ein ganzes Leben nicht auf und nicht ab. Wie der marxistische Experimentator auf den Tod zuging, als gelte es eine tiefe Höhle zu erforschen, so hatte er vorher Lebenserforschung betrieben. Wer mit ihm zu sprechen verstand, also das Zuhören und Zugreifen, der spürte, dieser große Bruder hatte unerhörte Kühnheiten zu bieten. Nicht ein gelehrtes Buch macht uns Eindruck. Nicht die akademische Kamarilla, sondern die Art und Weise, mit der Bloch Erfahrungen zur Selbsterfahrung werden ließ. Es ist der ewige Unterschied zwischen Lehre und Lehrer. Die Lehre kannst du aus Büchern holen. Den Lehrer ersetzt die Lehre nicht. Insofern lebt einer nicht gänzlich fort in seinen Werken. Die Metamorphose mißrät noch im Gelingen. Sei stolz auf dein Werk, Mann, aber vergiß nicht, vor den Knochen modert schon das Fleisch.

Daß Bloch von Tübingen aus den konkreten östlichen Sozialismus härter hernahm, war eine Folge der Ausdrucksfreiheit. In Leipzig hatte er darauf beharrt, daß die Kritik am Sozialismus nur vom Boden des Sozialismus geschehen dürfe.

Ich halte beides für legitim. Keiner ist frei genug, zu jeder Stunde alles und offen zu sagen. Wer weiß denn, ob wir unter all den vielen Kränzen unseren Ernst Bloch noch fänden. Wolfgang Harichs Adresse an den der DDR Entlaufenen stand in Gefahr, eine Einladung zum Ersterben vor dem Tod zu sein. Ob einer dazu den Hut zieht oder die wirkungslose westliche Freiheit wählt, ist eine Frage des Charakters oder der Taktik.

Es haben welche in der DDR ihr Haus gebaut. Viele wohnen dort. Viele gingen fort. Vom Westen aus erwählten sich manche die DDR zur Heimat. Es kommt immer auf das Maß von Beleidigungen an, das ein Staat austeilt. Immerhin haben die Deutschen die Möglichkeit zu wählen, von welchem Staat sie sich beleidigen lassen wollen. Es gibt viele Wege, Beamter zu werden.

Bloch war nicht allein Philosoph. Er war auch Professor. Wer zu dicht an ihn heranrückte, wurde zum Wasserträger. Ich merkte das früh und suchte auf der Grenze zwischen Nähe und Distanz zu bleiben. Zehm war zu nahe und konnte sich danach nur durch die übliche Geste des Vatermords befreien. So brachte er für sich erst Sartre und hernach Bloch um, die beiden Ziehväter, und machte sich frei zur scharfen Rechtskurve bei Springers *Welt*.

Ich war auf der Hut, nie Anbeter, nie Abtrünniger. Als Bloch Ingrid und mich bei der ersten Geburtstagsfeier in Tübingen mit dem Satz: »Ah, meine entlaufenen Schüler!« begrüßte, dachte ich, ich konnte dir nicht entlaufen, ich bin es nie gewesen.

Er liebte die Sarkasmen als Zeichen besonderer Freundschaft.

Auch dies eine Erfahrung: Solange du den Mächtigen untergeben scheinst, erhöhen sie dich. Sobald du deine Freiheit verlangst, beginnen sie dich einzugraben. Sie brauchen dich nicht zu töten. Sie schaufeln dich einfach zu. Bis du von der Erdoberfläche verschwunden bist. Unperson, weil unsichtbar. Wer blickt von den stolzen Höhen schon so weit nach unten hinein.

Bloch untergruben erst die Nazis. Hernach die Genossen. Es ist nicht entschieden, wer in Tübingen siegen wird. Die Totengräber oder die schon immer Eingegrabenen. Jedenfalls haben wir einen tüchtigen Freischaufler. Er wird ihnen subversiv kommen. Noch vom Friedhof her. Als er von seinem in der Kapelle aufgestellten Sarg aus die teuren Kränze ringsum erblickte (im Tode wird die kreatürliche Kurzsichtigkeit aufgehoben, eine subtile Form von Negation der Negation), erscholl sein Gelächter. Es klang so gut und stark wie in den besten Tagen. Die Trauernden sahen einander an: Wer lacht denn da. Wer wagt zu lachen. Darf lachen.

Er: E.B.

In Leipzig befragte er mich nach Crimmitschau, meiner Heimatstadt. Ich schilderte ihm das Gefälle von wenigen Reichen und vielen Armen. Die klassische Topographie der Klassen.

Er nickte brummelnd, kannte sich aus in Crimmitschau, das er nie betreten hatte. Er stammte von daher. Aus Ludwigshafen. Dialektik zwischen Ludwigshafener Industrie und Mannheimer Schloß. Kulis und Kulinarien. Ich verstand, er war stets den unteren Weg gegangen. Er war, in seinen besten Stunden und Eskapaden, ganz Bitternis und Anti-Obrigkeit. Er ging nicht zu Herzen, er ging zu Kopfe, zu Magen und Galle, zu Genitalien. Er war nicht gerecht. Er war groß. Er war nicht weich. Er war hart. Es war schön, sich mit ihm zu entzweien. Es war gut, für ihn zu kämpfen und mit ihm. Er war – in den besten Zeiten seines langen Lebens – das Gegenteil eines Scheißers.

Die letzten TV-Aufnahmen zeigen einen fast erblindeten Bloch. Die Brille täuschte mehr Sehen vor als ihm zuletzt geblieben war. Er saß fest. Ein Blinder. Also schickte er seinen Geist aus, der fuhr höchstlebendig herum wie der frühe Bloch in Person. Er war ein Reisender. Gern unterwegs. Als er nur noch im Kopfe zu reisen vermochte, erhielten seine Schilderungen eine Farbe und Plastizität, über die Erblindete oft verfügen, weil sie, was ihnen optisch entgeht, an packender Sinnlichkeit gewinnen. Bis jetzt wäre das nur ein Vergleich. Das Gleichnis beginnt dort, wo wir uns Bloch vorstellen als einen, der noch gut genug sieht, sich in Person bewegen zu können, und der in unserem täglichen Erfahrungsbereich herumgeistert, um die Grenzen zu überschreiten und das jenseits unserer braven Empirie Liegende deutlich zu machen. Die Unruhe Blochs war nicht nervös, sie war solide wie das Antrieb verschaffende Uhrzubehör gleichen Namens. So handwerklich perfekt war seine Unruhe. Und verläßlich vorantreibend.

Eine Zeitlang wirkte Bloch von Tübingen aus mehr in die Kirche hinein, besonders in die katholische, als in die weltliche Linke. Ingrid prophezeite ihm, er werde noch als Kirchenvater in die Geschichte eingehen. Er kam sofort auf Origenes zu sprechen. Wir zeigten wenig Lust. Das Gespräch wandte sich anderen Dingen zu. Auf der Heimfahrt fragte ich mich verwundert, warum der Name Origenes bei uns nicht wie in Leipzig gezündet hatte.

Noch eine Wirkung erstaunt mich – Bloch scheint jetzt stark in die Schweiz auszustrahlen. Vielleicht studieren in Tübingen mehr junge Schweizerinnen und Schweizer als an anderen westdeutschen Universitäten. Ich bekomme oft Briefe aus der Alpenrepublik mit Anfragen wegen Bloch. Nach der Beerdigung, als man sich im Refektorium des Klosters Bebenhausen versammelte, waren viele Eidgenossinnen und Eidgenossen unter den Gästen. Das begreife ich nicht, während mir die Wirkung Blochs in die Kirchen hinein plausibel erscheint.

Der Bundeskanzler der BRD schrieb in seinem Beileidstelegramm an Karola, er habe Ernst Bloch noch dieses Jahr aufsuchen wollen, um mit ihm über die Utopie zu reden. Seltsamerweise fiel ihm das die vorhergehenden sechzehn Jahre nicht ein, die Bloch schon im Lande lebte. Inzwischen haben die staatlichen Empiriker der Jugend alle Hoffnungen und Utopien so gründlich ausgetrieben, daß ein Teil, in den Nihilismus abirrend, zur Waffe griff. Man hat dieser Jugend alles genommen, die Hoffnung auf eine bessere Gesellschaft, die Möglichkeiten von Reformen, die Glaubwürdigkeit des Vorbilds, und zuletzt raubte man der Jugend noch erträgliche Schulen, Universitäten und ausreichende Arbeitsplätze. Nun wird geschossen, denn der junge Mensch läßt sich nicht widerspruchslos auf Null stellen. Bundeskanzler Helmut Schmidt aber wollte mit dem Philosophen über Utopie sprechen. Leider hat er zu lange gezögert. Der Philosoph, der lange Geduld und ein langes Leben hatte, verstarb darüber. Guter Wille der SPD kommt immer zu spät, wenn er überhaupt kommt.

Heydrichs Witwe erhält von der Bundesrepublik runde fünftausend Mark monatlicher Pension. Mord zahlt sich aus im Rechtsstaat, wenn er namens des Staates in Massen geschah. Eva Braun könnte, lebte sie noch, ihre Monatsrente in mehr als doppelter Höhe abholen. Beamtenrechtlich gesehen wurde sie fünf Minuten vor zwölf Ehefrau des Reichskanzlers. So geht alles seinen rechten Gang. Als ich, kaum in der BRD angelangt, diese Dinge erfuhr, trug ich mich mit Remigrationsabsichten, obwohl die Rückkehr Gefangenschaft eingebracht hätte. Da blieb man also im westlichen Exil. Gerettet auf ein Wrack. Bloch, wenn man ihn mit solchen miesen Tatsachen konfrontierte, schüttelte entsetzt den Kopf und meinte: Haben sie gar nichts gelernt, diese Deutschen?

Ich beneidete ihn um sein Alter. Da zieht sich's leichter zurück. Man hätte aber endlich so gern mal ein Land, für das zu denken und arbeiten sich lohnte. Unsere Alternative ist, entweder an die Nachfahren Stalins oder die Hitler-Hinterbliebenen zu zahlen. Eine schöne Wahl. Mir fehlt die Altersweisheit, als legal und legitim hinzunehmen, was mörderische Kumpanei ist. Zum Teufel mit den kriminellen Handlangerstaaten.

Schon in Leipzig bestand für Bloch und seinen Kreis Klarheit darüber, daß der Marxismus-Leninismus die Fragen der Repression durch Partei und Staat – die Diktatur des Proletariats – optimal beantwortet hatte, aber nicht die des notwendig nachfolgenden Abbaus. Mit Marx und Lenin kann man den starken Staat und die diktierende Partei schaffen, aber nicht wieder abschaffen. Hier liegen die zentralen Schwachpunkte des Marxismus-Leninismus. Darin besteht auch die Berechtigung der chinesischen Kritik an Moskau. Wobei offen bleibt, wie China meistern will, woran die Sowjetunion scheiterte, als sie, ihre Räte liquidierend, vom Rätesozialismus zum Staatsbürokratismus überging.

Wenn ich sage, es herrschte darüber schon bei uns in Leipzig Klarheit, so meine ich: Wir kannten das Problem und diskutierten es. Geschrieben wurde nicht darüber. Es war zu heikel. Man muß Marxist sein oder gewesen sein, um zu begreifen, wie heikel es war und ist.

Zum Philosophen pilgert man nicht gelegentlich mal hin wie zu Diogenes in der Tonne, in obskurer Absicht oder aus plakativer Neugier. Der Philosoph, für sich allein gelassen, fällt hinter die Marxschen Feuerbach-Thesen zurück. Was er braucht, ist das Potential einer auf gezielte Veränderbarkeiten eingeschworenen Partei. Das könnte die SPD sein. Sie will es nicht.

Ihr Bundeskanzler schrieb im Trauer-Brief, Kriege dürften nicht als naturgegebene unverstandene Vernichtungskraft hingenommen werden. Statt sie zu mystifizieren, muß man sie analysieren, ihre grundlegenden Bedingungen erforschen, Korrekturen wagen. Brav gemeint. Schmidt wußte wohl nicht, wie verspätet er schrieb. Sie brauchen Schönwetter-Propheten, Jubilanten, Zum-Munde-Redner und Gutheißer. Deshalb schoben sie Bloch ab nach Tübingen, wo schon der an Deutschland erkrankte Hölderlin seinem Ende entgegendämmerte. Im Turm am Neckar. In ihren Türmen am Rhein aber regieren sie, wie das große Geld es befiehlt. Es befiehlt, was ihm nützt. Stört eine Million Arbeitsloser nicht das Wohlbehagen der Großen, wird die zweite Million es ebensowenig stören. Dann kommt eben die dritte und vierte. Mögen sie denken. Falls sie denken. Jedenfalls irren sie sich.

Kritiker wie Jochen Steffen stellen sie hin als Außenseiter. Das alles geschieht nicht zum ersten Mal in der deutschen Geschichte. Noch haben sie es nur mit ein paar bewaffneten Desperados zu tun. Wie werden sie dastehen, wenn die Hilfs-Fonds geleert sind und ein paar Millionen Arbeitslose desparat marschieren. Gegen die Deutschen Sozial-Desolaten. Mit Bild-Zeitungs-Schlagzeilen auf den Transparenten und dem lang eingeübten täglichen Faschismus im Kopf.

Man konnte mit Bloch konkrete politische Fragen bereden. Da es sich in DDR wie BRD um nicht sehr verschiedene Miseren handelte, verdüsterte sich dabei seine Miene. Das Gespräch endete meist in einem funkelnden Sarkasmus, dann ging er abrupt zeitlosere Themen an, sich augenfällig aufheiternd.

Anfangs, in der DDR, glaubte ich, dies sei seine Methode des Ausweichens. Erst später begriff ich, es gibt eine durchaus respektable Art, die Dummheiten dieser Welt zu verlassen, ohne dabei die Flinte ins Korn zu werfen. Bloch hatte Vorbehalte gegen Tucholsky. Darüber stritten wir bei verschiedenen Gelegenheiten. Bis ich begriff, Bloch hatte nicht das geringste Verhältnis zum Selbstmord, den er Tucho ebenso verübelte wie gewisse Feuilletonismen. Bloch sah in diesem Autor den Gegentyp, den Skeptiker, wo nicht Pessimisten, letal endend. Darüber verblaßten ihm die vielen Gemeinsamkeiten des Kampfes. Da schon das Nennen des Namens Kurt Tucholsky Bloch ungerecht werden ließ, verzichteten Ingrid und ich bald darauf, ihn zu erwähnen. Bloch einmal in Tübingen: Was macht Tucholsky? Ich: Er ist immer noch tot. Bloch: Das hat er nun davon.

Bei jedem anderen hätte ich jetzt geantwortet: Der Tote lebt in seinem Werk fort. Bei Bloch schwieg ich. Der Philosoph hatte kein Verhältnis zur Resignation. Er empfand sie als Stilbruch.

Manchmal beneide ich die Universitäts-Philosophen, weil sie infolge ihres Lehrauftrags das Wissen und Gewissen aller Welten zusammentragen können. Je länger sie lehren, um so mehr geraten sie in Form, falls sie keine Dummköpfe sind, wie nur zu oft.

Wir armen Belletristen dagegen müssen bei Ende eines Buches das angehäufte Wissen aus unserem Kopfe hinauswerfen und vergessen, um nur ja Platz zu finden für die nächste Arbeit. Man benötigt immer neue, also andere Bezugspunkte, Reaktionen, Assoziationen, Techniken, Gefühlsweisen. Das darf nie bleiben wie es ist. Und immer wieder Tabula rasa und dann neue Materialien und Emotionen. Das Einschleichen in fremde Personen, Empfindungen, Gedanken, Situationen, und hernach wieder raus und rein. Das Elend der Schriftstellerei und ihre gelegentliche Größe.

Wer über Bloch in dessen Sprache spricht oder schreibt, ist schon verloren. Es kommt Epigonentum heraus. Ebenso falsch ist es, über Bloch auf die übliche papierne Wissenschaftsweise zu referieren, wodurch Phantasie und Faszination verloren gehen. Man muß Charakter haben, also auch Sprache, und Bloch ins Eigene übertragen. Mit seiner Philosophie wird der Marxismus subtil. Nicht subtil und steril wie bei Adorno. Die wesentlichen Neuerungen und Kategorien Blochs bedürfen der Ausarbeitung im Einzelnen. Wer Blochs Sprache kopiert, also »blocht«, der bleibt auf der Strecke.

Die erzählerische und sprachliche Brisanz stellt Bloch in die Reihe Schopenhauer-Nietzsche. Die Reihe bietet Vorteile. In Zeiten zunehmender Repression finden Verzweifelte und Flüchtende hier Halt und Unterschlupf. Der Hoffnungsdenker spendet kurioserweise in desaströsen Zeiten Trost, Kraft, Widerstandsenergien.

Man lasse sich durch Veränderungen im Nachhinein nicht täuschen: Während der APO-Periode und Studentenbewegung blieb Bloch trotz einiger spektakulärer Auftritte am Rande. Die Jungen kannten ihn nicht genügend. Das Bürgertum sympathisierte weniger mit ihm und seiner Lehre als seiner Gestalt, die den alten beruhigenden bürgerlichen Humanismus zu garantieren schien. Aus Angst vor der andrängenden Jugend hoffte man auf Bloch als Garanten des Bestehenden. Das war eine fulminante Fehleinschätzung. Hernach, als das Bürgertum wieder guten Gewissens konservativ wurde, vergaß es Bloch. Nun begannen ihn die enttäuschten, zurückgeworfenen Studenten, die jetzigen wie vormaligen, zu entdecken. Auch das reichte nur zur Mode. Es zeugt von hoher Bildung, flicht man ein Bloch-Zitat ein. Bloch ist im Augenblick der meistzitierte deutsche Schriftsteller. Das schlägt durch bis in Fernsehspiel-Rezensionen.

Schon beginnt der Philosoph hinter Zitaten zu entschwinden, wie sein Sarg unter den Blumen verschwand, die von den vielen Trauergästen hinabgeworfen wurden. Man kann einen scharfen Denker auch unter Blütensträußen und geflügelten Worten begraben.

Die Moderne macht die Menschen unfähig, sich anders als in Richtung zum kollektiven Selbstmord zu bewegen. Die Hoffnungs-Philosophie, die helfen könnte, denaturiert zu etwas, das gerade »in« ist. Kann genauso schnell wieder »out« sein.

An Blochs Formulierungen kann man sich ebenso delektieren, wo nicht berauschen, wie an den traurigen Schärfen und wunderschön reaktionären Sottisen Schopenhauers oder den bitterbösen Sätzen Nietzsches. Die Sprache beschleunigt und erhöht.

Wie man Bibel lesen und brav gestärkt ans Tagwerk des Bombenbauens zu gehen vermag, so kann man Bloch lesen und hernach als Gefängnisdirektor Strafverschärfungen verordnen. Derlei Unterschiedliches vermochten nur die östlichen Genossen nicht zu leisten. Sie waren noch nicht genügend schizophrenisiert worden. Bei ihnen wollte die rechte Hand noch tun, was die linke tut. Insofern war die drübige Feindschaft gegen E.B. nicht nur naiver, sondern auch aufrichtiger.

In Leipzig verjagte man Bloch vom Lehrstuhl, damit seine Lehren nicht ins Volk und unter die Jugend gerieten. In Tübingen gab man Bloch einen Lehrstuhl in der gleichen Erwartung. Der DDR-Bannfluch machte ihn für den Westen gesellschaftsfähig. Bloch kannte das Dilemma, das ihn anfangs zu heftigen Gegenbewegungen anregte. Später setzte er auf die List.

Als die Tübinger Universität dem Neunzigjährigen die Ehrendoktorwürde antrug, rieten einige Freunde zur Ablehnung. Bloch nahm an und nutzte die offizielle Feier, seine linke Faust zum alten Genossengruß ballend und schüttelnd, zum Solidaritätsaufruf für die geschlagenen und asylsuchenden linken Chilenen.

Eines Tages erschienen Abgesandte des ZK der SED bei Bloch in Leipzig und wiesen von mir im Westen veröffentlichte Texte vor. Der Alte ließ sich, so erzählte er später, eine

Distanzierung abringen, in der kein Name genannt wurde und die allgemein floskelte: »Ich stehe fest auf dem Boden der DDR ...«

Beiläufig kamen wir in Tübingen darauf zu sprechen.

Bloch: Ich stand damals noch schön fest auf dem Boden der DDR. Jetzt stehe ich, wie man sieht, auf dem Boden der BRD. Mit meinen fünfundachtzig Jahren kann ich zufrieden sein, noch immer so fest zu stehen.

Er erhob sich, zum Staunen der Umsitzenden, die den Doppelsinn der Worte nicht begriffen, vom Sessel und verhielt einen Moment wie angewurzelt. Dann setzte er sich wieder und wechselte das Thema.

Mitte der fünfziger Jahre tauchte der seiner Progressivität halber gerühmte Hans Heinz Holz aus Westdeutschland in Leipzig auf.

Sein Wunsch, in die DDR überzusiedeln und an Blochs Philosophischem Institut zu arbeiten, wurde in der Parteiorganisation heftig diskutiert. Man befürchtete, mit Holz dringe westliche Dekadenz in die Republik ein. Bloch gab sich nicht gleich geschlagen. Da fand sich die Schrift eines westlichen Autors, der in der DDR gänzlich undenkbar war. Holz hatte viele Jahre früher ein Vorwort dazu geschrieben. Das genügte. Bloch sah ein, Holz würde nie in die DDR übersiedeln dürfen und wäre er ein Genie wie weiland Prof. Hegel. Also blieben dem Doktor Holz genau jene politischen Verwicklungen erspart, die ihn später in der BRD bekümmerten, weil ihm die hiesigen Ideologie-Bürokraten nun seiner KP-Nähe wegen zusetzten.

In der Hoffnungs-Philosophie verbirgt sich die tiefe Weisheit der Geschichte: immer wieder müsse man die Revolution versuchen, wenn die Chancen dazu vorhanden sind. Ohne ihre objektiven und subjektiven Bedingungen wird Sektierertum und Putschismus daraus.

Schon in den Leipziger Vorlesungen zitierte Bloch auffallend häufig das alte Bauernkriegslied, in dem es heißt: »Geschlagen ziehen wir nach Haus / die Enkel fechten's besser aus ...« Die Vertagung der Revolution ist von den Bedingungen diktiert. Der Revolutionär muß sich erheben können. Er muß sich auch ducken können. Marx und Engels erwarteten die Revolution 1848 und 1871 – die Geschichte des Marxismus ist voll von Revolutionserwartungen. Die

Gegner sehen in den ausgebliebenen, niedergeschlagenen oder siegreichen und hernach verunglückten Revolutionen den Beweis dafür, daß der Marxismus falsch sei.

Wer so rechnet, kann dem zweitausendjährigen Christentum nur die absolute Pleite bescheinigen. Dennoch gibt's immer wieder aufrechte und tätige Christen. Wenn auch nicht so viele, wie sich dafür halten. Der Marxismus als geschichtliche Kraft löste das Christentum ebenso ein wie ab. Hundert Jahre sind beiden wie ein Tag. Bevor der Marxismus zur Herrschaft gelangt, ist er wie das Ur-Christentum die Hoffnung der Beleidigten und Unterdrückten. Ist er an der Macht, läuft er Gefahr, zur Staatsreligion zu verkommen wie das Christentum. Also haben die Marxisten zwei verschiedene Aufgaben. Sie müssen die Revolution voranbringen, und sie müssen sie dort, wo sie gesiegt hat, vorm Rückfall in vorherige Unterdrückungsmechanismen bewahren.

Dies erklärt, warum solche Marxisten im Kapitalismus wie Sozialismus zum Feind erklärt werden. Ihre Subversion gilt jedweder überschüssigen Herrschaft. Das ist nirgendwo vorher so klar gesehen worden wie bei Bloch. Ohne im Anarchismus zu versanden.

Wolfgang Harich hielt Blochs Weggang aus der DDR ebenso für falsch wie die DDR-Politik, ausreisewillige Künstler wegziehen zu lassen. In der Tat schwächt jeder Ausreisende die künstlerische Potenz und das Renommee der DDR. Auch fragt sich, ob die Exilanten in der BRD dann finden, was sie erhoffen. Der Existenzkampf im Westen ist hart. Nur wenige gelangen zu Bestsellerehren oder können die Vergünstigung wohldotierter Kunst- und Kulturpreise genießen. Man weiß auch nicht, wie lange so was anhält. Überdies muß es jeden Linken bekümmern, entlaufen die Menschen dem DDR-Staat.

Dennoch teile ich Harichs Meinung nicht, denn daß eine spätere, gefestigte DDR um so mehr Mühe mit der geistigen Eingliederung ihrer ins Exil gegangenen Künstler haben werde, je massenhafter sie ihr davonlaufen, ist so wahr wie momentan unwichtig. Auch steht in der DDR keine Friedhofsruhe zu befürchten, selbst wenn das die Absicht der Behörden sein mag.

Betrachtet man sich die heutigen Exilanten oder Exil-Aspiranten näher, sieht man, die meisten waren vor einiger

Zeit steilstirnige DDR-Parteigänger. Also sind die Verhältnisse im kulturellen Feld derart spannungsgeladen, kon-
fliktträchtig und unerträglich, daß immer erneut Ja-Sager
in Nein-Sager verwandelt werden. Die Unruhe in der DDR
ist nicht die Folge böswilliger Unruhestifter, vielmehr werden die potenten Schriftsteller, Sänger und Künstler immer
wieder zur Opposition getrieben. Nur ein Rest radikaler
Ja-Sager bleibt übrig. Den hat es immer und in allen Staaten
gegeben, so wie es die Nein-Sager gegeben hat und geben
wird. Solange die Kultur so vernagelt bleibt, wie sie ist, wird
es brodeln und kochen im Geistigen. Man kann das leugnen
und bekämpfen, aber man schafft es nicht aus der Welt.

Blochs eigenartige Zwitterstellung zwischen Sozialisten
und Christen geht mir nahe, obzwar mein Verhältnis zur
Kirche keins ist. Wo ich darauf anspielte, verstand man
mich nicht. Der erneuerungs-christliche Schluß meines
Buches *Die Westdeutschen* ist niemandem aufgefallen. Kein
einziger der gerade bei diesem Buch zahlreichen Rezensenten hat etwas gemerkt.

Das sinnliche Leuchten der Materie, das Bloch, den jungen Marx zitierend, systematisch pointiert und gefordert
hat, überzeugte mich sofort. Darin folgte ich dem Philosophen, denn die langweilig-grauen Arbeitsprozeßbeschrei-
bungen aus der Produktionswelt stoßen mich ebenfalls ab.
Ich habe das Elend des Proletarierdaseins am eigenen Leib
erfahren und will es durch Literatur nicht verdoppelt sehen.
Die innere »Leucht-Dimension«, die ich in *Kopf und Bauch*
hinzufügte, wurde von meiner Leserschaft wahrgenommen, nicht von den Rezensenten. Ebensowenig verstand
man das elende Ende in Einsamkeit – der Roman-Schluß
im alten, versinkenden Venedig. Daß einer, der Kopf und
Bauch, Theorie und Praxis, Intellekt und Emotion, Denken
und Sexus zusammenbringen will, am Schluß scheitert,
weil er kein lebendiges Kollektiv findet – dieses schwarze
Ende stieß auf vollendete Verständnislosigkeit.

Während der Tübinger Trauerfeier wurde mir klar, Bloch
liefe nun Gefahr, irrational ausgedeutet und ausgebeutet
zu werden. Je nachdem, wer sich seiner jetzt bemächtig-
te. Blochs expressive Sprache transportierte Dunkelheiten
zwischen Lichtblicken. Das war für ihn methodische Notwendigkeit.

Man hatte sich auch dem Dunklen und Unerkannten zu stellen, um es aufzuhellen. Doch der Expressionismus war ja selbst nicht so eindeutig hell geblieben. Ihn gänzlich dem Irrationalen, Faschistischen zu übereignen, wie es Georg Lukács getan hatte, ging zu weit. Affinitäten zur Rechten aber waren sicher enthalten. So enthielt Bloch Affinitäten zum Irrationalen, falls die Rationalisten nicht beizeiten zur Stelle wären.

Ich fürchte fast, Bloch wird in der Kulturgeschichte so einsam enden wie mein Kopf-und-Bauch-Held in Venedig, der Untergangslagune. Wir haben es alle miteinander nicht geschafft, die individuelle Vereinzelung, in die wir gezwungen wurden, aufzubrechen und aus ihr auszubrechen. Wir konnten vielleicht die Subjektivität kultivieren. Doch die Objekte, die Außenwelt erreichten wir nicht. Wir sind an der Organisationsfrage gescheitert. Wir bekamen keine Mehrheiten zusammen. Uns gelangen noch nicht einmal haltbare Kollektive. So mögen wir aus Trotz Rot tragen. Der Trotz vergeht. Bloch fügte Trotz und Hoffnung zusammen. Von der Hoffnung zur Verzweiflung ist nur ein kleiner Schritt. Da tragen wir die Farbe der Trauer. Im Grunde blieb Bloch wie Adorno ein Kulturkritiker und Analytiker. Gegenüber Adorno war er poetischer und optimistischer. Also brauchte er länger zur Rückkehr ins bürgerlich-marxistische Individuum. Was dem einen Frankfurt war, wurde dem anderen Tübingen. Einsamer Turm. Ausblicke ja. Veränderungen keine.

So gefeiert, wie Bloch zuletzt schien, war er die ersten Jahre in der BRD keineswegs. Um das Werk ins Ende treiben zu können, glaubte er sich weniger angreifbar machen zu müssen und sparte hinfort ganze zentrale Themenkomplexe aus. Ich schrieb darüber in *Kopf und Bauch*. Leider wurde E.B. in Tübingen von seiner Umgebung zu wenig gefordert. So finden sich in seinen vor dem Grenzübertritt im Jahre 1961 veröffentlichten Arbeiten Äußerungen, die hernach weder aufgenommen noch präzisiert oder korrigiert wurden. Es hörte etwas auf. Die neue Strategie, ganz auf Werksicherung bedacht, räumte bestimmte brisante Bastionen.

Den prinzipiell unaufmerksamen Westdeutschen entgingen diese Umgruppierungen und Preisgaben. Sie wollten einen Bloch zum Feiern, nicht einen zum scharfen Nachdenken, geschweige zur Selbstkritik. Insofern glichen die westlichen Voraussetzungen den östlichen. Der Denker hat sich ideologisch zu verhalten. Er soll einpaßbar und akzeptabel sein. Mindestens in großen Zügen. Bloch kam dem mit Brechtscher List nach, und es hat seine Gründe, daß er immer wieder den Komplex »Sklavensprache« umkreiste. Es gab in den letzten Jahren kein Treffen mit Bloch, in dem er nicht auf dieses Thema zu sprechen kam. In Bad Kohlgrub, kurz nach seinem 85. Geburtstag, reagierte ich unwillig und retournierte E.B. das Ding mit dem Ausruf, keiner sei so wie er selbst dazu prädestiniert. Der Alte verfinsterte sich und blieb die Antwort schuldig. Karola und Ingrid versuchten die peinliche Pause durch spaßhafte Anmerkungen zuzudecken. Schließlich küßte er meine Frau zum Abschied auf die Wange und wurde gleich viel freundlicher. Hernach fuhren wir Blochs ins Hotel. Beim Aussteigen brummte Bloch: »Die Sklavensprache ist ein kategoriales Thema. Egal, wer's schreibt.« Er stieß den Stock voll wütender Energie in die Erde, während Karola ihn behutsam wegführte.

Ich hatte eine wunde Stelle berührt. Es gibt zwei verschiedene Blochs. Der eine alterte in der BRD dahin. Es war der kontemplative, der sich reichlich oft wiederholte. Man wird da einmal ernsthaft sortieren müssen. Der andere war viel früher abgetreten. Der Denker, der operativ schrieb, eingreifend in die Wirklichkeit wie der Chirurg mit dem Skalpell. Anfangs ähnelte er dem sonst wenig geliebten Tucholsky, mit kurzen scharfen Texten immer im Zentrum. Bloch war als Zeitungsschreiber brillant. Das Sammelbuch *Erbschaft dieser Zeit* beweist es. Als lehrender Professor der Philosophie war er stets am wirkungsvollsten, wenn er zur reportierenden Detailkritik zurückfand.

Er war ein Wallraff der Kultur und spürte die Skandale im Geistesleben auf. Es galt, sie aufzudecken. Das wurde bis heute mißverstanden. Wie die Marxisten mit Marx die Wirklichkeit zudecken, so verfahren sie nun mit Bloch, wobei sie den alten derart stilisieren, daß der junge verschwindet.

Wenn Wolfgang Harich sich anläßlich des Todes von Ernst Bloch gegen den Weggang von Künstlern aus der DDR äußerte, befand er sich subjektiv in starker Position, denn er hatte es sogar 1956 abgelehnt, die DDR zu verlassen, als

seine Verhaftung und strenge Verurteilung deutlich vor-
aussehbar waren. Es wäre ihm ein leichtes gewesen, von
Ost- nach Westberlin überzuwechseln. Er blieb, wurde
festgenommen, verurteilt und für fast ein Jahrzehnt in den
Bautzener Kerker verbracht.

So sehr ich also Verständnis aufbringe für Harich, so
fragwürdig bleibt seine Meinung. Welchen Preis hat er
zahlen müssen in der Haft, die wissenschaftliche Arbeit,
die er in Freiheit hätte leisten können, war ihm in Bautzen
unmöglich, und der schwerkranke Harich, der endlich nach
Ostberlin zurückkehren durfte, ist nicht gerade ein glän-
zender Beweis für seine These, man habe in der DDR auf
Teufelkommraus auszuharren.

Vielleicht verstehe ich das heimlich-unheimliche Wesen
des wieder in Mode kommenden Märtyrertums zu wenig,
weshalb ich ihm keine guten und nützlichen Seiten abge-
winnen kann, doch auf Existenz und Resultat hin betrachtet, ist mir die gewiß fragwürdige Überlebens- und Weiter-
lebens-Taktik Ernst Blochs lieber.

Im Westen war ihm vieles ungünstig, eines aber immerhin günstig: Er konnte in Freiheit leben, lehren, schreiben.
Das mag wenig sein, doch ist es andererseits viel, wie gerade Wolfgang Harich wissen müßte.

Wenige Stunden, nachdem die Information vom Ableben
Blochs bekannt geworden war, änderten Radio- und Fern-
sehsender noch für den gleichen Abend ihre Programme.
Bloch war tot. Am Tag seines Todes erlebte er auf den Bild-
schirmen massive Wiederauferstehung. So schnell geht das.
So prompt bedient das Medienkarussell die entflammte
Neugier. Bloch selbst würde den Vorgang unter »Leben
nach dem Tode« rubrizieren und sein listigstes Lächeln
dazu aufbieten. Nicht »eingeschreint im Herzen der Arbeiterklasse«, sondern im kurzen Gedächtnis des Fernseh-
konsumenten. Immerhin zeigten Reaktionen an: es waren
einige Denkfähige darunter. Mich verwunderte, wie schnell
meine Emotionen wichen. Ingrid weinte während der Sen-
dungen. Die ersten Bilder ließen mich noch denken: Jetzt ist
er tot, und hier auf dem Bildschirm agiert und enthusias-
miert er wie eh und je. Zweifellos eine moderne Form von
Leib-Seele-Teilung. Der Körper erstorben im Sarg. Abbild
und Sprache technisch konserviert, also doch Unsterblich-

keit? Persönlichkeiten, überlebend in den Filmarchiven der TV-Anstalten, unseren heutigen Kirchen. Bild und Rede des lebendigen Bloch aufnehmend, vergaß ich bald den toten. Starke Wirkung. Aber auch der Eindruck: Er hat doch viel Sklavensprache gesprochen. Wir leben unfreier als wir denken. Trauer.

Der Konflikt wurde bei der Beerdigung deutlich. Die einen suchten Bloch zu begraben und die anderen ihn lebendig zu halten.

Der Denker ist tot, die Interpreten nahen. Bloch zum Staatsphilosophen umzumontieren wie einst Hegel, dürfte schwierig sein. Er bietet dafür weit weniger Ansatzpunkte. Man müßte ihn stark verfälschen und seine vielen bunten Revolutionsbekenntnisse exekutieren. Die Verhältnisse umstürzen, in denen der Mensch geknechtet ist, um ihn frei zu machen. Das Ziel sehe ich schon, doch wie verläuft der Weg dahin. Ihn zu bauen haben uns die Staatsgewalttätigen schon in Leipzig gehindert. Das ist im Westen keinen Deut anders. Allerdings kenne ich hier keine Schüler, die sich als Wegebauer versuchten. So braucht der Staat mit seiner Macht da wohl auch nicht durchzugreifen.

Ich sehe in der Gleichartigkeit der Widerstände gegen den sich selbst bewahrheitenden Sozialismus den letzten Grund für all unseren Pessimismus. Die Russische Oktoberrevolution verfehlte ihre Ziele ebenso wie die Große Französische Revolution. Nur fragt sich, ob wir zur nachholenden Korrektur noch soviel Zeit haben wie die Nachkommen der Französischen Revolution sie hatten. Unsere Technik ist tödlich geworden. Die Erde vernichtet sich selbst mit Hilfe ihrer Menschen und Maschinen. Freuds Todestrieb, das wohl spekulativste und unsicherste seiner Worte und Gebilde, dürfte sich als der mächtigste Triebfaktor erweisen. Die Niederlage des Sozialismus ist die Fahrkarte in den kollektiven Selbstmord der Menschheit. Das haben Karl Kraus und Kurt Tucholsky am frühesten erkannt. So fiel dem einen zu Hitler nichts mehr ein und dem anderen nur der Freitod.

Ingrid schätzte die Menge auf dem Tübinger Bergfriedhof auf dreitausend. In den Zeitungen standen Zahlen von ein- bis zweieinhalbtausend. Der Kontrast der lebenslangen Einsamkeit des Denkers zur Menschenmenge an seinem Grab wirkte bestürzend.

Gewiß, da waren die unschätzbare Karola gewesen und Jan Robert, da gab es die wechselnden Runden der Freunde und Schüler. Auf die neun Jahrzehnte von Blochs Leben bezogen blieb zuviel Einsamkeit. Ich meine nicht die notwendige Einsamkeit am Schreibtisch, sondern die des Verlassenen. Wer kämpft, wird oft verlassen. Das Leben sieht außen ganz anders aus.

Bloch gibt und erhält heute viel Glanz. Am Sarg schon so bedenklich viel, daß der Lebende darunter ins Unkenntliche geriet. Es wird verdammt schwer sein, das Postulat des »Aufrechten Ganges« hochzuhalten.

Wie Beat Dietschy, Blochs letzter Assistent, Ingrid erzählte, mied Bloch, als es ihm zwei Jahre vor seinem Ableben sehr schlecht ging, konsequent das Arbeitszimmer. Dann besserte sich sein Zustand. E.B. saß wieder am Schreibtisch und war am Werk. Noch am Tage des Todes nahm er die lebenslange aufrechte Arbeitshaltung ein.

Mir mischen sich die Züge Blochs mit denen des schon ferngerückten Brecht zu einem verschmitzten, listig lächelnden Porträt.

Wolfgang Harich vermeldet, Blochs Grabplatz sei doch auf dem Dorotheen-Friedhof zu Ostberlin an der Seite der Gefährten Brecht, Eisler, Zweig, Becher.

Doch der Tübinger Bergfriedhof ist auch nicht schlecht. Warum soll dem Toten nicht beschieden sein, was der Lebende so oft beschwor: frische Luft und große Weite.

Der berühmte Berliner Friedhof hat eine Tübinger Enklave bekommen. Vielleicht für neue Emigranten. Die Gefährten werden sicher folgen, die Heimat dort zu begründen, wo noch keine ist.

1977: Die Trauerfeier
(Ingrid Zwerenz)

Siegfried Unseld begegneten wir gleich vorm Eingang, er stand zusammen mit Dutschke und gab sich freundlich, er kann aber auch anders. Rudi entwickelte einen Plan: Blochs Schüler und Schülerinnen sollten dessen Sarg auf den Schultern zur Grabstätte tragen. Das verhinderten die gekränkten Friedhofsbeamten, sie sahen ihre Zuständigkeit tangiert. Unselds Lächeln für Dutschke hielt knapp bis nach Rudis Rede am offenen Grab. Auf die Ansprache hin fielen verschiedene aus der Rolle, als erster Uwe Johnson, von dem Karola Bloch im Juni 1979 empört berichtete, er sei schon besoffen zur Beerdigung gekommen. Im Kloster Bebenhausen bei der Totenfeier stürzte er sich sofort auf den »um seinen toten Vater leidenden Jan Robert« (Karola) und beschimpfte den Sohn, daß er Dutschke habe sprechen lassen. Jan fertigte ihn kurz ab mit dem Satz, Bloch habe Rudi geliebt und diese Grabrede sei ganz in dessen Sinne gewesen. Johnson schnauzte immer weiter, und Karola, noch nach fast zwei Jahren wütend, sagt:»Ein Glück, daß der Kerl nicht gewagt hat, mir Vorwürfe zu machen, ich hätte ihn geohrfeigt!« Sie möchte bewahren, was Ernst wollte und was der 1979 an den Attentats-Spätfolgen verstorbene Rudi am offenen Grab sagte. Die Witwe des Philosophen ist bei uns im Hochtaunus zu Besuch, und aus Frankfurt kam Walter Boehlich angefahren, nun sitzen wir zu viert im Wohnzimmer und halten Nachschau zum Bloch-Begräbnis im Jahr 1977.

Karola ist auch zornig, weil ihr Pressefotos von der Trauerfeier zugeschickt wurden, die Johnson und Grass nebeneinander lachend im Gespräch zeigen. Das kann Walter Boehlich nun wieder verstehen, der nicht dabei war in Tübingen, es wäre, meint er, über seine Kraft gegangen, Unselds Leichenrede anzuhören. Er toleriert jedoch, wenn man sich bei Beerdigungen in etwas Witziges zu retten versucht und eben auch lächelt oder lacht. Johnsons Attakken gegen Dutschke findet Boehlich zum Kotzen, daß der Suhrkamp-Autor volltrunken war, sei die Regel, auch seine Aggressivität, erst neulich in Berlin wäre Johnson in der Kneipe dicht davor gewesen, seine Verlagskollegin Karin Kiwus zu verprügeln, andere Leute am Tisch mußten ihn festhalten.

In anderer Weise schlug sein Verleger Unseld zu, der die Grabreden nur unter Verzicht auf den Dutschke-Beitrag publizieren wollte. Das wies Karola von sich, der Band soll jetzt bei der *EVA* erscheinen, Tomas Kosta hat deshalb von sich aus bei ihr angerufen.

Schöne Groteske, daß soviel Zank und Streit am Grab eines Mannes aufflammt, der privat friedfertig war wie kaum einer, philosophisch ist er keiner Auseinandersetzung aus dem Wege gegangen. Obwohl sich Ernst klar darüber gewesen sein muß, was es nach sich zog, wenn er sich Walter Jens als Trauerredner wünschte, wie Karola berichtet und was das für den eitlen Hans Mayer bedeutete, der sich seiner viel älteren Freundschaft mit Bloch rühmt. In die Brüche ging schon vor der Bestattung die jahrzehntelange gute Beziehung von Mayer zu Walter und Inge Jens. Da der Literaturprofessor gern Sippenhaft praktiziert, straft er gleich die Frauen ab, hat ihn an deren Ehemännern etwas geärgert. Darüber wundert sich Inge Jens in Bebenhausen, die vorher beruflich viel mit Mayer zusammengearbeitet hatte. Ich wundere mich nicht: Weil er mit Gerhard im Streit lag, sagte der Germanist, bei dem ich in Leipzig einst im Nebenfach studierte, seine Teilnahme an einer Hamburger Lion-Feuchtwanger-Veranstaltung ab, als er erfuhr, ich hielte dort das Hauptreferat. In der anschließenden Diskussion hätte er gemeinsam mit Ingrid Z. am Podium sitzen müssen, was er nicht über sich bringen konnte. War er mit einem »Er« nicht einverstanden, traf sein Verdikt sofort die »Sie«. Schwierig, die Mimose Mayer. Das bekam auch Karola zu spüren, die ihn Monate nach der Trauerfeier für Ernst in der von ihr ausgesuchten und eingerichteten Wohnung in Tübingen anrief. »Nein«, erzählt Karola, »war dieser Mann unfreundlich zu mir, direkt abscheulich!«

Überaus freundlich, ja geradezu ranschmeißerisch benahm sich ein Herr, den Ingrid Kantorowicz auf der Fahrt zum Bloch-Begräbnis im Zug traf. Ingrid, Professorin für Kostümkunde, hat einen Blick für Leute, vermochte diesen Mann nicht einzuordnen, vermutete, er sei Besitzer einer Reinigungsladenkette. Erst auf dem Friedhof wurde ihr klar, der Reisegefährte war Siegfried Unseld. Als mir Ingrid in Bebenhausen beim Leichenschmaus von ihrem Irrtum berichtet, können wir beide unsere Erheiterung kaum bremsen, zum Glück waren keine Fotografen in der Nähe, und Karola blieb von dem Ärger verschont, daß außer Grass und Johnson auch zwei Frauen bei der Trauerfeier zu lachen gewagt hatten.

Jetzt, zwei Jahre danach, ist die Witwe imstande, sich über die Geschichte mit dem von Ingrid Kantorowicz falsch definierten großen Verleger zu amüsieren.

Ach, Kanto, sagt Karola, ich war doch zuerst mit ihm zusammen. Den reichen, großbürgerlichen Eltern war weder ihre Verbindung mit Alfred Kantorowicz recht – der verdiente pro Monat ja nur etwa fünfhundert Mark – noch die sich über Kanto ergebende Verlobung mit Ernst Bloch. Ja, erinnert sich Karola, wenn es Thomas Mann gewesen wäre! Bloch war bekannt, aber auch wieder nicht so sehr, um für die besorgten Eltern den Altersunterschied und die Tatsache aufzuwiegen, daß die Tochter einen Mann anbrachte, der schon zweimal verheiratet gewesen, einmal Witwer geworden war und zur Zeit ihres Kennenlernens in Scheidung lebte. Kantorowicz hat ihr den »Treuebruch« nie verübelt, er liebte und bewunderte Bloch so sehr, daß er sogleich verstand, wie sehr sie von Ernst eingenommen war.

Der Arbeitsrhythmus von Ernst ist schon in den frühen Jahren aus dem Tag in die Nacht verschoben. Dennoch zeigte sich der jüngere Bloch den Anforderungen des Alltags gewachsen. In Amerika heizte er die Öfen und kaufte Lebensmittel ein. Das mußte sein, weil Karola tagsüber anfangs jobbte und später in ihrem Beruf als Architektin arbeitete. Je bedrängter und bedrückender die äußeren Umstände waren – wenig Geld, zu zweit nur ein kleines Zimmer – um so heiterer gab sich Ernst, absolut sicher, mit dem Buch *Das Prinzip Hoffnung* auf dem richtigen Wege zu sein, da konnte die Realisierung, der Druck des Manuskripts, noch ein Jahrzehnt auf sich warten lassen, der Philosoph blieb unerschütterlich. Ausgeglichene Seelenlage, ein idealer Partner, nie launisch, nie mürrisch, bereit, sich den äußeren Bedingungen mit großer innerer Ruhe anzupassen. Beispiel: Prostata-Operation 1949 in New York. Ernst lag in einem Vierbettzimmer, Kranksein in den USA ist teuer.

Bloch unterhielt noch Jahrzehnte danach die Leute durch die Wiedergabe der äußerst sonderbaren Verhaltensweisen seiner Mit-Patienten. Einer rief in kurzen Abständen immer wieder: »I will soup!« – Ich will Suppe! Der andere beklagte stündlich unter Tränen den Verlust einer Niere, der dritte war Grieche, und mit ihm versuchte sich der humanistisch gebildete Ernst zu verständigen, was nur in Ansätzen gelang. Einer sprach neu- der andere altgriechisch.

Die Operation, bei örtlicher Betäubung vorgenommen, lähmte vorübergehend den Unterleib des Philosophen, jedoch nicht Kopf und Zunge. So gab er während des Eingriffs dem Arzt ein Privatissimum in altägyptischer Medizin. Der Doktor sagte nachher zu Karola, solche Patienten wünsche er sich und überhaupt sei ihm so ein Mensch noch nie unters Messer gekommen.

Die Redefreude blieb Bloch auch in Situationen erhalten, bei denen der körperliche Zustand bedenklich war. Viele Jahre später, in Tübingen, inzwischen mußte er nicht mehr im Vierbettzimmer liegen, und ein medizinischer Professor kümmerte sich um den philosophischen Standeskollegen, war es Ernst nach einem Kreislaufzusammenbruch für zwei oder drei Tage sehr übel ergangen. Karola, zu seiner Betreuung und Bestärkung mit ins Krankenzimmer eingezogen, mußte eines Abends zu einer ihrer Häftlingshilfe-Veranstaltungen.

Als sie zurückkehrte, saß Bloch im Bett und hielt dem Mediziner ein Kolleg über mittelalterliche Philosophie. Der Arzt, ein überaus beschäftigter Mann, mochte sich gar nicht trennen von seinem Patienten.

Der physische Abbau in den letzten Jahre ist nicht zu leugnen, gegen die Durchblutungsstörungen im Gehirn verordnete man ein Präparat, das sich positiv auswirkte. Kein Mittel gab es, ihm das selbständige Laufen wieder zu ermöglichen. Daß er nicht mehr allein herumgehen konnte, erzählt Karola, kränkte ihn mehr als die zunehmende Erblindung, mit dem Versagen seiner Augen hatte er sich abgefunden. Da war er so übel dran wie der arme Galileo Galilei, sage ich, dessen Sehkraft nahm auch immer mehr ab, und im Alter konnte er seine geliebten Monde nicht mehr beobachten.

Einige interessante Aspekte ergeben sich, als wir gemeinsam meine Leipziger Vorlesungsnachschriften durchblättern. Karola möchte wissen, wie weit Bloch sich damals offen kritisch zur Politik geäußert habe, nachdem Wolfgang Harich verhaftet worden war. Bei der Nachforschung stoßen wir erstmal auf das Existentialismus-Kolleg, hier notierte ich zum Beginn: »existere – erleben, Mensch sein, inwendig sein. Hauptnichtdenker Heidegger, den Nazis bis zum bitteren Ende treu ...« Karola spontan: »Nein, da hat Ernst nicht recht gehabt!«

Sie ist verwundert, daß nicht mehr Solidarisierendes zur politischen Situation (Ungarn, Polen) zur Sprache kam. Offensichtlich wird Karola nicht nur von Feinden (Schelsky) sondern auch von Freunden immer wieder gefragt, was Bloch direkt und unverschlüsselt zur DDR-Politik sagte.

Wir überfliegen die Hegel-Vorlesungen (30. 4. 1956), an der Seite habe ich Blochs Satz vermerkt: »Hegel brachte einem revolutionären Studenten ins Gefängnis Literatur und Wurst«, dahinter steht von mir mit Ausrufungszeichen »Eben!« – Warum hast du da »Eben!« hingeschrieben? – Wahrscheinlich war das schon 'ne kleine Spitze gegen den Philosophen, vermute ich, mir fehlte wohl eine vergleichbare Tat ...

Aber für wen?

Herauskriegen möchte Karola auch, wie konkret Ernst sich nach dem 17. Juni 1953 artikuliert habe. Darüber weiß Gerhard Bescheid, es mangelt zu dem Thema nicht an Schärfen – die Nachforscherin ist erleichtert. Ein großer Trost ist für sie Blochs Berliner Rede, in der er forderte, endlich nicht mehr Dame und Mühle, sondern Schach zu spielen.

Was jetzt kommt, ist vielleicht zu speziell, gehörte wohl eher in ein »Emanzipations-Buch«, ich will's trotzdem festhalten. Karola, Frau Diplom-Architektin, jahrzehntelang selbständig arbeitend und verdienend, ist sich ihrer Identität nicht sicher. Deshalb beschäftigt sie auch das Zerwürfnis mit Hans Mayer so stark, hatte der doch in Tübingen beim 80. Geburtstag Blochs in seiner Festrede gesagt: »Heute ist Karola die Frau von Ernst Bloch, früher war Ernst der Mann von Karola Bloch.«

Sie betont sehr häufig, wie harmonisch das Leben mit Ernst verlaufen sei. Da steckt eine perspektivische Täuschung. Während des USA-Exils war Karola tagsüber meist außerhalb beschäftigt, nachher in Leipzig arbeitete sie, außer am Wochenende, fast immer in Berlin. Das wirkliche, enge Zusammenleben begann erst, als es mit Ernst gesundheitlich bergab ging. Und selbst, als er so stark auf sie angewiesen war, vernahm man kritische Anmerkungen des »Mustergatten« – wenn Karola ihn bei Erzählungen und Exkursen unterbrach: verständlich, sie kannte das meiste schon und hatte es oft gehört. Ernst aber fühlte sich gegängelt, gar zensiert.

Früher setzte er sich da energisch zur Wehr. Bei unserem ersten Wiedersehen in Tübingen, nach einer Lesung von Gerhard, saß noch eine Runde Besucher beisammen, und Karola bemerkte über den nicht eben wohlgelittenen Heidegger: »Aber er hat doch so wunderschöne, ausdrucksstarke, blaue Augen!« Der Blick, den der liebe Ernst daraufhin seiner lieben Karola zuwarf, gemahnte schon an einen aufgebrachten Zeus. Sie beharrte nicht weiter auf ihrer Aussage, was den anderen Philosophen betraf.

Sonst sind beide gut im Nehmen und erheitert, als ich erzähle, daß kurz nach ihrem Abschied von der DDR in einer Kölner Zeitung zu lesen stand: »Ernst Bloch, der Freund von Gerhard Zwerenz, sei nun mit Frau Karola in der Bundesrepublik angekommen ...« Zweifellos brauchte der Westen einige Zeit, sich an den Philosophen heranzutasten.

In der Tübinger Frühzeit, 1963/64, sagte Bloch zu mir, als er hörte, ich tippte Gerhards Manuskripte ins Reine und manche eigene Arbeit: »Mein Leben lang hab ich mir eine Frau gewünscht, die schreibt!«

Das erschien mir ungerecht, als Architektin war Karola dazu weder ausgebildet noch verpflichtet. Immerhin, so glatt und glücklich verlief wohl selbst diese jahrzehntelange Ehe nicht, da gab es manches, was der eine vom anderen nicht erfuhr.

Viele Sticheleien und Schärfen, die von ihm ausgingen, registrierte Karola gar nicht. Das gilt auch für Dritte, so fand sie, und übrigens auch Ernst, »Gerhard zeichne Bloch immer zu sarkastisch«.

Die Witwe heute: Ernst war doch so ein lieber Mensch. Auf Zärtlichkeit angewiesen. Beispiel: Als sie ihm wegen eines kranken Knies abends am Bett keinen Gutenachtkuß geben konnte, weil das Bücken sie so schmerzte, weinte er.

Blochs ausgeprägtes Bedürfnis nach liebevollem Umgang ist leicht nachzuvollziehen, schlechte Beziehung zur Mutter, Verachtung für den Beamten-Banausen-Vater, der den Sohn überhaupt nicht verstand, welcher Eisenbahner rechnet schon mit einem solchen Genie in der Familie. Als Ernst mit fünfzehn, sechzehn Jahren dauernd Hegel las, erkundigte sich der Vater, wann denn dieser Hegel geboren sei. Ernst sagte es ihm. Der Beamte: Hat denn das einen Sinn, sich mit einem Mann zu beschäftigen, der schon so lange tot ist?

Schule war schrecklich für Ernst, gute Noten nur in Musik und Turnen (!), die Klasse isolierte ihn, sein Glück war, daß er sitzenblieb, er fand dann unter den jüngeren

Mitschülern einen Freund. Aus der Enttäuschung über die Eltern erklärt sich auch die enge Bindung zu Georg Lukács während der Universitätsjahre. Die erste Ehefrau muß sehr mütterlich gewesen sein, so schaffte Ernst sich einen Vater-Freund und eine Mutter-Frau für all das, woran es ihm als Kind gemangelt hatte.

Trotz kleiner Eigenheiten und Querelen muß Bloch, ein überaus komplizierter Denker und Stilist, im Alltag bemerkenswert unkompliziert gewesen sein. Um so erstaunlicher, daß er Privates gern aussparte. Da ist einmal die Hegel-Attitüde – häufig erzählte Ernst, wie Hegel, von einer jungen Tischnachbarin gefragt, wieviel man denn aus seinen Büchern über ihn selbst erfahren könnte, antwortete: Was in meinem Werk über mich steht, ist fehl am Platz. Eine Haltung, die auch Bloch lange Zeit bevorzugte. Komisch, er hatte doch nichts zu verbergen.

Erst in der späteren Zeit, und wenn Karola sich beim Interview beteiligte, gab er die eine oder andere biographische Einzelheit preis.

Literarische Abneigungen sehr ausgeprägt: Nie ein Heinrich-Heine- oder Kurt-Tucholsky-Buch im Haus, während Ernst von den Autoren der *Weltbühne* zum Beispiel Alfred Polgar hoch schätzte (kein Kunststück), daneben auch den sächsischen Humoristen Hans Reimann, in seinen Anfängen war der in der Tat recht gut, während des Dritten Reiches machte er diesen Eindruck zuschanden.

Blochs Bibliothek – weitere Details: Karolas vermögende Eltern finanzierten den Personen- und Möbeltransport in die amerikanische Emigration. Zwar hatten die Neuankömmlinge dort keinen Platz, um all die Sachen aufzustellen, doch waren sie mit rübergekommen, auch Bücher, darunter Blochs Handexemplar der *Spuren*. Das reiste dann 1949 mit zurück nach Leipzig.

Als sie diese Stadt verlassen mußten, gingen nur die wichtigsten Manuskripte und Notizen mit ins neue Exil. Die große Bibliothek blieb in der Villa stehen und wurde von der DDR gegen Devisen in die Bundesrepublik verkauft, darunter eine Cottasche Goethe-Ausgabe, geschätzter Wert: einhunderttausend Westmark.

Der materielle Verlust scheint Ernst nicht geschmerzt zu haben, Geld war ihm nie so wichtig. Freudige Überraschung: Eines Tages stellte ihnen die Tübinger Post das

Spuren-Exemplar zu, komplett mit allen Anmerkungen und Notizzetteln. Dabei lag das Schreiben eines Mannes, der es in der BRD antiquarisch erworben hatte und nach der Lektüre meinte, das Buch sei doch wohl Eigentum von Ernst Bloch.

Karola voller Bitternis: Hitler war es nicht gelungen, Ernst seine *Spuren* wegzunehmen, das schaffte erst Walter Ulbricht.

Über Erotik und Sex nur Andeutungen. Eine leise Eifersucht schwingt mit, wenn von Blochs tüchtiger Sekretärin am Philosophischen Institut, Frau Franke, die Rede ist. Das wird souverän weggesteckt, inzwischen kann Karola herzhaft lachen über Blochs Antwort auf die Frage, ob er mit einer Studentin habe schlafen wollen:

»Mit einer? – Mit allen!«

Tratsch aus dem Bereich fehlt nicht. Überkreuz-Verkehr mit dem Ehepaar Adorno während der USA-Emigration wird kolportiert, Erika hatte den Klatsch an der Frankfurter Goethe-Universität gehört. Abgesehen davon, daß es keinen etwas anginge, ist es wohl Legende, kurios, worüber sich Studierende und Lehrende so ihre Gedanken machen. Allzu vertraut scheint die Beziehung nie gewesen zu sein, obwohl Karola sehr berührt ist vom Schicksal der Witwe Adornos. Sie wollte sich nach Teddys Beerdigung mit Tabletten umbringen, die Dosis war nicht stark genug, Gretel, sagt Karola, ist seither völlig verwirrt, ich besuche sie so oft wie möglich. Die Arme vegetiert heute in einem Pflegeheim.

Frau Franke meldete sich eines Tages telefonisch bei Blochs in Tübingen. Sie hatte nichts mehr mit Universität und dem Institut für Philosophie zu tun. Arbeitete in einem Ministerium (Bekleidung?) der DDR und wurde in dieser Funktion zur Offenbacher Lederwarenmesse delegiert. Es blieb bei diesem Anruf. Ein Wiedersehen gab es nicht.

Zweites Buch

Autobiographischer Blick aus dem dritten Jahrtausend aufs Bloch-Land zurück und nach vorn

Wir sind nach Zagreb gekommen, um »das Blochsche Denken als eine Philosophie des aufrechten Gangs« zu diskutieren, wie es in der Einladung zum Symposium heißt. Wir ehren dieses Denken, indem wir es prüfen. Und indem wir prüfen, untersuchen und kritisieren wir, um selbst aus einem »Jargon der Uneigentlichkeit« herauszutreten. Und indem wir kritisieren und die Widersprüche zu begreifen suchen, wird die Philosophie des aufrechten Gangs greifbar: denn Verehrung ist nicht Erhellung und verklären nicht erklären. Und so wollen wir, weil es ein Rühmen ins Vergessen gibt, es dagegen mit Blochs Chiasmus in »Zweierlei Kant-Gedenkjahre« halten: »Wo einem nichts ernst ist, läßt sich viel feiern« (1924) und »Wo einem vieles ernst ist, läßt sich nicht alles feiern« (1954).

Jan Robert Bloch in »Sinn und Form«, Mai/Juni, 1991

Reise nach dem verlorenen Ich

Der jüdische Linksdenker, Prophet und Philosoph kam Ende der vierziger Jahre aus dem amerikanischen Exil nach Leipzig und übernahm die Leitung des Philosophischen Instituts, wo ich ihn Anfang des Jahres 1952 aufsuchte. Er saß in seinem tabakverräucherten Geschäftszimmer, rätselhaft wie die Sphinx, berühmt wie das Völkerschlachtdenkmal am östlichen Stadtrand und begierig nach Informationen wie ein Spion.

Spät erst begriff ich, daß er alles das war, Sphinx, Denkmal, Spion und vieles mehr, weil es zum Kern seines Denkens gehörte, rätselhaft, großartig, neugierig und nie ganz und gar kenntlich zu sein.

Ich hätte nicht im Traum daran gedacht, von dem Mittsechziger für das nächste Vierteljahrhundert in Bann geschlagen zu werden.

Ein Hochschullehrer ist so was wie ein Lehrer, nur ein wenig höher, dachte ich, man lernt bei ihm etwas und dann adieu, Meister. Keine Ahnung, was draus werden würde. Er saß da, erkundigte sich nach dem Leben im Lande, das er offensichtlich nicht kannte, gab Kindheitseindrücke aus seiner Geburtsstadt Ludwigshafen von sich und reagierte auf meine Eröffnung, ein eidetisches Gedächtnis zu besitzen und darunter zu leiden mit sympathischer Neugier.

Kaum hatte ich das heraus, begann es hinter den dicken Brillengläsern zu funkeln, die theatralische Gesichtslandschaft geriet in Zuckungen, von heftigen Handbewegungen begleitet.

Eine Dame erschien, offenbar die Sekretärin, die einen wichtigen Termin anmahnte, der zur Nebensächlichkeit degradiert, verschoben oder annulliert wurde, was die Dame zu einem resignierten Rückzug unter leichten Seufzern bewog.

Ich nahm alle meine unordentlich verstreuten Energien zusammen und erklärte ungefähr: »Als Kind einer durchschnittlich sächsischen Arbeiterfamilie aufgewachsen, war ich ein Mensch, bis ich Soldat wurde. Um wieder Mensch zu werden, ging ich zu den Russen, die mich über vier Jahre lang behielten und danach in eine Volkspolizeikaserne schickten. Um dort nicht zu verkommen und am Ende gar noch General werden zu müssen, ärgerte ich mir eine Tbc in beiden Lungenflügeln an, und als ich das Sanatorium verließ, ernannte die Partei mich ohne Umschweife zum Dozenten für Gesellschaftswissenschaft an der Staatlichen Ingenieurschule Zwickau. Dort geht es mir gut, ich habe eine Karriere hinter mir und eine vor mir, bin bei den Kollegen und Studenten gut angesehen, gelte als zuverlässiger Genosse und leide lediglich darunter, daß ich gar keine Karriere machen wollte.«

Eine Pause einlegend, wie es der herabgeminderte Zustand meiner Lungen verlangte, ich trug links einen Pneu und ging von Zeit zu Zeit aufpumpen, schnappte ich nach Luft, was den Zuhörer zur Zwischenfrage veranlaßte.

»Warum wollen Sie studieren? Mehr als Sie jetzt sind, können Sie danach auch nicht werden.«

Ich wiederholte mein Desinteresse an jeder Karriere und öffnete mein jumpendes Herz einen Spalt weiter. »Als Leseratte las ich bereits im Kindesalter mehr, als daß ich lebte. Bei den Sowjets und danach und im Sanatorium und jetzt noch jede Nacht lese ich alles, was ich kriegen kann.«

»Lesen muß kein Übel sein«, sagte der Philosoph. Das konnte ich nur bestätigen, aber: »Sehen Sie, das ist so, mein eidetisches Gedächtnis ermöglicht mir, ganze Buchseiten abzurufen und herzusagen.«

»Tatsache?« Er stand auf und holte ein Büchlein aus dem Regal. Ich sah, es war das *Kommunistische Manifest*. Er schlug aufs Geratewohl Seiten auf, ich gab ihm einige Proben meines idiotischen Könnens.

Er schlug das schöne Buch zu. »Phänomenal!«

»Sie können es auch mit der Bibel versuchen oder ...«

»Schon gut.«

»Ich kann mein vergangenes Leben genauso in einzelnen Bildern zurückrufen, aber ...«

»Aber?«

»Es wird ein Panorama in Bruchstücken. Mir fehlt das Verbindende. Sie verstehen, ich vermute, mir ist mein Ich abhanden gekommen.«

»So wie Peter Schlemihl der Schatten?«

»Schlimmer. Ich bin der Schatten.«

»Und Sie glauben, das läßt sich reparieren?«

»Ich bin in meiner Kindheit schon einmal klüger gewesen. Lehren Sie mich die Rückkehr.«

Er schüttelte unwillig das zerknitterte Haupt. »Keine Rückkehr. Nach vorn gehen.«

Ich begriff, vor mir saß der Philosoph des tätigen Optimismus, der Zusammendenker von Judentum und Bolschewismus, der eine Straße baute von Leningrad nach Moskau und Jerusalem und wieder zurück. Ich wollte ihn gern verstehen, nur standen einige meiner Erfahrungen dagegen.

Ich sagte: »Um nicht gegen aufständische Polen schießen zu müssen und weil ich nicht gegen die Rote Armee kämpfen wollte, desertierte ich im August 1944 – ich warf das Gewehr weg, mit dem Resultat, daß sie versuchten, mir im Oktober 1948 wieder ein Gewehr in die Hand zu drücken.«

»Für die Verteidigung des Roten Oktober«, sagte der Philosoph.

Ich versuchte herauszukriegen, war es Sarkasmus oder revolutionäre Religiosität, was ihn so sprechen ließ. Ich wollte kein Gewehr mehr und keine Kompromisse, und er lieferte die Gegenargumente. Mein Nie-wieder-Waffen stand gegen sein Nie-wieder-Kapitalismus. Das mir indessen auch gefiel.

Wir einigten uns auf das Abenteuer, den Fall zu studieren. Ich legte eine Sonderreifeprüfung ab, was mir bei meinen eidetischen Energien nicht schwerfiel, begann im Herbstsemester 1952 das Studium und begab mich mit klopfendem Herzen auf die Reise zum verlorenen Ich.

Von Zeit zu Zeit informierte ich den hochgelehrten Herrn Philosophen über das Leben im Lande und den Zustand der Köpfe.

Nach unserem ersten Gespräch gab es viele Wiederholungen, denn der Philosoph war kein abgeschlossenes kluges Haus mit weit heruntergezogenem Dach, im Gegenteil, er kannte die Bücher und wollte die Menschen kennenlernen. Wir schwadronierten also immer wechselseitig von unseren Erfahrungen, er redete von Ludwigshafen, ich von Crimmitschau, Zwickau, Chemnitz, Dresden, er ließ mich in seine US-Exil-Vergangenheit blicken, ich schilderte ihm das Deutschland des Dritten Reiches und das Rußland der Sowjetunion. In diesen Gesprächen begann ich mich zum ersten Male über meinen sonderbar wechselhaften Lebensweg zu wundern. Ich betrachtete das mit Distanz: von der Weimarer Republik ins Dritte Reich und nach Rußland und in die SBZ, die sich in DDR umtaufte und unsereinen väterlich anzog und bald wieder abstieß. Gewonnen, zerronnen.

Bis zur Olympiade 1936, bis zu seinem elften Lebensjahr, verstand der Knabe sich im engsten Familienverband als Sozi, Sapper, Kommunist, was immer das auch sein mochte, die Männer ringsherum waren es, bald marschierte er in der Hitlerjugend, mißmutig widerstrebend anfangs, dann gehorsam, bis er unter die Soldaten ging, halb zog es ihn, halb sank er hin, ohne schießen zu wollen. Nun schoß er sich doch mit den Amerikanern auf Sizilien, in Monte Cassino und den Albaner Bergen herum, aber nicht gegen Polen und Russen, weshalb er, nach Warschau verladen, die Fahne verließ, was die Russen bewog, ihn vier Jahre später erneut in die Kaserne zu schicken, aus der er sich herausschwindelte mit List und Krankheit. Der Knabe hätte jederzeit irgendwo anhalten und was Vernünftiges werden können. Offizier bei Wehrmacht oder Volksarmee etwa. Später zeigten sie gern im Fernsehen die süße DDR-Volkskammer, da erblickte er einen wohlbetuchten, stämmigen General in Uniform mit vielen Orden, den hohen Herrn kannte er vor Jahrzehnten gut, da war der noch ein schmales, ausgehungertes Bürschlein, der zu den aus Gefangenschaft entlassenen, der Volkspolizeibereitschaft überstellten Gefreiten gehörte.

Karrieren fallen kinderleicht, wenn du sie willst und die andern bedenkenlos in die Pfanne haust. Manchmal lese ich in den Anerkennungsschreiben der Ämter für meine Zeit als Dozent an der Ingenieurschule in Zwickau. Da hättest du bleiben und Karriere machen und Direktor werden können. Warum strebt einer, der Dozent ist, noch an die Universität, wenn er doch keine Karriere beabsichtigt? Legt sich mit Staat und Partei an? Endlich, in den Westen geflüchtet, nicht übergesiedelt, aber geflohen nach Kämpfen, die nicht gesucht und nicht gemieden worden waren, im Westen also, warum hier keine Karriere und statt dessen mehr als drei Jahrzehnte Schreiben im Rhythmus wechselnder Oppositionen? Er beharrt auf seinem einzigen Privileg, das darin besteht, nicht dazuzugehören, wenn welche sich zusammentun, andere zu benutzen. Aufzusteigen erschien ihm inzwischen als eine Krankheit.

Es war 1936 gewesen, als ich in der Schule um mich herum lauter steife, frischgebügelte Braunhemden bemerkte. Der Aufwand nannte sich Staatsjugendtag und fand künftig jährlich statt, so eine Art Mutter- oder Vatertag für vom Staat beschlagnahmte Kinder. Alle in Uniform, nur wir Ausnahmen in Zivil. Nach der ersten Verwunderung schämte ich mich der gestopften Löcher meines abgeschabten Pullovers. Die neue Kluft der anderen glänzte. Ihr Koppelzeug knarrte. So wurde ich gleichzeitig auf die soziale Frage und in die Politik gestoßen. Jetzt, im Leipzig des Jahres 1952, lagen sechzehn Jahre Politik und ihrer Folgen hinter mir. Damals zählte ich elf, jetzt siebenundzwanzig Jahre. Ich ahnte nicht, daß es erst der Anfang aller Turbulenzen war, die sich über weitere fast vier Jahrzehnte fortsetzen würden bis ins Rentenalter.

Es dauerte keine drei Jahre, und der Philosoph stand mitten in den Konflikten zwischen Ost und West, und wir

56er mit ihm. Dabei hätte ich doch ein so angenehmes, geruhsames Leben führen können als Dozent in Zwickau.

Was mein »eidetisches Gedächtnis« betrifft, so wäre ich, hätte er die Bibel abgefragt, wohl reingefallen, denn ich kannte lediglich Teile des Neuen Testaments. Beim *Kommunistischen Manifest* fehlten mir elf Seiten, weil sie in dem zerfledderten Exemplar, das ich im Gefangenenlager Bobruisk besaß, nicht mehr vorhanden waren. Verzweifelt, zur Untätigkeit verdammt, in den verwanzten Baracken herumsitzend, vertrieben wir uns die Zeit mit Vorträgen. Ich lernte das Manifest auswendig aus lauter Angst, es könnte mir bei einer der regelmäßigen Filzungen weggenommen werden. Die Herren Kameraden erwiesen sich am Thema als wenig interessiert. Ausgenommen ein intelligenter älterer Österreicher namens Geschnitzer. Der Name war falsch. Der Mann wurde später als höherer Nazi identifiziert.

Das verschwundene Denkmal

Blochs auffälliges Interesse an Informationen aus dem sächsischen Arbeiter- und Alltagsmilieu veranlaßte mich, mein Gedächtnis aufzufrischen und die gelockerten Beziehungen zum Geburtsort zu festigen. In der Leipziger Klause sitzend, fertigte ich eine Skizze der drei Dutzend Häuser an, in deren Umkreis ich aufgewachsen war. Der Gablenzer Berg, meine Kinderstube, entstand als Grundriß. Zum Wochenende fuhr ich nach Crimmitschau und notierte mir, die vertrauten Gebäude im Blick, eine Reihe Namen von Toten. Kein Haus war unbetroffen geblieben. Von der ersten Welle, den Gefallenen aus dem Ersten Weltkrieg, hatte ich nur gehört. Die meisten Toten des Widerstands kannte ich. Auf die zweite Welle der Opfer folgte die dritte des Zweiten Weltkrieges, die größte. Jedes Haus hatte einen oder zwei Jungen beherbergt, die als Soldaten im Krieg elend ums Leben kamen. Drei frühere Kommunisten waren desertiert und wurden erschossen. 1990, nach der Wende, als ich das Land wieder betreten durfte, ging ich in Crimmitschau auf den Gablenzer Berg und in Gablenz zu den unvergessen gebliebenen Häusern. Für mich wohnten die Toten noch da.

Es erfüllte mich mit Genugtuung, daß ich Bloch einst von ihnen erzählte, hatte er doch wissen wollen, wie es im Dritten Reich und danach in der DDR um die deutsche Arbeiterklasse stand. Einer der Arbeiter sei genauer betrachtet:

Sie haben ihn erledigt wie ein Stück Wild. Er war auf der Flucht. Und ein Feind. Die ihn erschossen, wurden dafür befördert und dekoriert. Später wollte es keiner gewesen sein. Eine Straße wurde nach ihm benannt, ein Denkmal für ihn aufgestellt. Als es wieder anders kam, erhielt die Straße den früheren Namen zurück. Das Denkmal wurde so freihändig wie eilig demontiert und verschwand. Den Sockel fraßen Disteln und Brennesseln. Kein Schwein wollte sich erinnern.

Als ich nach dem verschwundenen Denkmal suchte, hieß es, das lagere im Keller des Stadtmuseums. Das Museum war inzwischen abgerissen worden. Was sich im Keller befunden hatte, wurde exmittiert. Feinden setzen wir kein Denkmal.

Das Dorf. Es brachte es früher auf tausend Einwohner. Zwei Dutzend Bauersfamilien. Der große Rest kleine Arbeitsleute, die in den Fabriken der umliegenden Städte schafften. Das Dorf der billigen Mieten. Das rote Dorf. Noch 1933 wählten doppelt so viele links wie rechts. Das Dorf ist die Zelle des Widerstandes. Im April 1934 kommt es hier und im Umland zu 165 Festnahmen und 125 Anklagen wegen Hochverrats. Die ganze Gegend steht in Verdacht. Lauter Kommunisten und ein paar versprengte Sozialdemokraten.

Der aktivste Widerständler ist Alfred Eickworth, der erst endet, als er am 29. November 1943 in Griechenland von einer SS-Streife gestellt und beim Schußwechsel tödlich verwundet wird. Ein Jahrzehnt darauf erhält er sein Denkmal. Anfang der neunziger Jahre wird das Denkmal zeitgemäß entsorgt.

Der Feind Alfred Eickworth arbeitete als Schlosser, Weber, Friseur und im Untergrund. 1931 ist er Sapper (SAP: Sozialistische Arbeiterpartei Deutschlands – in Opposition zur SPD). 1932 Übertritt zur KPD. Juli 1933 bis März 1934 Leiter der Kommunistischen Widerstandsgruppe im Dorf. Von März 1934 bis Oktober 1936 in Haft. Am 4. Februar 1943 Einberufung des Wehrunwürdigen zum Strafbataillon 999. Im Oktober oder November 1943 schlägt er sich nach

Liquidierung einer dreiköpfigen SS-Wachmannschaft durch zu griechischen Partisanen. Am 29. November tödlich verwundet. Ein erledigter Feind eben.

Alternative Lesart: Möglicherweise beruhen die Angaben teilweise auf kommunistischer Legendierung. Sicher ist, Eickworth wollte zu griechischen Partisanen. Wurde gestellt und inhaftiert. Entkam mit Hilfe eines jungen Griechen, den die Deutschen zur Strafe zu Tode foltern. Der entflohene Deserteur erleidet, als er gestellt wird, einen Bauchstreifschuß, entkommt erneut, wird zwei Wochen später wieder aufgespürt und stirbt an Schußverletzungen.

Die Soldaten verscharren seine Leiche. Nach ihrem Abzug setzt die Bevölkerung den Deutschen auf dem Friedhof von Kárpathos bei und pflegt das Grab wie die Gräber der eigenen Opfer.

Daß Eickworth bei seiner Flucht oder den folgenden Schußwechseln drei SS-Wachsoldaten getötet hat, wird kolportiert, ist aber nicht nachweisbar. Auch wenn nicht so geschehen, fällt der Widerständler keinesfalls unter das Rehabilitierungs-Gesetz für Deserteure, das der Deutsche Bundestag am schönen 17. Mai 2002 mit den Stimmen von rotgrüner Regierungskoalition und PDS gegen die schwarze Opposition annahm, denn der Deserteur Eickworth setzte sich gegen nazitreue Soldaten, die ihn einfangen und zur Erschießung abliefern wollten, zur Wehr, womit er gegen Paragraph 57 des Militärstrafgesetzbuches verstieß, welcher Paragraph, wie vom Deutschen Bundestag beschlossen, weiterhin gültig bleibt. Ergo wurde der Soldat A.E. vom Strafbataillon 999 am 29. November 1943 rechtmäßig tödlich verletzt.

Doch selbst wenn er infolge göttlicher Gnade den Krieg überlebt hätte, fiele er nicht unter das am 17. Mai 2002 verkündete Gesetz zur Rehabilitierung von Wehrmachtsdeserteuren, sondern bliebe akkurat nach Paragraph 57 Militärstrafgesetzbuch bis zum Weltenende kriminalisiert. Ganz abgesehen davon, daß der kommunistische Widerständler als wehrunwürdiger Strafsoldat anzusehen ist, dem der neunundfünfzig Jahre später verkündete parlamentarische Freispruch vorenthalten zu bleiben hat.

Falls der Deserteur tatsächlich drei seiner Bewacher oder Verfolger, die ihn an den Todespfahl bringen wollten, besiegte, fordert das Exempel den Vergleich mit Oberleutnant Hans Georg Lehmann heraus, der Ende 1942 drei seiner Soldaten erschoß. Wegen Zigarettendiebstahls. Der Offizier wurde degradiert, zum Tode verurteilt, von Hitler begnadigt, erneut befördert und am 10. Oktober 1944 mit dem Ritterkreuz ausgezeichnet, wie die Luftwaffen-Panzer-Divison *Hermann Göring* im Divisionsbuch stolz den Nachgeborenen mitteilt. Wie viele Soldaten für Lehmanns Ritterkreuz sterben mußten, bleibt unerwähnt. Lehmann ist ein deutscher Held, Eickworth bleibt ein Kriegsverbrecher.

Zurück zum winzigen Dorf G., das inzwischen der benachbarten ehemaligen Textilarbeiter-Stadt C. einverleibt wurde. Im letzten Jahrzehnt verlor die Tausendseelengemeinde eine halbe Einwohnerschaft. Die Hauptstraße, zu DDR-Zeiten auf Alfred Eickworth umgetauft, heißt wieder Hauptstraße, auf der brausender Durchgangsverkehr dominiert. Fußgängerüberwege gibt es nicht. Fußgänger sind eine aussterbende Spezies. Die Häuser beidseits bleiben Potemkinsche Staffage. Wohnungsleerstand herrscht. Abseits zeugen an die hundert schön restaurierte Häuser vom neuen Wohlstand. Die 209 Einwohner, die bei der letzten Reichstagswahl am 5. März 1933 NSDAP wählten, zählten bis zum 8. Mai 1945 zu den Siegern. Die 199, die ihre Stimme der SPD gaben, verhielten sich bis 1945 vorwiegend stumm und dürfen sich ab 1989 als Sieger fühlen. Die 187 KPD-Wähler von 1933 schwiegen oder wurden verfolgt. Wer überlebte, machte in der DDR Karriere oder auch nicht. Ab 1989 sind die Machtverhältnisse endgültig klar – die Kommunisten standen von 1918 über 1933 bis 1989 auf Seiten der Unfreiheit. Die Söhne und Enkel der Täter vor 1945 rächen sich an den Opfern ihrer Väter bis ins vierte oder fünfte Glied. Eine 74jährige Dame erinnert sich: »Ja, den Eickworth haben sie im Krieg erschossen. Er hatte mal ein Denkmal. Ist nicht mehr da. Wohl abgerissen.«

Auf Nachfrage ist zu erfahren: Das Denkmal wurde ins Stadtmuseum gebracht. Das fiel dem Abbruch anheim. Eine wie üblich funktionslos gewordene Textilfabrik verbirgt die musealen Überbleibsel. Anwesende ABM-Leute, um Auskunft bemüht, sind nicht informiert. Ihre Jobs laufen bald aus. Die Stadt hat kein Geld. Ein pensionierter Diplom-Ingenieur weiß Bescheid: Das Denkmal ist vorhanden. Irgendwo zwischen den eingelagerten Objekten dämmert die Büste der besseren Unendlichkeit entgegen.

Ich betrachte die Photographie der Büste. Markanter Kopf. Darunter die Inschrift: »Alfred Eickworth geb. 11.6. 1907 / von Faschisten erschossen / 24.11. 1943«. Das Todesdatum ist nicht ganz korrekt. Zugegeben, die Büste ist kein avantgardistisches Kunstwerk. Postmoderne Ästhetik fehlt. Ist eben nur der Gedenkstein für einen Verschollenen mit inzwischen anstößig gewordener Inschrift. Die Denkmalspflege verlangt, so etwas wegzuräumen, zu verbergen, zu vergessen. Der Deutsche Bundestag sprach am 17. Mai 2002 das endgültige Vernichtungsurteil über den erschossenen Widerständler Alfred Eickworth. Es soll ihn nie gegeben haben.

Es war einmal ein junger Arbeitersportler. Als Hitler vor der Tür stand, warf er den Sozialdemokraten Versagen vor, kam von der SAP zur KPD und über den antifaschistischen Widerstand ins Zuchthaus, bis er im Kriege als Zwangssoldat desertierte. Da holte ihn der Teufel in Gestalt deutscher Soldaten. Die Revolution von 1989 besiegte ihn ein zweites Mal. Ein drittes Mal erschießen wir ihn mit dem Blei verordneter Verleugnung.

Damit endet die reale Parabel vom kleinen verratenen Genossen in den Eingeweiden eines abgerissenen Museums an der Pleiße, ganz wie die sächsische Landesregierung in Dresden empfiehlt, die so heftig wie Dregger, Kohl, Stoiber samt den Soldatenverbänden gegen die Rehabilitierung von Wehrmachtsdeserteuren protestierte. Denn die Fahne ist ihnen mehr als der Tod.

Gesetzt den Fall, der Deserteur A.E. tötete tatsächlich drei Bewacher – ist er dann ein Mörder? Ist der, der tötet, um am Leben zu bleiben, ein Mörder? Wenn ja, träfe es auch auf den Soldaten im Kampf zu? Und ist, wer den anderen an den Galgen bringt, ein tapferer Mensch?

Ich kannte Eickworth als Fred, ein Nachbar, der im Ort auf der anderen Seite der Kirche wohnte. Sonnabendnachmittag nahm mich der Mann, den ich Vater nannte und der der Vater meiner Mutter war, mit auf Tour durchs Arbeiterdorf, Gewerkschaftsbeiträge zu kassieren, Marken kleben für'n Metallarbeiterverband.

Hier im Haus ist heute noch unter Glas und Rahmen die Ehrenurkunde für den Großvater zu besichtigen: »Unserem treuen Mitglied Franz Widl aus Anlaß seiner 25jährigen Mitgliedschaft gewidmet vom deutschen Metallarbeiter-Verband Ortsverwaltung Crimmitschau, 10. Februar 1902-1927«.

Der Schlosser Eickworth, den wir Kinder als Fred kannten, verschwand, als unsere Lehrer plötzlich Braunhemd trugen, tauchte wieder auf, mußte in den Krieg, suchte ihm zu entfliehen, wurde erschossen und ist nun als Denkmal aus Stein (oder Bronze?) im Keller eines abgerissenen Stadtmuseums an der Pleiße zwischengelagert.

Über diesen Fred hörte ich im Juni 1944, nach einem Lazarettaufenthalt auf Urlaub, er sei desertiert, gestellt und getötet worden – davon wurde im Ort geflüstert. Die Lehre daraus: Wer von der Fahne geht, sei schußbereit, Du oder ich ist die Parole, wer den Frieden will, muß auf Krieg vorbereitet sein: Ein verfolgter Deserteur, der nicht zuerst schießt, ist schon verloren. Denn wer sich einläßt aufs falsche Jahrhundert, hat die Wahl, Mörder auf Befehl oder im Widerstand oder gar nicht zu sein.

A.E. gehörte im Jahr 2002 nicht zu den rehabilitierten Deserteuren, denen das Deutsche Parlament nach einem Halbjahrhundert großzügig die Fahnenflucht nachsieht, gegen die Stimmen der Opposition. Hätte Eickworth sich 1943 einfangen, abliefern, abknallen lassen, wäre er zwar als Deserteur auch schuldig geworden, zählte jedoch zu der kleinen Schar, die nicht weiter verurteilt und verdammt wird.

Es gilt: Der Schlosser A.E. hätte sich 1933 klug und taktisch verhalten müssen, statt Widerstand zu leisten. Etwa wie Alfred Dregger, der gleich nach dem Abitur fahnenjunkerte. Viermal schwerverwundet, ach, Hauptmann, wann führtest du deine Krieger an die Front, was blieb dafür an Zeit, bei vier monatelangen Lazarettaufenthalten? Tapfer focht die Wehrmacht, mit lauter Eickworths wär sie nie bis Stalingrad vorgedrungen. Dregger: braver Hauptmann. Eickworth: Böser Strafsoldat. Dies ist der Riß mitten durch die deutschen Köpfe und Seelen. Ein Volk, das Dregger ehrt und Eickworth verleugnet, führt den Krieg heimlich weiter. Wer Eickworth für rechtmäßig verfolgt hält, leugnet die Rechtmäßigkeit antinazistischen Widerstandes.

Am Sonntag, dem 23. Juni 2002 sprach ich auf der Wehrmachtausstellung in Leipzig und erwähnte die Mörderbande Dirlewanger. Werner Berthold, aus Bloch-Zeiten vom Institut bekannt, inzwischen Professor im Ruhestand, verwies auf *Das große Dilemma – Leipziger Antifaschisten in der SS-Sturmbrigade Dirlewanger*, schickte mir das Büchlein wenige Tage später zu. Autorin ist die Leipziger Historikerin Jutta Seidel. Ein Glücksfall für die Nachtlektüre. In Ost wie West verschwiegene Verfolgte erstehen auf: Walter Barth, Paul Nett, Zuchthaus, Hochverrat, 15 Angeklagte 12 bis 3 Jahre Zuchthaus, Herbert Gottlaß, Zuchthaus, KZ, Fritz Siemon, Zuchthaus, KZ, Reinhold Franke und Max Kästner, Zuchthaus, KZ. Willy Pfeiffer und Willy Schäfer als Kommunisten in die Sowjetunion, dort verhaftet und an Deutschland ausgeliefert, KZ Sachsenhausen, 1944 mit anderen Häftlingen zu Dirlewangers Strafeinheit geholt. Verschollen. Viele desertieren. Werden ergriffen, erschossen, gehenkt, werden nicht gefaßt, von den Sowjets begrüßt oder liquidiert oder nach Sibirien gebracht, SS-Leute wider Willen, in Widerstandsabsicht, wie sollen Rotarmisten SSler von KZ-SSlern unterscheiden.

An die hundert KZ-Häftlinge sterben als SS-Gefangene in sowjetischen Lagern. Wer zurückkehrt, gilt in der DDR als nichts. Langes Mühen und Ringen um Anerkennung. Rugard Otto Gropp, Professor für Historischen Materialismus am Bloch-Institut, vormals Zwangs-SS-Einheit Dirlewanger, schwor sich auf Parteilinie ein, niemals mehr in Verdacht geraten, so verteidigte er eisern Marx und Stalin gegen Bloch.

Oder wie kam Alfred Neumann zur SS: Widerstand, Flucht, Sowjetunion, Ausweisung, Spanien-Krieg, verwundet, durch das Frankreich Pétains an die Gestapo ausgeliefert, 8 Jahre Zuchthaus, 1945 zu Dirlewanger gepreßt, Desertion, bis 1947 im Gefangenenlager, dann DDR-Minister, ab 1990 Rentner, angeklagt wegen »Totschlag und Körperverletzung an der innerdeutschen Grenze«.

Wer sitzt im Glashaus und wirft den ersten Stein? Wollen wir die von Deutschen erschossenen Kommunisten aufzählen? Die von den Sowjets ermordeten deutschen Genossen dazu?

Siegfried Prokop über Alfred Neumann: »Poltergeist im Politbüro«. Gut so, Poltergeister können nicht sterben. Noch einer hier, der diesen A.N. anklagen möchte? Die an der Innengrenze Erschossenen sind die vorläufig letzten Folge-Opfer der Kommunistenjagd, die einstigen Opfer wollten es nicht mehr sein und mendelten sich aus zu Tätern. Wer einmal bei des Führers verrückten Dirlewangern war, wird nie mehr in den ungestörten bürgerlichen Schlaf finden.

Kommunisten sind Tote auf Urlaub, rief Leviné in die Gewehrläufe seiner bayerischen Hinrichter. Der Jude muß sterben. Ist er Kommunist, erleidet er den doppelten Tod. Ich erhebe mein Glas: Alfred Neumann Prosit! Sollst ewig leben. Die wahren Dirlewangers lernte ich beim Warschauer Aufstand kennen. Da waren noch keine desertionsentschlossenen Ex-KZ-Häftlinge dabei, wer zu dieser Truppe stieß, gestoßen wurde und seine Haut zu retten verstand, der poltert den Nachkommen in die Seele. Von 170 Antifa-Dirlewanger-SS-Leuten der 9. Kompanie wurden im Dezember 1944 über ein Dutzend durch deutsche Soldaten fürsorglich exekutiert, dreißig blieben im deutschen und sowjetischen Feuer liegen, 115 schlugen sich zu den Sowjets durch. Eine Handvoll kehrte nach Hause zurück. Ein Bataillon war geschlossen auf die andere Seite übergegangen. Die DDR erkannte nach anfänglichen Schwierigkeiten die KZ-SSler als Kämpfer gegen den Faschismus an. Das vereinte Deutschland aber weiß von nichts. Große Worte an Volkstrauertagen – aber was geschieht, nur als Exempel, mit einem Mann wie Eickworth? Ist er Widerständler, Kameradenverräter, Kameradenmörder, desertierter Strafsoldat, ja letztlich als Kommunist überhaupt rehabilitierbar? Der Fall A.E. ein Menetekel, das mit Straßenumbenennung und Denkmalssturz aus dem Gedächtnis getilgt werden soll?

Der 1968 verstorbene hessische Generalstaatsanwalt Fritz Bauer schrieb: »Ein Unrechtsstaat, der täglich zehntausende Morde begeht, berechtigt jedermann zur Notwehr ...« Im Vorwort zu seinen Ausgewählten Schriften *Die Humanität der Rechtsordnung* weisen die Herausgeber Joachim Perels und Irmtraud Wojak darauf hin, daß Paragraph 53 STGB inzwischen durch Paragraph 32 noch klarer gefaßt worden ist: »Wer eine Tat begeht, die durch Notwehr geregelt ist, handelt nicht rechtswidrig«. Das mag Widerständler freisprechen, spielte aber im Handlungszeitraum keine bestimmende Rolle. Der Kommunist Alfred Eickworth widerstand von 1933 bis 1943 aus Gründen, die jenen, die ihn unbedingt vergessen machen wollen, fremd sind wie einem Götzendiener das Vaterunser.

Perels und Wojak verweisen auf Hermann Weinkauff, der das Widerstandsrecht vier Jahre nach Fritz Bauers weitreichender Definition so rigoros beschnitt, daß es nur noch von hohen Vorgesetzten ausgeübt werden kann, dem niederen Volk jedoch lediglich blinder Gehorsam übrig bleibt. Die rechtlichen Kautelen hier beiseitegelassen, kann der Nazi-Reichsgerichtsrat Weinkauff, in der Bundesrepublik aufgestiegen bis zum Präsidenten des Bundesgerichtshofes, als Sollbruchstelle gelten, falls die Demokratie krisenhalber eingeschränkt werden sollte. Ob die Berufung aufs Grundgesetz dann hülfe, steht in den Sternen, denn in irdischen Notständen finden sich leicht behende Staatsjuristen wie Carl Schmitt und Generäle wie Kurt von Schleicher, die mit Notverordnungen zu regieren vermögen.

Das Dritte Reich wurde während der Weimarer Republik so perfekt vorbereitet und vorsorglich legitimiert, daß es vom 30. Januar 1933 bis zum Reichstagsbrand nur noch unverrückbar installiert zu werden brauchte. Unterm Hitler-Regime traten die seismographischen Mitläufer Gottfried Benn, Martin Heidegger und Friedrich Sieburg hervor, Artisten im Übergang von der Republik zur Diktatur, die für den bürgerlichen Lack im rechten Feuilleton sorgten.

Wie weit ist es von der *Frankfurter Zeitung* zur *Frankfurter Allgemeinen Zeitung*, wo Sieburg wieder zeilenstolz herumeierte, Joachim Fest Bloch als Hitlers Bruder denunzierte und Ernst Nolte die Optik Richtung Auschwitz verstellen durfte? Wenn Günther Gillessen in der Wehrmachtausstellung »Zeugnisse eines vagabundierenden Schuldempfindens« erblickte oder der Münchner Bundeswehrprofessor Seidler gegen die Rehabilitierung von Wehrmachtsdeserteuren polemisierte und sich dabei ausgerechnet auf Hermann Weinkauff (*FAZ* 5. 3. 96) berief, der es als hoher Nazi-Jurist in die Spitze des Bonner Staates geschafft hatte, so erlaube ich mir bei der Lektüre des sublimen Blattes ein Interesse wie beim Wetterbericht. Man will wissen, wo der Frosch auf der Leiter sitzt.

Im 1972 in Frankfurt/Main erschienenen *Bericht aus dem Landesinneren* zitiere ich Gespräche mit Fritz Bauer: »Das dritte Geschlecht ist ein juristisches Problem. Juristisch kennen wir nur zwei Geschlechter. Weibliche Personen, männliche Personen. Die Juristen sind mit ihren Definitionen hinter der Wirklichkeit zurück. Das ist kein Problem erst von heute, das dritte Geschlecht gab's schon vor vielen tausend Jahren. Die Juristen nehmen es nur nicht wahr. Warum?« Wir benötigen wohl eine so juristische wie politische Figur des dritten Geschlechts – nicht maskulin, nicht feminin, dazu unbefleckt vom Bourgeois im Nazi und Nazi im Bourgeois. Der Citoyen als Figur des dritten Geschlechts. Statt Weinkauff Fritz Bauer.

Blochs Landpartie

Bloch-Land ist, wo jeder Ort ganz besondere Namen dazu verzeichnet. Revolutionäre, Wissenschaftler, Philosophen, Politiker, Schriftsteller, Musiker, Maler, Techniker. Aufständische, Eingesperrte, Gefallene, Erschossene, Gehenkte, Exilierte, Geflüchtete, Desertierte, Geköpfte. Zu Zeiten der DDR schien der Widerstand fast nur aus Genossen bestanden zu haben, die Bonner Republik feierte den 20. Juli 1944 der hohen Militärs, dazu den 17. Juni 1953 der DDR.

Bloch-Land ist, wo die allgemeine Ansicht, die Deutschen hätten Hitler zu verantworten, so pauschal nicht zutrifft, weil hier Verweigerung und Widerstand stärker als anderswo gewesen sind. Von Berlin und Leipzig, Dresden und Chemnitz bis zu den mittelgroßen Städten reichte die Arbeiterbewegung, da sind zu nennen Zwickau, Plauen, Reichenbach, Werdau, Crimmitschau, Meerane, Glauchau und die kleinen Orte und Dörfer dazwischen, diese Landschaften des langandauernden Unwillens gegen Kaiser, Hindenburg und Hitler. Von der Spree bis an die Elbe, Mulde, Pleiße erstreckt sich Bloch-Land. Am Ende fehlt nur die Zweite Revolution. Da hatte Lenin einst auf die deutschen Revolutionäre gehofft und die Sozialdemokratie sich versagt. Hätten die Bolschewiki sich unterkriegen lassen, wäre Hitlers Deutschland im Osten siegreich geblieben wie 1917/18, als die Deutschen Rußland schlugen und ihm Bedingungen aufzwangen, die den Versailler Vertrag an Härte und Schändlichkeit bei weitem übertreffen. Stalin besiegte Hitler. Der Zar hätte das nicht geschafft. Stalin schlug die Lenin-Trotzki-Revolution nieder. Seine siegreiche Konterrevolution sabotierte die innersozialistische Entwicklung. Jetzt saßen die deutschen Genossen in der Falle. Kein Sozialdemokrat hat ein Recht auf Verachtung der Genossen

Kommunisten. Nur sie selbst sind moralisch legitimiert, sich mit ihresgleichen auseinanderzusetzen. Unterlassen sie es, gleichen sie den Sozis, die immer nur andere anklagen. Die SED litt unter der infolge deutscher Kriegsniederlage aufgezwungenen Sowjetstruktur und den dogmatischen Spitzenfunktionären, denen der alte Genosse Quandt auf der letzten ZK-Tagung 1989 verzweifelt zurief, sie müßten erschossen werden für ihren Kurs in den Abgrund.

Wenn ich vom ostdeutschen Bloch-Land spreche, meine ich die kleine Chance, die sich uns bot. Sie mag winzig gewesen sein, doch war sie vorhanden. 1956 regten sich nach Chruschtschows Antistalinrede so viele von uns, daß die Partei an der Basis in Bewegung geriet und oben vor Schreck erstarrte. Der ungarische Aufstand mit seinen idiotischen Exzessen, den Gelynchten und blindwütig Erschossenen war es, der die SED-Politbüro-Hierarchie rettete. Die Unterlassung der Zweiten Revolution war der Anfang vom Ende. Als der Parteistaat 1989 abgewirtschaftet hatte, verflüchtigte sich die traditionslose sozialistische Opposition im Handumdrehen, es siegten die bloßen Überläufer, und fertig war das alte bürgerlich-kapitalistische Deutschland. Die SED wollte alles und behielt gar nichts. Die nachfolgende PDS mühte sich aufrichtig, doch fehlt es an der Courage, mehr zu sein als ein Zwitter.

Im Bloch-Land wurde nicht, wie verordnet, das Ende der Philosophie gepredigt, sondern eine Neue Philosophie. Die das begrüßten und mitgingen, mußten dafür büßen. Das Ende der DDR hat viele Ursachen. Eine davon war die eingebaute Vorschrift, das Volk habe zu gehorchen und nichts als jubelnden Vollzug zu melden.

Bloch-Land ist, wo das eine Prozent der Verfolgten und Widerständigen lebte, die ehrlich Reumütigen hinzugenommen, was der ersten Million eine zweite anfügt. Sind zwei Millionen Deutsche etwa nichts? Und da wir einmal dabei sind, dementieren wir fürs Bloch-Land nicht nur die Kollektivschuld, die sowieso Unsinn ist, indirekt aber als Vorwurf fortbesteht, wir dementieren auch die individuelle Schuld. Der Mensch kommt frei und schuldlos zur Welt. Wer 1933 Kind war oder zehn Jahre oder Jahrzehnte danach erst geboren wurde, sollte auch nicht mit der beliebten Floskel, er »trage Verantwortung« beladen werden, was er als Zumutung empfinden muß. Wieso soll einer verantworten, was vor seiner Geburt geschah? Oder in seiner Kindheit? Oder während einer Zeit, in der der Staat und seine Gehilfen in Schulen, Parteien, Militär das Unverantwortbare zur Pflicht erheben? Den Menschen zum dressierten Sklaven verbiegen und ihm, hat er brav und blutig funktioniert, Schuld aufbürden? Jede Macht behauptet ihr Recht. Wer entscheidet über dessen Legitimität und Legalität? Wer nicht entscheidungsfähig gemacht worden ist oder sich selbst zur Unterklasse der bloß dahinvegetierenden Lebewesen degradiert, ist schuldunfähig und verantwortungsneutral. Wer der Macht Legitimität und Legalität zuspricht, ist damit für sie und sich verantwortlich und schuldfähig. Wer damit nicht einverstanden sein kann, hat die ehrenhafte Wahl zwischen Resignation und Revolte. Tertium non datur. Es sei denn, er lebe im Reich der Pflanzen und Tiere.

Krieg der Generationen

Als Fünfjähriger bekam ich alle vier Wochen einen Groschen in die Hand gedrückt, ging zwanzig Schritt vom Haus weg und zwanzig Schritt nach links an der Kirche vorbei und die Steintreppe hinab. Zur Linken steht das Pfarrhaus, rechts das Fachwerkhäuschen der Familie May. Durch die knarrende Eingangstür tritt man gleich in eine winzige Stube, wo die Brüder Eickworth den Lohn oder das Arbeitslosengeld durch illegales Haareschneiden aufbessern. Der Fünfjährige kennt den Mann, der ihm den Schädel fast kahl schert, nur vorn bleiben einige Ponyfransen stehen, als Fred. Wäre ihm gegeben, was die klugen Akademiker antizipierendes Bewußtsein nennen, dächte er sich kraft seiner überkindlichen Phantasie in ein lockeres Märchen hinein. Beugte sich als Siebenundsiebzigjähriger anno 2002 über den Fünfjährigen anno 1930 und verschwände im Knaben. Der blickt nun illuminiert weit hinaus. Fred, der ihm die Haare kürzt, wird dreizehn Jahre später als flüchtiger Strafsoldat von der deutschen Wehrmacht totgeschossen werden. Sein Freund und Genosse im Widerstand Rudolf Hallmeyer wird im selben Jahr durchs Fallbeil hingerichtet. Ich selbst, erkennt der Fünfjährige, kehre nach sechs Jahren Krieg und

Gefangenschaft zurück, liege im Lungensanatorium und lese den Satz »Soldaten sind Mörder«, geschrieben von einem gewissen Kurt Tucholsky. An diesem Satz halte ich bis zum Lebensende unbelehrbar fest. 1952 werde ich einen gewissen Ernst Bloch kennen lernen und 1953 eine gewisse Ingrid Hoffmann. Nach einem gemeinsam verlebten Halbjahrhundert werden Ingrid und ich im Jahre 2002 vom Hang des Feldbergs im Taunus ostwärts zurückblicken. So weit in die Zukunft eilend und wieder eintretend in die winzige Friseurstube, vergißt der Fünfjährige den Siebenundsiebzigjährigen gnadenlos, zahlt seinen Groschen und tritt den Nachhauseweg an. Um zweiundsiebzig Jahre gealtert, steht er vor seinem Geburtshaus und sieht den Fünfjährigen kommen. Guten Tag, Junge! Haareschneiden gewesen? Der Knirps antwortet: Das sind kodierte Vorgänge. Ich ließ mir eben mein antizipierendes Bewußtsein kürzen.

Der alte Mann versteht den Witz, denn er hat das alles mit einigem Anstand hinter sich zu bringen versucht. Manchmal gelang es, oft nicht. Als er anno 1990 nach dreiunddreißig Jahren erzwungener Abwesenheit erstmals wieder in Leipzig sein durfte, wunderte er sich über die glanzlose, stockende Schwärze der Stadt, die in seinem Gedächtnis eine fast strahlende Helligkeit angenommen hatte. In den Taunus zurückgekehrt, erfuhr er aus Heinrich Heines »Enfant perdu«: »Verlorener Posten in dem Freiheitskriege / Hielt ich seit dreißig Jahren treulich aus, / Ich kämpfte ohne Hoffnung, daß ich siege, / Ich wußte, nie komm ich gesund nach Haus.«

Der ansonst besser sortierte Philosophiehistoriker Volker Caysa attackierte mich 2002 bei einem Ernst-Bloch-Workshop in der Berliner Charité mehrfach mit den Worten: »Sie und Ihre Generation ...« Da ich Jahrgang 1925 bin, war offenbar die Kriegsgeneration gemeint, der eine nazistische Kollektivität unterstellt wird, ganz so als hätte es nicht mehr als eine Million Widerständler und ca. 200 000 Deserteure, davon an die 30 000 Erschossene gegeben.

Was mich betrifft, so trennte ich mich als Neunzehnjähriger von der Hitler-Kriegsmaschinerie ab, für welche Differenzierung der 1956 geborene Philosophiedoktor offensichtlich keinerlei Wahrnehmungsfähigkeit besitzt. Wollte ich ebenso jenseits allen Niveaus argumentieren, könnte ich ihm das Etikett einer »versifften Schmuddelgeneration

73

von Drogen-Dealern« anheften, wogegen er sich mit Recht verwahren würde. Allerdings bleibt die Frage offen, ob ein heute installierter Totalitarismus auf zumindest soviel Widerstand träfe wie es ihn gegen den Nazismus immerhin gegeben hat.

Die »68er« hatten das Aufrechnen mit bestimmten Generationen angestoßen. Unterschiedliche Jahrgänge emanieren zu Klassen, die bekämpft werden, ungeachtet jeder Individualität und spezifischen Sozialverhaltens, ganz nach dem Muster: Tut nichts, der Alte wird verbrannt. Zur Zeit der Stalinschen Säuberungen in den Jahren 1936-38 befanden sich ungefähr 100 000 Deutsche in der Sowjetunion, siebzig bis achtzig Prozent von ihnen wurden schwer repressiert. Im deutschen Blick sind sie Bolschewiken, wie sie in Stalins Augen Trotzkisten und Nazis waren. Vom Geburtsjahr her gesehen sind sie alle Kriegsgeneration wie die achtzehn Millionen Wehrmachtssoldaten.

Im Bonner Bundestag erklärte Ex-Hauptmann Dregger den Krieg der Wehrmacht bis zur letzten Sekunde für »ehrenhaft, soweit es den Osten betrifft«. Graf Einsiedel und ich wiesen das energisch zurück. Alle drei gehören wir vom Geburtszeitpunkt her zusammen, was aber haben wir außer diesem kalendarischen Fakt gemeinsam? Dem unterscheidungsunfähigen flotten Philosophen ins Stammbuch: Kein Irdischer haftet für Tag und Ort seiner Geburt, sowenig wie für seine Eltern, die ihn zeugten. Es kommt nur darauf an, was der Geborene danach aus sich macht. Aus sich und anderen.

Der zwanzigjährige Ernst Bloch zum Beispiel war bereits revolutionär, als Lenin, Trotzki und Rosa Luxemburg am Exempel Rußlands im Jahre 1905 die Revolution zu erlernen begannen. Und er starb 1977 als Revolutionär, da parodierte der Bolschewismus nur noch sich selbst, bis er, in die Agonie abgleitend, 1990 verendete.

Bloch war Archetyp und Phänotyp zugleich. Ursprünglich sollte es eine andere Revolution als die Lenins sein. Bei dessen Tod 1924 erfaßte Bloch nicht, was es nach sich zog, daß statt Trotzki Stalin an die Macht gelangte. Begriff jedoch sofort, was Hitler bedeutete und votierte für den Antifaschismus und die Sowjetunion. Überzeugt, die Zweite Revolution ließe sich nur als Folge des Roten Oktober erreichen, baute er seine eigene Revolutionstheorie 1933 im Exil und von 1949 an in Leipzig aus, per Sklavensprache getarnt. 1956 verwarf er die Tarnung und revoltierte. Die Weigerung, im letzten Exil in Tübingen Buße zu tun und sich als Renegat zu bekennen, zeugt von Trotz und Hoffnung und fordert Konsequenzen. Er kroch nicht zu Kreuze und resignierte nur, soweit es die Sowjetunion betraf.

Zusammengefaßt: Im Ersten Weltkrieg setzte Bloch auf die deutsche Niederlage. Der bolschewistischen Oktoberrevolution begegnete er anfangs mit Skepsis. Die Bedrohung durch das erstarkende Hitler-Deutschland trieb ihn an die Seite der Sowjetunion. Im Prager und Pariser Exil zählten Ernst und Karola zum Widerstand. Aus der amerikanischen Emigration nach Leipzig geholt, erkannte er bald die fundamentalen Schwächen der Sowjets und versuchte sich als Erneuerer. Nach seinem Scheitern in der DDR hinterließ er in Tübingen seine Lehre von der notwendigen Transformation des Kapitalismus in eine neue Mischung von Freiheit und Ordnung, die einer revolutionären Reform bedarf.

Blochs Erkenntnisse und sein Engagement standen also durchweg konträr zum Verhalten der Mehrheit und ihrer Führer. Das Volk hangelt sich, seinen Politikern folgend, lieber von Katastrophe zu Katastrophe.

Es wäre reizvoll und zugleich bedrückend, sich vorzustellen, Blochs Entscheidungen einer Meinungsumfrage zu unterziehen, etwa: War es richtig, Deutschlands Niederlage im Ersten Weltkrieg zu wünschen, war es opportun, sich gegen Hitler mit der Sowjetunion zu verbünden, war es richtig, in die DDR zu gehen – noch heute würde die Mehrheit dies wohl verneinen. Die historisch bestätigten Haltungen Blochs wären noch im Jahr 2002 nicht konsensfähig, das Dunkel des gelebten Augenblicks herrscht übers Jahrhundert hinweg und kann, bleibt es bestehen, nur zu weiteren Finsternissen führen.

Einen ungelösten Knotenpunkt der DDR-Geschichte bietet das Jahr 1956, als Chruschtschows Reformversuch auch im östlichen Deutschland die Geister schied und der Aufbruch einer Gruppe von Intellektuellen in Repressionen endete.

Von den damaligen Protagonisten sind Harich, Janka, Zöger, Ralf Schröder inzwischen verstorben, Gustav Just, Harro Lucht, Winfried Schröder leben noch. Der 1977 in Tübingen verstorbene Bloch unterlag einer langen Verdrängung, die von der SED gewollt war, aber auch aus dem subjektiven Unbehagen der Genossen herrührt.

Bloch als der philosophische Initiator der 56er DDR-Opposition, wie Harich es aus der Haft heraus ganz richtig darstellte, auch wenn diese Anmerkung denunziatorische Züge trug, suchte seinen Einfluß in der DDR bis 1961 per halber Selbstkritik zu retten, dann setzte der Mauerbau dem ein Ende. Von seinem neuen Wohnort Tübingen aus blickte er nur spärlich zurück. Andere besiegte Oppositionelle gaben sich nicht offener, blieben ungehört oder gefielen sich wie Harich und Janka in unfruchtbaren Streitigkeiten. Die Genossen jedoch, die 1957 der Partei halfen, die alte Disziplin zu restaurieren, verweigern verunsichert oder verschämt jede Auskunft, und die inzwischen fast vergessen gemachten Tragödien der Jahre 1956/57 wirken als Element innerer Zersetzung fort. Eine der Folgen ist die fatal andauernde Wirkungslosigkeit Blochs, die es selbst noch im 21. Jahrhundert verhindert, seine eminente kulturgeschichtliche Rolle zu erkennen. Mit der damaligen Diffamierung als feindlicher Marx-Revisionist ist die Sicht auf Blochs Antizipations-Projekt verriegelt worden. Es ging aber in Wirklichkeit um die notwendige Reformation des revolutionären Marxismus, dessen inzwischen eingetretener Bankrott zur heutigen Misere der globalen Krisen und Kriege führte.

Die negativen Resultate jahrzehntelanger konformistischer Parteischulungen sind korrigierbar, da jetzt jeder jederzeit in aller Freiheit die Lektüre Blochscher Philosophie betreiben und genießen kann, die niemanden diszipliniert, jedoch mit historischen Exempeln Anstoß zum revolutionären Selberdenken bietet. Wenn nicht alles täuscht, beginnt bei Genossen und Christen, seien sie im einzelnen noch so zerstritten, eine Besinnung auf den revolutionären Reformator Bloch, dessen keineswegs unvermeidliche Niederlage von 1957 einen universellen Aufbruch zur Veränderung und Erneuerung nicht ausschließt. Die lebendigste Hinterlassenschaft der DDR ist Ernst Bloch, dessen Philosophie in Ost wie West vorzeitig der Totenschein ausgestellt wurde.

Unübersehbar ist eine westliche Tendenz, den Trotz-Philosophen zu entpolitisieren. Erst soll er nicht in die Walhalla der Geistesriesen gehören, dann wird er verniedlicht. Mal gilt er als unphilosophischer Literat, dann als Stalinist, endlich als hohler Klassiker.

Blochs Weissagung dazu: »Der Krieg ging aus, die Revolution ging an und mit ihr scheinbar die offenen Türen ... die haben sich bald wieder geschlossen ... die Universitäten sind wahre Gräberstätten des Geistes geworden, Brutstätten für ein Deutschland erwache, erfüllt vom Gestank der Starre ...« (*Geist der Utopie*, Fassung von 1964)

Wem die Rache gehört

In jenen fernen Zeiten, als der Genosse Chruschtschow im Jahr 1956 im Kreml eine Rede gegen den überlebenstoten Genossen Stalin hielt und der Genosse Walter U. im Politbüro in allerlei Turbulenzen geriet, rettete der Genosse Paul F. als Leipziger SED-Bezirkssekretär den Bedrohten, indem er sich selbst sowie seinen Kultursekretär Siegfried W. von der Leine ließ. Nach der Bellerei und Beißerei fanden sich die einen im Zuchthaus und die anderen in westlichen Gefilden wieder, der Rest begab sich ins gelobte Land ruhiger Parteikarrieren. Der Sieger Siegfried W. aber brachte es zum ZK-Kultursekretär und Ministerstellvertreter und disziplinierte siegreich den aufmüpfigen Dichter Heiner M., welcher das skandalöse Theaterstück *Die Umsiedlerin* in die sozialistische Welt zu setzen versuchte, was ihm fürsorglich verhagelt werden mußte.

In jenen fernen Zeiten also richtete ich von Irland aus, wo ich mit Frau und Tochter für einige Monate in Heinrich Bölls Cottage wohnte, einen Liebesbrief an den schlimmen ZK-Finger. Mein Schreiben vom 20. 3. 1960, aufbewahrt in der Behörde für »Geheime Forschungen«, von der aus ich es nun zur Kenntnis nehmen durfte, ging so:

»Lieber Siegfried Wagner, soweit ich orientiert bin, bist Du faktisch der Nachfolger von Paul Wandel. Ob es mir paßt oder nicht, ich muß mich also an Dich wenden. Wie ich erfahre, macht sich Euer Staatssicherheitsdienst immer noch oder auch wieder viel Arbeit mit mir. Das sollte er nicht tun, ich meine, die Genossen hätten wirklich wichtigere Dinge zu tun.

Was meine politische Meinung betrifft, so hat sie sich in den letzten Jahren wohl in konkreten Dingen geändert,

nicht aber im Wesentlichen: Ich halte von der hiesigen westlichen Gesellschaft ebenso wenig wie von einem Sozialismus, in dem Leute Deines Schlages Machtfunktionen ausüben, die vom Volk nicht kontrolliert werden können.

Dies ist das eine, und ich kann nur raten, daß Du meinen nächsten, im Herbst erscheinenden Roman liest, da ex-
emplifiziere ich diese meine Ansicht.

Damit komme ich zur Hauptsache. Ich habe die Zeit genutzt. Es liegen mehrere Manuskripte vor, die Bücher können eins nach dem andern die nächsten Jahre erscheinen,
und sie werden Dir und Deinen Genossen nicht viel Freude
machen. Andrerseits bin ich aber auch nicht auf das Erscheinen dieser Bücher angewiesen. Einmal liegt mir nicht viel
daran, den Antikommunisten Argumente zu liefern, zum
andern möchte ich gern über unpolitische Dinge schreiben.
Da hindert es mich geradezu, daß ich nun verpflichtet bin,
erst die gegen Euch gerichteten Romane drucken zu lassen.
Ich könnte mir vorstellen, daß es da zu einem gewissen
gegenseitigen Einvernehmen kommen könnte. Ich schlage
vor, Ihr solltet Euch überlegen, ob man Günter Zehm, Erich
Loest und noch ein paar andre nicht freilassen könnte. Sie
haben nichts wirklich Ernsthaftes getan, und Ihr steht ge-
festigt genug da, als daß dies Euch beeinträchtigen könnte.
Freilich müßte ein Siegfried Wagner dann seine persönliche
Antipathie zügeln, aber ich nehme an, daß er bereit ist, für
die Partei auch dieses Opfer zu bringen.

Ansonst kann ich nur raten, die dummen Nachstellungen und Erkundigungen doch sein zu lassen. Ich falle nicht
auf Finten rein, ich bin nicht zu kaufen, und bei meiner Frau
findet Ihr auch nichts. Wollt Ihr unbedingt was wissen, so
wendet Euch lieber direkt an mich.

Übrigens, was die Manuskripte anbetrifft, von denen
ich eingangs sprach, so laß ich mich auch da auf keinen
Kuhhandel ein. Eindeutig: Sie sind fertig und an sichrer
Stelle deponiert. Sie können ungedruckt bleiben, wenn Ihr
mir entgegenkommt. Das riecht nach Erpressung, aber es
ist keine, denn Ihr seid die Mächtigeren, ich habe nur das
zu tun, was mir mein Gewissen rät. Und damit wir uns
richtig verstehen: Ich biete Euch nicht mein Stillschweigen
an. Ich werde nicht, weil Ihr einige Leute freilaßt, die Ihr
widerrechtlich eingesperrt habt, nun fürderhin gutheißen,
wenn Ihr andere widerrechtlich inhaftiert. So ist es also

nicht gemeint, ich binde mir keinen Maulkorb vor. Ich stelle nur in Erwägung, die alten und ganz konkreten Geschichten auf sich beruhen zu lassen. Meine beiden Bücher *Aufs Rad geflochten* und *Die Liebe der toten Männer* werden also noch ein halbes Dutzend Nachfolger finden oder auch nicht. Dies ist zu verhandeln. Gerhard Zwerenz«

Wie ich höre, soll der Genosse Siegfried W. die Veruneinigung von 1990 unbeschadet überstanden haben. Der Dramatiker Heiner M. hat ihm kurz vor seinem Tode großherzig vergeben, und da mir zum Rache-Engel die flotten Flügel fehlen, sage auch ich: Schwamm drüber. Zumal Genosse Siegfried W. inzwischen als von der SED gemaßregelter Widerstandskämpfer gilt. Tatsächlich wurde er, wie ich lese, wegen zu liberaler Haltung in seinem späteren Leben verschiedentlich vom Politbüro vermahnt. Offenbar litt Wagner unter Anflügen von Reue und suchte sich zu bessern. Wollte ich ihm weiter unversöhnlich begegnen, gliche ich jenen Bürgerrechtlern, die, vom Dritten Reich ungerührt, ihren Haß allein auf die im Orkus verschwundene DDR konzentrieren. Sie meinen, Hitler heiße in Wahrheit Walter Ulbricht-Honecker, der habe den Zweiten Weltkrieg ausgelöst, indem er die Bonner Republik überfiel und die Westdeutschen sofort ins KZ steckte.

»Mein ist die Rache, ich will vergelten, spricht der Herr«, sagte Paulus laut Römer 12,19. Nun sollen das Paulus und sein Herr unter sich ausmachen. Mein ist die Rache nicht. Außerdem unfruchtbar, viel zu anstrengend und so geist- wie humorlos.

Meinen Brief von 1960 an den damaligen Triumphator in Leipzig lesend, denke ich nicht ohne Mitgefühl an den inzwischen Besiegten, der irgendwo in den Eingeweiden Berlins überdauert. Es steht uns, der Gemeinschaft unterlegener Sozialisten wohl an, die heutigen Sieger mit fröhlicher Gelassenheit zu betrachten. Beneidenswert sind sie nicht. Schreiben wir ihnen also zum Trost liebenswürdig-freche Sätze ins Stammbuch. Kein Sieg ist von Dauer.

Von Tucholsky zu Clausewitz
und von Bloch zu Sieburg

Nach der Flucht aus der DDR im Jahr 1957 und Aufenthalten in Westberlin, Kasbach am Rhein, Irland, Köln, München, lebten wir ab 1971 für längere Zeit in Nieder-Roden, Offenbach/Main, Frankfurt und von 1978 an im Hochtaunus. Wo überall wir auch wohnten, ich versuchte das in Leipzig partiell vorhandene und dann verhinderte Bloch-Land erneut zu gründen und zu umreißen, was zu allerhand Erfolgen, Niederlagen und Skandalen führte.

Als Anfang der siebziger Jahre die westdeutsche Linke durch RAF, K-Gruppen, Fundamentalismen und staatliche Repression instrumentalisiert zu werden drohte, schrieb ich zwei Tucholsky-Bücher, die den Pazifismus der Zeit nach dem Ersten Weltkrieg in Erinnerung rufen sollten. Die Tucholsky-Biographie und den kleinen Psycho-Roman über die letzten Lebensjahre des Autors in Schweden komplettierte ein Film, den die ARD 1978 unter dem Titel *Tucholsky im Gedächtnis* sendete. Der Versuch, den klassischen Weltbühnen-Pazifismus der zwanziger Jahre wiederzubeleben, scheiterte an allerhand alten Kriegern und der ideologischen Verbohrtheit junger Linker. Sie hatten Revolution im Kopf und große Worte auf den flinken Zungen. Der staatliche Rüstungswahn tat das seinige dazu, denn »Lieber tot als rot« lief auf ein Totrüsten der Sowjetunion hinaus, da blieb ich bei den atheistischen Fundis so wirkungslos wie Freund Niemöller bei seinen Staatspriestern.

Weil nun im Jahre 2000 der *Kranichsteiner Literaturverlag* in Pfungstadt meinen inzwischen vergriffenen Tucholsky-Roman als Reprint herausbrachte, wollten Ingrid und ich auch den Tucholsky-Film in Darmstadt zu Tucholskys 111. Geburtstag am 9. Januar 2001 vorführen, was aus technischen Gründen nicht gelang. Ingrid und ich lasen stattdessen aus der Reprintausgabe, und ich schilderte den Film mit dem Effekt, daß eine Darmstädter Zeitung meldete, mein Roman mit dem Titel *Gute Witwen weinen nicht* sei ein Werk Tucholskys, welche Information besonders apart war, da in dem Buch ausführlich der Selbstmord und die Beerdigung Kurt Tucholskys beschrieben wurden. Da hatte Tucholsky also seinen eigenen Tod geschildert und die Zeit danach.

Als wir den Film am 2. April in Darmstadt endlich doch noch vorführen konnten, war die Presse wohl so verschreckt, daß sie gar nichts darüber brachte. Mein Wunsch, an Tucholsky als frühes Opfer der Nazis und Klassiker des Pazifismus zu erinnern und dabei vor dem Wiederaufleben vergangen geglaubter Gefahren von Antisemitismus, Nationalismus und Militarismus zu warnen, dieser Wunsch blieb einer breiteren Öffentlichkeit verborgen, weil die Zeitungen nicht mitzogen. Das Publikumsinteresse in Darmstadt wie auch an anderen Orten ist lebhaft, aber die Medien tun sich schwer mit dem Thema. Ob pure Borniertheit dahintersteckt oder ob die verweigerte Kenntnisnahme als Begleiterscheinung neuen Waffenwahns zu werten ist, sei dahingestellt. Inzwischen sind wir mit dem 21. Jahrhundert in eine neue kriegerische Epoche eingetreten, was sich an der deutlich vermehrten Lektüre der Schrift *Vom Kriege* zeigt, deren Verfasser Carl von Clausewitz seit dem Golfkrieg von 1991 in militärischen Fachkreisen zu neuen Bestsellerehren gelangte.

Am Ende eines Krieges wird Tucholsky gelesen, am Anfang Clausewitz. Seine Zeit ist, genauer gesagt, jene Vorkriegsepoche, in der die großen Entscheidungen vorbereitet werden. Bereits die einzelnen Kapitel lassen jedes Kämpen-Herz höher schlagen: »Die Kühnheit«, »Die List«, »Angriff und Verteidigung«, »Vernichtung der feindlichen Streitkräfte« – das Buch beginnt vielversprechend mit Sätzen, die zu zitieren wahre Lust sein kann, wenn es heißt: »Der Krieg ist ein Akt der Gewalt, und es gibt in der Anwendung derselben keine Grenzen«, oder: »Das Ziel ist, den Feind wehrlos zu machen.« Freilich ist sich Clausewitz seiner Sache nicht immer so sicher, mitunter mosert er über den »herzzerreißenden Anblick von Gefahren und Leiden« oder bezeichnet den Krieg »als wahres Chamäleon«. Dennoch ist sein Buch das offizielle, klassische Eingangsportal vergangener wie künftiger Schlachten. Wehrmacht und Rote Armee studierten es, bevor sie antraten, einander zu vernichten, und die US-Militärs, in Vietnam am deutschen Kriegsphilosophen verzweifelnd, begannen ihn nach dem Ende der Sowjetunion erneut zu studieren. In Afghanistan, wo die Sowjets ihre letzte Niederlage ernteten, errangen die USA einen alle Welt überraschenden vorläufigen Sieg, wofür es zwei Voraussetzungen gab: Erstens: Die politische Führung muß den Sieg im Krieg aus innerster Überzeugung wollen. Zweitens: Die Chamäleonhaftigkeit des Krieges muß rigoros dem eigenen Nutzen dienstbar gemacht werden.

War ersteres mit Bush junior gegeben, setzte der zweite Punkt technische Korrekturen voraus. Die amerikanische Niederlage in Vietnam hatte bestätigt, was deutsche Generäle nach ihrem Desaster den US-Militärs mitzuteilen nicht umhin konnten: Ein Krieg als Luftkrieg läßt sich zwar führen, jedoch nicht gewinnen. Jetzt galt es, diese negative Erfahrung ins Positive zu wenden.

Die Deutschen hatten in Monte Cassino kleine Zweimannbunker in die Keller geschoben und die Häuser darüber gesprengt. Die meterdicken Trümmer machten Bomben wirkungslos. Die Vietkong wiederum waren unerreichbar in unterirdischen Erdpfadsystemen verschwunden. Also mußten Bomben her, die bis in tiefste Tiefen reichen, wo sie die Feinde töten und den Rest von Überlebenden zu zitternden Nervenbündeln werden lassen.

Die Lehre, Luftkriege seien nicht kriegsentscheidend, kehrte sich damit ins Gegenteil um. Massen von Bomben vernichten derart viele Feinde, daß eigene Bodentruppen lediglich die Landnahme zu vollziehen brauchen, was die eigenen Verluste minimiert. Ist es überdies möglich, oppositionelle Kräfte aus dem Feindeslager für die Landnahme zu engagieren, tendieren die eigenen Verluste gegen Null.

Vorausgesetzt bleibt allerdings eine Korrektur des Clausewitz, der lehrte, daß die Verteidigung »eine stärkere Kriegsform als der Angriff« sei. Das wird im 21. Jahrhundert prinzipiell für falsch erklärt, weil es die Feinde zum Angriff auf das eigene Territorium verleitet, wie der 11. September 2001 zeigte.

Die zwingende neue Lehre lautet: Angriff auf den Feind, wo und wann er auch zu treffen ist, womit Clausewitz wieder gefolgt werden kann, verlangt er doch unmißverständlich die »Vernichtung der feindlichen Streitkräfte« und die »Eroberung seiner Provinzen«.

Riskant bleibt, daß die als Verbündete eingesetzten fremden Oppositionellen, ihren Sieg nutzend, die Gewehre umdrehen könnten, wie es den USA oft genug geschah. In diesem Falle wandelt sich die angeworbene Streitmacht vom Compagnon zum Gegner, und das Kriegsschema gilt erneut: Es muß angegriffen werden. Waffenstillstand und

Friedensschluß sind dabei nur kurze Momente im zeit- und grenzenlosen Krieg.

Die passende Strategie dazu stellte Oberstleutnant Reinhard Herden schon in der Bundeswehrzeitschrift *Truppenpraxis/Wehrausbildung* 2/1996 dar, wo er »Zivilisationskriege« als »vorherrschende Konfliktform« für das 21. Jahrhundert voraussagte und den Westen vor der »Kraft des kollektiven Hasses« warnte, denn »Für den Soldaten der westlichen Demokratie mit seinen ethischen und moralischen Prinzipien ist der Krieger ein gefährlicher Feind ... Bundeswehrsoldaten haben keine Vorstellung von der Grausamkeit, zu der diese Art Krieger fähig sind.«

Um welche verteufelte Spezies es sich handelt, malte der BW-Offizier bedrohlich aus. Es ist der »rohe, barbarische, fremde Krieger«, der »dem Proletariat« entstammt und an »sexueller Frustration« leidet. Es wäre unklug, die Bundeswehr »nicht für die brutalen kleinen Kriege gegen die kleinen bösen Männer auszubilden. Deutschland wird um eine Beteiligung an diesen Kriegen gebeten werden.« Das war 1996 schön wahrgesagt.

Inzwischen läuft das Beteiligungskonzept gegen die »kleinen bösen Männer«. Daß laut Clausewitz der Krieg eine »Fortsetzung der Politik mit anderen Mitteln« sei, weiß inzwischen jeder Unteroffizier. Daß aus der Fortsetzung einer falschen Politik auch falsche Kriege resultieren, wäre bei Tucholsky nachzulesen. Dessen Zeit aber bricht erst nach den Kriegen wieder an. Weshalb in den siebziger Jahren meine Verweise auf Tucholsky bei den oppositionellen jungen Linken und Spontis kein Gehör fanden, ist inzwischen durch deren Karrieren aufgeklärt. Die Periode ihrer Mimikry ist vorbei. In den hohen Sesseln ihrer Väter sitzend, betreiben sie deren Machtpolitik, als wäre das vergangene 20. Jahrhundert nur eine episodische Lappalie.

So unterschiedlich die Verweise auf den Pazifismus Tucholskys sich in der Bonner Republik auswirkten, so sehr differierte auch der operative Bezug auf Bloch. Das reichte von anfänglicher Begeisterung bis zur Verleugnung, wie das gemeinhin so ist bei Strohfeuer-Revolutionären, die dann in Akademien oder auf Ministersesseln landen und enden, so daß ihre brausende Jugendrevolte sich im Nachhinein als bloße Karrierevorbereitung erweist. Der Knabe schlug links über die Stränge, um bald von rechts her auf die früheren

Gefährten einprügeln zu können. Legitim und legal, wie es schon die Väter taten. Bei Lichte besehen, erscheinen die neuen Kriegsteilnahmehelden der Bundeswehr samt ihren kommandierenden Politikern und applaudierenden Poetenscharen immer mehr wie – nein als Schauspielertruppe einer ausufernden Parodie. Ganz wie Serenissimus Kohl, der erklärte Tucholsky-Leser, wenn er ehrfürchtig erschaudernd seine dicken Finger in das Dutzend Kriegswunden des Ernst Jünger legte.

Mitten in der tiefsten Depression wegen neuer Kriege brachte die Post *Utopie kreativ*, Heft 144 vom Oktober 2002 mit meinem Essay »Blochs doppelte Revolte« ins Haus. Als Motto von der Redaktion angefügt ein Bloch-Zitat vom 17.8. 1918: »Kampf, nicht Krieg – sie steht im Kampf, aber sie führt nicht Krieg, die Welt; sie führt Kampf gegen den Krieg, sie steht auf den Barrikaden gegen das System des Krieges, sie ist sich gründlich, grundhaft wehrender Pazifismus und, mit voller Paradoxie des Wortes, kämpfende Christenheit, ecclesia militans.«

Obwohl es nicht hätte überraschen dürfen, in einer sozialistischen Zeitschrift auf exzellente Kenntnisse zu stoßen, überraschte und tröstete mich der Fund: Kampf, nicht Krieg – es sind drei Worte, die das Programm in nuce enthalten und der Gegenwart so fremd geworden sind wie Kants Schrift vom *Ewigen Frieden*.

Da sitzen wir nun mit unserem großen Wissen in Europa herum. Der Sack voller Erkenntnisse ist im Keller abgestellt. Die Welt hält sich nicht an die Fahrpläne. Manchmal, hol's der Teufel, vermisse ich die DDR gerade, weil sie mich aussperrte. Im Westen lernte ich das Land, dem ich einst nur knapp entkam, zu schätzen. Sowjetunion und DDR irgendwo im Rücken – damit ließ sich leben. Die Herren des Kapitals und ihre Wächter waren immer etwas ängstlich, das brachte sie zur Vernunft. Gehängt zu werden fürchteten sie, wie ihre Vorgänger von Nürnberg im exekutionsunwilligen Landsberg. Die Sieger von 1945 sahen bald ein, die Chose geht nicht ohne deutsche Kameraden.

Jahrzehntelang durfte ich nicht über die volkseigene Grenze. Dafür gab's Gründe. Ich setzte den Herren Genossen zu. Dachte, so eine einzelne Schreibmaschine kratzt die nicht. Als Mama schwer erkrankte und als sie es wenig später satt hatte und starb, waren wir zweimal drei Tage lang drüben bei den östlichen Disneys. Immer bestens von Geheimen bewacht, daß uns ja nichts zustieße. Sie führten Protokolle, verfertigten einen Fotoroman, darin blätternd können wir heute Reiseerinnerungen auffrischen, wenn wir wollen.

Die Lektüre bestärkt das Gefühl der Exotik und des Verlustes. Tatsache, die DDR fehlt mir, und je länger sie zurückliegt, desto mehr. Ich würde sie gern wiederhaben. Und die Grenze zu. Nur alle zwei Jahrzehnte mal für drei Tage nach drüben und dann wieder raus aus dem Pferch. Denn die schönen siebziger Jahre im Westen fehlen mir auch. Die würde ich genauso gerne zurückholen. Mit dem Schiß des Kapitals vor dem roten Osten. Mit der aufmüpfigen Kultur, den Hoffnungen auf Emanzipation, mit den Frauen der Studentenrevolten und sexuellen Libertinagen, mit Dutschkes Predigten und Cohn-Bendits Frechheiten, mit Joschka als Streetfighter statt als Ministerfreak, der bei Christiansen seine Vergangenheit abhustet als wär's 'ne Grippe. Man hätte die munteren Revoluzzer beizeiten klonen sollen und den irrwitzigen F. J. Strauß dazu, einen Sack mit 'ner Milliarde drin nach Ostberlin schleppend zu Schalksnarr Golodkowski (oder so ähnlich) als Türöffner. Und keinem kam es in den Sinn, unsere tapferen Spezialeinheitskrisensoldaten nach Afghanistan zu schicken, wo damals noch die Sowjets die Birne hinhielten, bis unsere Fallschirmjäger dort heute endlich den Verkehr regeln dürfen.

Ach ja, ich bin wohl ein egoistischer Scheißnostalgiker und fühle mich auch noch wohl dabei. Mindestens deshalb, weil ich wenig Lust verspüre, wegen des Aberwitzes der Politiker Trauer zu tragen. Vergessen wir doch nicht: Die Politiker kommen und gehen, und wir sind das dumme Volk, das bleibt.

Soviel zu meinen nostalgischen Affekten, die siegreich zu überwinden ich *Die Intellektuellen* von Werner Mittenzwei las, bei Faber&Faber in Leipzig erschienen, soeben mit zweiter Auflage belohnt, der heimliche Seller des östlichen Untergrunds, den die mit der Walserei und den von der FDP gemachten Möllemännchen befaßten *FAZ*-Feuilletonangeber nicht akzeptieren dürfen. Mittenzwei plädiert für einen unverfälschten Marxismus.

Was aber ist das? Und was wäre, nur als Beispiel, ein unverfälschtes Christentum? Träfen die sich nicht irgendwo?

Eines darf als gesichert gelten: An die Macht dürfen weder Christen noch Marxisten kommen. Ihre Diktaturen führen in die Irre. Starke Positionen in pluralistischen Verbänden aber sind wünschenswert, gar notwendig.

Mittenzwei beruft sich auf Schumpeters 1942 erschienenes Werk *Kapitalismus, Sozialismus und Demokratie*, wonach das Kapital »nicht an seinen Krisen, sondern an seinen Erfolgen zugrunde gehen werde.« Aber: »... diese Erfolge sind die Niederlagen der Menschheit, die ein humanes Zusammenleben erstrebt.«

Mittenzwei gibt den besiegten linken Intellektuellen jene Ehre zurück, die ihnen die Sieger bestreiten. In den Köpfen der Besiegten tut sich endlich etwas. Täuschen wir uns nicht, wird man die Geschichte der DDR bald als kommunistische Tragödie mit tragikomischen Rändern empfinden. Der Aufstand gegen die Kapitalisierung von Leib und Seele wurde von 1917 bis 1989 immerhin geprobt. Wir können sagen, wir sind in diesen Kämpfen dabeigewesen.

Doch die Hauptprobe steht noch bevor. Norbert Blüms Diktum, Marx sei tot und Jesus lebe, bedarf der Nachfrage, ob Jesus nicht als Marx auferstanden sein könne und Bush, Schröder, Stoiber durchaus nicht die Götter sind, als die sie uns erscheinen wollen, wenn sie von heiligen Fernseh-Himmeln aus herabsteigen zum entmündigten Publikum, das als Wahlvolk mißbraucht werden soll. Vor der tragischen Geschichte der Kämpfe östlicher Intellektueller, wie Mittenzwei sie kenntnisreich, jedoch nicht immer ganz fair gegen so manchen Beteiligten schildert, schrumpft die Szenerie von FDP, Friedman, Möllemann, *FAZ* und Walser im Jahr 2002 zur partiellen Farce ein, aufgeführt von eigensüchtigen Streithammeln und konformen Hinterhofhelden einer laienhaften Postmoderne. Friedrich Sieburg hat eben Kinder und Enkel nachgelassen. Sie leben, reden und schreiben windig eingebräunt wie er und entbehren lediglich seiner maroden Eleganz.

Rote Juden

Die Arbeit »Zur Judenfrage« von Karl Marx erschien zusammen mit der »Kritik der Hegelschen Rechtsphilosophie, Einleitung« im Februar 1844 in den von Marx und Ruge herausgegebenen *Deutsch-Französischen Jahrbüchern*. Beides sind essentielle Frühwerke. »Zur Judenfrage« wird seit dem Holocaust meist abgelehnt. Obgleich die Gründe dafür nicht von der Hand zu weisen sind, hat die totale Nichtbeachtung schwerwiegende Folgen, denn sie führt zum Bruch des aufklärerischen Axioms von der Universalität der Emanzipation. Der israelische Staat begründet damit seinen eskalierenden Nationalismus. Die Selbstverteidigung überschreitend, entsteht eine aggressive Militanz, die den Krieg unausweichlich macht. Das abschreckende Muster ist aus dem Europa des 19. und 20. Jahrhunderts nur zu gut bekannt.

Großen Anteil am explosiven Nahostkonflikt hat eben diese europäische Vergangenheit, insbesondere ihr konservativer Antisemitismus, der die frühen europäischen Emanzipationsbewegungen schon mit dem Attribut »jüdisch« versah und vom »jüdischen Geist«, »jüdischen Marxismus«, »jüdischen Bolschewismus« sprach. Bis in die jüngste Zeit gefiel sich die konservative Presse darin, den jüdischen Anteil an Revolutionen herauszustreichen.

Da weder Lenin noch Stalin Juden waren, traf es vor allem Marx und Trotzki. Das Modell reichte noch bis zu Joachim C. Fest und Ernst Nolte. Fest am 29. 8. 1986 in der *FAZ*: »Und daß unter denen, die der schon bald in Chaos und Schrecken auslaufenden Münchner Räterepublik vorgestanden hatten, nicht wenige Juden gewesen waren ...« Nolte wiederum hatte die Historikerdebatte am 6. 6. 1986 in der *FAZ* mit der scheinheiligen Frage eröffnet: »War nicht der Archipel Gulag ursprünglicher als Auschwitz?« Kein Gedanke daran, daß der Holocaust, für den Auschwitz als Synonym steht, an die Massaker der konterrevolutionären weißen Armeen im russischen Bürgerkrieg anknüpfte. »Im Bürgerkrieg wurden die Juden in die Arme der Bolschewiki getrieben, denn der Sieg der Weißgardisten hätte ihre Auslöschung bedeutet.« Und: »Zwischen 1917 und 1921 kam es zu 1 236 Pogromen in 530 Städten und Schtedels, bei denen

60 000 Juden ermordet wurden« (Arno Lustiger in *Rotbuch: Stalin und die Juden*).

Im Kalten Krieg wurde die Existenz jüdischer Kommunisten zum Sonderfall des Konfliktes zwischen Ost und West. Den jüdischen Kommunisten traten jüdische Ex- und Antikommunisten entgegen. Arthur Koestler verargte seinem früheren Freund Alfred Kantorowicz dessen erst 1957 erfolgten Abfall von der DDR, den Stephan Hermlin wiederum als Verrat beschimpfte.

Nach dem Ende von Sowjetunion und DDR orientierten sich jüdische Intellektuelle immer stärker nach Israel. Während sich eine kleine Anzahl jüdischer Genossen, zu Israel auf schweigsamer Distanz bleibend, Erneuerungsbewegungen wie der PDS anschloß oder damit sympathisierte, reagierte die Mehrzahl proisraelisch, jedoch weniger politisch als vielmehr patriotisch, was die israelische Rechte erstarken ließ, während die Linke zunehmend schwächelte. Daß Stefan Heym bei einem Heinrich-Heine-Kongreß in Israel verstarb, bewegte das deutsche Feuilleton. Von der Teilnahme Wolf Biermanns wurde kaum berichtet. Der aber verkörpert in Person den Übergang von der jüdisch-kommunistischen Vergangenheit zum Israelismus in seiner rechtskonservativen Form. Historisch gesehen langt die ursprünglich universale jüdische Emanzipationsrevolte beim Scharonismus an, was einen Diskurs zwischen Biermann und Uri Avneri höchst interessant machen würde. Stellvertretend für Biermann wäre auch Henryk M. Broder denkbar, der im *Spiegel* den Scharon spielend vorführt, wie ein Linksradikaler aus der Kölner Undergroundszene zum fundamentalen Bellizisten mutiert. In einer Spiegel-Polemik vom 16. 12. 1991 gegen »Intellektuelle« mit »Sympathien ... für die untergegangene DDR« nahm er neben anderen notorisch Verdächtigen besonders Stefan Heym und Stephan Hermlin aufs Korn, deren jüdisch-kommunistische Vergangenheit dem Henryk Engherz die Stirnader schwellen läßt. Überschrift des Spiegel-Sermons: »Ein moralischer Bankrott«. Direkt darunter prangt das Foto des tapferen Schneiderleins, das als Autor den Bankrott behauptet.

Die Streithammelei nach dem DDR-Exitus ist der späte Endzustand des früheren Konfliktes zwischen mehrheitlich jüdischen Intellektuellen, deren eine Seite von Adorno, Horkheimer, den beiden Marcuses usw. vertreten wurde, und auf der anderen Seite von revolutionären Ostparteigängern wie Bloch, Lukács, Mayer und weiteren.

Eine dritte Riege vervollständigte und dislozierte zugleich die Auseinandersetzung, indem Kommunisten wie Koestler zu Ex- wo nicht Antikommunisten wurden, was die Debatte auf eine qualitative und stilistische Höhe hievte, von der aus die Streitereien der diversen Nachfolger so platt wirken, wie sie sind, wenn die Idee zur Ideologie verkommt. Inzwischen ist aus der in Ost und West zweigeteilten jüdischen Diaspora eine unilaterale geworden, und der strategische Übergang Israels von der Landesverteidigung zum aggressiven Militärstaat findet in der jüdischen Diaspora seine nicht weniger aggressiven Verteidiger, deren Verrat in der völligen Abwendung von ihrer früheren universalistischen Emanzipationshaltung besteht. Traditionell geschieht das im konventionellen Muster des alten Europa, wo linker Beginn und rechtes Ende zusammengehören, wie es die Galerie der Vorfahren von Richard Wagner bis zu Mussolini aufzeigt und nur Deutschland sich einen Adolf leistete, der von Anfang an dem dümmsten Nationalismus verfallen war. Wogegen die neue Postrechte wieder links unten begann – Biermann/Broder blicken auf revolutionäre Jugendstreiche zurück. Inwieweit sie in der politischen Praxis mit den jugendlichen Eierschalen auch die universelle, humane Grundhaltung abwerfen, erweist sich an ihren der Karriere geschuldeten Taten.

Heute sehen wir, wie Hitler und Holocaust areligiöse Positionen festigten, die von Marx theoretisch vorgegeben waren und in der Sowjetunion etwa durch Ilja Ehrenburg, in der DDR durch Albert Norden personifiziert wurden. Nicht anders bei den Trotzkisten, denken wir nur an Trotzki selbst, Ernest Mandel, Jakob Moneta. Endlich blieben auch Exkommunisten wie Koestler, Orwell, Kantorowicz auf marxistische Weise areligiös und der Marxschen Analyse in »Zur Judenfrage« weiterhin verbunden. Bei allen Einwänden, die sich heute gegen diese Schrift erheben lassen, bleibt ihre universelle Grundthese bestehen, und wer sie aufgibt, gerät in die Gefahr ethnischer Nationalismen, anarchischer oder durch unterschiedliche Religionen begründeter Kriege. Das vergangene, im Streit zerrissene Europa erfährt seine weltweite Fortsetzung im Dschungel von Ethnien, die oft erst neu entdeckt oder erfunden werden. Die Parteigänger

Scharons in der heutigen Diaspora verloren das intellektuell-kritische Potential, das die jüdischen Philosophen, Schriftsteller und Künstler als Verbündete der Aufklärung auszeichnete und sie zur Zielscheibe partikularer Rechter werden ließ, denen sich die Nachfolger nun annähern.

An dieser Stelle erinnern wir uns nicht ohne Wehmut jener jüdischen Kommunisten, die, Stalins Verfolgung entkommen, im sowjetischen Besatzungsgebiet bis in die DDR-Jahre hinein als Kulturoffiziere und Professoren wirkten. Ihr Typ entsprach den jüdischen Emigranten, die als US-Offiziere im Westen antifaschistisch tätig waren. Beide Spezies verschwanden bald. Der beginnende Kalte Krieg setzte andere Prioritäten und verlangte erneut den statuarischen Krieger, der den Konflikt ungescheut bis zum heißen Krieg optimiert, worüber Julien Benda in *Der Verrat der Intellektuellen* abschließend urteilt: »Die Geschichte wird lächeln bei dem Gedanken, daß Sokrates und Jesus für diese Spezies gestorben sind.« Das meinte Benda zwar in einem anderen Sinne, doch können wir jetzt so manche vergangene Flammenschrift deutlicher lesen. Das Marxsche »Zur Judenfrage« darf heute lauten: »Zur Menschenfrage«.

In Blochs Leipziger Zeit spielten Aspekte der Religionen keine Rolle. Vielleicht wußten wir zu wenig. Das Jüdische erschien uns als Religiöses, das wir vernachlässigten. Blochs Hinweis in einer der vielen langen Gesprächs-Nächte, er sei dem tristen jüdischen Elternhaus des verbürgerlichten Eisenbahner-Vaters zu Ludwigshafen so oft es nur ging in die Mannheimer Schloßbibliothek entwichen – das philosophische Märchenreich – nahmen wir zur Kenntnis und fragten nicht weiter nach. Die exotische Aura des Philosophen resultierte aus Weltläufigkeit und Sprachphantasie. Beides wirkte anfangs verwunderlich, bald provokatorisch. Bloch, der feindlos zu sein suchte, zog rasch Verdächtigungen auf sich.

Der Vorwurf, als Revisionist des Marxismus anzutreten, traf insofern zu, als er das Marxsche Diktum »An allem ist zu zweifeln« aufnahm, was ihm aber nicht genug war. Bei Hegel wie Marx wurden Aporien benannt, Paradoxien nicht gescheut, das Absurdeste noch hat seine Daseinsberechtigung. Bald werden Schopenhauer und Nietzsche dem »Kältestrom« zugerechnet, dann wieder erscheinen beide als unantastbar, nichts bleibt wie es ist, Platz, Licht und Ton wechseln spontan wie im wirklichen Leben. Wenn einer so zum Augenblicke du sagt, reagieren Chronologen, Theologen, Ideologen sauer, zumal die gewohnte Lessingsche Furcht-Mitleid-Dramaturgie auch noch durch eine Trotz-Hoffnung-Dramaturgie abgelöst werden soll. Da schimpfen die einen ihn einen Antisemiten, wie sie Marx auch schon nannten, die anderen sehen in ihm den typisch jüdischen Bolschewisten. Die orthodoxen Kommunisten aber stoßen ihn ab und aus. Ein Rebell ab ovo, der sich anmaßt, den Marxismus zu modernisieren. Unser Mann klopft seine Tabakpfeife an ihren Holzköpfen aus und lächelt in aller Unschuld, denn er ist lebenslang der lähmenden Tristesse des elterlichen Heims entflohen, wo jüdische Anpassung zur Langeweile deutscher Behaglichkeit führte.

Die Vervollständigung der elften Feuerbach-These, wonach die Veränderung des Objekts (Welt) eine Veränderung des Subjekts (Ich) bedinge, kann von orthodoxen Marx-Jüngern nicht akzeptiert werden. Tatsächlich heißt es, Marx durch Nietzsche zu komplettieren, und so erst wird Bloch daraus. Der Anteil von Barbarei jedoch, der Nietzsche unübersehbar stigmatisiert, wird als unlegitimiert beiseitegelassen, ein Kältestrom, dessen trübe Flut zu Heidegger führt, dem Antipoden, durch eindeutige Frontstellung getrennt.

Dem deutschen Ahnenerbe blutiger Schwärze gegenüber bleibt ein Bloch Revolutionär und spielt notfalls notgedrungen selbst den Stalinisten. Dies für den Fall, daß er wie Hegel das Volk als »denjenigen Teil des Staates, der nicht weiß, was er will« sehen muß (*Subjekt-Objekt*, Kapitel »Philosophie des Rechts«). Unnachsichtig nennt er des geliebten Hegels Staats- und Rechtsphilosophie »seine reaktionärste Schrift«.

Bloch zu lesen ist das Abenteuer der Reflexion in Kenntnis von Weltkultur. Von der Jahrtausendwende her betrachtet, erscheint er als letzter Enzyklopädist, ein überständiger revolutionärer Jude, und die Niederlage seiner Klasse der Intellektuellen führt in das imperiale Panoptikum neuer Weltkrisen und Bürgerkriege, die das dritte Jahrtausend als Nachfolger des Dritten Reiches erscheinen lassen.

Im Nachhinein sehe ich in Ernst Bloch den letzten großen Protagonisten jener Vielzahl linker, revolutionärer Juden, auf die sich der Antisemitismus der Nazis fokussierte, wovon Spuren – und mehr als nur Spuren – übrigblieben, als der braune Spuk 1945 vertrieben wurde. Ob religiös oder nicht, ob kommunistisch, exkommunistisch, antikommunistisch oder nur aufklärend und radikal – dieser Aufbruch des unterdrückten Judentums ins 19. und 20. Jahrhundert findet in Bloch seine klassische Gestalt. Wenn unter denen, die das Licht zu verdunkeln suchen, weil's als modern gilt, heute auch erklärte Juden sind, sehe ich nicht den geringsten Grund, unsere revolutionären Lehrer zu verleugnen. Über die taufrischen Juden Jesus, Marx und Bloch ist noch kein Kreuzritter hinausgewachsen. Angesichts der revolutionären Vorgänger ist der Teil Israels, der die Schamgrenze der Verteidigung überschreitet, eine unerträgliche Feindseligkeit nicht nur gegen die Palästinenser. Das Debakel einer fein und frech »Antisemitismusdebatte« genannten gigantischen Werbeaktion anno 2002 in Deutschland belegt vor allem die intellektuelle Reduktion publizistischer Kampfhähnchen. Es ist der lange Lauf zum eigenen Nichts auf der Bestsellerliste. Der Kundenkreis der alphabetisierten Analphabeten wird zur Kasse gebeten.

Das war nicht immer so. Als Alfred Kantorowicz im Jahre 1957 die DDR verließ und in einer offiziellen Erklärung die damalige Adenauer-Regierung um Asyl bat, kam dies einer Sensation gleich. Doch brachte ihm die Bitte im Westen kaum neue Freunde, im Osten aber neue Feinde ein. Kantorowicz nahm in München Wohnsitz, ich besuchte ihn dort, so oft es ging, und fand einen körperlich kränkelnden, nervösen, schier verzweifelten Mann vor, der unter dem Unverstand der bayerischen Bürokratie, den Nachstellungen und Feindseligkeiten von kalten Kriegern, alten Nazis, rechten Publizisten und Politikern litt.

Der Übergang vom Osten zum Westen hatte Kantorowicz nicht vom Makel des Kommunisten reinigen können; das nach wie vor bereitliegende antisemitische Ressentiment machte sich an diesem Linksintellektuellen fest, der auf eine typische Weise verkörperte, was die nationalsozialistische deutsche Volksseele haßte und wovon sie auch der zweite verlorene Weltkrieg nicht heilte.

»Kantorowicz in München«, das wäre ein Fall für einen Theatermann wie Kroetz, sollte er sich einmal an wirklich großen bayerischen Heimatstoffen erproben wollen, die das Münchner Leuchten freilich beträchtlich abdunkelten.

So wird ein solcher Theaterskandal wohl an der Isar keine Wellen schlagen.

Später übersiedelte Kantorowicz nach Hamburg, wo er leichter leben und freier atmen konnte. Allerdings litt er bis an sein schweres Ende unter der Undankbarkeit seiner Schüler, der Rachsucht seiner vormaligen Genossen und dem kleinlichen Haß der DDR. Rückwirkungen im Westen blieben nicht aus. Bald gab es Publikationsschwierigkeiten. Manche seiner Schriften finden erst heute, Jahre nach seinem Tode, gebührende Beachtung. Besonderen Kummer bereitete ihm, daß einer, der in Ostberlin seinen Doktor bei Kantorowicz und inzwischen im Westen Karriere gemacht hatte, nun nichts mehr von seinem vormaligen Professor wissen wollte, obwohl er in Hamburg ganz in der Nähe wohnte.

Und ein anderer vormaliger Freund und Kampfgenosse, der in Ostberlin blieb und dort zu den ersten Schriftstelleradressen zählte, vermerkte am 10. November 1957 in der DDR-Zeitschrift *Sonntag* hämisch: »Die Spekulation des Feindes hat übrigens ... im wesentlichen einen eklatanten Mißerfolg gehabt. Sie haben nie bekommen, auf wen sie hofften – sie bekamen allenfalls einen mäßigen Literaturprofessor, den sie drei Tage lang in ihrer Presse als bedeutendsten Geisteswissenschaftler der Ostzone bezeichneten, worüber sogar die Hühner lachten. Aber wir sollten für die Spekulation des Feindes ein gewisses Verständnis haben. Dem Feind geht es schlecht. Wo sind die Hoffnungen vom vergangenen Jahr? Nicht nur Menschen, auch Unmenschen brauchen Trost.«

Die genau unter die Gürtellinie gezielten Worte des großen DDR-Dichters klingen heute noch so kriegerisch und unmenschlich, wie sie damals niedergeschrieben worden sind. Irrwitzig und im Giftgehalt nicht mehr zu übertreffen ist die persönliche Infamie gegen den vormaligen Freund und Genossen Kantorowicz und die Verquickung mit den »Hoffnungen vom vergangenen Jahr«. Es ist 1956 gewesen, das Jahr des XX. Parteitags, der Chruschtschowschen Reformversuche und eines ersten Ansatzes von Entstalinisierung, Perestroika, Glasnost.

Doch will ich hier nicht über die speziellen Formen der Niedertracht im politischen und persönlichen Umgang schreiben. Mir geht es um die Schwierigkeiten, die politischen wie seelischen Leiden derer, die zu einer Gruppe gehören, die es heute nicht mehr gibt und die wir schon fast vergessen haben. Ich spreche von den jüdischen Linksintellektuellen, die nach Kriegsende nach Deutschland zurückkehrten oder zurückkehren wollten und sich der Frage konfrontiert sahen, ob es denn angehe, in das Land der Mörder heimzukehren, in dem eben Globke Staatssekretär bei Adenauer werden konnte, nicht etwa Eugen Kogon, womit sich die weiterreichende Frage stellte, weshalb Adenauer Bundeskanzler wurde und nicht Niemöller.

Für einen linksintellektuellen Juden wie Kantorowicz, der aus dem US-Exil frühzeitig in die damalige Ostzone gegangen war und nun, von seinem stets wachen Gewissen getrieben, das nächste Exil ansteuerte, kam es einem Schritt ins Nichts gleich, in den Westen zu wechseln. Der Fall war exemplarisch.

Doch die Bedenken teilten andere ebenso, die nicht in den Osten gegangen waren. Robert Neumann ließ sich bewußt nicht in Deutschland nieder sondern in der Schweiz. Wie oft saß ich bei ihm in Locarno-Monti, am Abend kamen die Freunde hinzu, Wolfgang Abendroth, Erich Fromm, Heinz Brandt und wer eben durchreiste oder im Tessin lebte oder zu Gast weilte. In der Neumann-Runde mit wechselnder Freundesbesetzung artikulierten sich die Bedenken, und wir saßen da und waren glücklich im Freundeskreis und unglücklich-polemisch der politischen Verhältnisse wegen.

Mir ist damals gar nicht recht bewußt gewesen, daß ich als eine Art Kurier zwischen den einzelnen ehemaligen Hitler-Emigranten fungierte. Es ergab sich einfach so, ich war der junge Mann in diesem Kreise älterer Herren, und ich suchte zwischen diesen streitbaren Geistern zu vermitteln, reiste von einem zum andern, überbrachte Botschaften und Friedensangebote. Als Ernst Bloch 1961 eine Westreise dazu nutzte, nicht in die DDR zurückzukehren, vertraute mir Ludwig Marcuse an, mit dem ich in Bad Wiessee gerade zu Mittag speiste, daß er sich mit Bloch gern wieder vertragen wollte. Beide kannten sich aus Weimarer Zeiten, aus der Emigration in Südfrankreich und den USA. Als ich Bloch davon berichtete, schüttelte er sich in gespieltem Entsetzen und suchte einen Aufsatz Marcuses heraus, in dem es gegen Bloch ging.

Ein völliger Mißerfolg war mein Versuch, Kantorowicz und Arthur Koestler zu versöhnen. Beide gaben mir ältere ungedruckte Manuskripte, in denen sie ihre kontroversen Standpunkte formuliert hatten, und halsstarrig blieben sie in den alten Stellungen. Ihre politischen Differenzen reichten in die Zeit des Spanischen Bürgerkriegs zurück, jeder hielt den andern für einen Renegaten, Koestler verübelte Kantorowicz den späten Absprung, Kantorowicz wollte Koestlers frühen Abschied von der KP nicht verstehen. Sie hatten wohl zu lange und zu heftig auf verschiedenen Seiten gestanden, als daß sie sich nun wieder befreunden konnten. Ihre Verletzungen erwiesen sich als zu tiefreichend und nur auf der Oberfläche geheilt. Ich begriff dies erst später, und mein Unvermögen, ihre Feindschaft zu mindern, schmerzte mich, denn Ingrid und ich waren mit Kantorowicz befreundet, und ich achtete zugleich in Koestler den großen Analytiker und Schriftsteller.

Könnten die verfeindeten jüdischen Brüder nicht etwas mehr Solidarität aufbringen? fragte ich mich verwundert und hing noch dem lieben Klischee derer an, die unter dem Begriff des Judentums etwas verstanden, das verbindet statt zu trennen. Nichtjuden neigen dazu, dem Judentum eine größere Verbindungskraft zuzuschreiben, als es haben kann unter den Bedingungen des 20. Jahrhunderts, in dem die trennenden Kräfte stärker wirksam werden.

An dieses mein damaliges Erstaunen wurde ich erinnert, als im Jahre 1987 mein Freund Erich Fried und Henryk M. Broder hart aneinandergerieten und Broder mit Fried im *Spiegel* abrechnete, als sei eine Feindschaft auszutragen, nicht nur eine politische Gegnerschaft. Ich reagierte unangenehm berührt, in den intellektuellen Zirkeln des Landes wurde Broder verurteilt. Wieder stand ich abseits oder, nein, zwischen den beiden Lagern und noch schlimmer: auf beiden Seiten, ganz wie ein Vierteljahrhundert früher, als Koestler und Kantorowicz einander befehdeten.

Ich kam mir wie das Weltkind in der Mitten vor, nur fochten jetzt die Söhne den Kampf der Väter aus. Äußerlich schien es, als befehdete der Zionist Broder den Antizionisten Fried. Vielleicht war das tatsächlich der Kern der Differenz, und vielleicht bin ich so wenig ein politischer Mensch, daß mir derlei Einfachheit banal vorkommt und nicht nachvollziehbar. Mag sein, ich leide an Schwierigkeiten jener Differenzierung, die den Erzähler kennzeichnet, der jeder seiner Figuren Gerechtigkeit widerfahren lassen will. Und das auch dann, wenn er die Gestalt scharf zeichnet. Denn gerade in der Schärfe ist die Liebe des Erzählers enthalten.

Erich Fried, dessen Werdegang vom German-Service-BBC-Kommentator zum Dichter ich sehr genau und mit großer Sympathie verfolgt hatte, war gewachsen wie ein Baum, hatte Jahresring um Jahresring angelegt, die Jahre und Jahrzehnte mit seinen klugen lyrischen Kommentaren begleitend. Was Broder ihm verübelte, daß Fried als Jude der jungen deutschen Linken ein gutes Gewissen gab, wenn es in Gefahr geriet, abhanden zu kommen, konnte ich ihm nicht verdenken. Umgekehrt verstand ich wiederum, was Broder antrieb.

Den wohlfeilen Spott unserer linken Schickeria, die nun hämte, Broder habe es in Deutschland so wenig ausgehalten, daß er nach Israel übersiedelte und infolgedessen die meiste Zeit im Flugzeug verbringe, immer unterwegs zwischen neuer und alter Heimat, diesen linken unfeinen Spott konnte ich schon deshalb nicht teilen, weil ich den schweren Gang des von Polen nach Deutschland und von hier nach Israel übergesiedelten Juden nur zu gut und scharf nachvollziehen konnte. Seine Heimatlosigkeit ist der unseren nahe. Die Unruhe speist sich aus gleichen Gründen.

Diese Gründe sind es, die uns das Buhlen derer, die nie ausgewurzelt worden sind, um eine neue Naivität und Heimat unbegreifbar machen. So sehr wir diejenigen beneiden, die dort wohnen, wo sie geboren wurden, oder die doch mit Leichtigkeit jederzeit dort hinfahren können, wo die Bäume noch stehen, auf die sie als Kinder kletterten, und wo die Gräber der Vorfahren besichtigt werden können, so genau wissen wir, daß es eine Trennlinie zwischen uns gibt.

Wir wollen auch nicht mehr zurückkehren auf die andere Seite, wo die Heimatglöcklein läuten. Jedenfalls nicht für immer. Irgendwo zu Hause zu sein, erscheint uns als zu zufällig, als daß wir eine Weltanschauung daraus machen möchten. Ich kann nur zu gut nachvollziehen, wie es geschah, daß Broder, aus Polen nach Köln gekommen, Kölner wurde und kein Kölner bleiben wollte. Da war er dort zwei Jahrzehnte hindurch geblieben, hatte sich eine Existenz aufgebaut wie Fried in London, hatte sich als junger linker Journalist und Publizist einen Namen gemacht mit Artikeln und Büchern, eingreifend in die gesellschaftlichen, politischen, kulturellen Prozesse des Gastlandes, und es ist wohl doch ein Versuch gewesen, heimisch zu werden, mit dem Resultat der Erkenntnis, nicht heimisch werden zu können. Der Hohn der linken Intelligenzia gegen den nach Israel auswandernden Broder, der doch immerzu zwischen beiden Ländern unterwegs ist, weil die Unkulturlandschaft Bundesrepublik schwerer an seinen Füßen hängt als das Geburtsland Polen, dieser Hohn resultiert aus einem zu leichten Geschichtsverständnis. Erich Fried konnte aus der Londoner Distanz leicht zum guten Genossen der bundesdeutschen Linken werden, die Distanzlosigkeit Broders, der ja in Köln lebte, mitten im Herzen der Republik, verhinderte den Ruhestand, den er gleichwohl lange Zeit angestrebt hatte. Und wie denn auch nicht. Denn für einen schreibenden Juden kann dieses deutsche Land das Paradies sein, wenn er sich nur darauf versteht, genau die rechte Mitte zwischen Kritik und Zuspruch zu halten.

Von Juden hören wir allerhand Botschaften gern, und das war bei Broder nicht anders als bei Fried. Broder aber hatte es von einem bestimmten Zeitpunkt an einfach satt, der geliebte, gehaßte Bruder Jude zu sein, der Linke unter Linken und gegen Rechte, der Entlastungsautor, dem wir allein deshalb schon zustimmten oder achtungsvoll widersprachen, weil er als Jude unter uns Nichtjuden lebte.

An all dies dachte ich, als Broder im *Spiegel* gegen Fried vom Leder zog. Kurz darauf traf ich mit Fried weit unten im südlichsten Jugoslawien zusammen, und ehe ich mich versah, verteidigte ich Broder gegen Fried, so wie ich Fried verteidigt hätte, wäre ich mit Broder zusammengetroffen. Wobei wir wohl alle gemeinsam den Streit nicht so ernst nahmen wie er erscheint, liest man ihn nur in den Zeitungen nach. Dies eben ist, scheint mir, der Unterschied zu früher. Die Kontroverse zwischen Koestler und Kantorowicz war existentiell und todernst, und in ihr waren die Konflikte von Ost und West und Krieg und Frieden enthalten. Die Unbedingtheit Koestlers und seiner Entscheidung gegen die Diktatur der Partei, für die er gekämpft hatte, litt keinerlei Relativierung, und in Koestlers Augen war der späte Absprung seines vormaligen Genossen Kantorowicz unverzeihlich.

Der Stalinismus, seine frühen Erscheinungen nicht nur in der Sowjetunion, sondern auch im Spanischen Bürgerkrieg, wo die Kommissare hinter der Front wüteten als sei es in der Sowjetunion, das ganze Geflecht von Diktatur und Mord also, lag für Koestler derart offen zutage, daß er nicht begreifen konnte, wie andere es hatten billigen können. Kantorowicz war für Koestler ein Typ des linken Opportunisten, und sosehr er aus seiner Sicht damit recht haben mochte, sowenig recht hatte er aus der Sicht von Kantorowicz, von dem ich nun wiederum genau wußte, unter welch schweren Schuldgefühlen er in der DDR gelitten hatte.

Wobei Schuldgefühle nur die eine Seite der Münze sind, deren andere Seite einen unerschrockenen, widerspenstigen Intellektuellen zeigt. Denn Kantorowicz hatte eben auch in seiner DDR-Zeit allerhand riskiert, und als sich seine hochfliegenden Pläne nicht verwirklichen ließen, hatte er seine Kritik laut werden lassen, anders als andere, die nach ihm in den Westen kamen und hier genau das große Wort riskierten, das sie in der DDR selbst schuldig geblieben waren.

Nein, Kantorowicz hatte in der DDR aus seinem Herzen keine Mördergrube gemacht.

Als er fortgegangen war, rief ihm der damalige Kulturminister Johannes R. Becher eine Schande nach, die keine war und ist, und in der Verklausulierung hörte sich das so an:

»Es sind nicht wenige Genossen, die mit Kantorowicz befreundet waren. Dieses paniköse Nervenbündel hat keineswegs aus seinen Anschauungen ein Hehl gemacht, sondern ist ›geplatzt‹ bei jedmöglicher Gelegenheit. Seine parteifremden, parteifeindlichen Äußerungen müssen diesen Genossen bekannt gewesen sein, aber niemand hat Kantorowicz gestellt. Als Kantorowicz seinen skandalösen Artikel in der *Berliner Zeitung* schrieb, war auch ich ehrlich empört, aber ich habe nicht den Hauptvorstand des Deutschen Schriftsteller-Verbandes mit der dazu nötigen Energie darauf hingewiesen; daß man eine Vorstandssitzung einberufen, Kantorowicz laden bzw. aus dem Hauptvorstand ausschließen müsse. Solch ein lässiges, fahrlässiges Verhalten derartigen Erscheinungen gegenüber muß auf die Dauer zu einer schweren Schädigung der betreffenden Organisation bzw. der Partei werden. Nicht weniger ›duldsam‹ haben wir uns Bloch gegenüber verhalten ...« (*Sonntag*, 10. 11. 1957).

Zur Entlastung Bechers muß gesagt werden, daß er selbst unter schwerem Druck stand und in seiner Verunglimpfung von Kantorowicz die Flucht nach vorn angetreten hatte. Was aber sind das für Zustände, wenn politischer Zwang zu solchen Verunstaltungen führt? Und umgekehrt, wer Bechers Suada gegen den Strich liest, erkennt eine Ehrenerklärung für den Beschimpften, der eben als »paniköses Nervenbündel« gegen diejenigen zeugt, die ihn dazu machten. Welch eine Elefantenhaut gehört dazu, in solchen Zeiten gesund und unempfindlich zu bleiben.

Was die Charaktere angeht, so war der nach München Geflohene dort denselben Kalibern konfrontiert, wenn zum Beispiel ein Beamter von ihm begehrte, er solle Straße und Hausnummer angeben, wo sein Vater im Lager Theresienstadt zuletzt »gewohnt« habe.

Ich weiß nicht und wage nicht zu entscheiden, was schwerer wiegt, die politische Verunglimpfung durch die alten Genossen im Osten oder das barbarische Unverständnis der westlichen Beamten, die den Fall des ewigen Exilanten zu bearbeiten hatten.

Derlei Gesprächsstoffe machten die Runde, wenn wir uns im Hause Robert Neumanns in Locarno-Monti trafen. Ich erinnere mich an einen Abend Anfang der siebziger Jahre, als ich über Ostern mit einem Fernsehteam angereist war. Nach dem offiziellen Auftrag, einem Interview mit Neumann, kamen die Freunde hinzu, und es wurde eins der üblichen hitzigen Streitgespräche. Der Kameramann packte die Kamera nochmal aus, der Tonmann das Mikro. Die Redaktion *TTT* beim Hessischen Fernsehen sendete das Interview, mit den nachfolgenden »wilden Aufnahmen« wußten sie nichts anzufangen. Ich weiß nicht, was aus dem Material geworden ist. Heute wüßte man den Wert der Aufnahmen gewiß zu schätzen. Der einzige von der Runde, der noch lebt, bin ich. Aber es sind Generationen nachgewachsen, die nicht einmal den Namen Robert Neumann kennen. Denn ein Land verliert zuerst sein Gedächtnis, bevor es sein Bewußtsein verliert.

Damals versuchte ich, die Emigranten und Remigranten »zu vernetzen«. Mit dem Hintergedanken, eine neue *Weltbühnen*mannschaft zuwege zu bringen, reiste ich umher, besuchte Fritz Sternberg, Jean Amery, Fritz und Leo Bauer, Manès Sperber und wen es sonst noch gab von der alten jüdischen Linksintellektuellengarde. Nur erwiesen sich die destruktiven Kräfte meist als stärker. Da gab es die notorischen Einzelgänger wie Alphons Silbermann oder die Jüngeren wie Wolfgang Leonhard und Heinz Lippmann, die mit den Älteren nicht harmonierten. Oft erging es mir wie 1960 in London, als ich einerseits mit Erich Fried, andererseits mit Arthur Koestler Kontakt aufnahm, die beiden aber nicht zusammenbringen konnte. Umgekehrt hatte Robert Neumann von Locarno aus inzwischen ein zwar distanziertes, doch auch funktionierendes Verhältnis zur DDR angesponnen, so daß er Koestler gegenüber reserviert reagierte, obwohl sie einander doch aus Londoner Exilzeiten kannten.

Allerdings erlahmte ich in meinen Bestrebungen zwischendurch; weder meine Energien noch meine Mittel reichten aus. Im Rückblick erscheint mein damaliges Vorhaben als Utopismus, denn es gilt inzwischen als ausgemacht, daß die deutsch-jüdische Symbiose nach Auschwitz unmöglich sei. Selbst Kantorowicz, der mir insofern nahestand, als er meinen Glauben teilte, schätzte die Sache im Oktober 1977 als gescheitert ein (Vorbemerkung zu *Politik und Literatur im Exil.*). Das mag so sein. Allein, ich hatte 1953 in der in Ostberlin noch erscheinenden *Weltbühne* zu schreiben begonnen, und beschäftigte mich seither mit der zurückliegenden großen Vergangenheit der Zeitschrift, diesem Modellfall jüdisch-deutscher Symbiose, die sich nochmals modellhaft darstellte in der schwierigen Zusammenarbeit Kurt Tucholskys mit Carl von Ossietzky. Ich habe mir darüber die Finger wund geschrieben mit dem gleichen Mißerfolg. Vielleicht ist die Zeit immer noch nicht reif für revolutionierende Einsichten. So konnte ich weder die jüdische noch die nichtjüdische Seite dazu bringen, in der *Weltbühne* nachzulesen, wie es um beide steht.

Für mich selbst bleibt als aus der Geschichte zu ziehende Lehre, daß das Dritte Reich zwar dem jüdisch-deutschen Symbiose-Modell *Weltbühne* den Garaus machte, nicht aber den Ideen des Weltbürgertums. Der Spott, den allein das Wort heute schon erntet, resultiert aus der Demütigung der Besiegten, und er verlängert die Niederlage. So mögen meine Aufzeichnungen lediglich Erinnerungen an die Innenseiten der Diaspora sein, in der ich heute noch so wie damals herumreise, ein Sancho Pansa mitten im gewesenen

Deutschjudenland, ein Troubadour beidseits verschmähter Liebe, wenn auch hin und wieder von beiden Seiten aus ermuntert. Auseinandergetrieben und verstreut haben sie uns ab 1933, und geschlagen wurden wir, weil wir schon Verstreute gewesen sind, als wir es noch nicht hätten sein müssen. So erinnere ich mich ungescheut jener heute vergessenen Gruppe jüdischer linker Intellektueller, die nach dem Krieg zurückkehrten, ohne daheim anzukommen. Daß sie es versuchten, macht ihre Größe aus. Daß es mißlang, ist unsere gemeinsame Niederlage. Sie wird besiegelt werden, wenn auch die letzte Erinnerung vergangen ist.

In »Sachsen ohne Wald« (1929) abgedruckt in *Erbschaft dieser Zeit* heißt es bei Bloch: »Was viele Juden als Drohnen sind: es besteht kein Anlaß, sie zu schonen, doch auch keiner, sie anders als die arischen Ausbeuter matt zu setzen.« Dies war etwa unsere Ansicht im Kreise von Robert Neumann bis Ludwig Marcuse, es ist auch meine Position in der Fassbinder-Kontroverse gewesen, als es um sein Stück *Der Müll, die Stadt und der Tod* ging und um meinen Roman *Die Erde ist unbewohnbar wie der Mond*. Allerdings schätzte ich die Psychologie der Betroffenen falsch ein. Für uns waren Juden, die bei Globke antichambrierten, verächtliche Interessenvertreter, wo nicht Verräter des Antifaschismus, den wir unterstellten, um einen Verrat daran konstatieren zu können.

Bloch hatte mir 1962 die Suhrkamp-Ausgabe von *Erbschaft dieser Zeit* geschickt mit der Anmerkung: »Ein Gruß vom Kurfürstendamm der zwanziger Jahre für Gerhard Zwerenz herzlich Ernst Bloch.« Der Verweis zurück auf die zwanziger Jahre als der Zeit vor der Shoa hätte mich aufmerken lassen können. Er selbst verhielt sich angemessen, wie ich später einräumen mußte. Von Bloch ist zu lernen, das Kind nicht mit dem Bade auszuschütten oder, wo er selbst irrte, mit der Korrektur nicht erneut übertreibend Schaden zu stiften.

Zum Beispiel Israel, über das er sich in seiner Leipziger Zeit naiv und DDR-konform äußerte. Seine Ansprache bei der deutsch-israelischen Kundgebung in Frankfurt/Main am 27. 6. 1967 brachte die fällige Berichtigung. (Nachzulesen in *Politische Messungen* ...). Der Redner blieb dabei analytisch und rational. Statt ins Ethnische, wo nicht Nationalistische abzugleiten wie Biermann und, cum grano salis, Giordano, wird als »Voraussetzung« für den Frieden zwischen Israelis und Palästinensern »ein Dasein der Linken auf beiden Seiten« angemahnt, eine »nicht mehr getrennte, sozialistisch, solidarisch sein könnende Zusammenarbeit. Nicht zuletzt nur um der Israelis und der Araber selbst willen, sondern um die mögliche Zündung eines neuen Weltkrieges zu entschärfen.«

Das war 1967 so notwendig und aktuell wie es das bis heute geblieben ist, sei aber, wird eingewendet, eine Utopie. Welch kurioser Vorwurf gegen den Philosophen der Utopie, die in Annäherungsgraden konkret realisierbar wird, überläßt man die Initiative nicht denen, die immer gegen das Vernünftige sind.

Womit wir auf die jüdische Generationsfrage kommen. Während die Linken der älteren Jahrgänge zwischen Juden und Nichtjuden keinen Unterschied zu machen versuchten, schon um Rassismus und Antisemitismus nicht einzulassen, übernehmen jüngere Juden gegen ihre linken Väter und Vorväter ungescheut die Vorurteile der deutschen Nationalen. So wird Marx zum Antisemiten, und während ich im Begriff »roter Jude« nichts als eine sympathische konkrete Definition sehe, mögen jüngere jüdische Nationale den Ausdruck nicht. Er erscheint ihnen fast so abschätzig, wie ihn die deutschen Nationalen meinten. Offenbar wächst da etwas zusammen, was uns Linken als nicht zusammengehörig erscheint. Um es schön direkt auf den Punkt zu bringen: Die guten Väter wußten schon, weshalb sie rote Juden geworden sind.

Ekstase – Erektion – Produktion

Endlich muß vom Ekstatiker gesprochen werden, nicht vom Hymniker, der eine reine Literaturfigur wäre, ein Lobliedsänger aus Gründen von Glaube, Lebensanschauung, Charakter und Naturell. Wie der Hymnus in die Dichtung gehört, so überschreitet der Ekstatiker die Grenzen, und mit Bloch überschritt er die Grenzscheide zur Vergangenheit und Zukunft. In der Geschichte kamen die Ekstatiker ohne den geschärften Verstand aus, ohne die bittere Galle des ausgefuchsten Analytikers, dieses in der Wolle gefärbten Pessimisten. Ekstase war die Steigerung ins Schamanentum, in den Tanz der Derwische, die quasi somnambule Jenseitigkeit bei körperlicher Diesseitigkeit. Egal ob Autosuggestion zugrunde lag, ob es Drogen waren, traditionelle Psycho-Techniken, Tänze, Trommelrhythmen, Schalmeienklänge, Fanfarenstöße – die Ekstase fand in voller Kopflosigkeit statt. Unser Ekstatiker dagegen bezog den Kopf ein, dies seine wahre Leistung. Als ich ihn kennenlernte, war es die souveräne, listige, sich aus Augen und Worten signalisierende Verachtung der Übel, die mich verwunderte und animierte, und Blochs Verdammung des schlechten Zustands, in dem wir uns befanden, zeigte sich nicht als Hohn, Hybris oder klügelnde Besserwisserei. Gewiß, kleinere Kaliber bleiben in den kleineren Schuhen stecken, sie sind immer sauer, wo nicht sauertöpfisch, miserabler Stimmung, eng von Herzen und schwach bei Verstande. Besonders die intellektuelle Linke gefällt sich in billigen Ausgaben der Abwertung, Diffamierung, Verfolgung. Nichts gibt es auf Erden, was so einem Miesmacher gefallen könnte. Für ihn ist die Welt schlecht, nur er selbst ist besser, doch das verbirgt er, wobei das Verbergen leicht fällt. Er ist tatsächlich nichts weiter als der häßliche Widerspruch, wogegen auch immer.

Wer nicht derart grau in grau mitmalen will, bedarf der Energiezufuhr aus anderen Reserven als denen der Negation. Obwohl auf die Negation, die nüchterne Analyse, die klare Verwerfung nicht verzichtet werden kann. Bloch, der Ekstatiker, bewies mit mehreren Arbeiten und Werken, daß er die glasklare Absage meistert. Nur blieb er nicht einfach ein Verneiner.

Der Antifaschismus, der Hitler bekämpft, hat damit noch keine Welt ohne Hitler zu bieten. Und eine Welt ohne Hitler kann immer noch eine Welt mit Stalin sein. Oder mit kirchlichen Scheiterhaufen, imperialen Konzentrationslagern, Todesschwadronen.

Als philosophischer Dichter der Ekstase ging Bloch den Ereignissen weit voraus, in den Pop- und Rock-Ausbrüchen der sechziger und siebziger Jahre vollzog sich die Jugendekstase, abgesplittert von den niederdrückenden Verwaltungswelten, aus denen die Jüngeren entflohen, und es gab in manchen Rhythmen und Texten durchaus Kopfekstasen.

Da wäre genauer zu untersuchen, ob die wahre Kunst des Jahrhunderts nicht überhaupt ekstatisch ist. Wer sich nicht zu erheben versteht, der kann nicht fliegen.

Blochs Interesse für Spartacus, Thomas Müntzer, Georg Büchner galt der Tragik zu früh gekommener Revolutionäre, dem Versuch, Grenzen zu sprengen und zu erweitern, zugleich erkannte der Ekstatiker die verwandten Naturen, in denen er sich gespiegelt fand, so daß er ihnen mit solidarischer Sympathie begegnete.

Für den modernen, naturwissenschaftlich geprägten und zugleich beschränkten Beobachter muß Blochs Nähe zu religiösen Schwärmern verwundern, den mechanistischen Marxisten ist sie ein Sakrileg. Seine Philosophie ist weder soziologisch noch marxistisch strukturiert, wenn sie beides auch einbezieht.

Wer die dritte Position Blochs begreifen will, muß die doppelte Bedeutung des Wortes Ekstase kennen, das erst durch die Geschichte den religiösen Beiklang erhielt, wonach der Ekstatiker ein religiöser und meist fanatischer Schwärmer sei. Bloch diffamiert das religiöse Schwärmertum nicht, verhält sich dazu vielmehr wie zu Vorläufern, die etwas weitergeben, das nicht religiös und nicht fanatisch sein muß. Tatsächlich bedeutet Ekstase ja im ursprünglichen griechischen Wortsinne Erweiterung. Während die unförmige, krankhafte Erweiterung medizinisch als Ekstasie bezeichnet wird, behielt die Ekstase etwas, das im religiösen Fanatismus unter Ideologieverdacht geriet, weil die Aufklärung den ruhigen, gesammelten Geist favorisierte. So berechtigt das war, so sehr schwächte es zugleich die Aufklärung in die Richtung dessen, was Bloch nicht müde wurde, als Aufkläricht, als bloße heruntergekommene und mechanistische Faktenhuberei zu verabscheuen.

In Blochs Denken ist die Ekstase als Erweiterung und Überschreitung eine wichtige, wo nicht die wichtigste Kategorie.

Ekstase ist die gesteigerte Lebensenergie, dem Bergsonschen »elan vital« nahe und in diesem ekstatischen Sinne wird der Kreative, der Künstler zum Exempel. Wie er etwas Neues schafft, so liegen in jedem Menschen schöpferische Potenzen bereit. Die Ekstase als Erweckung und Steigerung überführt sie aus dem Zustand des Schlafes in den der Produktion. Der vom Philosophen gern erwähnte »homo erectus« gehört in diese Denkfiguren ebenso wie der Terminus technicus »aufrechter Gang«. Das Aufrechte des Ganges fällt als Bild mit der Erektion zusammen, und die sexuelle Erektion ist die physische Entsprechung der Ekstase, die eine psychische Erektion ist.

Bloch macht damit den Sprung, den die Philosophen vor ihm nicht wagten. Während die gesellschaftskritischen und gesellschaftsverändernden Aufklärer das Heil in der Veränderung der ökonomischen Strukturen suchten und die konservativen Denker mitsamt den Lebensphilosophen die subjektive Seite des Menschen hervorkehrten, amalgamierte Bloch beides mit dem zwangsläufigen Ergebnis, für beide Seiten subversiv zu werden.

Blochs Denken der dritten Position ist für keine Ideologie, keinen Staat, keine Partei bruchlos akzeptabel. Wo es aber so scheint, sind welche am Werke, die alle Konflikte wegfeuilletonisieren oder per Ignoranz verschwinden lassen. Welche Techniken der Bagatellisierung im Westen geläufiger sind als im Osten, der dem exilierten Philosophen immerhin aufrichtige Feindschaft nachsandte.

Ekstase als Kennwort künstlerischer Lebensweise, in diesem Sinne enthält jede individuelle Existenz ein kreatives Potential, ist der Grundbegriff für die Blochsche Ästhetik und Ethik. In dem kategorischen Imperativ des aufrechten Ganges sind zwei Forderungen enthalten: Einmal die Forderung an die gesellschaftlichen Instanzen, die Bedrückung und Unterdrückung des Menschen durch den Menschen abzuschaffen, und zum zweiten die subjektive Anmutung an jeden einzelnen, sich nicht gebückt zu verhalten.

Der ethischen und gesellschaftlichen Stoßrichtung parallel verläuft die ästhetische, wenn Bloch fordert, die traditionelle Katharsis-Lehre des Aristoteles, von der Kirche im Gang der Geschichte nicht grundlos mit dem höchsten Segen versehen, revolutionär umzukehren. Statt auf dem Theater (und in aller Kunst) Furcht und Mitleid zu verbreiten, sollten es Trotz und Hoffnung sein.

In dieser Ästhetik, die christlich-masochistisches Mitleiden als das pointiert, wozu es geworden ist, ein passivistisches Schmarotzertum an Folter, Tod und Untergang, eine heimlich-unheimliche Schmerzlust bis hin zur Kunst freudiger Ergebenheit ins angeblich Unvermeidliche, woraus dann Unterwerfungsschmerzlust werden kann, in dieser entgegengesetzten Ästhetik finden sich die wirklichen, bisher unbekannt und unbenannt gebliebenen Gründe für Blochs Sprache.

Es gibt dazu eine ganze Anzahl Überlegungen. Das Fremdartige dieser Formulierkunst reizt auf. Es ist aber der heute herrschende allgemeine Zustand der Sprachverhunzung durch Beamtenfloskeln, TV-Deutsch, Computerenglisch und Naturwissenschaftsjargon, der Blochs Sprache wie einen Fremdkörper aufleuchten läßt – ein Komet, von weither kommend, quert das Planetensystem.

Blochs Stil als expressionistisch zu bezeichnen, ist ein Notbehelf. Bloch hat schon vor dem Expressionismus »expressionistisch« geschrieben. Legen wir Blochs Ästhetik zugrunde, wird deutlich, worum es in Wirklichkeit geht: um den genauen, spontanen und zugleich neu reflektierten Verhalt.

Vor der Ästhetik des dritten Denkens wird jede Modesprache zur Sklavensprache. Die Klassengesellschaft formiert sich neu, die neuen Klassen werden über die neuen Techniken sprachstrukturiert, die Abhängigen denken und artikulieren sich wie Computer, wie Verwaltungsbeamte, wie Verlautbarungsjournalisten, wie Regierungsmitglieder. Man lacht wie in den TV-Unterhaltungssendungen, witzelt wie die Kabarettisten, plaudert wie die Moderatoren und Talk-Master. Der Sprachimperialismus wird den Abhängigen von oben übergestülpt. Fernsehen, Radio, Presse, Kino und Verwaltungen trainieren den Völkern die uniformen Verhaltensweisen ein, bis jeder einzelne Mund so redet, wie es ihm vorgesprochen wird.

Reden aber strukturiert Denken und Fühlen wie Verhalten.

Der Spruch »Sag es, wie dir der Schnabel gewachsen ist« wird zur Disziplinierung, denn der Schnabel wächst den Kleinkindern schon vorm Fernseher in der entsprechenden Verformung. Das Publikum ist der kollektive Abklatsch der Vorturner in den Medien. Unter diesen Umständen wird Blochs Sprache erst exotisch, bald darauf apokryph. Blochs Sprache ist die blanke Subversion im Zeitalter elektronischer Pauschalen.

Die ekstatische Methode ist keineswegs risikolos. Lassen Rationalität und Kenntnisse nach, kann Emphase draus werden. Am Zwiespalt zwischen literarischem Hymnus und individuell-existentiellem Nihilismus scheiterte schon Majakowski. Kleinere Hymniker, die ihr literarisches Stilprinzip in die schlechte Wirklichkeit des gelebten Sozialismus einbrachten wie Hermlin, gerieten so weit unter ihr eigenes Niveau, daß nur noch eine schonungslose, mit sich selbst abrechnende Autobiographie aufhelfen könnte. Wo die Ekstase nicht durch die hellsten Verstandeskräfte und den unbedingten Willen zur Aufrichtigkeit unterbaut worden ist, baut sie auf Sand.

Allerdings gehört es zum Naturwesen des Ekstatikers, daß er sich überhebt und die Alltagsnöte seiner Umgebung geringschätzt. Sein ekstatisches Verhalten ist der Gesang nach vorn. Selig sind deshalb die schwächeren Geister unter den Ekstatikern, die des nahen Elends ihrer Nachbarn gar nicht gewahr werden. Bloch nahm derlei durchaus wahr, und die Techniken der Ironie, des Sarkasmus und des Kynismus halfen ihm in den Leipziger Jahren.

Der exemplarische Ausdruck dieser Zwangslagen ist sein »Offener Brief. Protest gegen Anwürfe der Parteileitung der SED am Institut für Philosophie der Karl-Marx-Universität Leipzig« vom 22. 1. 1957 – das erstaunliche und mehrdeutige Schreiben wurde, soweit ich sehe, erstmals in der dritten Folge des *Bloch-Almanach* veröffentlicht und stellt für naive Gemüter zweifellos eine ungeheure Provokation dar, weil die geschliffenen Ironien und Sarkasmen zusammengehen mit dem mehrfachen Eingeständnis einer geradezu naiv anmutenden Anbiederungspolitik.

Der Autor dieser Zeilen gesteht, daß er in der Bewertung dessen stets unsicher war und sich auch nach so langer Zeit nicht besser befindet, weshalb er den »Offenen Brief« als literarisches Dokument eines keineswegs zweifellosen Verhaltens wertet. Das immer wieder von Bloch in die private Unterhaltung eingebrachte Thema Sklavensprache könnte bedeuten, daß der Denker sich selbst nicht sicher genug gewesen ist.

Lassen wir jedoch diese Aspekte beiseite, wird deutlich, daß es zu den normalen Gefährdungen des Ekstatikers gehört, mit der Wirklichkeit operativ umzugehen. Geradeheraus gesagt, benötigte Bloch den Leipziger Lehrstuhl, um aus der Wirkungslosigkeit der amerikanischen Emigration herauszukommen. Er benötigte ebenso die Konflikte mit der SED, weil sie seine Wirkungsmöglichkeiten erhöhten.

Dies aber betrifft nur die taktische Frage. Im Wesen des Ekstatikers selbst liegt dagegen die keineswegs nur taktisch strukturierte Gefährdung, die dann im »Offenen Brief« Ausdruck fand. Der Denker war der Staatsmacht weit entgegengekommen in seinem Bestreben, dafür die Freiheit der Kreativität zugesichert zu sehen. Das Naturell des Ekstatikers verführt ihn dazu, gegenwärtige Bedrückungen leichter zu nehmen, als sie sind und dafür die Lösung Richtung Zukunft um so kräftiger voranzutreiben. Zweifellos entwickelte der Zukunftsdenker dabei ein erstaunliches Potential von Kynismus, mit der Gefahr, ihm ganz anheimzufallen.

Wovor den Denker einige seiner Schüler bewahrten, die jeweils einige Schritte weitergingen als er, was auf Gegenmaßnahmen von Partei und Staat stieß. Denn eine Staatsmacht, die sich selbst als Beglückungsorgan versteht und ihre Untertanen als neue Menschen ausgibt, kann sich nicht auf das Postulat einlassen, wonach der Mensch noch nicht geworden sei, was er sein kann.

Die westliche Lösung, die Frage nach dem Weg des Menschen, seinem Wohin, seiner Essenz und Potentialität einfach mit einem müden, verlegenen Lächeln beiseite zu stellen, führt freilich auch nicht weiter, solange junge Generationen heranwachsen, die nach dem Sinn ihres Lebens fragen. Kann ja sein, daß die durch neue Technologien geprägte Jugend das bald gar nicht mehr wissen will.

Wenn aber doch?

Im ersten Band seines Hauptwerks skizziert Bloch die drei Stadien künstlerischer Produktivität: Inkubation, Inspiration, Explikation. Während der Inkubation wächst der Produktionsstoff im Unbewußten an, ins Bewußtsein drängend, doch erst der helle Blitz, das Licht der Inspiration, macht den Wurf (Entwurf) deutlich, so daß mit der Explikation begonnen werden kann, der Ausarbeitung.

Man könnte unterscheiden: Inkubation als Sprachlosigkeit, Inspiration als helles Licht, Bloch spricht vom Glücksgefühl des Erkennens, endlich die Mühen der Explikation, von deren rauschhafter Komponente Bloch an dieser Stelle seltsam wenig berichtet.

Allerdings deutet der Philosoph den Zustand an mit den Worten: »Genie ist Fleiß, doch einer, der gerade die Ausarbeitung nirgends altern, nirgends ohne fortdauernde Besessenheit lassen will. Es darf kein Bruch eintreten, weder zwischen Vision und Werk noch zwischen Werk und Vision ...«

Das Wort »Besessenheit« in den drei wichtigsten Sätzen, die die Explikation erläutern, wird mehrfach abgesichert gegen Schamanentum und sonstige Mysterien, es handelt sich im Gegenteil um eine realistische Besessenheit, die Grundbefindlichkeit des sachlich arbeitenden Ekstatikers. Wer genauer hinsieht, erkennt, Bloch fügt den Archetypen der Literatur und Philosophie etwas grundsätzlich Neues hinzu. War in der bisherigen Geschichte nur das Gegensatzpaar Idylliker und Tabubrecher bekannt, tritt als dritte Variante derjenige auf, der das Noch-Nicht-Gewordene pointiert.

Bezog der erste seine Energien aus der Verschönerung und Verhimmelung, spendete dem zweiten das Tabu-Brechen Lust, also Energiezufuhr. Der dritte Archetyp dringt in gänzlich unbekanntes Land vor, er bedarf ekstatischer Energien, nicht steckenzubleiben.

Blochs Denken beginnt dort, wo andere aufhören – bei der Analyse. Die linken Gesellschaftskritiker wenden die Ergebnisse der Analyse höhnisch bis rechthaberisch gegen ihre Gegner. »So ist es!« rufen sie aus, was heißt: »So schlimm, so aussichtslos ...« Früher begründeten sie damit die Notwendigkeit der Revolution. Nachdem das revolutionäre Subjekt, die Arbeiterklasse, nicht leisten mochte, was ihre linksbürgerlichen Vordenker von ihm erwarteten, blieb die scharfe Analyse in der Luft hängen.

Blochs Leistung besteht darin, die Welt des Gewordenen auf die Möglichkeiten der Verbesserung hin zu durchforschen. Es ist falsch, in Blochs Utopiebegriff den Himmel zu sehen, der auf Erden errichtet werden könne. Bloch ist kein polemisch-lyrischer Heine. Nach Bloch haben die Menschen die Freiheit, sich für dieses oder jenes zu entscheiden. In dieser Nähe zum Freiheitsbegriff des jüngeren Sartre kann Hoffnung genauso entstehen wie Zuversicht, freilich auch Verzweiflung. Vieles ist in die Entscheidung des Menschen gestellt. Die Steigerungsstufe der Verzweiflung, Passivität, Vernichtung baute der Philosoph nicht weiter aus. Andere nahmen ihm die Arbeit ab. Er leistete, was die andern schuldig blieben, die Verteidigung der Humanität durch die Sicht auf neue Horizonte. Er lehrte: Auch die jeweils gewordene

Welt, auch die übelsten Zustände enthalten Möglichkeiten der Verbesserung. Das Auge muß lernen, sie zu sehen. Es muß sich erst aufschlagen, um sehen zu können.

Der genormte linke Gesellschaftskritiker weiß alles besser. Für ihn ist alles klar und schlecht. Für Bloch ist die Welt erst zu einem winzigen Bruchteil entdeckt. Die Eitelkeit, das hochfahrende Bewußtsein des Besserwissers sind ihm fremd. Bloch steht Nietzsche ebenso nahe wie Marx, ohne gänzlich Nietzscheaner oder Marxist zu sein. Obwohl er das eine oder andere in manchen Lebensphasen gewesen sein mag. Da der jüngere Marx noch den einzelnen Menschen zum Ausgangspunkt nahm, neigte Bloch mehr dem jungen Marx zu, und mit Nietzsche teilte er die Anfeuerungsrufe mit dem gravierenden Unterschied, daß dort, wo Nietzsche postulierte, der Mensch sei etwas, das überwunden werden müsse, Bloch korrigierte: Der Mensch ist etwas, das erst noch wird.

Wie Kant, Hegel, Schopenhauer, Nietzsche schuf Bloch sich seine eigene, unverwechselbare Sprache, die es dem Leser nicht leicht macht. Der flachste Vorwurf lautet, der Denker sei in der Grammatik nicht sicher gewesen. Aber die Werke der deutschen Philosophen sind nie ganz grammatikkonform. Denkschleifen und Reflektionsmuster mit Tiefenschärfe sind jeweils derart kühn und neu, daß die aus Gebrauch resultierenden Grammatikregeln nicht zureichen.

Hat sich der Leser die schwierige Sprache Blochs einmal geöffnet, wird sie unverhofft leicht und geradezu einfach, weil Bloch im Gegensatz zu den klassischen deutschen Philosophen nicht von Abstraktionen und Konstruktionen ausgeht, sondern, darin ganz Lebensphilosoph, vom einzelnen Menschen. Insofern ist er Stilist und Literat wie Nietzsche und Schopenhauer. Überdies bezieht er mehr als andere die Literatur ein.

Endlich ist es das ekstatische Schreiben, das ihn von Kant, Hegel, Marx (dem älteren) abhebt und zum Lebensphilosophen macht. Bloch ist kein Abstraktdenker, kein Papiertiger, kein kühler Systemkonstrukteur. Seine dritte Position umfaßt Kopf und Bauch, Marx und Freud, Ost und West, Abendland und Morgenland.

Das Denken der dritten Position speist sich aus Bibliotheken nicht weniger als aus den Realitäten des gelebten

Lebens. Wie bei Nietzsche und Schopenhauer findet der Leser an jeder Stelle Zutritt. Es bedarf dazu nicht der Zugehörigkeit zu einem akademischen Geheimorden und elitärem Zirkel. Man muß nur seine Sinne öffnen, schärfen und begreifen, daß unsere Welt nicht allein aus Zahlen und Mengen besteht, sondern auch aus Qualitäten. Blochs Philosophie enthält keinen verzwickten Code zur internen Verständigung von Machteliten oder solcher, die es werden wollen. Bloch zu lesen ist, wie die Nietzsche- oder Schopenhauer-Lektüre, ein Vergnügen.

Es fällt dem Leser wie Schuppen von den Augen. Bloch ist kein Dichter, was ihn übrigens ein wenig bekümmerte, weil er dieses Genre nicht schaffte, doch seine philosophischen Exkurse enthalten erzählerische Elemente. Wer sich erst darauf eingelassen hat, der wird mitten im Lesen zum Zuhörer – diese Sprache spricht wie ein Mund.

Wer selbst schreibt, kennt den Rausch, der sich während des Schreibprozesses einstellt, wenn es gut vorangeht. Starke Literatur überträgt diese Energien auf den Leser, der einen Energiezuschuß erhält, seinen Anteil an der Kreation. Es ist dies eine Lebenskraft, die von bloßen Theorien und Denkprozessen nicht geschaffen wird. Ebensowenig leisten das Agitation, Propaganda, Rhetorik, bei denen die schalen Zwecke durchschimmern und wo mit Pauschalen gearbeitet wird, mit Formeln und lehrbaren Redefiguren. Das eben ist das Unliterarische und Unschöpferische daran. Die lebensphilosophischen Äußerungen hingegen sind stets auch »Innerungen«. Wenn Bloch Peter Hebels Geschichten besonders mochte, ohne deshalb etwa Hegel nicht zu mögen, ist seine dritte Position markiert: Ekstatisches Denken, Schreiben, Sprechen ist Sprache gewordene Erektion.

Unter Diktaturen wird der Ekstatiker durch die Bürokratie verhindert. In den müden, absteigenden Dekadenzkulturen des Westens gerät die Zeugung unter Ideologie-Verdacht. Wer aber erigiert, will zeugen. Eine Überzeugung zu haben, gilt dann schon als unanständig. Verlangt wird das müde höhnische Lächeln, die Einbahnstraße zur Agonie. Das Ziel dieser absteigenden Zivilisation sind der tägliche volle Bauch, der üppige Bankauszug, die gesellschaftliche Ohnmacht.

Die Literaten haben nichts zu sagen, also schreiben und deklamieren sie das Nichtssagende.

Was Bloch und seine Lehren angeht, so sagte dazu sein Schüler Beat Dietschy: »An Paraphrase und streckenweise apologetischer Wiederholung krankt – von den an Verständnis gar nicht interessierten polemischen Attacken einmal abgesehen – in der Tat ein Großteil des bis heute über Bloch Geschriebenen. Obwohl er selber doch der Ansicht war, einen Denker verstehen hieße: über ihn hinausgehen.«

Über etwas hinausgehen – grenzüberschreitend – bedarf der Euphorie als eines genau kalkulierten Elements, mit dessen Hilfe wir erst kreativ und produktiv werden können. Das Element muß heute stärker sein als in früheren Zeiten. Die Kräfte der Einschüchterung, Bedrohung, Zerstörung sind massiver geworden. Geht nun einer mit dem optimalen gesellschaftskritischen Wissen an die Phänomene, gerät er schnell in Gefahr der Resignation: In schlechten Zeiten resultiert aus der bloßen Analyse nur die deprimierende Einsicht eigener Unterlegenheit, die Folgen sind Angst, Melancholie, Passivität, Selbstmord.

Will einer nicht aufgeben, bedarf er euphorisierender Zustände, die Schärfe des Verstandes in seiner Unerbittlichkeit hat Zusatzenergien nötig, damit die konventionellen Grenzen überschritten und die neuen Erkenntnisse errungen werden können.

Man muß nicht erläutern, daß bloßer Schaum, Mystik und Schamanentum, Kaffeesatz und weißer Käse draus folgen, wo das Wissen der Zeit nicht einbezogen wird. Das Zeitwissen allein wiederum ist lediglich lexikalische Anhäufung.

Der Ekstatiker aber reduziert sich nicht auf die angehäuften Fakten. Er ist im Vollbesitz jenes Traums, den er in seiner Jugend träumte, und er weigert sich, die Träume seiner Jugend zu vergessen.

Die produktive Ekstase ist das Stilmittel, mit dem der schlechten Gewohnheit Sklavensprache entronnen werden kann. Die grenzüberschreitenden Worte führen in jenes Land Unbekannt, das zu betreten der einzige Tabubruch ist, den die Zeit der Dekadenz kennt.

Im übrigen ist, glaube ich, die fatale Tatsache, daß es bei den Deutschen nur noch Philosophieprofessoren, aber keine Philosophen mehr gibt, auf den Umstand zurückzuführen, daß die Courage zum ekstatischen, wertesetzenden neuen Denken fehlt. Der Denker, der, lässig zurückgelehnt, lächelnd und rauchend, in scheinbarer Gelassenheit seine Sätze formuliert, ohne sich beirren zu lassen, dieser Denker ist uns abhanden gekommen. Seine Stelle nimmt ein promovierter Computer ein. Es kommt nur heraus, was vorher eingespeist worden ist. Neues entsteht so nicht, nur die Variante von Quantitäten.

Doppeldeutige Rückgriffe

Bloch wie Nietzsche waren ekstatische Hammerphilosophen.

Blochs Nietzsche-Nähe wurde lange Zeit nicht wahrgenommen. Vielleicht wurde sie verleugnet aus Verlegenheit wegen der Nazis, die Nietzsche für sich ausbeuteten. Die Ausbeutung Nietzsches durch das Dritte Reich war möglich, weil keine Sicherungen und Verriegelungen eingebaut waren. Die Ausbeutung von Marx durch den Stalinismus war möglich, weil die Sicherungen und Verriegelungen fehlten.

Als Sartre nach dem Zweiten Weltkrieg erklärte, der Marxismus sei ein Humanismus, artikulierte er damit keinen Zustand, sondern seinen frommen Wunsch.

Wie verhindern wir, daß unsere guten Gedanken und unsere besten Denker für das Gegenteil dessen, das sie erreichen wollen, in Dienst genommen werden?

Brauchen wir nicht eine Philosophie zur Verhinderung der falschen Indienstnahme von Philosophien?

Ich sehe keine andere Abhilfe als die der Zulassung von jeweils unbequemen Querdenkern. Fordern wir garantierte Freiräume für Querdenker. Nietzsche, der Querdenker des 19. Jahrhunderts, ist nie verfolgt worden. Sollte er, am Ende, doch nicht scharf genug gedacht haben? Sind Verbote die beste Quittung für philosophisches Denken? Flüchtet unsere Postmoderne ins bloße Spiel aus nichts als Verzweiflung, weil niemand sie für verfolgungswert hält?

In der Nacht, gegen Morgen schon, aus schweren Träumen aufwachend, denke ich: Marx war ein Revolutionär. Mit Marx läßt sich gut Revolution machen. Und siegreich. Aber was kommt danach?

Und unruhig ist der letzte Schlaf in den Morgen, der da dämmert.

Der Versuch des Nietzsche-Kenners Manfred Riedel, die Neigung zum Nazismus hauptsächlich der Nietzsche-Schwester Elisabeth aufzubürden, ist zwar richtig, wenn es um den nachgelassenen *Willen zur Macht* geht, doch die Ambivalenzen des Zarathustra-Buches, seine oszillierenden Kriegsrednereien und endlich der freihändig ausbeutbare Übermenschen-Wahn sind Nietzsches Hauptgedanken, in feurige, stilvolle Sätze gegossen und gehämmert. Hier liegt die wirkliche Ursache der Konfliktsituation: Während die bürgerliche erste Generation von Nietzscheanern wie Thomas und Heinrich Mann bis hin zum jungen Bloch und Wolfgang Harich der Übermenschengestalt eine innere, also intellektuelle und psychische Wendung gaben oder diese Auffassung voraussetzten, verstanden die Militärs, Nationalisten und endlich die Nazis den Übermenschen als deutschen Helden, der das Diktum von der Umwertung der Werte als Befehl zu Krieg und Massenmord auffaßte. Zu Unrecht, wie wir meinen, doch im *Zarathustra* selbst finden wir dazu keine humane Begründung, im Gegenteil, und so bedienten sich einerseits bürgerliche Intellektuelle, die ihren Nietzsche als Kulturrevolutionär begriffen, ebenso wie andererseits die militanten Deutschen, die aus der Niederlage im Ersten Weltkrieg den Schluß zogen, einen nächsten Überkrieg mit dem absoluten Willen zum Sieg führen zu müssen. Hier finden sich die Irrwege in den deutschen Nationalismus beider Weltkriege, die in Weimar nicht bereinigt wurden.

Blochs anfängliche Nietzsche-Begeisterung und seine spätere Abtarnung, die völlige Ablehnung durch Georg Lukács und den späteren Wolfgang Harich, der vordem viel von Nietzsche gehalten hatte, diese linken Haltungen sind Antworten auf einen Kult, der bei den Massakern als ideeller Leitstern gedient hatte.

Die linken Gegner sagten sich, wenn der Mann dazu tauglich war, ist Widerstand angesagt. Wobei sie die Frage ausblendeten, ob die Indienstnahme durch die Rechte nicht erst erfolgen konnte, weil die Linke den Zarathustra-Autor der Rechten anheimgegeben hatte.

Wer dies zum Ende des Jahrhunderts bedenkt, kann mit Manfred Riedel die Blindheiten der DDR-Kulturpolitiker beklagen, die Nietzsche dem Klassenfeind überließen, indem sie ihn ungedruckt lassen wollten. Jedenfalls war die Drucklegung nicht durchzusetzen, doch darf dabei nicht vergessen werden, welchen blutigen Eindruck die verfolgten Kommunisten und Juden von einem Philosophen bekommen hatten, der in der Interpretation Hitlers und seiner Apologeten wie Alfred Baeumler schlimmer gewütet hatte als die Einsatzgruppen-Mörder, denn er saß in den Köpfen der Kommandeure, das aber waren meist Akademiker, etwa als Offiziere der Einsatzgruppen und Sondereinsatzkommandos.

»Ich bin Dynamit« hatte der Pastorensohn in *Ecce homo* von sich geprahlt. Das erwies sich noch als untertrieben. Die gepredigte »Umwandlung der Werte« führte in die Barbarei der Moderne. Das Loblied des sächsischen Friedrich auf die Barbarei des alten Testaments, das er gegen die Mitleidsmoral des neuen ausspielte, begleitete die Wehrmacht und ihre Mordgesellen in jene neue Barbarei, die sich von der alten durch die Bürokratisierung und Industrialisierung des Tötens abhob wie der Schwertkampf von Babi Yar.

Die Alten erdolchten und spießten einander, die Neuen führten 33 000 Menschen in eine Schlucht und sprengten nach dreitägigem Morden die Hänge darüber. So war die Umwertung der Werte vollzogen. Die Ausrede, das habe Nietzsche so nicht gewollt, findet in dem Text, um den es geht, keine Begründung.

Es ist offensichtlich, daß Manfred Riedel, noch mehr aber die nachfolgenden jüngeren Generationen von Publizisten und Geistesbeamten ganz und gar einem postmodernen Zeitgeist verhaftet sind, der jedes Verständnis für Konstellationen der ersten Hälfte des 20. Jahrhunderts ausschließt. Die bourgeoise westdeutsche Ablehnung des Antifaschismus macht blind für die Leiderfahrung der Linken. Ganz ohne Zugang zur Verfolgungssituation der Juden, Sozialisten, Kommunisten erscheint die linke Nietzsche-Feindschaft als bloße Marotte von ideologischen Dogmatikern. Das gab und gibt es zwar auch, doch bildet es nicht den Kern der Sache.

Ich erinnere mich einer Situation im September 1944, als Partisanen aus einem dahintrottenden Zug deutscher Gefangener einen SS-Soldaten herausholten und totschlugen, wobei sie ein deutsches Wort gebetsmühlenhaft wiederholten: »Übermensch!« Ich verstand erst den Sinn des undeutlich artikulierten Wortes nicht recht, das wie eine Verfluchung klang, doch mit jedem Laut wuchs die Mordwut sichtbar zur Mordlust, der Hohn endete mit dem Tod des jungen Deutschen nicht, sie stießen jetzt die Leiche mit den Stiefeln an und das gemurmelte »Übermensch« drückte bestätigende Befriedigung aus.

Von hier bis zur Nietzsche-Feindschaft des Georg Lukács und des gealterten Harich ist es nicht weit und zugleich unendlich weit: Die Mörder des SS-Soldaten von 1944 traten als physische Rächer auf. Lukács und Harich zogen die intellektuellen Konsequenzen. Ich kann beides nicht akzeptieren, verstehe aber die Gründe.

Wie schwer es mir wurde, zeigt ein kleiner Text vom Anfang der achtziger Jahre, in dem ich meine eigene Nietzsche-Erfahrung skizzierte:

»Meisterdenker mit schönen, gefährlichen Sätzen.

Der blaue, leicht angegangene und abgestoßene Leinenband kam mir erstmals zwischen die Finger, als ich fünfzehn war. Ich las animiert und angewidert drinnen herum, unterbrach die Lektüre gezwungenermaßen ein Jahrzehnt und lege seither meist größere Pausen ein.

Ich mag das Buch nicht, das mich seitdem begleitet. Ich glaube seiner Story nicht, sein Autor amüsiert mich wegen seiner Angeberei, seiner donnernden Haltung wegen, seiner komischen Libido, aus der er und andere allerlei Geheimnisse folgerten.

Am Buch-Anfang ist er abgebildet, Kopf in die Hand gestützt, hohe Stirn, Bartbürste unter der Nase, das eine sichtbare Auge mit scharfem Blick versehen: ein Seher.

Als Adolf in der Landsberger Festungshaft einsaß, las er das Buch und fühlte sich seither als sein Hauptheld, der Herr Übermensch. Die Deutschen fielen drauf rein, das kostete sie ihr Reich, und die Welt an die fünfzig Millionen Menschenleben.

Kluge Leute meinen, Adolf habe das Buch mißverstanden. Ich meine das auch. Trotzdem muß etwas von dem drinnen stehen, das einer raushol.

Manche Bücher können gefährlich machen. Der Titel des Buches: *Also sprach Zarathustra*. Untertitel: *Ein Buch für alle und keinen*. Da haben wir den Salat. Angerichtet aus Sätzen. Schon in der Vorrede lauern sie scharfgeschliffen wie

Dolche: ›Ich gebe keine Almosen. Dazu bin ich nicht arm genug.‹

Worte wie diese mag ich, auch wenn ich nicht will. Aphorismen nennt man so was. Das sind Sätze, die sagen mehr als sie sagen und weisen über sich hinaus. Sie enthalten mehr Hirn als du ihnen auf den ersten Blick ansiehst.

Ein anderer Satz: ›Staat heißt das kälteste aller kalten Ungeheuer. Kalt lügt es auch; und diese Lüge kriecht aus seinem Munde: Ich, der Staat, bin das Volk! ... Aber der Staat lügt in allen Zungen, des Guten und des Bösen; und was er auch redet, er lügt – und was er auch hat – gestohlen hat er's.‹

Nein, das ist mitnichten ein Marxist, Sozi, Anarcho, Kommunist, unser Friedrich Nietzsche ist es, der so gesprochen. Gestochen deutsch und deutlich, denn: ›Dort, wo der Staat aufhört, da beginnt erst der Mensch, der nicht überflüssig ist ...‹

Solche Sätze waren und sind es, die mich an das Buch fesseln, das ich nicht mag und doch nicht mißachten darf. Das Buch als Ganzes rührt mich nicht an. Seine Philosophie macht mich lachen. Sein Verfasser zeigt sich mir zu wirr. Nehme ich ihn aber als Künstler, Artist und Clown, als Taschentrick-Genie, dann genieße ich seine spitzen Sätze, seine angehäuften Unverschämtheiten und wahnhaft unkonventionellen Wahrheiten. Und wie der gute Mann wettern, intrigieren, polemisieren, verdammen kann, da bleibt keiner Religion auch nur ein Heiliger im Kalender. Ein schlimmer Ungläubiger! antworten die Gläubigen, stammt von ihm doch das Wort: ›Gott ist tot!‹

Gemach, liebe Christen, wer Gott für tot, also gestorben hält, meint, er habe gelebt. Da fallen Tod und Ab- wie Fortleben in eines zusammen.

Welch ein Schalk, dieser Friedrich aus dem Sächsischen.«

Soweit der frühe Text, und wie sehr meine verlegene Unsicherheit auf einen Konflikt meiner Generation verweist, zeigt der Leserbrief eines ehemaligen Wehrmachtsoldaten, der mir am 19. 9. 1989 schrieb:

»Sehr geehrter Herr Zwerenz!

Über Ihren Nietzsche-Artikel in FR v. 16. 9. habe ich mich sehr gefreut. Vor allem wie Sie auf Ihre sächsisch nüchterne Art dieses Thema behandelten.

Als junger Mensch hab ich den Zarathustra neben jugendbewegter Literatur und natürlich dem Faust im Sturmgepäck mitgeschleppt. Irgendwo zwischen Dnjepr und Elbe sind wir auseinandergekommen. Beim Lesen Ihres Artikels fragte ich mich, wie ich denn an diesen Zarathustra und alles, was er hinter sich herzog, geraten war. Da fiel mir nur ein Name ein: Walter Flex. War das nicht auch ein Sachse (Pirna?)? Selig unselige Jugendbewegung. Wie im Rausch wurde die Jugend vor 1914 hingemäht. Fast willige Opfer. ›Blüh Deutschland überm Grabe mein‹ schrieb W. Flex. Er hatte schon Wirkung mit seinem Wildgänserauschen, und wir ließen uns davon in die Hitlerarmee treiben. Sind wir Deutsche durch das idealistische Philosophengebimmel durch zwei Jahrhunderte nicht rauschsüchtig geworden? Wäre das nicht Stoff für Sie?

Zum Glück sehe ich bei meinen Kindern und Enkeln keine derartigen Zustände mehr. Aber wir haben sie auch ganz schön geschockt.

Heute arbeite ich in der Friedensbewegung (auch ein Rausch?) und im ›antifaschistischen Bündnis Wetterau‹, und demnächst bezahle ich meine vorläufig letzte Rate an das Amtsgericht Schwäbisch Gmünd. Nein, ich fühle mich nicht im Rausch, mir ist wohl dabei.

Herzlichen Gruß

Ihr Wilhelm Johann

PS. Es wäre angebracht, festzuhalten, daß wenigstens Zarathustra kein Sachse war.«

Die militärische Ausbeutbarkeit des Philosophen und der Grad von idealler Verfallenheit, wie sie sich im vorstehenden Brief exemplarisch niederschlagen, deuten die Gefahren immerhin soweit an, daß die Selbstkorrekturen des Briefeschreibers zum Pazifismus als höchst achtenswerte Erkenntnis plausibel werden.

Die Friedensbewegung speiste sich zum großen Teil aus den Schreckenserfahrungen von Soldaten, die Lehren aus ihrer Vergangenheit zogen. Das aber enträtselt noch nicht die ursprünglichen Gründe des eigentümlichen Zauberbanns. Hitlers Buch *Mein Kampf* war dem Zarathustra-Band an Auflage weit überlegen, nicht aber an Wirkung auf eine geistige Elite. Hitlers Kampfschrift war ein brutalnationales Programm, Nietzsches *Zarathustra* ein Kriegs-Elixier. Es ist deshalb nötig, den Ursachen noch weiter nachzuforschen.

Der Satz, es gebe keine Philosophen mehr, nur noch Philosophieprofessoren, wird unterschiedlichen Autoren zugeschrieben, von Nietzsche selbst vielfach variiert und im Brief an August Strindberg vom 7. 12. 1888 noch einmal verbösert: »... ich behandelte die deutschen Philosophen allesamt als ›unbewußte‹ Falschmünzer«, womit er die seit Schopenhauer einsetzende Teilung in Amtsphilosophen und freie Denker pointiert, welche Teilung im 20. Jahrhundert noch deutlicher hervortritt – die Staatsautorität wirkt disziplinierend, wer radikal und revolutionär denkt, ist amtsunwürdig, wie schon das Exempel Marx erweist.

Am 9. Oktober 1987 bespricht Jürgen Manthey in der *Zeit* Pierre Klossowskis Werk *Nietzsche und der Circulus vitiosus deus*:

»Im Sommer 1881 entdeckt Nietzsche im hochgelegenen Sils-Maria, der Landschaft der Auftritte Zarathustras, das Gesetz der Wiederkehr des Immergleichen. Die ›Entdeckung‹ besteht darin, daß ihn das Bewußtsein vom Kommen und Gehen der Individuen überfällt. Der unendliche Kreislauf von Geburt und Tod, Tod und Geburt, hat die Physiognomie des sterbenden Gottes Dionysos angenommen: ein circulus vitiosus deus, der alle linearen Gegenbewegungen des Denkens aufhebt, der Kontinuität und Identität als lächerliche Fiktionen entlarvt.

Nietzsche packt das Grauen. Es ist ein Erlebnis wie das, durch das sich Büchner ›wie zernichtet‹ fühlt, als er sich den ›Fatalismus der Geschichte‹ eingesteht, die ›entsetzliche Gleichheit der Menschennatur‹. Nietzsches ständige Angst vor dem Wahnsinn, der er zeitlebens durch höchst geistige Anstrengung entgegentrat, eine mit dem Schrecken freilich auch einhergehende Verlockung, dem bewußtseinslöschenden Sog des ›Chaos‹ zu erliegen, kehrt auf einmal in überraschender Intensität wieder und zwingt ihm ein neues Umfassungskonzept für Bewußtsein und Unbewußtes, Verstand und Delirium ab.«

Halten wir zunächst fest, daß der Denker von Erfahrungen erschütterbar ist, genau wie sein Vorgänger Schopenhauer, der als Jugendlicher auf einer Reise durch England von fremder Not geprägt wurde.

Diese Offenheit gegenüber Leben und Welt, die mehr bedeutet als Pragmatismus, weil sie Leidensbereitschaft in Denksysteme aufnimmt, war für Friedrich Engels (*Die Lage der arbeitenden Klasse in England*) wie Marx konstituierend, für Nietzsche wurde daraus streng ichbezogen »das Gesetz der Wiederkehr des Immergleichen«, wie Manthey sagt, oder, wie es im *Zarathustra* heißt: »... du bist der Lehrer der ewigen Wiederkunft ... Ich selber gehöre zu den Ursachen der ewigen Wiederkunft.«

Die Welt also als Karussell ohne Ausweg.

Immer im Kreis herum.

Es ist fruchtlos, sich in die lange Kette der Interpreten und Spekulanten einzuordnen, die aus dem Philosophem neue Weisheiten zu schaffen versuchen, auch der Umstand, daß die Formel nicht Nietzsches Erfindung ist, sondern bei seinen Studien zeitgenössischer Naturwissenschaften abfiel, interessiert weniger. Sollen die Philologen philosophieren und umgekehrt, relevanter ist die Tatsache des doppelten Bruchs, zum einen bleibt Zarathustras Bekenntnis zu Kampf und Krieg dem Darwinschen Ausleseprinzip, dem Kampf ums Dasein verhaftet, zum anderen widerspricht der Wiederkehrgedanke mit seinem Karussell-Kreisverkehr dem Darwinschen Prinzip der Höherentwicklung, welches Dilemma Nietzsche freilich aufsprengt, indem er den Übermenschen als Willensprodukt postuliert, nicht konsequent zwar, denn er bezieht seine Vorbilder als Herrschaft (Herren-schaft) aus geschichtlicher Vergangenheit, orakelt jedoch zugleich die moderne Möglichkeit heraus, gewissermaßen: Ich schlage meiner Freiheit eine Gasse. Zugrunde liegt der erfahrende Nihilismus, den Manthey schildert und so richtig wie überraschend mit Büchners Verzweiflung an der Revolution parallelisiert.

Sichtbar wird die bisher vernachlässigte Schock-Geschichte der Kultur mit bisher unbekannten Verbindungslinien, etwa des jungen Lenins Schock, als der Bruder hingerichtet wurde, der Schock des Ersten Weltkriegs, der rechte nationale wie linke internationale Revolutionen und Diktaturen beflügelte und zur Eskalation im Zweiten Weltkrieg führte, also zu erneuten Schockerfahrungen, die im Ost-West-Konflikt mündeten, in dem sich zwei gegensätzliche Gesellschaftsmodelle gegenüberstanden. Hier sind Stalin wie Churchill und Roosevelt zu nennen, Hitlers versuchter Angriff auf England, der Überfall auf die Sowjetunion, Pearl Harbour, endlich Auschwitz und Hiroshima mit den Schock-Nachwirkungen auf uns.

Bloch und eine Vielzahl von Linken reagierten auf den Ersten Weltkrieg und hernach auf Hitlers Mordprogramme mit vermehrter Parteinahme für Stalin. Dieser Logik lag stets eine emotionale Tiefendimension zugrunde, selbst Hitlers Eskalations-Imperialismus ist ohne seine Erfahrung der Kriegsniederlage und seiner zeitweisen Erblindung durch Gas nicht hinreichend zu begründen.

Die Weltanschauung, als Krücke benötigt, wird in der scheinbaren Auswegssituation zum Strohhalm passender Ideen, und noch die gehorsamen Mörder in SS- und Wehrmachtsuniform sind anfänglich und gelegentlich von ihrem blutigen Handwerk entsetzt, wo aber nicht, dann verunsichert, so daß die Auskunft ihrer Kommandeure, sie seien selbstüberwindende Übermenschen, zum weiteren gehorsamen Funktionieren taugt.

Wir setzen ähnliche Konstellationen auch dort voraus, wo uns die Fakten noch fehlen, etwa bei den sowjetischen Massenmördern von Katyn.

Womit wir wiederum bei Nietzsches Grundidee anlangen, wonach die benutzte Logik, die auch zur Ideologie verkümmert sein kann, nur die sichtbare Äußerlichkeit ist, die tieferen Ursachen aber vorherrschen: Verzweiflung, Schrecken, Schock und der Umschlag von der Intellektualität ins barbarische Tun. Nietzsche dachte in die Vorgeschichte zurück. Die Aktivisten des 20. Jahrhundert folgten ihm, gerüstet mit den technischen Vernichtungsmitteln der Moderne.

Der Umstand, daß Nietzsche für seine Gesellschaftslehre vom Übermenschen bis zum Willen zur Macht auf die Herrenklasse frühester Vergangenheiten zurückgriff, dabei mit dem mißverständlichen Rassenvokabular arbeitend, das von Marx/Engels und wirklichen Linken gemieden wurde, führte Bloch zu seinen Zukunftsideen, die er eben als richtige Antworten auf die richtiggestellten Fragen Nietzsches, der falsche Antworten gab, bewertete. Dies ist ein Blochscher Grund der Annäherung an den Zukunftsrevolutionär Marx.

Die Einwände von links gegen Existenzdenken und Lebensphilosophie, besonders gegen Nietzsche, so berechtigt sie sein mögen, gipfeln im Vorwurf des antiaufklärerischen Irrationalismus, was in klassischer Zuspitzung und systematischer Form von Georg Lukács in *Die Zerstörung der Vernunft* vorgebracht wurde. Diese Verabsolutierung ist nicht nur falsch wegen der Übertreibung, sie erhellt auch die Schwäche der Position des Anklägers, der sich selbst als Rationalist und Aufklärer einschätzt.

Sein Irrtum ist der all jener Marxisten, für die ihre Theorie die Wahrheit verkünde, weil sie sie verkörpere, was nach leninistischer Lehre durch die Partei geschehe, die immer recht habe. Bleibt uns das Dilemma, daß die Massen der Wahrheitspartei nicht folgen mögen und Irrationalismus, Vernunftfeindschaft, wo nicht glatte Unvernunft des Klassenfeindes vorziehen. Der Partei wird nicht geglaubt und nicht gefolgt, obwohl sie doch im Besitz der Wahrheit ist und nur das Gute will.

Dem radikalen, revolutionären Marxismus fehlt jeder Zugang zu Schopenhauer, Nietzsche, Freud, mit welchem Namen ich die Richtung angeben will, die im Marxschen Satz »Das Sein bestimmt das Bewußtsein« enthalten ist – das Unbewußtsein bleibt unerwähnt. Ausgeschlossen sind Triebe, Emotionen, Leidenschaften, psychologische bis psychopathologische Haltungen.

Marx sah den Gesellschaftsprozeß zwar materiell, aber doch hegelianisch als Selbstbewegung des Gedankens, Ratio und Logik setzen sich durch, Schopenhauer und Nietzsche sehen andere Triebkräfte, wie schon Schopenhauers Titel *Die Welt als Wille und Vorstellung* besagt, wobei ihm Nietzsche folgt, wenn auch mit komplizierteren Konstruktionen, was freilich im Ergebnis nichts ändert: Der Marxsche Rationalismus führte zur Barbarei des Gulag, die existentielle Willensphilosophie Nietzsches wurde von Hitler genutzt, und daß Schwester Elisabeth dem geliebten Führer den Krückstock des früh verstorbenen Bruders schenkte, hat symbolische Bedeutung.

Das stärkste Volksvermögen besteht nicht in der Ratio, sondern im Trieb, der tiefsitzenden Emotion und dem daraus folgenden Vorurteil, endlich in der Angst, aus der wiederum Verteidigungstrieb, Herrschsucht und der Wille zur Macht folgen.

Als Beispiel möge der deutsche Antisemitismus gelten, der keine Juden benötigt. Während Regierung, Parteien, Medien, Kirchen heute fortwährend feierlich des Holocaust gedenken, bleibt die antisemitische Tradition in der Tiefe der Volksseele ungebrochen, in kritischen Situationen bei

Randgruppen hervorbrechend, was als Kriminalität zu ahnden ist, solange die Staatsmacht es will.

Das Übel ist nicht behebbar, Wurzelbehandlung gibt es nicht. Der Staat kann ein wenig verfolgen und strafen, so entstehen kleine Märtyrer, mindestens deren Darsteller. Wobei der Antisemitismus nur ein Teil des Hasses ist, der sich gegen alles richtet, was nicht den eigenen Stallgeruch ausdünstet. Im trotzig gebrüllten »Heil Hitler« des Skin lebt die ungebrochene deutsche Tiefenseele fort.

Angst und Schreckensbild des linken Analytikers bestehen in der drohenden Verschiebung des DDR-Bankrotts westwärts auf das Bonn-Berliner Deutschland. Verfällt dessen politische Klasse in den dumpfen Zustand des letzten Politbüros, ergreift also die Lethargie des vergreisten Honecker die Regierung der Weimarer Nachfolger, kann der Aufstand der »wahren Deutschen« Europa erschüttern. Das Kennwort, die Deutschen sollten aus dem Schatten Hitlers heraustreten, das von F. J. Strauß, Alfred Dregger und diversen Junggermanen stammt, macht es in Wahrheit unmöglich, Hitlers Schatten, der die alten Dimensionen annimmt, zu entrinnen. Die restständigen Linken könnten dann in die peinliche Lage geraten, sich einen Stalin II. zu wünschen, der die Situation bereinigt.

Fragte sich nur, welches Nachbarvolk die Verluste auf sich nehmen wollte, da das russische Volk noch an seinem Sieg von 1945 leidet, der ihm ein halbes Jahrhundert später die schmerzvollste Niederlage seiner Geschichte einbrachte und den Deutschen einen Sieg mit noch unübersehbaren Folgen.

Den Gedanken ausformulieren heißt nicht, den Teufel an die Wand malen, denn er sitzt im Volkskörper wie die Made im Speck. Die Zukunftsprojektion ist lediglich Linienverlängerung. Wer zu Anfang des 20. Jahrhunderts vor einem Krieg warnte, wie er dann 1914 begann, wurde für verrückt erklärt oder als Dichter, Poet, Bangemacher verlacht, wer 1933 warnte: »Hitler, das ist der Krieg«, galt als Kommunist. Das Anomale, das sich ganz normal Stück für Stück entwickelt, darf nicht vorhergesagt werden, denn es wäre Warnung zur vernunftgemäßen Vorsorge. Kassandra wird befragt, doch wehe, sie sagt nicht voraus, was der Befrager hören will. Nietzsche: »... ich will den jungen Kaiser füsilieren lassen.« Das war 1888. Der Philosoph stand kurz vor der geistigen Umnachtung oder schon mittendrin. Was hätte auch ein Kaisermord am Lauf der Geschichte geändert. Die politische Klasse schärfte das Kriegsschwert. Sechsundzwanzig Jahre kriegsvorbereitende Friedenszeit standen bevor. Und ein gehorsames Volk stand bereit.

Nietzsche, übrigens, hatte unterschrieben mit »Nitzsche Cäsar«. Ein Blödsinn schon? Ein Spiel? Oder die klare Logik: Nur ein Cäsar kann den forschen Wilhelm erschießen lassen. Als Übermensch in Aktion. Im Vorschein (Vorschatten) des Wahnsinns sieht der Über-Denker sich als – was? Ernst Nolte denunziert ihn in *Nietzsche und der Nietzscheanismus* als Über-Nationalisten, das mag seltsam klingen aus diesem berufenen Munde, hat aber einiges für sich und sollte unser Mißtrauen wachhalten. Freilich nimmt Nolte den Mund zu voll:

»So läßt sich zwar nicht bezweifeln, daß Nietzsche die Instinkt-Abneigung des Intellektuellen gegen den ›Militarismus‹ teilte und daß er gewisse Grundempfindungen des ›Freisinnigen‹ sein Leben lang bewahrte, wie ja schon allein die Tatsache zeigt, daß er den ›unvergeßlichen Friedrich III.‹ vom Verdikt gegen die Hohenzollern ausnimmt.

Aber die Konsequenz seines Denkens und die Tatsächlichkeit der Verhältnisse treiben ihn doch in eine andere Richtung. Und es läßt sich auch nicht bezweifeln, daß ein guter Teil der ›deutschfeindlichen‹ Äußerungen der Enttäuschung über das Unbekanntbleiben in Deutschland entsprangen und daß jene ›erste Liebe‹ im tiefsten Grunde bestehen blieb. Ungemein erhellend ist ein Fragment aus dem Jahre 1884: ›Kann man sich für dieses deutsche Reich interessieren? Wo ist der neue Gedanke? Ist es nur eine Macht-Combination? ... Frieden und Gewährenlassen ist gar keine Politik, vor der ich Respekt habe. Herrschen und dem höchsten Gedanken zum Siege zu verhelfen – das Einzige, was mich an Deutschland interessieren könnte ...‹

Daß Nietzsche unter ›dem höchsten Gedanken‹ seine eigenen Gedanken versteht, sticht ins Auge. Wie müßte also die ›deutsche Zukunft‹ im Sinne Nietzsches aussehen? Sie müßte offenbar imstande sein, all jenen Niedergangsphänomenen ein Ende zu machen, von denen uns einzelne in der Gestalt von Judentum, Christentum, Fachwissenschaft und Sozialismus bereits begegnet sind. Im ganzen stellt sich Nietzsche dieser Niedergang als ›Gesamt-Entartung der

Menschheit‹ dar. Diesem Begriff und seinem Inhalt müssen wir uns im nächsten Schritt zuwenden.«

Soweit Nolte, der hier »Judentum« fälschlich unter die »Niedergangsphänomene« einreiht, denn Nietzsche schätzte das Alte Testament ja gerade wegen der enthaltenen Barbarismen hoch ein, aber insgesamt hat die Bewertung viel für sich, macht sie doch die verdrehte Frontstellung sichtbar, den Rückgriff in die Geschichte, das dumpfe sadistische Vergnügen an Mord, Totschlag, Herrenrassentum, das aus dem Munde einer überfeinerten Kultur-Natur wie purer Hohn klingt, aber nicht ist. Der Kerl war tatsächlich so verdorben. Dies ungebremst festzustellen, gehört zur nötigen Technik der Verriegelung, damit er nicht weiterhin als »Dynamit«, gar als Gas oder ABC-Waffe wirken könne.

Zur Verriegelung gehört die vorhergehende Entschlüsselung. Ansonst wird ein Führer à la Marquis de Sade daraus. Es sei denn, man entschließt sich, de Sade wie Nietzsche aller Inhalte zu entleeren. Nimmt man »Zarathustra« lediglich als Beleg der Spieltheorie, schrumpft er ein zum Spiel mit dem Computer, an dem die mannigfachen Idioten der Submoderne sich verlustieren.

Nachbemerkung

Blochs Band *Tendenz-Latenz-Utopie* beginnt mit einer fünfzigseitigen autobiographischen, tagebuchartigen und fragmentarischen Liebesgeschichte: *Gedenkbuch für Else Bloch von Stritzky*, des Philosophen erster, früh verstorbenen Frau.

Auf die ungeheuerliche, ekstatische Story treffen Blochs bedauernde Worte von seiner Unfähigkeit, einen Roman zu schreiben, nicht zu. Das Fragment ist in der Form romanhaft. Bezeichnenderweise fand das literarische Abenteuer keinen Interpreten und Rezensenten. Das mag am offen ekstatischen Charakter dieser Prosa liegen. Sie ist gerade deshalb bisher nicht nur nicht verstanden, sie ist auch nicht wahrgenommen worden.

Es gibt keinen Text Blochs, der wuchtiger quer liegt, auch zu den Denkbahnen der Adepten. Ein paradigmatischer Fall.

Der Raum dieser Geschichte steckt die Endlosigkeit ab, in der das Nicht und das Niemals daheim sind. Ein Philosoph, der auf den Spuren des Noch-nicht durch die Kulturen streift, eine besondere Art von Karl May, ein Jäger und Detektiv, ist über den Bereich des Noch-nicht, das immerhin möglich ist, ins angrenzende Land des Nicht, Nichts und Niemals gegangen. Wir können uns damit beschwichtigen, daß wir das Abenteuer der Wiedervereinigung mit einem geliebten toten Menschen schlicht der Poesie zurechnen. In der Dichtung ist, bekanntlich, alles möglich. Es wäre allerdings eine Bagatellisierung. Der Text, nach dem Tod der geliebten Frau in den Jahren 1921/22 geschrieben, wurde 1978 erstmals gedruckt, nach kleinen sechsundfünfzig Jahren. Unser Autor kannte seine Pappenheimer. Und er verfügt über Zeit genug.

Nun zu Nietzsche noch ein letztes Wort. Kaum hatte ich irgendwo auf den Philosophen verwiesen, nahten sich im Irrtum schwankende Gestalten, die Nietzsche an Marxens Stelle zu setzen wünschten oder neben dem Hammer-Denker, diesem zugleich muttersöhnlichen Weich-Ei gar nichts mehr gelten lassen wollten.

Am 9. Juli 2002 feierte die von uns sehr geschätzte Ursula Sigismund (*Zarathustras Sippschaft; Suzanne Valadon. Modell und Malerin; Denken im Zwiespalt. Das Nietzsche-Archiv in Selbstzeugnissen 1897-1945*) ihren 90. Geburtstag. Wir fuhren vom Berg runter hinüber nach Darmstadt, weil Ingrid der couragierten Autorin und dem gleichzeitig seinen zehnten Jahrestag begehenden *Kranichsteiner Literaturverlag* mit der tüchtigen Verlegerin Kathrin Hampf gratulieren wollte.

In ihrer kurzen, pointierten Rede zitierte Ingrid einen Nietzsche-Satz aus *Ecce homo* mit seiner Aufforderung »zur Vernichtung von Millionen Mißratener ... hier muß man ausmerzen, vernichten, Krieg führen, alles, um die ›Entartung‹ der Menschheit zu beenden«, und nannte diese Aussage unerträglich.

Die kleine harte Ermahnung in der im übrigen honorig humoristischen Rede Ingrids verärgerte einen ansonst verdienstvollen Besucher, der sich nicht im Saal, sondern erst danach erregte mit den Worten: »Sie, Frau Zwerenz, taten genau das, was Sie Elisabeth Förster-Nietzsche vorwarfen,

Sie haben ein Zitat gefälscht!« Eine Begründung lieferte der blindwütige Gast mitnichten.

Nun läßt der sächsische Pastorensohn sich gewiß plural verstehen, und wir halten es moderat mit Blochs Differenzierungstechnik. Nietzsche jedoch gänzlich von den fatalen Wirkungen der Worte, die er schrieb, freizusprechen, heißt ihn zu bagatellisieren. Die Warnungen von Lukács und des späten Harich vor Nietzsche als einem Irrationalisten, der zum Faschismus führt (ver-führt), gänzlich in den Wind zu schlagen, mißachtete die Lehren des 20. Jahrhunderts.

Abgesehen von der Entstellung durch die Schwester bleibt Nietzsche auch in seinem originalen Werk in weiten Partien höchst fragwürdig, was ich nicht eskamotiert wissen möchte. Der Dauerstreit darüber, was dabei vom Philosophen selbst und was von den Zeitläuften zu verantworten sei, wirkt inzwischen leicht komisch, so er nicht langweilt. Wer neue, vielleicht verrückte Ideen in die Welt setzt, wenn er sie nicht gar fahren läßt wie gelehrte Fürze, verursacht eben auch Folgen.

DRITTES BUCH

Sprache und Revolte

Daher denkt Bloch in Gleichnissen und nicht in Begriffen oder Realien. Für ihn sind die ›Schüsse der Aurora‹ viel bedeutungsvoller ... als die Kollektivierung.
Günther K. Lehmann, gestorben 1994

Am 20. Februar 1957 fand die 6. Bezirksleitungssitzung der SED statt, auf der der Bezirksleiter der SED Leipzig, Paul Fröhlich, ein langes Referat gegen Bloch, die Harich-Gruppe und Gerhard Zwerenz hielt. Bald danach begann der Prozeß gegen die angeblichen Gegenrevolutionäre.
Karola Bloch, »Aus meinem Leben«, 1981

Unterschiedliche Sklavensprachen

Christoph Heins Roman *Horns Ende* erschien 1983 im *Aufbau-Verlag*. Mein Exemplar der zweiten Auflage stammt von 1995. Ich erwartete reale Auskünfte über den tragischen Fall des mir gut bekannten Logik-Dozenten Horn und beendete enttäuscht die Lektüre.

Am 7. 8. 1996 besprach Hans-Eckardt Wenzel in *Neues Deutschland* eine neue Ausgabe des Buches als Band sieben der DDR-Bibliothek beim *Verlag Faber & Faber*. Zitat: »Das Unglaubliche ist Tatsache: Die DDR hatte eine Literatur.« Und: »Ich erinnere mich, daß der Nachricht, Christoph Hein schreibe den Roman über die fünfziger Jahre, bei manchem meiner Freunde die Enttäuschung folgte: die erwartete Abrechnung fand nicht statt.«

Endlich ist zu fragen, wer Schuld an Horns Ende trägt.

Hein erzählt nicht die Geschichte des wirklichen Johannes Heinz Horn, sondern paraphrasiert, verdeutlicht also umschreibend oder umschreibt verdeutlichend einen anderen Fall, der auf das Original zurückverweist, was die Freiheit der Literatur verstattet, in der DDR anno 1983 aber auch das Unerlaubte beschreibbar werden ließ. Ein Exempel strategischer Sklavensprache, die der Obrigkeit eins auswischt, weil sie sich ins Unangreifbare, jedenfalls nicht die Repression Hervorrufende rettet, von dort jedoch zurückwirkt. Soweit Literatur wirken kann. Der Roman bezeugt zugleich die subkutane Existenz von luftigen, atmosphärischen Nachlässen aus den fünfziger Jahren in Leipzig, wo Horn am Philosophischen Institut Logik lehrte und in Konflikte geriet, die er durch Selbstmord beendete.

Da der später in dieser Stadt studierende Christoph Hein zu einem Freundeskreis zählte, in dem das Blochsche Erbe virulent blieb, erhebt sich die Frage, welche Wirkung Ernst Bloch in Leipzig hätte erzielen können, wäre er nicht erst behindert und schließlich vertrieben worden.

Auf der Suche nach Materialien aus dieser Zeit fand ich im Mai 2002 unter meinen damaligen Notizen eine längst vergessene Eintragung vom 18. 4. 1956 über ein Gespräch mit Horn: »Er gibt zu, daß er privat die Lage anders einschätzt. Bezichtigt mich eines Zuviel an Pessimismus, sagt aber selbst, eine Wendung zum Guten sei angesichts der Masse Funktionäre, die 10 Jahre im falschen Stalinschen Geist erzogen wurden, nicht möglich. ›Was wollen wir paar Einzelnen gegenüber diesem Meer da draußen!‹ Erzählte mir verbittert-resigniert seine Vergangenheit. War bei KPO, mußte deshalb im Kriegsgefangenenlager allerhand anhören: Spalter. Fühlt sich aus all diesen Gründen nicht wohl, unsicher. Glaubt, das 15. Plenum komme wieder. Weil jetzt alles liberalistisch geworden sei. Ich denke, das hat ihm Gottfried Handel eingegeben. Klagt weiter, ständig kämen junge Genossen und fragten, was das mit Stalin sei, und sie fragen nach Garantien gegen Wiederholungen.«

Jetzt las ich Heins Buch *Horns Ende* nochmals und begriff die zweifache Tragödie von Horn und Hein. Aber auch: Als westdeutscher Autor oder Ex-DDRler hätte Hein das Buch nicht schreiben können. Nur das Leben in der realen DDR ermöglichte die spezifische Qualität einer Verfremdung, deren Authentizität westlichen Lesern schwer verständlich bleiben muß. Nachrichten aus einer fremden Seelenlandschaft. Zur Qualifikation aber ist der Schluß zu ziehen, Sklavensprache kann aus Zwang, aus Angst und als chiffrierte Botschaft artikuliert werden.

Mit dem Verbot von Blochs Lehrtätigkeit begab die DDR sich ihrer ersten und letzten reformatorischen Chance. Was den Philosophen von späteren Oppositionellen wie Havemann oder Bahro unterschied, deren Wirkung die DDR ebenfalls behinderte oder unterband, ist der Umstand einer essentiellen Differenz. Blochs Opposition zielte nicht auf Reformen, sondern auf revolutionäre Reformation analog dem Konflikt zwischen Luther und Römischer Kirche. Trotz aller Elogen an Moskau, weil Blochs sozialistische Reformation nicht ohne Rückendeckung aus Moskau denkbar war, wie wir einräumen müssen, verweigerten sich die Sowjets. Das Scheitern, mehr noch die Aussichtslosigkeit disqualifiziert das Unternehmen dennoch nicht. Am offensichtlichen Unwillen und der Unfähigkeit der Partei scheiterte der Versuch, bis die Partei selbst an sich scheiterte. Ihre Unreformierbarkeit gründete im Verfall der Revolution zur bürokratischen Konterrevolution. Der ursprüngliche Typus des Lenin-Trotzkischen Kommunisten (Bolschewisten) wandelte sich in die Charaktermasken, denen es nach Ende der Sowjetunion leicht fiel, als nationalistische Diktatoren weiterzuherrschen. Der Staatszerfall offenbarte nur den vorausgegangenen Zerfall der Charaktere.

Wäre Blochs Sprache immer so offen gewesen, wie sie ab 1956 wurde, hätte er nie in der DDR lehren dürfen. Er redete aber nicht aus Tarnungsgründen kryptisch, seine Verschlüsselungstechnik war instrumental. Auf dem Weg zur Klarsprache allerdings gab es taktische Perioden, die Botschaft mischte sich politisch ein. Auf den Budapester Aufstand hin folgte erneuter Rückzug in die kryptische Artikulation.

Heins Roman *Horns Ende* zählt zur gleichen Ausdrucksart, freilich in scheinbar naiver Erzählform. Nur wer den Subtext zu entziffern versteht, begreift die Sympathie-Erklärung an das Opfer, das in Horn figuriert.

Die Hornsche Tragik ist die Folge einer Selbstverleugnung, mit der er, wenn auch widerstrebend, der Partei gehorchte. Sein freiwilliger Tod ist Widerruf. In Heins Roman bleibt das erzählte Ende Horns ein Trauerfall, erst der Subtext enthüllt die tragische Situation. Horn will nicht weiterleben, nachdem er ins falsche Leben geraten ist.

Weil die Partei sich weigerte, diese Lesart zu akzeptieren, chiffrierte Hein den Konflikt und brachte die Botschaft von Horns Leben und Ende in Kunstsprache (Sklavensprache) an seine Leserschaft. Die konnte die Story in naiver Normalität hinnehmen, eine Minderheit jedoch entschlüsselte den Doppelsinn des Textes.

Nehmen wir als drittes Beispiel den Fall Manfred Buhr. Der vormalige Oberassistent am Leipziger Philosophischen Institut verwandelte sich scheinbar abrupt nach dem Streitfall, der Buhr die Stellung und anderes kostete, in einen Feind Blochs.

Der anschließende Aufstieg Buhrs zum Spitzenphilosophen in allerhand Ämtern zeigt die nicht unbeträchtliche Energie und Intelligenz eines Mannes, dessen philosophisches Werk sich dennoch als Psycho-Substrat lesen läßt. Buhr, von vielen DDR-Intellektuellen als Zuchtmeister empfunden, leidet lebenslang unter dem vermuteten (wirklichen?) Verrat seines Lehrer-Vaters.

Bleibt anzufügen: Bei dem damaligen Vorfall handelte es sich um eine Intrige, die gänzlich aufzuklären ich lustlos genug bin. Der Schluß, Buhrs interessantes Lebenswerk als Subtext eines Erniedrigten und Beleidigten zu werten, dürfte mindestens eine Spur Wahrheit enthalten, allerdings auch das ungelöste Rätsel, weshalb vorzüglich Intellektuelle lebenslang revanchekrank werden.

Jede Sklavensprache ist nach ihren verborgenen Antrieben zu differenzieren, denn die Bandbreite ist enorm. Der Kryptograph, wie die verschlüsselte Geheimdienstmaschine im Milieu vormals hieß, hat geheime Botschaften für Freunde zu transportieren. Das Kryptogramm ist eine Versform mit willentlich verborgener Bedeutung. Der Kryptorchismus – medizinischer Befund über in der Bauchhöhle verbliebene Hoden – wäre eine treffende Illustration zu Äußerungen, die aus Defekten resultieren. Für die drei genannten Beispiele wäre Bloch der Sprachpionier, der den Geheimnissen auf der Spur ist, sie zu entschlüsseln, der aber bald sein Wissen zum modernen Kryptogramm ausbaut, weil eine direkte Aussage die Gefahr der Repression hervorriefe, wohin es in der Tat führt, wenn neu erkannte Tatbestände offener benannt werden. Christoph Hein nutzt seine Kunstsklavensprache ingeniös zur indirekten Botschaft. Manfred Buhr artikuliert sich im Affekt, jedenfalls von ihm angetrieben. Vor seinem »Fall« klang er anders. Danach strukturiert er sein Werk so, daß es der Obrigkeit genehm und dem eigenen Ego nützlich ist. Ähnlich der Fall des vom Bloch-Schüler zum Bloch-Feind gewandelten Günter Zehm, der die Nachwirkungen der Haft nicht zu verwinden vermochte.

Je länger sie zurückliegt, desto heftiger wühlt die Erinnerung auf.

Die verschiedenen Formen von Sklavensprache werden durch Destruktion kenntlich, soweit ein Text seinen Sub-Text offenbart. Pragmatisch gesehen ist es wie beim Palimpsest. Wurden im Altertum Pergamente doppelt beschriftet, wird der ältere Text als Subtext erkennbar, ist erst der darüberliegende neuere entfernt. Das Verfahren ähnelt oder gleicht der Geheimschrift, die für Nichteingeweihte unkenntlich bleiben soll. Nur die Motive sind andere. Auch ist zu unterscheiden zwischen verordneter und subversiver Sklavensprache.

Blochs Bruch mit der verhüllten Ausdrucksweise reicht exakt von der Berliner Konferenz »Das Problem der Freiheit im Lichte des wissenschaftlichen Sozialismus« im März 1956 bis zur Niederschlagung der ungarischen Revolte im Oktober. Diese geöffnete Sprache war an die Bedingung geknüpft, Freiheit dürfe sich »nie gegen die Sowjetunion und ihr Anliegen richten« – eine Aussage zur Abwehr bevorstehender Angriffe durch Partei und Staat. Als die prompt eintrafen, lautete die Antwort des Attackierten im *Sonntag* vom 4.11.1956 folgerichtig:

»Man fragt sich entsetzt, wie das in Ungarn geschehen konnte. Vor allem auch an Polen denkend, wo die Bewegung zur sozialistischen Erneuerung im ganzen Verlauf bei der Stange blieb und keine faschistischen Mörder sich einschleichen, gar durchbrechen ließ. Die Lehre ist: Auf jeden Fall Explosionen (mit ihren höchst paradoxen Weiterungen) zuvorzukommen. Dazu dient aber nicht überaltertes Beharren, gar Liegen und Besitzen daran vom Volk, noch irgendeine Zurücknahme des XX. Parteitages. Sondern gerade der Sozialismus wird durch dasselbe Prinzip erhalten, nach dem er angetreten ist: durch Mut und nicht subalterne Überzeugungen, und das leuchtend gehaltene Ziel vor schemalosen Augen.«

Wie folgsam andere auf den Budapester Aufstand reagierten, zeigt Günter Kunerts Mahnung im selben Blatt:

An meine Freunde in Ungarn
Bereits hör ich Euch sagen: ›Das war nicht gewollt.
Die Kommunisten an Laternen? Doch was soll man
machen?‹
Bis die Lawine ganz Euch überrollt.
So kurz der Rausch, so schlimm wird das Erwachen.
Ich bitte Euch von Herzen, haltet fest
An unserer Sache, die sich nie verlieren läßt.

Die Befürchtung, offene Revolten wie der 17. Juni 1953 in der DDR und der jetzige ungarische Aufstand könnten die gewünschten inneren Reformen verhindern, entspricht kühler Lage-Analyse, hält aber aus späterer Sicht nicht stand. Wie sich am Ende zeigte, reichten die inneren Reformenergien der Kommunistischen Parteien sowieso nicht aus, dem System Konkurrenzfähigkeit zu sichern. Bloch selbst fiel vom 4. 11. 1956 an in sein früheres Idiom zurück, änderte allerdings das Verhältnis von Akklamation und ironischer, wo nicht sarkastischer Widersetzlichkeit auf ca. fünfzig zu fünfzig, während es sich von 1949 bis Anfang 1956 auf neunzig zu zehn belaufen hatte. Bei neunzig Bloch Sklavensprache bleiben zehn Bloch für die direkte Wahrheit übrig. Eine Relation von fifty-fifty entspricht normaler Ausdrucksweise, und wer den Grad von Ehrlichkeit noch weiter erhöht, spielt va banque.

Auf die deutsche Norm besehen, beläuft sich das Verhältnis auf etwa neunundneunzig zu eins: Neunundneunzig Teile Angst und Opportunität und ein Teil verschämtes Bekenntnis. Die Summe der Anteile von Courage in nicht beschönigter Realitäts-Analyse einerseits und der Flucht in die Tarnung, wo nicht Verleugnung von Realität andererseits ergibt die Chancen historischer Weichenstellung. Wer das erkennt, dem wird die Geschichte berechenbar wie das Wetter, nicht also gänzlich, doch in Annäherungen, wobei unser Einfluß aufs Wetter zwar als vorhanden, jedoch als geringer zu veranschlagen sein dürfte als die Einwirkung auf unsere Geschichte, die das logische Resultat von handelnden oder nicht handelnden Subjekten ist. Damit der Mensch nicht handle und offene Sprache nicht nutze oder

nutzen könne oder zu nutzen wage, halten die Machtnutz-
nießer ihn systemübergreifend im vordemokratischen Zustand von Sprachsklavereien fest.

Dem früheren kirchlich-hierarchischen Obrigkeitsstaat
folgt als Disziplinierungsmittel die Untrigkeit produzierende Mediokratie.

Blochs Philosophensprache ist innerhalb der Skala ein
Pionier-Idiom, das der populären Wirkung entbehrt, im
Maße seiner Politisierung aber unvermutet praktikabel
wird. Konnte Bloch sich zum 17. Juni 1953 nur im engen
privaten Kreis kritisch äußern, hielt er in der Folge des XX.
Parteitages den Zeitpunkt für gekommen, seine bis ins
Hermetische gehende Ausdrucksweise zu öffnen. Doch die
Reaktion der Partei auf den Budapester Aufstand erzwang
den partiellen Rückzug und vier Jahre später das Ende der
Kooperation mit dem Moskauer Modellversuch DDR.

Was gab es für die zurückbleibenden Intellektuellen als
Alternative? Die Hoffnung auf einen langen inneren Re-
formprozeß, der sich aber bald als trügerisch erwies. Die
Linke in Ost und West wollte es nicht wahrnehmen, bis
die Mauer zerfiel und die gesamte linke Bewegung weltweit verelendete. In ihrer dogmatisierten Sklavensprache
vermochte sie auch das nicht treffend und frei zu artikulieren.

2 x 2 = 5

Im schönen Tauwetterjahr 1956, beginnend im Frühling mit
der Antistalinrede Chruschtschows in Moskau, bald schon
endend im Oktober des Budapester Aufstands und seiner
Niederschlagung durch sowjetische Panzer, erschien in der
Ostberliner Zeitung *Sonntag* eine Kürzestgeschichte, deren
irrwitzige Brisanz einigen wenigen Lesern den Atem stok-
ken ließ.

Der Titel des kurzen Textes, der als Hieroglyphe das
Ganze lasziv verkörperte, lautete: »2 x 2 gleich 5«, welche
Fehlrechnung den Staatsparteioberen attestiert wurde, als
handle es sich um bloße Mathematik. Unser Autor, ein gewisser Wünschelrutengänger namens Wolfgang Harich,

ließ der kafkaesken Fabel alsbald Taten folgen, die ihm eine zehnjährige fürsorgliche Verbringung nach Bautzen eintrugen. Wäre dem bestellten Gericht und dessen Oberen allerdings bekannt gewesen, was von allen nur der Sicherheitsminister wußte, daß die berühmte und ruchlose Rechnung 2 x 2 gleich 5 Orwells Romansatire *1984* entstammte, so wäre gewiß die Todesstrafe verhängt worden. Der Sicherheitsminister verschwieg seine Kenntnis, hätte er sich als ausgewiesener Leser des Trotzkisten George Orwell doch selbst vor Gericht bringen müssen.

Soweit die kleine Story, die ich vor einiger Zeit schrieb und weglegte. Dann begann ich zu zweifeln und herumzufragen. In Gustav Justs Buch *Zeuge in eigener Sache* fand sich endlich eine Information, die meine Erinnerung zugleich bestätigte und widerlegte. Harichs Text war im *Sonntag* vom 28. 10. 1956 erschienen, kurz vor seiner Verhaftung, trug aber den Titel »Aktuelles Einmaleins« und begann mit dem Satz: »In der Schule von Schilda wurde den Kindern viele Jahre lang beigebracht: 2 x 2 = 9.« Harichs aparte Multiplikation führte fort, was er von polnischen Kollegen gehört hatte. Daß Orwells *1984* die Quelle sei, war von mir vermutet worden, ebenso Mielkes verschwiegenes Wissen. Im ewigen Duell zwischen Fakt und Imagination hatte ich den Fakt zu phantastisch imaginiert, wie ich ernüchtert einsehe. Eigensinnig behauptend, meine Fassung gebe dennoch die Wahrheit radikaler wieder.

Auch diese egozentrische Behauptung bedarf der Korrektur. Zwar hätte mir die Bestätigung meiner Sicht, Harich habe 1956 Orwells Buch den Anstoß entnommen, gut in den Streifen gepaßt, doch die polnische Quelle Harichs führte ihn zu einer Differenzierung, in der sich die Quantenformel der Sklavensprache noch deutlicher offenbart. Liegt bei Orwell der Herrschaftsanspruch des Großen Bruders zugrunde, der das falsche Resultat zu akzeptieren verlangt, was denjenigen, der auf 2 x 2 = 4 beharrt, zum Staatsfeind werden läßt, verschiebt die Formel 2 x 2 = 9 den Akzent auf das insgesamt variable Verhältnis der Zahlen. Hat die Obrigkeit erst die Relation über 2 x 2 = 5 auf 2 x 2 = 9 eskaliert, erzwingt der Unwille der Beherrschten die schrittweise Rücknahme bis auf das exakte 2 x 2 = 4. Diese Rechnung, die den Tatsachen entspricht, wird zur revolutionären Wahrheitsgewalt, und die Aussicht auf einen Erfolg im Streit um die mathematische Tatsache entsprach den Hoffnungen in Polen und bei zahlreichen oppositionellen Sympathisanten in der DDR des Jahres 1956, wo die Formel als Versprechen einer stückweisen Annäherung Optimismus erweckte. Ihre Qualität bleibt jedoch ebensowenig auf die damaligen östlichen Diktaturen beschränkt wie Orwells Buch. Denn die Variablen von 2 x 2 = 4 bis 2 x 2 = 9 enthalten das nach oben offene Mischungsverhältnis der Sklavensprache, wonach 2 x 2 = 4 die unleugbare Tatsachenwahrheit enthält und jede Verschiebung über 2 x 2 = 5, 2 x 2 = 6 – 7 – 8 – 9 bis unendlich den Verhüllungsgrad, ergo das Ausmaß der Verfälschung anzeigt. Die grundsätzliche Differenz ergibt sich aus der Absicht des herrschenden Rechners. Als oberste Instanz (Großer Bruder) sucht er falsches Multiplizieren per Verordnung zu erzwingen, auf welche Anweisung mit sklavenhaftem Gehorsam, aber auch mit oppositioneller List bis zur Ablehnung reagiert werden kann.

Diese gesellschaftliche Konfliktlage, abzulesen vom Effizienzgrad der Sklavensprache, wirkt bis in die Naturwissenschaften hinein, wo oft genug die Realitätserkenntnis radikal abgestritten werden soll, wie das Beispiel Galileo zeigt, der zum Abschwören = Sklavensprache erpreßt wurde. Im Nachhinein muß ich der von Wolfgang Harich übernommenen polnischen Formel 2 x 2 = 9 die gleiche Evidenz zubilligen wie Orwells 2 x 2 = 5, denn jede von ihnen ist reinster Ausdruck gegensätzlicher Situationen: Orwells Zahlenspiel steht für den ehernen Zwang der Diktatur, Harichs polnische Multiplikation hingegen drückt ein Veränderungspotential aus, das die Falschrechnung Richtung reales Resultat korrigiert. Ob dabei tatsächlich ein 2 x 2 = 4 herauskommt, ist eine andere Frage. Eine wieder andere Frage wäre, ob für die Sprache eine mathematische Genauigkeit von 2 x 2 = 4 erreichbar ist. Wer es versucht, gelangt nicht weiter als zu den Aussagen »Die Rose ist rot« oder »Der Himmel ist blau«, womit sich die Exaktheit als Beziehungsreduktion herausstellt. Wenn Sprache aber nicht mathematifizieren kann, so liegt ihr Geheimnis im Wechselspiel von sklavischer Verhüllung und subversiver Aufdeckung. Wittgenstein: »Die Sprache ist ja kein Käfig.«

Die Front in den Köpfen

Hermes, der griechische Götterbote, der ins Totenreich führt, »lebt« in dieser jenseitigen, abgeschlossenen Totenregion wie Wissen und Erkenntnis im hermetischen, also in sich abgeschlossenen Text, diesem künstlerischen (künstlichen) Totenreich.

Der Unwissende steht vor kryptischen Texten so ausgeschlossen wie vor hermetischen Werken. Die Unfähigkeit zum Eindringen liegt jedoch im Subjekt selbst, das nicht eindringen und begreifen will und es deshalb nicht kann. So scheint das Kryptische ein Hermetisches zu sein, das es in Wirklichkeit gar nicht ist. Bei näherer Betrachtung erweist sich die Sprache des jungen Bloch als revolutionär-kryptisch. Die Botschaft ist anfangs die eines sich ins Unbekannte vorantastenden Forschers und Pioniers, bald aber erweist sich die unterschiedlich verschlüsselte Botschaft als Information über unerhörte, wo nicht verbotene Ideen und Reflexionen.

Im Frühjahr 1954 wurde im Seminar nach der Kategorie »Front« gefragt. Bevor Bloch darauf eingehen konnte, wiegelte Jürgen Teller ab, und Bloch beschied sich damit. Meine Notizen vermerken ein anschließendes Gespräch im Direktorenzimmer zwischen Hans Pfeiffer, mir und einem S., den ich nicht mehr identifizieren kann (Scheinpflug?). Bloch verwies auf eine spätere Vorlesung, in der er aufs Thema zurückzukommen gedenke. Meine Nachfrage, die Front-Kategorie könne nicht mit dem pragmatischen Alltagsbegriff Front identisch sein, ging unter, weil die Sekretärin, Frau Franke, Karola Blochs Ankunft meldete, die ihren Mann mit dem Wagen nach Hause holen wollte. Das interne Gespräch versiegte in unstatthafter Aufbruchs-Eile. Zwischen Hans Pfeiffer und mir galt als ausgemacht, bei passender Gelegenheit nachzufassen. Da ich gerade von der Partei eine Rüge erhalten hatte, nahm ich den Faden nicht wieder auf. Erst auf dem Zagreber Symposium im Mai 1987 zu Blochs zehntem Todestag kam ich darauf zurück mit den Worten: »Was endlich die Kategorie ›Front‹ betrifft, so fordert sie ausdrücklich auf zum individuellen Engagement. Das aber empfinden wir geradezu als Ruhestörung, denn wir reden gern über das Neue und revolutionär Notwendige. Es zu tun jedoch überlassen wir den anderen, die wir zum jeweils revolutionären Subjekt ernennen. Und wenn sie sich dem verweigern, reagieren wir verärgert, weil die Unbotmäßigkeit die Kreise unserer Denksysteme stört. Schuld haben immer die anderen.«

Tatsächlich ist unter »Front« nicht die äußere, offen kenntliche Frontlinie gemeint. Hat das revolutionäre Subjekt Arbeiterklasse die Revolution verweigert, liegt die Bestimmung des Frontverlaufs verinnerlicht in Kopf und Händen des revolutionären Individuums, das sich zu entscheiden hat für Flucht, Anpassung und Selbstaufgabe oder Revolte. Soweit sein Medium die Sprache ist, artikuliert Front sich verbal. Rückzug, Anpassung, Flucht werden zeitlich und nach Lage der Kräfte definiert. Es entsteht das Panorama der Sklavenwelt mit den Idiomen und Dialekten der Verstellung, Unterdrückung und Unterwerfung.

Blochs Vortrag im Frühjahr 1956 auf der Berliner Freiheitskonferenz war ein Öffnen des verbalen Visiers. Nach dem ungarischen Oktoberaufstand, dieser strategischen Unvernunft, die den Stalinisten in die Hände spielte, klappte das Visier wieder zu. Insofern sind die von Ingrid und mir geäußerten Vorwürfe gegen Bloch partiell gegenstandslos, Ausdruck eines lediglich individuell zu wertenden Unbehagens. Der gemaßregelte Philosoph hoffte auf die Zeitweiligkeit der Verfinsterung, danach sollte es erneut unverstellt vorangehen. Daß er sich irrte, mußte noch nicht als ausgemacht gelten. Allerdings lag wenig später klar zutage, wie sehr er sich irrte. Doch wird in alldem deutlich, daß »Front« eine bewegliche Stelle bezeichnet, die bald weiter vorn, bald weiter hinten liegen kann und einer entsprechend veränderbaren Ausdrucksform bedarf. Blochs »Ich stehe auf dem Boden der DDR« verriet die Hoffnung auf ein nicht schwankendes Fundament.

Die Kategorie »Front« erweist sich als die Variable, von der auszugehen ist, als das Vehikel, mit dem Marxens elfte Feuerbach-These im Hegelschen Sinne »aufgehoben« wird. Die Welt zu verändern, bedarf es, nachdem die revolutionären Kollektive versagten, der individuellen Revolte. Das ist Blochs Rückkehr zu Nietzsche, der ja »die richtigen Fragen stellte, doch die falschen Antworten gab«. Die richtigen Antworten erteilt nun Bloch, sagt Bloch, was man für wiederum falsch halten kann, will man auf der Orthodoxie beharren.

Es ist die Rückkehr zu Marx und Engels als Einzelkämpfer mit dem Angebot an andere, in der Revolte solidarisch zu sein. Anders gesagt: Der Marxismus gab aufs Kapital die richtigen, d. h. analytischen Antworten, mit dem Proletariat als revolutionärem Subjekt aber waren die Antworten so falsch wie die des Friedrich Nietzsche.

Wer die Konsequenzen durchdenkt, gelangt zu der viel weiterreichenden schlüssigen Einsicht, daß der Zerfall der marxistischen Lehre und die Aufspaltung der Arbeiterbewegung mit dem Ersten Weltkrieg in den revolutionären Kommunismus und die reformistische Sozialdemokratie die gesamte Bewegung als zeitlich begrenzt ausweist. Der Zerfall hielt an. Der östliche Dritte Weg als revolutionäre Reformation, die 1956 versucht wurde und mit dem ungarischen Oktober endete, mißlang ebenso wie die westlichen Varianten des Dritten Weges scheiterten. So gesehen war Bloch in der DDR ein graduell subversiver marxistischer Partisan mit dem Ziel der universellen sozialistischen Revolution. Ein Trotzki der Theorie, der ebenso exilieren mußte.

Blochs Entdeckung des »Noch-Nicht-Gewordenen«, man lese dazu die ingeniöse Arbeit von Rüdiger Schmidt im Bloch-Almanach 1983 (3. Folge), wendet sich ins Biographische. Bloch selbst als die neue, noch nicht entschlüsselte revolutionäre Potentialität wird erkennbar, ganz wie Marx und Nietzsche am Anfang des Kapitalprozesses, dessen Global-Epoche neuer Antworten bedarf. Das revolutionäre Subjekt des Post-Marxismus ist in den Köpfen beheimatet. Als »Front« erweist sich eine zeitlich variable Linie, die das Kräfteverhältnis ausdrückt. Wer sich zu weit vorwagt, riskiert Kopf und Kragen sowie eine unkluge Märtyrerschaft, wer zu weit zurückbleibt, wird zum Opfer eigener Ängste, die sich als grundlos erweisen. Blochs Leben verläuft in vorgeschobenen Frontstellungen: Die ersten Bücher waren revolutionäre Bekenntnisse. Die russische Oktoberrevolution gab den Ort, von wo aus die Revolution um die Welt gehen würde. Als daraus nichts wurde, mit Hitler-Deutschland aber die Konterrevolution antrat, wurde Antifaschismus Pflicht, was für den mordbedrohten jüdischen Revolutionär in eins fiel mit der praktizierten Treue zur Sowjetunion.

Am Versuch, deren eskalierende Totalität von innen aufzu-
sprengen, scheiterte der Philosoph. So verschlug es ihn nach
Tübingen. Von außen betrachtet, mag das ein Unglück sein.
Für ihn war es nur eine weitere Frontstellung.

Die permanente individuelle Revolte

Als das Ende der DDR sich am Horizont abzeichnete, verzichtete ich auf jede Rücksicht und nutzte eine Diskussi-
onsseite der *Welt* vom 13. 6. 1989, auf der Rolf Hochhuth
und ich Platz erhielten zu einigen direkten Fragen an die
östlichen Politiker: »Welche Reformen kann die DDR sich
leisten, ohne in krisenhafte Situationen zu geraten? Doch
die Krise kommt gewiß, wenn die Reformen ausbleiben.«
Und weiter: »Die Aufrechterhaltung des Status quo ist so
gefährlich wie die Rückkehr zu vorherigen Verhältnissen
dumm.« Die Blindheit des Politbüros blieb erhalten, die
Deutschen wählten die dumme Rückkehr, und die Wiedervereinigung führte zur heutigen üblen Situation. Da ich die
damaligen Geheimkanäle kannte, spielte ich meine Warnungen auch dort ein. Das kuriose Resultat ist in den inzwischen einsehbaren Akten nachzulesen. Die DDR brach die
jahrzehntelange Telefonüberwachung unseres Hauses im
Taunus ab. Einige Monate vor dem Aus begriffen sie, hier
hatte einer ihrem Staat durch Kritik beizustehen versucht.
Rote Akklamateure gab es in hellen Scharen, an Analysten
fehlte es.

Ohne Schadenfreude, wenn auch ein wenig melancholisch, lese ich jetzt die damaligen geheimen Anwei-
sungen, mich fortan unbelästigt zu lassen: »Akten und 15
Tonbandspulen am 5. 6. 89 – Löschung eingeleitet ...« Ein
Halbjahr darauf war das ganze Land zur Löschung reif.
Die späte Erkenntnis von Machtorganen verschafft einem
etwas Genugtuung. Das ist zugleich viel und wenig. Denn
es hat Geschichte. Am 5. 12. 1956 schrieb ein sächsisches
Duo vom »Ministerium für Staatssicherheit – Bezirksver-
waltung Leipzig Abteilung V/3«, unterzeichnet von Hauptmann Peterhänsel und Unterleutnant Vogel, seinem Berliner Vorgesetzten Oberstleutnant Schumann einen Brief

und nennt darin die »Schriftsteller Loest und Zwerenz ... Elemente«, was einen dritten Herrn mit der Paraphe »R« zu dem handschriftlichen Zusatz anspornte: »Es war nicht nur eine schriftstellerische Mißgeburt ...«

Schwamm drüber.

Doch einunddreißig Jahre später sind neue Verbrechen hinzugekommen und die alten keineswegs vergessen, denn »Zwerenz ... forderte u.a. in einem Offenen Brief 1960 die Freilassung der zum damaligen Zeitpunkt inhaftierten Feinde der DDR, Wolfgang Harich, Erich Loest u.a.« (Information Hauptabteilung XX/7, Berlin 16. 3. 1987). Heute bewundere ich den Geheimdienst geradezu, daß er nochmal zwei Jahre danach die Telefonüberwachung einstellte. Es gibt eben doch Fortschritte, wenn auch zu späte.

Hege ich nun Groll im Herzen? Etwa gegen Hauptmann Peterhänsel, Oberstleutnant Schumann samt der ganzen Observierungsriege? So kurzschlüssig mögen manche der spät aufgewachten Bürgerrechtler reagieren. Ich kann die geheimen Genossen nur bemitleiden. Welch ein revolutionärer Anfang, wieviel nutzloser, falscher Aufwand. Wie viele Opfer und was für ein beschämender Abgang. Die Macht verdirbt den Menschen. Ein russisches Sprichwort sagt, selbst einem zur Macht gelangten Engel wachsen Hörner, und, ebenfalls aus Rußland, die weise Einsicht: »Wer im Abtritt wohnt, gewöhnt sich an den Geruch von Scheiße.«

Kein Wunder, daß Ernst Bloch erst spät wagte, von der notwendigen »Sicherung« zu sprechen, die in der Diktatur hätte eingebaut sein müssen, und nochmal kein Wunder, daß meine Theorie der Diktatur-Verriegelung von der DDR bis zum Ende mit Schweigen beantwortet worden ist. Sie hatten ihre Herrschaft ganz und gar auf intellektuelles Verriegeln und geographisches Absperren gegründet, die kleinste Öffnung kostete sie sofort alle Macht.

Wer danach noch Sozialist sein will, kann mit dieser Vergangenheit nur brechen, das ist der zweite Akt nach dem ersten Akt des Bruchs mit den bürgerlichen Kapital- und Kriegsordnungen. Dies aber ist und bleibt das Kennzeichen von Sozialisten, daß sie mit dem bürgerlichen Götzen, dieser Janus-Figur, vorne Kultur und hinten Barbarei, radikal Schluß gemacht haben. Damit erhält die permanente Revolution Trotzkis im 21. Jahrhundert ihre neue Gestalt. Die Permanenz besteht aus dem Übergang von der halben bürgerlichen Revolution *und* der mißglückten bolschewistischen Revolution samt angeschlossener sowjetischer Konterrevolution in eine neue universelle Befreiung. Dies ließe sich als Neo-Trotzkismus bezeichnen, bestünde nicht die Gefahr, daß allein schon die Bezeichnungen Revolution, Permanenz und Trotzki die alten Ängste der Deutschen vor dem Neuen und Revolutionären aufputschen und sie lieber in Kriegen umkommen, als den Ausgang aus ihrer bequemen Unfreiheit zu wagen. Im übrigen ist der Ausdruck »Revolution« sehr beliebt, handelt es sich um eine Revolution der Computerproduktion, der Friseurkunst oder der Konfitürenherstellung.

Der Bildungsphilister als Übermensch

In der Expressionismusdebatte offenbarte sich früh die Differenz zwischen Bloch und Lukács. Letzterer war der Orthodoxe und Klassiker, zu dessen Stärken die radikale Analyse gehörte. So gibt es keine klügere und genauere Verurteilung Nietzsches als in *Zerstörung der Vernunft*, wo Nietzsche durch Lukács so unübertreffbar dargestellt wird, daß ihm selbst Harich darin folgte und sich vom früheren Nietzsche-Freund zum Feind wandelte.

Allerdings ging Lukács stets von der Marxschen Klassenfrage aus und sah im Proletariat den Sieger der Geschichte. Leider befolgte das Proletariat die feinen Theorien nicht. Kein Wunder, daß Lukács nach Prag 1968 resignierte.

Bloch hingegen war Avantgardist, der nie wie Nietzsche in die menschliche Vergangenheit zurückstrebte oder wie Lukács mit Rückgriffen auf Goethe und Marx gegen den Rest der Welt stritt, sondern stets die neuen Kräfte begrüßte und ermunterte – in der Literatur trat er für den von Stalin und Lukács befehdeten Expressionismus ebenso unverdrossen ein wie für die Erneuerer im politischen Raum. Noch von Tübingen aus engagierte er sich für Studentenbewegung und APO. Wenn einer mit den geschlagenen Revolutionären von Spartacus über Thomas Müntzer bis zu Rosa Luxemburg sympathisiert, beseelt ihn die Hoffnung, einmal werde die Revolution gelingen. Wobei wir die Inkonsequenzen hier ausblenden. Was besticht, ist die große Streitfront, an der ausgehalten werden muß, taktische Rückzüge inklusive, denn wenn Gott mit den Siegern ist, muß man warten, bis Gott schläft und die Sieger sich besaufen. Oder mit Ernst Jünger formuliert: »Heute gilt es für löblich, gegen den Strom zu schwimmen, aber das sind nur Pißrinnen«.

Das Anarchenwort wurde vor Erscheinen des Buches in der *FAZ* abgedruckt. Sie sollten es dort, Jünger zu bewahrheiten, über ihre eigenen Pißrinnen schreiben.

In der Hochachtung, die von Helmut Kohl, *FAZ* und angeschlossenen Instanzen Ernst Jünger entgegengebracht wird, ist die Würdigung des Menschen und seines hohen Alters kalkulierter Teil jener Strategie der indirekten Botschaften, die dem antidemokratischen Jünger gelten, der sich selbst gern als Anarch bezeichnet, womit er sich vor der Gefährlichkeit des Anarchisten bewahrt, aber dessen Aura nutzt. Jünger ist eine herrlich-herrische Figur in der Literatur und ein wohltemperierter Opportunist im Leben – »Kaiserwetter«, schnarrte er unterm sonnigen blauen Himmel dem besuchenden Kohl-Kanzler zu, der gnädig nickte, schon war das Hohenzollernreich so nahe gerückt, daß es als einendes Ziel, zu Deutscheuropa geweitet, als »Deutschland normal« erschien, personifiziert im kriegssüchtigen Helden E.J. und der zivilen Majestät Helmut. Wer die Botschaft verstehen will, ohne ihr anheimzufallen, wird sich einen kühlen Kopf bewahren müssen.

Das christlich-völkische, antisemitische Weltbild amalgamierte mit dem Machtantritt des Nationalsozialismus zum nationalistischen Antisemitismus. Ohne die deutsche Niederlage im Ersten Weltkrieg wäre es beim üblichen Rassismus geblieben, erst der Kurs auf einen zweiten Krieg mit der gewollten Revision des Resultats von Versailles ergab die tödliche neue Mischung. Auch der aggressive Antibolschewismus fußte auf der alten Angst vor Revolution und Sozialismus. Nietzsche, der keine Zeile von Marx je las, wütete wie Kaiser Wilhelm gegen Arbeiterbewegung und Umsturz. Noltes Meinung, Hitler sei eine Reaktion auf Stalin, der Gulag »ursprünglicher« als Auschwitz, verfehlt nicht die Gemengelage der Linkswut, die in Deutschland seit den Bauernkriegen erkennbar ist und mit der verlorenen bürgerlichen Revolution von 1848 zur bestimmenden Kraft der Nationalgeschichte wurde. Im Kaiserreich ordnete sich alles vor, die Weimarer Republik erschien als Verrat, das Dritte Reich eskalierte das dreifache Haupterbe Nationalismus, Rassismus und Linkswut zum »totalen« Krieg. Ob das auf Europa zusteuernde Deutschland diese seine alte antieuropäische und antihumane Frontstellung wirklich überwunden hat, kann erhofft werden, die Probe darauf steht noch aus. Ungebremster Antisemitismus der Oberschicht zeigt sich nach den Blamagen der siebziger und achtziger Jahre nicht mehr. Die Herrschaften lernten, offiziell des Holocaust so feierlich zu gedenken wie sie um ihre »tapfren deutschen Soldaten« inniglich trauern. Machtwille, Linkswut und heuchelndes Christentum aber blieben und zeigen sich, wo die Konstellation günstig, ungescheut in alter, wenn auch nun demokratisch aufgeschminkter Pracht. Statt den individuellen Denker Nietzsche endlich als Lehrer zu entdecken, geistert sein »Wille zur Macht« durch die Köpfe – ein Untoter mehr in deutschen Urvaterlanden.

Der prolongierte Übermensch beginnt bereits beim Bildungsphilister, der von der Höhe eingedröhnter Merksätze aus das wirkliche Denkvermögen einspart. Am 24. Juli 1997 druckte die *FAZ* auf der Leserbriefseite, wo der akademische Volksmund traditionell seine gelehrte Borniertheit demonstriert, diese Passage eines Dr. med. aus Heidelberg ab:

»Wir lernten aber im humanistischen Gymnasium neben anderem zwei Sätze der lateinischen Klassik kennen, die es bei dem angesprochenen Problem zu beherzigen gilt: ›Inter arma silent musae‹ (In Waffengängen schweigen die Musen) der eine und ›Si vis pacem, para bellum‹ (Wenn du Frieden willst, bereite dich auf den Krieg vor) der andere.« Unser tüchtiger Medicus, der seine humanistische Bildung damit zu beweisen glaubt, hätte statt des Latein auch neuere Geschichts- und Deutschkenntnis vorweisen können, etwa den Bismarck-Satz: »Je stärker wir sind, desto unwahrscheinlicher ist der Krieg.« Doch sprechen wohl die starken Deutschlande von 1914 und 1939 dagegen. Da wäre vielleicht Meister Nietzsche ins Feld zu führen: »Ihr sollt mir solche sein, deren Auge immer nach einem Feinde sucht ...«

– Na, da sucht mal schön, Kameraden.

Rüstungsgründe also gibt es allenthalben, weshalb dann noch ein paar eigene Gedanken riskieren, Herr Doktor, und: Auswendig gelernt ist gelernt.

Revolutionär wäre: Willst du den Frieden, bereite dich auf den Frieden vor. Oder einfach: Mache dich friedensfähig. Das aber hatte in der *FAZ* vom 16. Juli kein anderer als der pazifistische Yehudi Menuhin verlangt, wogegen ein deutscher Mediziner sofort seine lateinische Bildung als Waffe in Stellung bringt. Der virtuose Menuhin war in der *FAZ*-Spalte »Fremde Federn«, wo denn sonst, zu Worte gekommen. Also donnerte ein Heidelberger Latinum-Philister los als wäre er angegriffen worden. Er ist es.

Im Zitatenkarussell

Harichs späte Nietzsche-Abrechnung hat gute Gründe und nichts, wie mehrfach behauptet wurde, mit kommunistischer oder gar stalinistischer Ideologie zu tun, sondern mit der Verwertung nietzscheanischer Kategorien im Nazismus. Dagegen stehen Argumente, die Harich übersah oder geringschätzte, etwa Nietzsches grundsätzliche Ablehnung des Antisemitismus, worin er sich von dem ansonst geschätzten Schopenhauer unterscheidet und weshalb er sich mit Richard Wagner überwarf.

Die Ablehnung des Antisemitismus gehört zu Nietzsches Ablehnung des Christentums, das er als knechtische Mitleidsreligion verabscheute, was ihn einerseits zu grundsätzlicher Kritik an der Kirche befähigte, andererseits seinen obskuren Hang zum heldischen, inhumanen Herrenmenschentum verstärkte. Indem er das Alte Testament dem Neuen vorzog, favorisierte er dessen Härte und Brutalitäten, womit er manche seiner Nazispätjünger in beträchtliche Interpretationsschwierigkeiten brachte, denn sie folgten dem Meister gern nach, rühmte er Krieg und Krieger, daß er sich dabei aber ausgerechnet auf das Alte Testament, die »Judenbibel« bezog, sprengte die antisemitische Ideologie der Nazipartei und führte zu Einwänden aus intellektuellen SS-Kreisen.

Die keineswegs ausgefochtene Kontroverse um Nietzsche ist solange nicht beendbar, wie Nietzsche im pro oder contra von Kollektiven vereinnahmt werden soll, was wegen seiner Sperrigkeit und systematischen Widersprüchlichkeit nie ganz gelingen kann, aber auch keinen Grund für Ignoranzen abgeben sollte. Betrachten wir seinen Anti-Antisemitismus, erscheint es kurios, daß Hitler sich als Nietzscheaner fühlen konnte. Blicken wir auf die Teile seines Werkes, wo er die Barbarei lobt, wird das nazistische Nietzscheanertum verständlich. Der schwache Geist wird gewisse polare Fragmente des bald scharfsinnigen, bald schwachsinnigen Genies stets parteiisch auswertend in den Dienst des eigenen Unverstands stellen. Indessen schaffen veränderte Zeiten auch veränderte Zitat-Gewohnheiten.

Vor kurzem noch würzte die feine Bürgerpresse ihre Feuilletonsuppen mit schönen Adorno-, Horkheimer-, Bloch-Konzentraten. Jetzt lautet der Speisezettel: Meine tägliche Portion Nietzsche zur zeitgemäßen Ernährung.

Ich greife einfach wahllos ins Zettelarchiv:

»Nietzsche denkt über das ›Allzumenschliche‹ als Ästhet nach ...« (*FAZ* 24. 12. 94)

»Was er über Nietzsche ... schrieb, sollte man deshalb unbedingt wieder lesen.« (*FAZ* 26. 7. 97)

»Nietzsche hielt sich als junger Mensch für einen Unzeitgemäßen ...« (*FAZ* 2. 8. 97)

»Sie war das Laboratorium, in dem Nietzsches Anthropologie aus dem Geist der Sprachkritik entstand.« (*FAZ* 31. 7. 97)

»Der Leser der ›Frühen Schriften‹ wird Zeuge von Friedrich Nietzsches Selbsterschaffung.« (*FAZ* 3. 9. 94)

»Das bislang vorherrschende Nietzsche-Bild erweitert sich um ungewohnte Dimensionen ...« (*FAZ* 6. 8. 94)

»Auch Nietzsche zerbraten: Wie man als Leser die Hitze überlebt« (*FAZ* 5. 8. 94)

»Um sich eines Gedankens oder eines Belegs zu einem neuen Zweck zu bedienen, tilgt Nietzsche durch Fragmentarisierung jeden Hinweis auf dessen Herkunft.« (*FAZ* 3. 8. 94)

»Aber der schroffe Ton in Nietzsches Reden läßt zweifeln, ob er wirklich in diesen noblen Kreis paßt.« (*FAZ* 15. 6. 94)

»Nietzsche hat den Sozialismus als ›Tyrannei der Geringsten und Dümmsten‹ definiert ...« (*FAZ* 30. 11. 87)

»Vielleicht ist deshalb Thomas Manns ›Doktor Faustus‹ noch immer das beste Buch über Nietzsche.« (*FAZ* 17. 2. 88)

Hier unterbrechen wir die Nietzsche-FAZoologie, bevor sie als System ermüden macht. Fazit: Die *FAZ* ist fast immer dann am besten, wenn sie einen klugen Klopfgeist zitiert. Wird das Niveauminimum verlassen, drängt sich Kurt Hillers flapsiger Satz in Erinnerung: Da reden welche über Nietzsche als hieße der Mann Knietsche.

Den Vogel schoß die *FAZ* am 9. 8. 1997 ab, als im Feuilleton ein großer Artikel unter der Überschrift erschien: »In Nietzsches Dunkelkammer«. Im Artikel selbst kam Nietzsche gar nicht vor. Sein Name in der Überschrift reichte als Blickfang. Wobei der Mann ansonst bald mit Respekt, bald mit gönnerhafter Herablassung behandelt wird. Man vergibt sich also nichts. Das insgeheim wirkende Faszinosum beruht auf dem Nimbus des bürgerlichen Empörers. Er erscheint als das, was Ernst Jünger für sich zum Markennamen erhob: Anarch. Das heißt: Ich wasch mir den Pelz und mach ihn nicht naß. Mit Blick auf die Adepten gesehen, haben Nietzsche und Marx einfach Pech gehabt. Es ist wie beim Fuchs, der sich durchs Gebüsch zwängt, in seinem buschigen Schwanz fangen sich Abfall, Spinnweb, Laub und allerhand Moose.

Verdeckte Opposition

Ende der siebziger Jahre bat ich Ingrid, aus ihren eigenen und meinen nur schwer lesbaren handschriftlichen Aufzeichnungen von Blochs Vorlesungen ein paar Seiten mit der Maschine abzutippen. Sie wählte die Anfänge der Geschichte der Philosophie aus, was den Vorteil mit sich brachte, alle Komplikationen, die sich bei neueren Denkern unweigerlich einstellten, außer Betracht zu lassen. Allerdings wurde Ingrid von Blochs Sarkasmen und Ironien derart ergriffen, daß sie sämtliche Anmerkungen des Philosophen getreulich verzeichnete, was dessen Eigentümlichkeiten und gezielten Abweichungen vom Stoff exakt konservierte. Mitunter ergänzte sie die Nachschriften durch lexikalische Auskünfte. Meine Absicht hatte allerdings weniger darin gelegen, Blochs Vorlesungen detailliert zu exemplifizieren, als vielmehr darin, seinen Stil, seine rhetorische Form genauer zu untersuchen. Die gedruckten Bloch-Texte schieden dafür aus, weil eben für den Druck bearbeitet. Ich wollte zurück an die Quelle, die mündliche Darlegung in der Situation jener Jahre 1952 bis 56, zurück zu dem, was Bloch direkt gesagt hatte in der wichtigen Zeit gesellschaftlicher Veränderungen nach dem Tode Stalins. Ich erinnerte mich dieser Monate ziemlich genau, war mir aber nicht sicher, ob ich in Blochs Äußerungen mehr hineingedacht hatte als in ihnen an Signalen enthalten gewesen ist.

Mir lag weniger daran, aus den Vorlesungen des Meisters seine Philosophie zu rekonstruieren, sondern die Bedingungen und den Zusammenhang von Wort – Wirkung zu erhellen. Als ich die von Ingrid übertragenen Seiten durchlas, erging es mir, wie es wohl jedem sich auskennenden Leser ergeht – ich ergötzte mich an den köstlichen Darlegungen:

»Bloch – Kleine philosophische Bemerkungen – aus den Nachschriften von I. und G.Z. Beispiele für frühe Gnomen – ethische Ratschläge der SOPHOS – vier werden immer wieder genannt: Pittakos, Solon, Bias, Thales, vor augenscheinlich traurigem Hintergrund: ›Das Beste ist, nicht geboren zu sein, das Zweitbeste, früh zu sterben.‹

Pythagoras: 580-500 – wanderte nach Kroton, sagenhafte Gestalt, er und Empedokles sind Philosophen neuer Prägung (Er hat es selbst gesagt). Bemerkenswert der Bund des Pythagoras: Körperliches, geistiges und moralisches Training, Askese im nicht klösterlichen Sinne, gesprochen wurde nur das Notwendigste, die Abgeschiedenheit dieser Denker sollte ihnen Urwissen zugänglich machen.

Kroton lag in der Nähe von Sybaris in Unteritalien, gegen die Burg der Pythagoräer erhob sich das Volk, die Burg wurde angezündet.

Scheint genau zuzutreffen, laut Lexikon zur sozialen Rolle des Pythagoras folgende Eintragungen: ›Seit 529 in Kroton ... durch politische Verfolgungen von seiten der demokratischen Partei genötigt, soll er Kroton nach 20jähriger Wirksamkeit verlassen haben ... der Umstand, daß Pythagoras selbst etwas gesagt hat – *autos epha* – griechisch – er hat es selbst gesagt, lateinisch wird dasselbe durch *Philosophus ait* ausgedrückt, diente auch noch in späterer Zeit als Beweismittel.

Politisch vertrat Pythagoras die Aristokratie, seine Schüler sollen etwa ein Jahrhundert nach dem ersten Auftreten
des Pythagoras in Kroton einer demokratischen Verfolgung
in großer Anzahl zum Opfer gefallen sein. Es wird erzählt,
daß eine zahlreiche Versammlung derselben in dem früher
dem Athleten Milon zugehörigen Hause durch die Umzin-
gelung und Anzündung des letzteren vernichtet worden
sei. Doch findet man auch später noch in anderen Städten
Spuren einer Herrschaft der Pythagoreischen Partei. Pythagoras selbst hat wohl als politisch-religiöser Sektenstifter,
also auf praktischem Gebiet, größere Bedeutung gehabt als
auf dem der Forschung und Philosophie.‹

En passant: Des Heraklit Fragment 62: ›Unsterbliche
sterblich, Sterbliche unsterblich, sie leben gegenseitig ihren
Tod und sterben ihr Leben.‹ Dieser Satz, merkt Bloch häufig
an, hat höchstes Nachdenken Hölderlins erregt. Heute ist er
Heideggers business.

Wir aber müssen solche Sätze in unsere Obhut nehmen.

Immer wieder hervorgehoben bei Bloch Fragment 18:
›Wenn man es nicht erhofft, wird man das Unverhoffte nicht
finden.‹

Zenon: 490-430 – Erster Märtyrer unter den Philosophen.
Wurde lebendig im Mörser zerstampft – hatte Anschlag auf
Tyrannen geplant. Zenon war Freund und Schüler des Par-
menides, dieser wiederum stand den Pythagoräern nahe.

(I.Z.-Anmerkung: Scheint also sehr früh schon philoso-
phisch-politische Gruppenbildung gegeben zu haben. So
etwas wie einen Petöfi-Kreis der Antike.) Zenon ist außerdem vermutlich Begründer des Philosophischen Dialogs.
Erfinder der methodischen Dialektik.

Empedokles: 495-35 – Spartaner in der Philosophie, erinnerte mitunter an Pythagoras. Gestalt ebenfalls umwölkt
von Mythischem, magischer Arzt. Tod im Ätna, hat sich
laut Hölderlin ›der großen Natur vermählt, in der kein Haß
ist.‹

Anaxagoras: Aufenthalt in Athen ab 440. Hat die Philosophie in Athen eingebürgert und die Feindschaft des rohen
Pöbels auf sich gezogen, weil er die Staatsgötter leugnete,
mußte die griechische Metropole verlassen.

Bei verschiedenen Gelegenheiten zitiert Bloch den Satz
von Tyndall: ›Wenn der Stoff als ein Bettler in die Welt tritt,

so geschieht das deshalb, weil die Jakobe in der Theologie ihn seines Erstgeburtsrechts beraubt haben.‹

Sokrates: 469-399 – Vater Bildhauer, Mutter Hebamme. Sokrates wollte beide Berufe verwerten (Mäeutik).

Angenehmer, feuchtfröhlicher Nichtstuer, ging herum, unterhielt sich mit diesem und jenem und stellte sich dumm. Was ist das – das – das??? Später stellte man ihn vor Gericht. Anklage, er glaube nicht an Götter, verderbe die Jugend, darin ist Intelligenzhaß, diktiert von muffiger Kleinbürgerlichkeit.

Sokrates hätte das Urteil durch ein Schuldbekenntnis mildern können. Überzog das Gericht jedoch mit Hohn und Spott, dies brachte ihm den Schierlingsbecher ein. Man sagt, Sokrates hätte an die individuelle Unsterblichkeit geglaubt. Bloch schließt diesen Abschnitt mit der Bemerkung: ›Im Tod des Sokrates ist kein Pathos.‹‹

Die großen guten, blinden Sokrates-Sätze: ›Kein Mensch tut freiwillig Unrecht‹, ›Wer das Rechte weiß, kann das Unrechte nicht tun‹, ›Wie vieles es gibt, das ich nicht brauche‹. Unwesentliche Wünsche vergessen, *sich heraushalten*. (I.Z.-Anmerkung: Das fällt leicht, wenn man reiche Gönner hat, die für Bohnensuppe und Samos sorgen.)«

Soweit Ingrids Transkription, genauer Zeitpunkt nicht festzulegen, offenbar geschrieben kurz nach Blochs Tod, als seine Frau Karola wissen wollte, ob und auf welche Weise Ernst sich nach Stalins Ableben »subversiv« geäußert habe.

Ingrids Aufzeichnungen gehen nach dem hier zum Schluß benannten Sokrates weiter mit Platon, Aristoteles, Origenes, Abälard, Bacon, Descartes, Spinoza, Thomasius, Voltaire, Lamettrie. Alle Belege bezeugen Blochs ironische bis sarkastische Sicht auf die Klassiker. Kein Gedanke an Zugeständnisse gegenüber der parteioffiziellen Sichtweise, im Gegenteil. Zwar lehrte Bloch nicht seine eigene Philosophie, wie er mehrfach anmerkte, doch seine vorgetragene Philosophiegeschichte war blochisch und insoweit »subversiv«. Was von den einen gern aufgenommen und von den anderen argwöhnisch bemißtraut worden ist. Als ich die Transkriptionen las, kam mir das alte S=P in den Sinn, Subjekt gleich Prädikat, welche Formel viel Unsinn gestiftet hat. Hieße es etwa »Die Rose *hat* rot«, wäre man von den Unschärfen und Undeutlichkeiten des »ist« als Kopula weg, es hieße eben statt »Die Rose ist rot« viel genauer »Die Rose hat rot« oder noch exakter »Die Rose hat unter anderem rot«. Die Kopula, das Satzband, ist eine reine Formaussage für den konjugierten Modus der Hilfszeitwörter »sein« und »werden« in Verbindung mit dem Prädikat, und wenn die Philosophen und Poeten den Sprachvorgang aus der grammatikalischen in andere Ebenen heben, lassen sie die Unschärfe und Vieldeutigkeit der Kopula außer acht. Allerdings bietet die Formel Ansatzpunkte für strukturelle Untersuchungen des Denkens und Sprechens. Man kann mit ihrer Hilfe gewisse Sprach- und Schreibvorgänge logisierend verdeutlichen.

Während ich die Nachschriften der Bloch-Vorlesungen durchging und mich über die Zufügungen amüsierte, wurde mir klar, daß Ingrid weniger zufügte als offenlegte. An Blochschen Ironien fehlt es nicht bei ihren Vorlesungsnachschriften, sie vermerkte sogar vom Philosophen zur Illustration gern herangezogene Wahnwitzgeschichten, zum Beispiel am 30. 1. 56, als er über den Empiriker David Hume las: »Zwei Irre betrachten einen Regenbogen. Sagt der eine kopfschüttelnd zum anderen: ›Dafür hat die Regierung Geld!‹« Ein multifunktionaler, von Bloch mehrfach erzählter Witz, der nie an Aktualität einbüßen wird.

Manche Notizen enthalten Sätze, die zum Kommentieren, Ergänzen, Interpretieren reizen. Bei Ingrids erster Anmerkung ist noch Mißtrauen im Spiel. Die politisch unklare, verdächtig konservative Haltung des sonst von seinem Namen her glänzenden Pythagoras wird anhand einer Lexikon-Auskunft überprüft und mit »scheint genau zuzutreffen« kommentiert, welche Vergewisserung weniger Zweifel an Bloch als an unseren Nachschriften ausdrückt, etwa: Was, dieser hochgerühmte Pythagoras war ein Reaktionär? Trifft das zu? Der Vergleich mit dem als objektivem Schiedsrichter empfundenen Lexikon bestätigt die Einschätzung.

Welcher Vorgang zugleich erweist, daß diese Objektivität ein philosophisches wie literarisches Minus enthält. Das ach so objektive Lexikon (die ach so genaue Philosophiegeschichte des Herrn Prof. Soundso ...) gibt historische Ereignisse mehr oder weniger präzise an, bleibt aber in der bloßen Historie, was heißt, außerhalb der Philosophie im

Sinne des Philosophierens und unbetroffen davon: Totes Wissen.

Nehmen wir Ingrids nächste Einfügung bei Zenon, der als Märtyrer lebendig im Mörser (großer Behälter) zerstampft worden ist, wozu I.Z. anmerkt: »Scheint also schon früh so etwas wie philosophische Gruppenbildungen gegeben zu haben. Der Petöfi-Kreis der Antike.«

Das bezieht sich auf die literarisch-philosophische Opposition dieser Gruppe in Budapest, die bei der Liquidation des Ungarischen Aufstandes 1956 mit repressiert worden ist. Der Hinweis findet sich nicht bei Bloch; die Zenon-Vorlesung wurde 1954 gehalten, als von diesem späteren Petöfi-Kreis noch nicht die Rede sein konnte.

Also fügte Ingrid den Vergleich erst bei ihrer *Transkription* nach Blochs Tod hinzu. Genauer gesagt bot sich die Verdeutlichung an, Bloch hatte 1954 gleichsam den Petöfi-Kreis von 1956 »antizipiert«.

Die Geschichte der Philosophie offenbart sich dem, der Spuren lesen kann, als Skandalabfolge ewiger Wiederholungen. Inklusive barbarischer Eskalationen. Anhand von Ingrids Vorlesungs-Nachschriften begriff ich: Blochs vorgetragene Geschichte der Philosophie enthielt eine nonverbale, also verdeckte, nicht nur politische Opposition, die in der gedruckten Fassung nicht nur fehlt, weil die spontanen Nebenbemerkungen nicht verzeichnet wurden. Blochs Eigenart der quasi musikalischen Rhetorik, laut-leise, langsamschnell, sachlich-kühl und ironisch-zornig, von Mimik wie Gestik begleitet, Pausen setzend, dieses besondere Arrangement ist die zweite Leerstelle der gedruckten Vorlesungen. Sie bleiben Fragment und bedürfen der Entschlüsselung.

Hoffnung als Revolte des Subjekts

Die These von Blochs Pazifismus betrifft einen bestimmten Zeitabschnitt des ersten Schweizer Exils. Über die vorangegangene Militanz schrieb Manfred Riedel 1994 in *Tradition und Utopie*. Weshalb Bloch als Antifaschist, Jude, revolutionärer Linker später der Sowjetunion zuneigte und in der DDR erneut militant wurde, bleibt bei Riedel unterbelichtet.

Hervorragend hingegen die »Vademecum«-Darlegung mit Blochs früher Polemik gegen Lenin. Riedel präsentiert sich sehr unterschiedlich. In *Zeitkehre in Deutschland* stehen neben gelungenen Passagen romantisierende Lyrismen eines ob der ausgebrochenen Vereinigung außer Rand und Band geratenen Reisenden. Der Herr Professor, vier Jahre später in *Tradition und Utopie* zum gewohnten Intellektuellen-Jargon zurückfindend, gibt sich 1989/90 populärmend. Sowohl als Bloch- wie Heidegger-Schüler auftretend, wird er schon im Vorwort zum Nietzscheaner: »In die vorgelegten Zeugnisse seiner Wiederkehr (in *ganz* Europa) ist die Zwiesprache mit dem Leipziger Lehrer Ernst Bloch eingemischt, dem Mahner zur ›Umkehr‹ und Erneuerung aller Dinge, der Anfang der fünfziger Jahre dem Unheil der einen Partei, vergeblich, zu wehren suchte; und das Gespräch mit Heidegger, dem Denker der ›Kehre‹, der Anfang der dreißiger Jahre mit der anderen Partei ähnliches versuchte, um sich wie Bloch im Unheil zu verstricken. Eine Verstrickung, von der diese letzten deutschen Denker von europäischem Rang nicht freizusprechen, aber im Verstehen des Geschehenen zu lösen sind, auf daß wir ihre Gedanken in die Zukunft des europäischen Deutschland hinübernehmen (statt mit ihnen zu rechten und über sie zu richten).«

Im üblichen schimärischen Vergleich von Nazis und Kommunisten geht die Differenz unter, ganz als hätte Bloch, sein Leben rettend, nicht exilieren müssen, während Heidegger den Vertreibern (und späteren Mördern) zustimmte, »um sich wie Bloch im Unheil zu verstricken«. Tatsächlich im gleichen Unheil? Da mag »die Zwiesprache mit dem Leipziger Lehrer Ernst Bloch« zwar »eingemischt« sein, bewirkt aber hat sie dramaturgische und grammatikalische Konfusion. Diese »Zeitkehre« ist voll davon. Seite 20: »Verbindungen hatte es vor der ›Wende‹ kaum gegeben. Jedenfalls nicht mit mir, dem ehemaligen Leipziger Studenten, der unter dem Schock des von Ulbricht ausgesprochenen Vorlesungsverbots für Ernst Bloch im Herbst 1956 auf der Suche nach einem Lehrer nach Heidelberg wechselte. Bloch blieb (einstweilen) in Leipzig. Ich blieb in der Bundesrepublik und war damit ›kontagiös‹ geworden: zu einem, dessen Berührung anstecken könnte.« Auf Seite 23 wird das »Ansteckende« des Fortgehenden bekräftigt: »Ich widersetzte mich: Anfänge des Konflikts mit der Staatsmacht, der den

Bloch-Schüler im Herbst 1956 einholte und die Grenze nach Hessen überschreiten ließ.«

Dieser »Bloch-Schüler«, der 1956 die Grenze nach Hessen überschritt, notiert anschließend: »Nach fünfunddreißig Jahren, im Februar 1990, mit dem Zug in entgegengesetzter Richtung über die Grenze! Von Bayern ins Thüringer Land ...« Komischerweise sitzt dieser Tausendsassa, der also 1956 westwärts ging, »während des kalten Winters von 1957« in Leipzig im Seminar des »Philosophiehistorikers Helmut Seidel«. (Seite 36) Ja, wie denn nun? Das mögen so Quisquilien der 1989/90 so aus- wie eingebrochenen deutschen Einheit sein, die auch Antipoden wie Heidegger und Bloch zu vereinigen suchten.

Im vier Jahre später publizierten Band *Tradition und Utopie* hat Prof. Riedel sich wieder gefangen. Zieht man die übliche Langeweile ab, die der deutschen Hochschul-Philosophistik geschuldet ist, ohne von ihr beglichen zu werden, enthält das Buch bedenkenswerte Kapitel und Verknüpfungen, die der weiteren Beachtung bedürften, falls die vielen Zeitkehren Zeit dafür lassen.

Indessen ist Blochs Hoffnungslehre eine Möglichkeitsform. Die Parteien und Staaten hatten die Wahl, anzunehmen oder abzulehnen. Die Parteien und Staaten lehnten ab. Nur die Feuilletons nahmen an. Die Niederlage des Denkers bestand im Wechsel von Ost nach West, wo er seine Philosophie gar nicht mehr für die Praxis anbot, weil die Voraussetzungen fehlten, denn, heißt es im *Prinzip Hoffnung*: »Mögliches ist latent Bedingtes.«

Hoffnung sei keine Zuversicht und könne enttäuscht werden, antwortete er, wurde er nach den Gründen seines Scheiterns gefragt. Zuversicht aber kann ebenfalls enttäuscht« werden. Sie ist nur verstärkte Hoffnung.

Dennoch besteht genau in dieser Differenz der Unterschied zwischen der Kritischen Frankfurter Schule und der Blochschen Philosophie. Die Kritische Schule benutzt den akademischen Marxismus zur Analyse kultureller und allgemeingesellschaftlicher Phänomene. Die Kulturleistung der Kritischen Theorie besteht in der Verfeinerung der Analytik bis ins Sprachliche hinein, wo die Subtilität allerdings kaum noch vermittelt werden kann, was immer mehr Menschen ausschließt und bis zur Unübersetzbarkeit in andere Sprachen führt. Die elitäre Artistik steht dem aufklärerischen Willen im Wege. Die Mittel stören und zerstören die Methode und umgekehrt. So bilden sich Schulen und Schüler, man gehört dazu und kommt in oder außer Mode. Dieser Marxismus endet folgerichtig im avantgardistischen Abseits. Er ist – auf allerhöchstem Niveau – Sklavensprache einer passiven, elitären Kaste.

Tendenziell unterliegt Bloch demselben Trend. Allerdings entwickelte er seine Gegenwehr. Die Analyse des Vorhandenen ist ihm nie die ganze Arbeit.

Die elfte Feuerbach-These verlangt die Veränderung der Welt. Das arbeitete Bloch weder politisch noch im Sinne einer Strategie und Taktik der Arbeiterbewegung heraus. Vielmehr blieb er auf zwei Gebieten – dem der Philosophie als der höchsten Abstraktionsebene und dem der Kulturkritik. Auf dem letzten Feld tritt der Unterschied zur Methodik der Kritischen Schule deutlich zutage. Nehmen wir nur den Fall Karl May. Üblicherweise gibt es unkritische Karl-May-Leser und eine kritische Intelligenz, die den sächsischen Proletarier-Fabulierer ablehnt. Bloch verlagerte die Analyse, indem er nicht einfach die Unzulänglichkeiten oder politischen Dummheiten Mays aufzeigte, sondern nach den Gründen für den Erfolg des Erzählers forschte. Karl May als literarisch unzulänglich zu verwerfen, besagt nichts als die höhere Bildung dessen, der das Ungenügen feststellt. Die höhere Bildung ist indessen nicht hoch genug, sonst würde ersichtlich, daß im Autor wie in seinen Lesern ein gesellschaftlich erzeugter Mangel vorhanden ist und die Karl-May-Bücher eben diese Lücke ausfüllen. Die Lektüre der Abenteuergeschichten wirkt wie Religion, erhebend, traumhaft bunt und ichbestärkend, mindestens als Ersatz fürs wirkliche Leben, jedenfalls seine Ödnis überbrückend.

Bloch reflektierte die elfte Feuerbach-These bis hin zu dem daraus folgenden zwingenden Grund der Korrektur, die er unterließ, aber nahelegte. Denn der Satz »Die Philosophen haben die Welt nur verschieden interpretiert, es kommt darauf an, sie zu verändern« ist zu komplettieren durch: »... es kommt darauf an, *sich* zu verändern.« Erst diese Konsequenz stellt dem Objekt das revoltierende Subjekt gegenüber und damit gleich.

Als ich 1957 die DDR verließ, nahm ich mir vor, nie wieder in Abhängigkeit von Universitäten, Akademien oder Staat und Parteien zu leben, denn sie forderten einen Tribut, den ich schon aus mentalen Gründen nicht leisten konnte. Meine Maxime ging dahin, daß die Marxsche äußere Revolution durch eine innere Revolution des Individuums zu ergänzen sei. Es ist zu wiederholen: Der zweite Halbsatz der elften Feuerbach-These »es kommt darauf an, sie (die Welt) zu verändern«, korreliert mit: »es kommt darauf an, sich (selbst) zu verändern.« In diesem Sinne finden sich Marx, Nietzsche und Sigmund Freud in Blochs revolutionärer Reformation des Marxismus und der subversiven Revolution der Bürgerlichkeit. Zwar scheiterte Bloch daran, doch die Lehre ist durch ihn in die Welt gelangt. Es gilt, sie nicht zu verleugnen, es sei denn, es wolle einer ein Saulus bleiben.

Die Wende vom Objekt zum Subjekt ist kein Ersatz des ersten durch das zweite, aber längst fällig gewordene Vervollständigung. Nach dem Ende des sowjetischen Modells hängen die Bezüge der Theoretiker, die vom Staatssozialismus Fortschritt auf Dauer erwartet hatten, in vielfältigen Formen in der Luft. Der Rote Oktober weckte Hoffnungen, die sich nicht einlösen ließen. Weil der revolutionäre Marxismus Träume und Lebenskraft des Einzelmenschen vernachlässigte und die proletarische Revolution als geschichtliche Zugmaschine (Lokomotive) bewertete, die alles voranbringen müsse, fallen seine Gläubigen und Gläubiger nach dem Scheitern der tiefsten Verzweiflung anheim, in Melancholie erstarrend, Trauerklagen ausstoßend oder zu den »Klassenfeinden« überlaufend, Figuren des Jammers, und so was war gestern noch siegestönend aufmarschiert.

Klassische Theoriedenker wie Lukács, Benjamin, Bloch, Herbert Marcuse, denen die Oktoberrevolution zum Ausgangspunkt des Sozialismus wurde, verlieren an Bodenhaftung, soweit sie sich nicht eine alternative Basis schufen. Auf sie bezogen gilt, was Bloch über Nietzsche feststellte – die Fragen waren richtig, die Antworten falsch. Genau dies trifft Bloch am wenigsten. Sein Denken schloß Kant, Schlegel, Hegel, Marx, Schopenhauer, Nietzsche, Freud ein, und soweit Trotzki die reale Alternative zu Stalin war, ist Bloch die Alternative zur verlorenen Revolution, die zwar 1917 siegte, ab 1990 aber ruhmlos erlosch.

Es ging schleichend bergab: Ökonomisch bedingte Klassenlagen und -kämpfe, zu denen Kirche und Vaterland die rechten Ideologien lieferten, entfremden in der Moderne zu psychologischen und mentalen Haltungen, denen die globalisierende Anarchie der Medien soviel Gegenaufklärung offeriert, daß die Masse weder im Kollektiv noch im Ego das eigene Interesse wahrzunehmen versteht. Das ist die Lage.

Hätte der 1977 verstorbene Bloch das Ende der Staatssozialisten erlebt, wäre er unerstaunt geblieben. Er hatte schon 1956 geraten, endlich Schach statt Mühle zu spielen. Doch waren die nötigen Figuren verhaftet worden. Bloch hatte in allen deutschen Landen etwas anderes als die herrschende Staatsreligion gelehrt. Seine spezielle Sklavensprache war stets ein Argot des subversiven Widerstands. Er lehrte nicht wie Nietzsche Krieg, sondern Kampf. Er befahl keine Truppen, sondern träumte, wünschte, forderte, verschickte verschlüsselte Botschaften mit Aufforderung zur Offenlegung. Seine gesamte Botschaft als Ruf nach »aufrechtem Gang« zu entziffern, ist richtig, allerdings bleibt zu fragen, was der Sohn Jan Robert Bloch dem Vater mit Recht nachrufen durfte: »Wie können wir verstehen, daß zum aufrechten Gang Verbeugungen gehören?« Mein Versuch einer Antwort: Weil der Lehrer sonst von Anfang an gehindert ist, die Lehre vom aufrechten Gang überhaupt zu beginnen.

Das Elend des tradierten Marxismus gründet in der bei Marx angedeuteten, durch Lenin und Stalin ins Unendliche und Totale verlängerten Diktatur, die bereits die ersten Gedanken an eine Modernisierung der Theorie zum Verbrechen erklärt. In seinem Buch *Die Intellektuellen* sagt Werner Mittenzwei dazu: »1956 hatte Georg Lukács im Petöfi-Club erklärt, er wage zu behaupten, daß die Lage des Marxismus in Ungarn heute schlimmer sei als in der Horthy-Periode. In der DDR verhielt es sich ähnlich, hier im Vergleich zur Weimarer Republik. Der Stalinismus verengte den Marxismus auf formalisierte Grundsätze, schloß jede Weiterentwicklung durch andere geistige Strömungen aus. Die dialektische Methode, das Kernstück des Marxismus, wurde nur in ihrer ideologisch präparierten Aussage propagiert. So verlor der Marxismus seine Anziehungskraft. Aber zur gleichen Zeit, in der er als Pflichtlektüre verkam, wuchs bei einigen Intellektuellen die Neugier auf den unverfälschten Marxismus.«

Die Diktatur der marxistischen Dogmatiker, die sich anmaßten, über Schüler und Studenten bis zu den besten Denkern und schärfsten Geistern herrschen zu müssen, verhinderte die Selbstentwicklung und endete im Suizid der Macht-Inhaber. Die erklärten Marxisten waren längst antimarxistische Liquidatoren an den Ideen der Freiheit und an der Freiheit der Ideen geworden.

Die beendete Diktatur einer an der Macht erstarrten Gruppe, die sich als legitime Stellvertretung des Proletariats mißverstand, führte im Gegenzug zur Diktatur des Kapitals.

Nicht alle seine Sklaven sind so borniert wie die Herausgeber der Anthologie *Vom Sinn des Lebens*, die im Februar 2000 bei *dtv* erschienen ist und es bis Dezember schon zur dritten Auflage brachte. Versammelt sind vom brudergemordeten Abel über die katholischen Bischöfe bis Zarathustra alle, die dazu lexikalisch aufgeboten werden können. Die 570 Seiten im Großformat führen in den Anmerkungen unter der Paginierung 442 auch einen »Bloch« auf, allerdings ist es ein zweifellos wichtiger »Werner Bloch«, der zu Darmstadt anno 1952 etwas übersetzte. Da kann ein gewisser Ernst Bloch nicht mithalten, und so gibt es ihn gar nicht in diesem fast 600-Seiten-Werk.

Des Rätsels Lösung bietet eventuell die kleine Notiz: »Die Herausgeber Christoph Fehige, Georg Meggle und Ulla Wessels, philosophieren an der Universität Leipzig«. Verwiesen wird dazu auf Seite 52, wo ein mit Totenkopf geschmücktes Foto die drei philosophierenden Geistesheroen in denkerischer Pose zeigt: »Wir sehen die Herausgeber des vorliegenden Bandes in Meditation über Friedrich Rückerts Verse ›Alle Wässerlein fließen / In die grundlose See / Alle Freuden ergießen / Sich ins trostlose Weh‹.« Das mag erklären, daß drei Philosophierende zu Leipzig an der Pleiße anno 2000 in ihrem trostlosen Weh nicht wissen können, was vordem war. Denn die Diktatoren kommen und gehen, die Dummheit aber währet ewiglich.

Die Methode, Ernst Bloch gar nicht existieren zu lassen, scheint inzwischen zum Rechtskonservatismus zu gehören. Ernst Nolte wollte ihn seiner Studenten- und Leserschaft auch nicht zumuten. Erwähnen die heutigen Leipziger Philosophen einen Werner Bloch, wartet Nolte mit einem Josef Bloch aus dem Jahre 1899 auf – der steht verzeichnet in seinem Buch *Nietzsche und der Nietzscheanismus*.

Bloch lesen

Als typisch für den Philosophen gelten die Themen Konkrete Utopie, Heimat, Wärmestrom, Erbe, Ungleichzeitigkeit, Noch-Nicht-Bewußtes. Denkbar wären ebenso Inkubation – Inspiration – Explikation, Kapital als Quell des Nihilismus, deformierter Marxismus, elfte Feuerbach-These, Verleugnung von Nietzsche und Schopenhauer samt indirekter Würdigung, Lob des Materialismus, Verwerfung des Idealismus und ebenso umgekehrt, Möglichkeitsformen als Zukunftsbestimmung, Gradstufen der Wirklichkeit, Philosophie der Kunst, Ästhetik als Vorschein, revolutionäre Impulse in Malerei, Musik, Architektur ...

Eine Lektüre des gesamten Bloch ist ebensowenig noch zumutbar wie die von Kant oder Hegel. Soweit der Denker aphorisiert, ist er anregend wie Nietzsche. Blochs Langstrecken schrecken eher ab. Man lese sich von Aperçu zu Aperçu durch und lasse die eine oder andere Zwischenprovinz aus, wo Akademisierung wuchtet, historische oder naturwissenschaftliche Irrtümer wuchern – seitenlange Elogen auf die Atomkraft zum Beispiel – oder der Meister jene Absicherungen einbaut, die wir Sklavensprache nennen. Man quäle sich durch die erzwungene Erklärung zum niedergeschlagenen ungarischen Oktoberaufstand von 1956 – welch ein verbaler Zinnober. Bleiben die unübertrefflichen Essays und Philosopheme, wo Sprache zugleich emotional und rational zur Sache und Person kommt, Bibel und *Kommunistisches Manifest* sich vereinen als säße Georg Büchner mit kratzendem Federkiel über den *Hessischen Landboten* gebeugt – Revolutionen beginnen auf dem Papier, wenn Kopf und Herz die Revolte heiligen. Bloch distanzierte sich vom späten Moskau, die Oktoberrevolution, die er anfangs ablehnte, widerrief er nicht. Die Existenz der DDR suchte er für seine subversive (zweite) Revolution zu nutzen, als sie ihn berief. Und als sie ihn verstieß, hatte er unaustilgbare Spuren hinterlassen. Wer Bloch-Texte so zu sich zu nehmen versteht, gerät in den Spannungszustand eines Karl-May-Lesers. Es setzt freilich den freien Geist einer hinreichend alphabetisierten Intelligenz voraus.

Steht noch aus, nach dem Anteil von Orthodoxie zu fragen. Was bleibt bei Bloch von Marx? Was ist nach dem Ende von Sowjetunion und DDR als Basis unverzichtbar, wenn einer nicht in die feindlichen Lager wechseln will?

Bei einer Lesung auf der rauhen ostthüringischen Burg Ranis tauchte ein Trupp sympathischer älterer Herren aus einem Nachbarort auf. Ausdrücklich verlangten sie nicht nach dem Buch, aus dem ich verabredungsgemäß las, sondern nach *Krieg im Glashaus oder Der Bundestag als Windmühle*, meinem ironischen Bericht über vier Jahre als MdB im Bonner Parlament.

Wie ich schnell begriff, hatte ich PDSler vor mir, gern abwertend »Altkader« genannt, was sie durchaus nicht zu verbergen suchten. Einer vertraute mir lächelnd an: »Für die Partei tue ich, was ich kann.« Solche Offenheit ließ keinen Platz mehr für früheren Groll, Zorn, Feindschaft. Mir war, als sei das alles vergangen, wir engagierten Greise gehörten auf einer neuen, durchreflektierten Ebene wieder zusammen. In den besten dieser Genossen steckt ein beachtliches Potential, es ist ein Skandal, daß diese Kraft durch unterwürfig falsche und borniert Politik verschleudert wurde. Ja, die Lenin-Stalinsche Linie hatte über revolutionäre Siege zur konterrevolutionären Niederlage geführt. Doch in diesen Menschen überdauert eine Energie, die von der erneuerten PDS fruchtbar gemacht werden kann, bis jüngere Sozialisten antreten. Und wenn nicht, sollte uns Alten über alle Differenzen hinweg ein wenig Gerechtigkeit widerfahren. An diesem Abend auf der Burg Ranis fand ich ein Stücklein meines beinahe verlorenen Glaubens an unsere Ideen der Veränderung und des Aufbruchs nach dem Jahr 1945 wieder. Es kann nicht alles vergeblich gewesen sein. Unter der Asche des abgebrannten Hauses DDR fänden sich bald Schätze, dachte ich, nach denen zu suchen sich nicht nur für Archäologen lohnte. Vielleicht wird es sogar mehr sein als von den Münsteraner Wiedertäufern geblieben ist. Wir waren freiheitlich, bevor uns die Unfreiheit schluckte. Ein neuer Versuch muß das berücksichtigen. Sozialisten allein sind gewiß nicht die Retter der Welt. Ohne sie aber ist die Welt verloren.

Worauf also kommt es an? Wieviel Marx darf eine sozialistische Partei, die sich als pluralistisch versteht, ihren Anhängern zumuten? Da sie von vielen gewählt werden will, schränkt ihre marxistische Programmatik das zur Verfügung stehende Potential unterschiedlicher Sozialisten stark ein. Sozialisten, Kommunisten, Trotzkisten, Christen, Pazifisten, Sozialdemokraten, Liberale und andere wollen oder können nicht unisono auf *Kommunistisches Manifest*, *Kapital* oder/und diverse Nachfolgen und Interpretationen eingeschworen werden, ohne sich in unsinnigen Gruppenkämpfen zu verlieren. Eine Partei, die nicht mehr Einheitspartei sein will, benötigt ein bündiges und zugleich weitgespanntes Arbeitsprogramm, auf das sich jeder Sozialist verständigen kann.

Ulla Plener spricht in ihrer Schrift *Wirtschaften fürs Allgemeinwohl* über die »sozialdemokratische Ur-Idee der Wirtschaftsdemokratie«, von der die SPD sich getrennt habe, weshalb die PDS diese Ur-Idee übernehme. Damit ist zweifellos die epochale Bruchstelle zwischen Sozialdemokraten und Sozialisten definiert, ohne überflüssige Implikationen beizufügen.

Das Wirtschaftsprogramm aber bedarf der überwölbenden philosophischen Begründung, wofür sich die revolutionäre Ur-Szene in der Marxschen Einleitung *Zur Kritik der Hegelschen Rechtsphilosophie*, anbietet, wo es heißt, daß »der Mensch das höchste Wesen für den Menschen sei, also mit dem kategorischen Imperativ, alle Verhältnisse umzuwerfen, in denen der Mensch ein erniedrigtes, ein geknechtetes, ein verlassenes, ein verächtliches Wesen ist.«

Wie sich dieses existentielle und revolutionäre Prinzip konkretisieren läßt, zeigte der Marburger Politologe Frank Deppe in seinem Essay *Die Linke in der Geschichte der Bundesrepublik Deutschland*, wo er eine klassische Marx-Exegese des Trotzkisten Ernest Mandel zitiert: »Sozialismus bedeutet weder ein Paradies auf Erden ... noch die Herstellung einer perfekten Harmonie zwischen dem Individuum und der Gesellschaft oder zwischen dem Menschen und der Natur. Es bedeutet auch weder das ›Ende der Geschichte‹, noch das Ende von Widersprüchen, die die menschliche Existenz charakterisieren. Die Ziele, die von den Anhängern des Sozialismus verfolgt werden, sind ziemlich bescheiden: nämlich sechs oder sieben Widersprüche aufzuheben, die seit Jahrhunderten menschliches Leiden im Massenmaßstab hervorgerufen haben. Die Ausbeutung und Unterdrückung des Menschen durch den Menschen, Kriege und Gewalt zwischen den Menschen sollen ein Ende haben. Hunger und Ungleichheit müssen für immer beseitigt werden. Die institutionalisierte und systematische Diskriminierung von Frauen und von Rassen, von ethnischen Gruppen und nationalen und religiösen Minderheiten, die als ›inferior‹ betrachtet werden, muß beendet werden. Es darf keine wirtschaftlichen und ökologischen Krisen mehr geben« (Nachzulesen in *Perspektiven der Linken*, Hamburg 2000).

Diese Kernlehre des aufgeklärten Trotzkisten Mandel holt den blühenden Utopismus vom Himmel auf die Erde, doch der genaue Blick muß erkennen, auch dieser Pragmatismus überfordert unsere bisherige Kulturgeschichte der Unmenschlichkeit derart, daß die Realisierung überall, wo sie probiert wurde, mißlang. Ich empfehle nun diese pragmatischen Konsequenzen, die Mandel aus der französischen Revolutionstriade sowie der Marxschen Forderung nach Aufhebung der Klassengesellschaft und der Selbstbefreiung des Menschen gezogen hat, als Kernbestand eines sozialistischen Programms und warne vor dem Zwang weiterreichender Festlegungen.

Sozialisten mögen durch unterschiedliche Herkunft, Präferenzen und weltanschauliche, religiöse oder atheistische Prägungen voneinander abweichen – ein gemeinsames Ziel bietet die Aufhebung der sieben Widersprüche, in denen Mandel die Marxsche Urfassung plausibel werden läßt. Sozialisten sind demnach revolutionäre Pluralisten, die wissen, die Welt ist Richtung Zukunft offen und enthält kein finales Handlungsschema, weshalb die Gesellschaft der Barbarei bis zur Selbstvernichtung verfallen kann. Dem ist Widerstand zu leisten.

Das Ur-Programm der Sozialisten ist der Versuch kollektiver Solidarität. Plurale Sozialisten wissen, sie können das nicht allein und nur gemeinsam mit anders Denkenden schaffen. Sie können aber auch nicht vom Ziel der Wirtschaftsdemokratie und der progressiven Humanisierung der Gesellschaft ablassen, ohne sich als Sozialisten aufzugeben. Ihr Standpunkt bleibt originär basismarxistisch, was die Sozialdemokraten zur sozialen Frage verkürzten, während die Kommunisten nach dem Ende der KPdSU (Bolschewiki) unschlüssig der elitären Parteidiktatur nachtrauern.

Sozialisten, die sich auf die beiden Ur-Ideen der Wirtschaftsdemokratie und revolutionären Humanisierung besinnen, werden damit frei für eine moderne Politik als

Antwort auf die Krisen und Kriege der Globalisierung. Frei zu sein von alten Zwängen verbürgt allerdings noch keinen Erfolg. Es ist erst eine Voraussetzung.

Reden wir Klartext: Keinem SED-Genossen brach ein Zacken aus der Krone, brach er mit seiner Vergangenheit. Unser Anfang von 1945 war und bleibt so groß, wie sich die Haltung derer als klein und geschichtsblind herausstellt, die den radikalen Bruch mit dem aggressiven, zerstörerischen Deutschland scheuten. Wollen Sozialisten in Deutschland wirksam mitbestimmen, ist die radikale Abkehr von sowjetischen Modellen in aller Konsequenz notwendig. Allerdings bleibt es eine ebenso seriöse wie legitime Frage, ob die Nicht-Sozialisten, besonders die westdeutschen, die Unverzichtbarkeit eines Bruchs mit ihrer eigenen Vergangenheit erkennen. Das schließt die Sozialdemokraten mit ein.

Die grundsätzliche Differenz zwischen der deutschen Linken und Rechten besteht in einer absolut diametralen Einschätzung der Urkatastrophe des Ersten Weltkriegs. Für die Linke war, ist und bleibt er der politkulturelle Sündenfall, der den Sozialismus als neue Weltordnung installierte und legitimierte, für die Rechte war der Dollpunkt nicht der Krieg, sondern die Niederlage Deutschlands mit dem anschließenden Versailler Friedensvertrag. Hitlers Machtbeginn 1933 folgte nur fünfzehn Jahre nach der mißlungenen sozialdemokratischen Revolution von 1918. Der deutschen Sozialdemokratie, die sich 1914 und 1918 mit des Kaisers Generälen verbündete, blieb am Ende nur der ehrenhafte Protest gegen die Ermächtigungsgesetze. Das Bürgertum stimmte für Hitler, die Kommunisten befanden sich da bereits in der Illegalität. Damit war die Struktur der deutschen Teilung vorgezeichnet, die allein der DDR aufzubürden bei rechten Ideologen im Schwange ist.

Die Frage ist, weshalb die bipolare Welt zur unipolaren Welt wurde, was den östlichen Zusammenbruch ursächlich bewirkte und aus welchen Gründen die Arbeiterbewegung verschwand. Wie konnte es geschehen, daß Deutschland zwar zwei Weltkriege verlor, seine nazistischen Ziele aber auf Umwegen insofern erreichte, als das osteuropäische Judentum und der Bolschewismus vernichtet wurden, die Nachfahren der Unterlegenen jedoch zu den Siegern des 20. Jahrhunderts zählen?

Die vorherrschende öffentliche Meinung betrauert den Holocaust an den Juden ungeachtet dessen, daß der Hauptfeind der »jüdische Bolschewismus« war. So wird die Vernichtung der Bolschewisten/Kommunisten nicht bedauert, sondern eher gerechtfertigt und bagatellisiert. Gegen das deutsche Klischee vom gerechterweise vernichteten, zugleich karikaturhaft verzeichneten Kommunisten schlage ich die Konstruktion einer kommunistischen Tragödie vor, in der Kommunisten eine gerechtere Gesellschaft schaffen wollen, dabei unendliche Opfer bringen, von aller Welt in aller Welt verfolgt werden, so daß sie schließlich selber einander verfolgen und sich denen annähern, gegen die sie revoltierten. Am Ende wurde Stalin zum größten Kommunistenschlächter wie Hitler zum größten Judenschlächter.

Die optimal tragische Gestalt im revolutionären Mörderspiel ist Leo Trotzki, der sich vom Menschewisten zum Bolschewisten wandelte und, als Lenin fast verzagte, die Rote Armee organisierte. Nach Lenins Tod stellte er Stalins Forderung des »Sozialismus in einem Lande« die »permanente Revolution« entgegen, wobei er unterlag, 1929 ins Exil gehen mußte, 1940 ermordet wurde.

Nehmen wir Trotzkis Warnung, das Kapital werde »den Sozialismus in einem Lande besiegen«, ernsthaft zur Kenntnis, erscheint sie uns heute im Rückblick als Prophetie, ist aber bedeutsam für unsere Selbsteinschätzung, denn der Bruch Stalins mit Trotzki bezeichnet den Bruch der Sowjets mit sich selbst. Aus Leninismus und Trotzkismus pervertierte Stalinismus.

Für deutsche Kommunisten wurde der Führungswechsel mit dem Thälmannschen ZK Realität, auf der DDR lastete von Anbeginn Stalinismus als Vorgabe, Nazismus als Hinterlassenschaft, und die Drohung durch das Kapital war stets präsent. Unter diesen Hemmnissen einen anderen deutschen Staat zu installieren ist eine Leistung, die einer fairen, objektiven Wertung bedarf. Traf Trotzkis Warnung zu, das Kapital werde Stalins Modell besiegen, so gab es für die DDR keine Chance, woraus schwache Charaktere den Schluß der Selbstaufgabe ziehen. Nicht anders die Karrieristen und Opportunisten. Denn in der Niederlage erweist sich die Qualität oder deren Nullsumme.

Nehmen wir bei Nietzsche eine Anleihe der »Umwertung aller Werte«, so erkennen wir die Sowjetepoche als kommunistische Tragödie, uns einbegriffen, und derart sind Läuterungsprozesse möglich, die einen Zuwachs von humaner marxistischer Energie bedeuten können.

Im Frühjahr 1939 sagte Trotzki ein Bündnis von Hitler und Stalin voraus. Die 4. (trotzkistische) Internationale war gegen Hitler und Stalin gerichtet. Im Falle eines Krieges Hitler gegen Stalin optierte Trotzki jedoch für Stalin. Ich werte dies als Vermächtnis. Wir dürfen nicht vergessen, daß der Name Stalin zum Symbol des Sieges über Nazi-Deutschland geworden ist, was für einen linken Deutschen die Gefahr gespaltenen Bewußtseins mit sich bringt. Der Sieger über Hitlers Armee war zuvor der Sieger über Trotzki gewesen und bestimmte damit die Alternativlosigkeit seines Sowjet-modells, dessen Beschaffenheit das spätere Ende vorzeichnete. Es starb an seinen eingebauten Antinomien, die sich bald als Entwicklungshemmnisse herausstellten und, wie Trotzki früh diagnostiziert hatte, den Sieg des Kapitals unausweichlich werden ließen. Bloch wirkte wie ein Trotzki der Philosophie. Sein Leben in Leipzig ließ ihn zum Prototyp des Revolutionärs werden, der seine Wahrheit verhüllen, andeuten, endlich offen darlegen muß, was ihn in Konflikte mit der Parteimacht verwickelt, für die er sich doch entschieden hat, weil ihre erste Revolution erst Voraussetzungen für die zweite schuf. Die Partei erstrebt aus schmerzlicher Erfahrung heraus Macht um des Sozialismus willen. Der Philosoph zielt auf Revolution und Sozialismus aus Gründen der Gerechtigkeit und Freiheit.

Blochs Rebellentum ist längst philosophisch niedergeschrieben, als er 1949 den Boden der DDR betritt. Man lese *Das Prinzip Hoffnung*, Band eins, das Kapitel »Weltveränderung oder die elf Thesen von Marx über Feuerbach«, besonders den Abschnitt zur elften These, in der Bloch andere Schlüsse als die Partei zieht, die das Ende der Philosophie dekretiert, während er die »Neuheit der Philosophie« fordert. Ein schwer sündhaftes Ansinnen, das nur wegen der eskapistischen Formulierlist nicht gleich angeklagt wird.

Das achtzehnte Kapitel »Die Schichten der Kategorie Möglichkeit« enthält ähnliche Geheimtips und Provokationen, denen bis heute niemand auf den Grund ging, obwohl es an der Zeit wäre, die hier enthaltene Zukunftsanalytik und die moderne Chaostheorie aneinander zu erproben. Offensichtlich fehlt ein Heinrich Heine, der einst mit *Zur*

Geschichte der Religion und Philosophie in Deutschland schwierige Gedanken und Denker in ein gut lesbares, informatives Buch transformierte. Ansätze in der Leipziger Schule wurden durch die Eingriffe der Partei 1956/57 zerstört, das Potential in alle Winde verstreut.

Die Nachfolger in Leipzig waren gezwungen, noch vorsichtiger zu operieren. So führte die Reflexion vom »Objektiv-real Möglichen« ins bloß »Formal Mögliche« zurück, was, mit Bloch gesprochen, nur ein »formales Kannsein« ist und anzeigt, »wie uferlos das bloß Denkmögliche sein kann.«

Konkret: Ab 1956/57 verlor der »reale Sozialismus« in der DDR seine objektiv-reale Möglichkeits-Chance. Und der es so sah und lehrte, wurde zum Schweigen verdammt. Daß er seine Sklavensprache abschwächte und im Hause der Berliner Zentral-Monaden um Denk-Hilfe nachsuchte, korrigierte das Lehrverbot nicht. So blieb er bald weg. Selbst sein angewandter Marxismus in antifaschistischen Dokumenten wie »Erbschaft dieser Zeit« fand keine Gnade. Die von ihm benannten Fehler der Partei im Widerstand gegen die Hitler-Diktatur schmerzten die Nachfolge-Genossen dermaßen, daß sie mit disziplinierter Ignoranz und Arroganz reagierten. Und wer nun meinen sollte, das alles sei mit Sowjetunion und DDR verschwunden, der übersieht das paradigmatische Menetekel der Untergänge, die sich im Zeitalter der Globalisierung eilfertig mit globalisieren. Bloch: »Unkenntnis einer Konsequenz schützt nicht vor Verdummung.«

Die Zweite Revolution

Ein Foto von Blochs 80. Geburtstag im Jahr 1965 in Tübingen zeigt den Sohn Jan Robert Bloch, noch in der Freude, den Zumutungen der DDR entronnen zu sein, Günter Zehm, bevor er in Hamburg Karriere machte – als Feind des ehemals angebeteten Lehrers, und mich selbst neben Leo Bauer, der im Pariser Exil KP-Hilfsgelder verwaltete, Karola Bloch mit geheimen Aufgaben betraute, erst als Sowjet-Agent gehetzt, nach dem Krieg in der DDR in allerlei Auseinandersetzungen verwickelt, dann wegen Noel H. Field von den Sowjets zum Tode verurteilt, begnadigt und ins sibirische Arbeitslager verbannt wurde, bis er 1955 mit den letzten Kriegsgefangenen heimkehren durfte, wo er es vom Wehner-Vertrauten und freien Stern-Redakteur bis zum Berater Willy Brandts brachte.

Als Leo Bauer Ende der sechziger Jahre über italienische Genossen die neue Ostpolitik einfädelte und von bayerischen Staatsagenten daran gehindert werden sollte, konnte ich ihm in München, wo wir damals wohnten, beim Spurenverwischen helfen.

In Tübingen 1965 dachte ich noch, es sei uns gelungen, die Leipziger Bloch-Landschaft nach Westen zu verlagern und vielleicht über Tübingen hinaus zu erweitern. Zwar hatten wir Leipzig nur mit Mühe überstanden, doch in unseren Herzen blieb es Blochs Land, wo Spuren hinterlassen wurden, und wie denn auch nicht. Neben dem Ruhrgebiet, Köln und Berlin hatte Sachsen den heftigsten Widerstand gegen die Nazis geleistet, der nicht folgenlos bleiben durfte. Zwar war die Revolution ab 1945 an den sowjetischen Siegern, die sie erst ermöglichten, gescheitert, doch die zweite Revolution könnte, so hofften wir, der ersten aufhelfen.

Der Leipziger Kultur-Ankläger Siegfried Wagner 1956: »Genossen [...] Es handelt sich hier im wesentlichen um unsere Meinungsverschiedenheiten und Auseinandersetzungen mit den Genossen Loest und Zwerenz, die beide heute hier anwesend sind. [...] Als Vorbemerkung dazu möchte ich sagen, daß nach unseren Erfahrungen offensichtlich die Verhaftung Harichs den Schluß zuläßt, daß sich um den *Aufbau-Verlag* herum und auch in der *Sonntag*-Redaktion Kräfte befunden haben, und zwar im Laufe des letzten Jahres, die daran interessiert waren, in den Kreis eine ganz bestimmte Diskussion hineinzutragen, die keineswegs mit den Beschlüssen der Partei und mit dem Weg, den wir gegangen sind, immer übereinstimmte, im Gegenteil, teils gegen die Partei und gegen die Republik gerichtet war. [...] Und in diesem Sinne haben wir von Leipzig her unsere Bemerkungen zu der politischen Position dieser Organe, speziell des *Sonntag* gemacht. Bedauerlicherweise, das sagen wir auch an die Adresse des *Sonntag* heute noch einmal, hat er sich nicht bereitfinden können, im Laufe der Auseinandersetzungen eine so wichtige Erklärung wie die der Bezirksleitung des

Kulturbundes vom 7. oder 9. Dezember, wo sich die Leipziger Intelligenz zu den Fragen, die besonders aufgeworfen waren durch die ungarischen Ereignisse, äußerte, zu veröffentlichen. Es ist schade, zumal wenn man sieht, welchen Aufsätzen, welchen Artikeln und welchen Richtungen der Jahrgang 1956 des *Sonntag* seine Spalten in einem überreichen Maße zur Verfügung gestellt hat. Wenn man nur flüchtig dieses Organ durchblättert, wird man feststellen, daß der überwiegende Teil solch prinzipieller Artikel, Reportagen, Novellen und Novellchen und wie man es nennen will, aus Kreisen des Petöfi-Kreises stammt und aus Kreisen polnischer Intellektueller, die sich keineswegs immer in Übereinstimmung mit der Politik ihrer polnischen Partei befunden haben, schon gar nicht in Übereinstimmung mit den Grundprinzipien des Marxismus-Leninismus. [...] Nun zu den Fragen, die uns betreffen. [...] Wie ihr wißt, hat der Gegner nach dem XX. Parteitag nicht nur mit dem Nationalkommunismus gearbeitet, sondern auch mit der These der sogenannten *Zweiten Revolution* [Hervorhebung vom Autor], die nach seiner Meinung notwendig sei [...].

Ich möchte mir heute erlauben, ein Gedicht von Gerhard Zwerenz zu zitieren, das im Juli vorigen Jahres im *Sonntag* erschienen ist: ›Die Mutter der Freiheit heißt Revolution‹ [...] Dort heißt es: ›Die alte Erde hält den Atem an. Heißer Brodem der Revolution erfüllt wieder die Räume ...‹

Wo? das ist meine Frage, erfüllt die Revolution wieder die Räume in der alten Erde?«

Todesanzeige: »Dr. Ralf Schröder – 15. April 2001 – Die Angehörigen und Freunde«.

Soweit ich mich erinnere, war Ralf Schröder der einzige, mit dem ich damals in Leipzig offen über Trotzki gesprochen hatte. Das *Neue Deutschland* berichtete am 24. 12. 1958 knapp vom geheimen Prozeß gegen »Schröder, Lucht, Loest und andere«. Ich schlug im Westen Alarm, am 2. 4. 1959 auch in der unlieben *FAZ*, was tut man nicht alles für verfolgte Genossen: »Der Prozeß [...] blieb streng geheim. Die SED hielt die Meldung davon auch so kurz und brachte sie ausgerechnet am Heiligabend, weil sie kein Aufsehen erregen wollte ...«

Ralf Schröder erhielt zehn Jahre wie Harich und kam wie Loest nach sieben Jahren frei. Anschließend arbeitete

Schröder im *Verlag Volk und Welt* sehr erfolgreich im Lektorat Sowjetliteratur, ein verständnisvoller Kommentator und Partner von auch im Westen bekannten Autoren wie Tendrjakow und Trifonow. Ralfs Bruder Winfried war zu drei Jahren Gefängnis verurteilt worden. Auf meine Abrechnung mit Stalin im *Neuen Deutschland* antwortete er dort am 1./2. 12. 1990: »Ich erinnere mich, Gerhard Zwerenz im Sommer 1957 bei Erich Loest kennengelernt zu haben. Er zog damals mit einem Zelt durch die Lande, weil er fürchtete, vom Staatssicherheitsdienst verhaftet zu werden. [...] Zwerenz zog es vor, in die BRD zu emigrieren. Wir, das heißt zehn Gesinnungsgefährten aus Halle und Leipzig, blieben in der DDR, wurden im Verlauf des Jahres 1957 verhaftet und im Dezember 1958 als eine angeblich illegale und konterrevolutionäre partei- und staatsfeindliche Gruppe zu Zuchthausstrafen von zehn Jahren bis zu einem Jahr und acht Monaten verurteilt.«

In einem längeren Briefwechsel antwortete ich W. Schröder am 19. 1. 2002: »... meine ›Emigration‹ war glatte Flucht vor einer Haft, die ich wie Jochen Wenzel nicht überlebt hätte. Tbc war per Pneu zwar gebändigt, doch mußte ich alle vier Wochen Luft aufpumpen gehen. Als es mir 1988 gelang, Walter Janka zu einem Forum in die Frankfurter Paulskirche zu holen und er mir seine Haftbedingungen schilderte, waren wir uns beide sofort klar darüber, ich hätte nach über vier Jahren Gefangenschaft in der Sowjetunion und mit meinen kaputten Lungen die nächste Haft nicht lebend überstanden. So brachte ich es wie Sie auf inzwischen über sechsundsiebzig Jährchen.«

Von Winfried Schröder erschien in der Zeitschrift *Lendemains* 73/1994 eine atemberaubende Abrechnung: *Leipzig 1957: Romanisches Institut.* Supplement von Michael Nerlich: »Von den Schwierigkeiten der Aufklärungsforschung in Deutschland, oder von der ›Kontinuität‹ deutschen Seins und der Bestrafung des Winfried Schröder«.

Textprobe:

»Gemessen an den Nazi-Spießbürgern und -Halbintellektuellen und ihren massenmörderischen und weltzerstörerischen Untaten waren die SED-Spießbürger und -Halbintellektuellen Waisenknaben. Das ändert aber nichts daran, daß sie das materialistische Denken vulgarisierten: dafür einen Werner Krauss oder einen Winfried Schröder verantwortlich zu machen, wäre nicht nur so einfaltsreich wie Jaspers oder Litt für die Vulgarisierung der idealistischen deutschen Philosophie durch die Nazis anzuklagen, es hieße auch, sich objektiv zum Komplizen jener zu machen, die den ›Spintisierer‹ Krauss zum Verbrennen seiner Bücher nötigten, Naumann aus dem Amt warfen und Schröder ins Gefängnis steckten. Manfred Naumann und Winfried Schröder ließen sich nicht in die Irre führen.

A propos: Winfried Schröder, der natürlich aus der Partei ausgeschlossen wurde, als sie ihn ins Gefängnis warf, ist ihr nicht wieder beigetreten. Und noch etwas: Er sieht nach wie vor keinen Grund, sich von seinem am Marxschen Denken orientierten Wissenschafts- und Politikverständnis, wie er es von Krauss gelernt hat, zu verabschieden. Und von Krauss hat er auch gelernt, jegliche Märtyrerhaltung abzulehnen. Müßte das nicht eigentlich unseren Respekt verdienen? Doch wahrscheinlich gibt es ›gute deutsche‹ Zeitgenossen, die daraus den Schluß ableiten, daß er zurecht eine – kümmerliche – Ossi-Rente bekommt. So wie seine Frau Brigitta, die nach ihrer Entlassung als wissenschaftliche Assistentin und ihrer Zwangskarriere als Kranfahrerin nie wieder an die Universität zurückgelangte. Wegen ›Staatsnähe‹?«

In einer »noch nicht abgeschlossenen Dokumentation« von Winfried Schröder wird Cesare Cases zitiert, der im Wintersemester 1956/57 als Lektor für Italienisch am Romanischen Institut der Karl-Marx-Universität Leipzig tätig war:

»Die Alten verschwinden: nach Brecht – Rilla, Weiskopf, Max Schröder und so viele andere. Die Jungen wandern aus, füllen die Gefängnisse oder passen sich an. Wer wird beim nächsten Tauwetter noch da sein? Und wer da sein wird, wird er die Kraft haben, von neuem zu beginnen? Wer wird die sozialistische Kultur repräsentieren?

Ist es jenem, der mit Freude in der DDR ein neues Deutschland und eine neue demokratische Kultur sich abzeichnen sah, erlaubt, über eine solche Situation zu trauern? Ist es erlaubt, auf die für sie Verantwortlichen als auf die wahren ›Saboteure und Verräter‹ des Sozialismus, die wahren Komplizen Adenauers hinzuweisen, so wie Adenauer und seine Politik immer die Stellung Ulbrichts gestärkt hat? Ist es erlaubt, zu glauben, daß man das eigene Vertrauen auf den Sozialismus und die eigene Abneigung gegen den Kapitalismus nicht bekräftigen könne, ohne diese Dinge klar zu sagen? Oder besteht die ›Einsicht in die Notwendigkeit‹, wie andere meinen, nur darin, im Winterschlaf zu verharren und zu warten, bis die Schlange ihre Beute losläßt, auf die Gefahr hin, den Kommunismus in die ›Alptraumvision‹ eines aus Bürokraten, Polizisten, Kühlschränken und nicht aus Menschen bestehenden Kommunismus verwandelt zu sehen?« (Cesare Cases, *Kulturelle Ereignisse in der DDR*, 1958).

Gegen den Romanisten Werner Krauss suchten sich allerlei graue Schwertträger zu verbünden. Nach der Wende moserten sie gegen ihn im Hamburger Hilfsorgan der Gauck-Behörde, immer noch *Spiegel* genannt, herum. »Schon 1959 hatte die Berliner Stasi Krauss angesprochen. Als geheimer Informator (GI) unter dem Decknamen ›Roland‹ geführt, belastete Krauss, der sich ›sehr aufgeschlossen‹ gab, nun sogar zwei Akademiekollegen: Sie stünden der DDR negativ gegenüber.«

So die ungesicherte Kolportage aus der Stasi-Küche direkt in die *Spiegel*-Kombüse. Für das Jahr 1956 wird auch »Unterleutnant Meyer« genannt, der Krauss dienstlich aushorchte und auch mir zuzusetzen hatte. Kein übler junger Kerl übrigens, im Dienst nicht glücklich. Offenbar einer der vielen, die nur unwillig die Uhr zurückdrehten, wie das Politbüro es befahl.

In der bisher unveröffentlichten Winfried-Schröder-Dokumentation wird aus einem Brief vom 13. 1. 1958 zitiert, den Prof. Krauss an den Schriftsteller Erich Köhler schrieb und in dem er die DDR eines »verfinsterten Machiavellismus und einer Politik des Kampfes aller gegen alle« anklagte. Ich las das im März 2002. Wenige Wochen später traf ich unverhofft auf diesen Erich Köhler und geriet ganz ohne mein Zutun in eine kuriose Bredouille, die illustriert, in welchen Niederungen die bourgeoisen Siegesfeiern stattfinden, hat die Revolution den zweiten Schritt demokratischer Verankerung unterlassen.

Dechiffrierung der Sklavensprache

Beharrlich verwies Bloch mich auf das Thema Sklavensprache, was die Marotte eines Lehrers zu sein schien, der
Widerspenstigkeit durch pädagogische Wiederholung zu
korrigieren versucht. Daß er mich in Leipzig darauf bringen
wollte, wertete ich damals als normales Verhalten, schließlich gibt der Hochschullehrer den Studenten eben dergleichen Anregungen.

Als Bloch auch fünf Jahre später, als wir uns in Westdeutschland erstmals wiederbegegneten, unverzüglich
darauf zu sprechen kam, reagierte ich mit Verwunderung,
schließlich gab es ein paar dringlichere Fragen zu klären. Er
reagierte leicht verlegen. Ich begriff nicht und vergaß den
ersten Eindruck bald, weil bis zu seinem Tode kaum eine
unserer vielen Begegnungen ohne Erörterung »unseres«
Themas verging. Wenn ich von »unserem« Thema spreche,
so charakterisiert das Blochs Erfolg im Umgang, war es ihm
doch gelungen, sein Thema auch zu meinem werden zu
lassen mit dem schlauen Verweis, ein Schriftsteller müsse
sich des Bereichs annehmen, weil er zur Philosophie und
Literatur gehöre, die Abklärung aber in jenen Stilformen
vorzunehmen sei, für die heutige Philosophie nicht mehr
tauge.

Erst als ich Ende 1991 die Akten des Kulturbundtribu-
nals von 1957 zu lesen bekam, erkannte ich schockhaft den
wahren Hintergrund der Thematik. Wenn Bloch in Tübingen öffentlich versicherte, er habe in Leipzig seine Philosophie zurückgehalten und nur Geschichte der Philosophie
gelehrt, so ist das ein indirektes Bekenntnis zur Sklavensprache, und genau daran hatte er sich vor dem Tribunal
gehalten.

Manche setzen dies in Parallele zu Brechts listiger Verleugnung vor dem Ausschuß zur Aufdeckung unamerika-
nischer Umtriebe. Ich kann das nicht so sehen. Zwar stimmt
die Parallele insofern, als Bloch antisowjetisches, gegen die
DDR gerichtetes, auch antimarxistisches Denken vorgeworfen wurde, zwar entbehren seine Antworten nicht der List
und Ironie, doch die Unterschiede bleiben stringent: Brecht
saß vor einem Tribunal des kapitalistischen Klassenfeindes, Bloch aber vor den politkulturellen Wortführern eines

stalinistischen Systems, das die von Moskau ausgehende Entstalinisierung nach Chruschtschows Rede auf dem XX. Parteitag der KPdSU verweigerte. Da der Philosoph sich auf Chruschtschows Seite gestellt hatte, andererseits durch seine früheren Parteinahmen für die Moskauer Prozesse zum stalinistischen Apologeten geworden war, befand er sich in einer tragischen, bestenfalls tragikomischen Situation. Dies genau unterscheidet ihn von Brecht, der sich nicht nur vor einem Ausschuß des Klassenfeindes befand, wo Taktik, List und Lüge legitime Hilfsmittel sein mögen, sondern der auch vordem nie zu den Freunden und Apologeten des Kapitals gezählt hatte. Bei Brecht fehlte die tragische Komponente. Bloch hingegen hatte die Folgen auch eigenen Handelns zu tragen und, historisch gesehen, selbst dazu beigetragen, daß stalinistische Proselytengänger ihn jetzt auf ihr minderes Maß zurechtzustutzen antraten.

Hinzu kommt die ganz andere Situation. In den Jahren 1956/57 stand die Frage, ob die Moskauer Entstalinisierung zu sozialistischen Reformen vervollständigt werden konnten oder nicht. In Polen ergab sich eine durchgehende Linie der Kritik, die nie mehr verschwand, in Ungarn führte die Entstalinisierung 1956 zu heftigen Kämpfen und Mordtaten, die Fotos gelynchter Geheimpolizisten, von Ulbricht im Politbüro herumgezeigt, bewirkten geschlossene Fronten, und so wurde in der DDR die alte brüchige Ordnung wieder hergestellt. In Prag verhielten die Genossen sich sowieso ruhig. Sie erwachten erst 1968 und waren dann allein auf weiter Flur.

Betrachten wir diese geschichtlichen Abläufe, wird ersichtlich, welche Schlüsselfunktion Bloch für die DDR und darüber hinaus zukam. Gerade er mit seiner früheren Fürsprache für Stalin und die Moskauer Prozesse hätte sich jetzt direkt äußern können und, auf den Unterschied verweisend, seine Haltung korrigieren müssen. Selbst der sofortige Gang über die Grenze wäre besser gewesen als sein taktischer Rückzug in die Vergangenheit. Was er 1961 nachholte, wäre 1957 eine Tat gewesen. So wurde es nur verlegenes Wegbleiben.

Bloch äußerte sich dazu nie, auch nicht in kleiner vertrauter Runde. Doch sein verstärktes Beharren auf der zu dechiffrierenden Sklavensprache darf als Versuch einer Enträtselung genommen werden, die er mir überantwortete, und das hatte schon früh, 1953, begonnen, als die Zuspitzung der folgenden Jahre noch nicht anstand, aber in der Luft lag. Der Zukunftsdenker hatte Stalin inzwischen als moderne Ausgabe des Gottes Janus zu sehen gelernt. Vorn der gütige Vater, hinten die Schreckensfratze. Oder sollte statt vorn und hinten links und rechts formuliert werden. Gleichwohl, auf Dauer vertragen Sklavensprache und aufrechter Gang sich nicht.

Blochs Anregungen zum Thema waren zugleich Versuche einer Dechiffrierung des fatalen Rückschritts im 20. Jahrhundert – Kant, Marx, Nietzsche hatten selbst in König- und Kaiserreichen offener zu sprechen vermocht als der revolutionäre Denker unseres modernen Zeitabschnittes, in dem die revolutionären Machtinhaber radikale Ideen solange verfolgten, bis alle geduckt oder ausgetrieben waren und die Machthaber an ihrer ungelüfteten, gleichwohl waffenstarrenden Unaufrichtigkeit erstickten.

Marx schätzte das Werk des Honoré de Balzac hoch ein, obwohl er den monarchistischen Reaktionär in persona nicht gerade liebte. Das ist zu unterscheiden. Die Differenzierung bei Nietzsche ist noch komplizierter. Als im März 1989 bei Greno *Zarathustras Geheimnis* von Joachim Köhler erschien, versuchte ich mich an dieser Aufgabe.

Am 21.7. 1997 druckte der *Spiegel* eine Arbeit von Rudolf Augstein zu seinem Leib- und Magenthema Hitler und Bayreuth, wobei er sich auf ein neu angekündigtes Buch von Joachim Köhler bezog: *Wagners Hitler – der Prophet und sein Vollstrecker.*

Zwar nennt Augstein hier auch Nietzsche beim Namen, den er schon öfter kenntnisreich traktierte, zum Beispiel im *Spiegel* Nr. 24 vom 8.6. 1981 mit »Wiederkehr eines Philosophen«, doch diesmal blieb er Randfigur, obwohl er hinzugehört hätte. Dies ein Grund, weshalb ich meinen verschollenen Essay hervorsuchte und feststellen konnte, Köhlers Nietzsche-Interpretation vom Jahre 1989 gab die Grundlagen für eine moderne Bewertung des Falles N. ab. Gerade die Kühnheiten des Buches, seine etwas luftigen Spekulationen sind anregend und fruchtbar. Selbst wenn man Köhler noch ironischer applaudierte als ich es tue. Nebenbei bemerkt wird auch Ernst Nolte in seiner Nietzsche-Studie dem Doppelspiel des Philosophen auf seine Weise gerechter als es in der Fachbranche normalerweise geschieht.

Von Haus aus Historiker, ist Nolte vor dem tönenden Philosophieren gefeit, als Philosophiegeschichtler sortiert er die beiden verwirrten und verwirrenden Nietzsche-Linien auseinander – hier der Pessimist, Herrenmensch, Heldenschwärmer, Stichwortlieferant für polit-ideologische Ausbeuter, Antidemokrat, Antisozialist, Menschenfeind, dort der dionysische Optimist, Revolteur, Kulturkritiker, Humanist, Europäer, Weltbürger, der um des hohen Zieles willen allerdings wieder mit irrwirren Gedanken von Krieg und Massenmord spielt. Wir dürfen uns entscheiden, das Ganze als Spiel, den Spieler als postmodernen Vorläufer zu nehmen oder als armen Kranken, den der Wahnsinn brüderlich immer heftiger umarmte und umnachtete.

Als sicher darf gelten, das Doppelgesicht, die Janus-Teilung kennzeichnet Nietzsche ebenso wie den Marquis de Sade. Beide sind Aufklärer und zugleich Gegenaufklärer, beide links wie rechts. Entsprechend bildeten beide linke wie rechte Schulen, was sich beim Marquis mehr auf dessen Platz in der Kultur- und Krankengeschichte bezieht, bei Nietzsche aber Jüngerschaft und Nachfolge strukturiert.

Rechneten vordem die Rechtshegelianer zu den Staatstreuen und die Linkshegelianer mit Marx zu den Revolutionären, eskalierten die Rechtsnietzscheaner zu Nazis und die Linksnietzscheaner zu Kommunisten.

Was die Janushaftigkeit angeht – ironischerweise wurden die zerstrittenen Kultfiguren Nietzsche und Richard Wagner durch zwei Frauen erneut vereint – Nietzsches Schwester Elisabeth weihte sich dem Führer Adolf Hitler nicht minder inbrünstig als Richard Wagners englische Schwiegertochter Winifred. Von der Borniertheit und verkommenen Romantik abgesehen, degradierten die beiden einflußstarken Walküren damit das Führerpüppchen Eva Braun zur bloßen Fußnote. In Nietzsches Denken und Wagners Opern hätte die brave Randfigur Eva Hitler, geb. Braun, so wenig Platz gefunden wie der im Schlußakt angetraute Ehegatte viel – als singender, dröhnender Übermensch.

Dies auch der Schlüssel zum Gralsgeheimnis von heute: Die Pilger nach Bayreuth sind auf der Suche nach ihren verlorenen Helden, und Evchen taugte nicht zur Walküre. Die beiden Nietzsche-Wagner-Damen aber wären mit ihren Heldenrollen und Führersüchten besser als braune *Will*küren zu bezeichnen.

Ein Grund mehr, den Hauptgedanken und Hauptrollen ihrer Erfinder mit Distanz zu begegnen. Nicht nur sollten in jeder Vorlesung über Nietzsche die Zarathustra-Sätze in jenem niedlichen Sächsisch zitiert werden, das der Denker selbst sprach, es empfiehlt sich auch, den Übermenschen Nietzsches mit jenem Kommissar Rex in eins zu setzen, der in der weithin bekannten TV-Serie gleichen Namens auftritt – ein gelehriger braver Schäferhund, der von der Warte anderer Hunde aus gesehen zweifelsfrei ein Überhund ist. Inklusive der Teilung: Die Kampfhunde, die in die Hände aggressiver Züchter und Halter fallen, ergeben den gefürchteten, bissigen und tödlichen Überhund, Kommissar Rex hingegen verkörpert das humane Exemplar des besten Überhundes aller Zeiten. Wäre der Meisterdenker Nietzsche ein Hundezüchter statt Menschenzuchtmeister geworden, wer wollte wissen, welchem Typ er den Vorzug gegeben hätte. Vielleicht wäre dem »Ich denke, also bin ich« des Descartes ein »Ich beiße, also bin ich« gefolgt.

Dem Prinzip, Nietzsche als Heiligen wie Unheiligen im deutschen Kalender ernstzunehmen und zugleich auszulachen, wurde Ludwig Marcuse mit treffenden Sätzen gerecht: »Der Übermensch ist ein von Untermenschen beflecktes Wort.« Oder: »Nietzsche ist der größte Pechvogel der Philosophiegeschichte. Er wurde von Analphabeten nicht nur in ihr Deutsch übersetzt, auch noch in ihre Wirklichkeit.« Gleich unter dem letzten Bonmot findet sich in Marcuses (notabene: Ludwig, nicht Herbert, der andere Vorzüge besaß) *Wörterbuch für Zeitgenossen* ein Satz, der das 20. Jahrhundert der deutschen Nationalseele wie ein Atomkrieg erhellt. Der scheinbar unscheinbare Dreizeiler lautet: »Die Vorstellung, daß der Nihilist passiv sein muß oder destruktiv, weil er nicht weiß: wohin?, kennt nicht den Ursprung des Handelns.«

Nebenbemerkung zur Erinnerung: In den sechziger Jahren vermittelte ich zwischen den seit Exilzeiten einander unlieben Marcuse und Bloch. Es gelang nur zum Teil, doch profitierte ich davon. Wenn mir der in Tübingen lehrende Hoffnungsdenker zu nahe schien, tankte ich bei Marcuse am Tegernsee Skepsis auf. Ich hatte zu viele junge Deutsche den Tod verbreiten und sterben gesehen, als daß mich die polaren Weisheiten der verfolgten jüdischen Denker hätten kalt lassen können. Die kurze Spanne der Rückkehr unserer

Exilanten schenkte den Deutschen eine Chance der Einsicht, wo nicht Einkehr. Sie wurde nur kaum genutzt, bald waren die Heimkehrer erneut vergessen, und inzwischen eskaliert Nietzsche wieder zur großen deutschen Kultfigur – welch ein Déja-vu.

Das Déja-vu ist der Eindruck, ein Gegenwärtiges schon einmal gesehen bzw. erlebt zu haben. Bei Bloch wird daraus das »Dunkel des gelebten Augenblicks«, eine Säule seines Zukunftsdenkens, deren Funktion ich nie mit wünschenswerter Klarheit zu begreifen vermochte, obwohl er selbst wie seine Interpreten viele Worte darauf verwenden, was mich nur noch ungläubiger werden ließ und in meinem Status als Nichtblochianer noch störrischer machte.

Anders bei Freund-Feind Nietzsche, dessen Lektüre mir fortwährend Déja-vu-Eindrücke verschaffte. Das Geheimnis lüftete mir das Büchlein *Nietzsche als Leser* von Ralph-Rainer Wuthenow. Etwas übertreibend, doch ins Zentrum rückend schreibt Ralf Blittkowski in der *Frankfurter Rundschau* vom 16. 12. 94 darüber: »In seinen Essays sagt uns Wuthenow oft genug, wie wichtig Nietzsche französische Autoren nahm. Die Vermutung, daß Nietzsche sich von französischen Autoren dermaßen habe anregen lassen, daß er selbst als französischer Autor bezeichnet werden könnte, ist allerdings reine Spekulation. Er las lediglich französische Moralisten wie Aphoristiker, las La Rochefoucauld wie Chamford mit ungeduldiger Leidenschaft. In Nietzsches Zitaten werden Schriftsteller und Philosophen vorgeführt. Selten sind Zitate genau, meist ändert der Leser Nietzsche die Gedankenführung, assoziiert und macht die gewählte Lektüre zum Vorwand für seine entstellende Aneignung literarischer und philosophischer Inhalte und Thesen.«

Wer also Autoren, die Nietzsche las, bei der Lektüre seiner Schriften wiedererkennt oder eben nicht exakt wiedererkennt, weil unser Philosoph die Quellen verundeutlichte, hat natürlicherweise Déja-vu-Eindrücke. Blittkowski dazu: »Wuthenows Nietzsche orientiert sich an Namen. Inhalte und thematische Zusammenhänge werden dagegen ausgeblendet. Wuthenow zeichnet statt dessen im letzten Essay des Bandes zu Nietzsches Italien-Bild einen, mit Nietzsches Lieblingswort, ›halkyonischen‹ Träumer, der Landschaftsbilder liebte, und für seine psychische Verfassung vor der Umnachtung die Formel ›heroisch-idyllisch‹ fand.

Wer Wuthenows Nietzsche-Miniaturen liest, wird einem unkonzentrierten Leser in doppeltem Sinne begegnen, einem Nietzsche für Studienräte, der halb- und viertelbelesen Zitat an Zitat reiht, sie verfälscht, mit ironischer Wendung fragmentarisiert und darüber hinaus den Traum vom redlichen Menschen nachäfft. Ach, wäre Zarathustra in seiner Hölle geblieben.«

Und an anderer Stelle: »Der Aufenthalt in den Bergwerken der Philosophen blieb allerdings kursorisch, launenhaft. Zwischen langen Reisen und Migräneschüben, zwischen apathischen Reaktionen und ungerechtfertigtem Enthusiasmus für zweit- und drittklassige Autoren entpuppt sich der Leser Nietzsche als Hasardeur und Vergewaltiger seiner Lesestoffe, Exzerpte und Zettelkästen sucht man vergeblich. Nietzsche, der einen Teil seiner Schriften diktiert hat, schreibt als Rhetoriker und liest als Künstler.«

Zugleich ist Wuthenows wie seines Rezensenten Blittkowskis Erstaunen wegen der unorthodoxen Arbeitsweise Nietzsches ein wenig weltfremd. Der gute Mann sollte mal bei anderen Geistesheroen die von ihnen angeführten Zitate überprüfen, die Augen gingen ihm über. Auch das Raubrittertum unkenntlich gemachter Zitate birgt Überraschungen, von denen sich die deutsche Philologenseele nichts träumen läßt. Oder auch: Ohne Lug und Trug keine Großkultur. Nietzsche ehrlich: »Die Dichter lügen zuviel.« Inklusive Philosophen.

Im Jahre 1992, drei Jahre nach Köhlers Nietzsche-Buch und meinen nachfragenden Anmerkungen dazu, erschien Eberhard Brauns *Aufhebung der Philosophie – Marx und die Folgen*, worin u.a. die Beziehungen Nietzsche-Marx-Bloch einer scharfsinnigen Analyse unterzogen werden. Das Werk, als Habilitationsschrift ein wenig akademisch salbadernd, bleibt dennoch glücklicherweise die »Position eines Außenseiters akademisch etablierter Wissenschaft« (Braun), ergo ein Gewinn: »Marx und Nietzsche kommen darin überein, daß Philosophie, entgegen ihrem traditionellen Selbstverständnis, kein autonomes Gebilde sei ...« Das mag so sein oder nicht. Braun arbeitet aber den »revolutionären Bruch« heraus, den Marx und Nietzsche wagen, freilich ist Nietzsche »nicht frei von biologistischen Reduktionen«, 2 zu 1 also für Marx, doch führt Bloch beide Lehren weiter, denn »Denken heißt Überschreiten«. Nun beginnen die »richtigen

Antworten« nach den falschen des Friedrich Nietzsche, der aber die »richtigen Fragen« gestellt habe. Was sich stets erneut als falsch oder richtig herauszustellen hat.

Immerhin machte Bloch, laut Braun, »überraschende Entdeckungen« – fragt sich nur, was geschieht, wenn die Welt des Kapitals davon ebensowenig Kenntnis nehmen und Gebrauch machen will wie die sozialistische Welt. Dann hilft nur revolutionäre Radikalität, oder mit Nietzsche gesprochen: »... den Schweinen wird alles Schwein ... Es gibt in der Welt viel Kot ... Aber darum ist die Welt selber noch kein kotiges Ungeheuer!« (*Zarathustra*: »Von alten und neuen Tafeln« 14).

Klossowski dazu: »Worauf also wird das Verhalten des Philosophen hinauslaufen? Wird er zum gleichzeitig aufgeklärten und ohnmächtigen Zuschauer der Ereignisse? Oder wird er, wenn jeder Kommentar müßig ist, direkt intervenieren?« Und weiter, Nietzsche interpretierend: »Es gibt ... zwei Kräfte: die nivellierende des Herden-Denkens und die erektive der Einzelfälle.«

Abgesehen davon, daß wir wieder beim Übermenschen anlangten, schließt die Erektionsvokabel die weibliche Menschheitshälfte aus. Soviel auch gegen meine Sichtweise. Der Übermensch ist per Definition Machtmensch, also Übermann, die Überfrau ist nicht vorgesehen, und daß sie ein wenig aufgekitzelt werden könne, erfüllt noch lange nicht den männlichen aufrechten Tatbestand. Allerdings ruft es den berühmtesten Nietzsche-Satz in Erinnerung: »Du gehst zu Frauen? Vergiß die Peitsche nicht!« Wir behandelten den Fall bereits. Ganze Philosophenstammtische brechen seit der Niederschrift in wieherndes Hengstgelächter aus, wegen der maskulinen Aufforderung zum sadistischen Akt. Der Hintersinn könnte sein: Reiche den Frauen die Peitsche und lasse dich von ihnen verprügeln, wie du es verdienst. Also wäre der populärste Nietzsche-Satz das Gegenteil dessen, was die Herren gemeinhin herauszulesen geneigt sind.

Ernst Nolte interpretiert die letzten Niederschriften Nietzsches als Aufforderung zum Kampf, auch Krieg gegen den drohenden großen »ideologischen Bürgerkrieg«, dabei legitimerweise seine eigene Ideologie verfolgend, wonach Hitlerdeutschland eine Reaktion auf die bolschewistische Revolution gewesen sei. Wenn er Nietzsche zitiert mit dessen Worten: »Wo ist das Gegenstück zu diesem geschlossenen System von Wille, Ziel und Interpretation? Warum fehlt das Gegenstück?« – so können sich alle deutschen Nazis und nationalen Mitläufer entlastet fühlen, waren sie doch das »Gegenstück« bzw. bei der Aufführung dabei. Und Nolte führt seinen Nietzsche vor wie der tapfere Ritter sein Streitroß. Wer erschauert nicht, liest er Nietzsches Aufforderungen zur »Vernichtung von Millionen Mißratener ... hier muß man ausmerzen, vernichten, Krieg führen ...« Alles natürlich mit dem Ziel, die »Entartung« der Menschheit zu beenden. Nolte zeigt unerschrocken, »wie sehr Nietzsche ein ›Schlachtfeld‹ war.« Und zu Schlachtfeldern hinwies. Gleich kommen auch wie im Fall Ernst Jünger die Apologeten, die ihren Dichterdenker als bloßen Beobachter und Registrateur ausgeben, der lediglich unerschrocken anzeige, was die Stunde geschlagen habe. Doch der Held als Übermensch ist kein bloßes Auge. Er ist Krieger und fanatischer Wille zur Macht, auch um den Preis der »Vernichtung von Millionen Mißratener«.

Noltes Rückblick auf Nietzsche ist stets zugleich Rückblick auf die beiden Weltkriege, in denen sich die Voraussagen des Denkers bewahrheitet zu haben scheinen oder wirklich hatten. Tatsächlich dachte die Elite der Zeitgenossen in solchen Bahnen. Nur wer das erkennt, vermag ihre Reaktionen richtig zu begreifen. Blochs Verteidigung Stalins und der Moskauer Prozesse erscheint dann weniger rätselhaft, und daß Bloch noch 1957 seinen Anklägern gegenüber triumphierend darauf verwies, ist dann nicht mehr die eventuell listige Selbstverteidigung in bedrängter Situation, sondern existentielle Selbstbekämpfung.

Der Mann, der gegen Lenins Revolution anfänglich aus dem Schweizer Exil heraus wütend polemisiert hatte, war als linker jüdischer Antinazi politisch zum Stalinisten geworden. Mag sein, Stalins Vernichtung der Leninschen Kampfgefährten führte zu einer untergründigen, vielleicht unbewußten Befriedigung, überdies war Stalin ja selbst ein Leninscher Kampfgenosse gewesen, und sogar die Ermordung Trotzkis 1940 im mexikanischen Exil durch einen Agenten Stalins war sekundär oder notwendig, um die Kampfkraft Sowjetrußlands zu stärken. Möglicherweise diente dem sogar die Säuberung der Roten Armee von Generälen und Offizieren, denen geheime oder geheimdienstliche Verbindung zu Deutschland nachgesagt, vorgehalten oder nachgewiesen worden sind. Am Vorabend des Zweiten Weltkrieges und Weltbürgerkrieges erschien Stalins Sowjet-Armee als einzig denkbares Widerstandszentrum gegen die zum Angriff antretenden Übermenschenheere Nazideutschlands und seiner Verbündeten.

Bloch bewahrheitete sich 1957 also nur, als er sich darauf berief. Daß er's vor welchen tun mußte, die ihm nicht das Wasser reichen konnten, und wie sehr er sich dabei zu drehen, winden, verstellen gezwungen war, verfestigte sich bei ihm zu der aparten Idee, mich später noch nachdrücklicher aufzufordern, über Sklavensprache nachzudenken. Erst spät begriff ich die verwinkelten Gedankengänge. Sein Ausspruch, ich sei ihm bereits in Leipzig vorgekommen wie »ein Mann, der schon dreimal verbrannt worden ist«, ich berichtete davon in *Kopf und Bauch*, hatte ihn in DDR wie BRD bewogen, mich auf das Thema zu stoßen.

Brief an Ernst Bloch im Himmel

Herrn Prof. Dr. Ernst Bloch
Im Himmel der Philosophen
Ernst-Bloch-Straße

13. 8. 1984

Lieber Ernst,

dieser Tage erinnerte ich mich aus gegebenem Anlaß daran, daß ich von Dir mehrfach und über viele lange Jahre hinweg immer wieder den freundlichen Rat erhielt, mich des Phänomens der Sklavensprache anzunehmen, wobei mich Deine Beharrlichkeit ebenso verwunderte wie die Tatsache, daß Du ein Dich derart bewegendes Thema nicht selbst angingst, sondern es einem Jüngeren antrugst, ganz als sei der über fast dreißig Jahre hinweg der frühere Student geblieben. Nun mag daran ja durchaus etwas sein, und neben mehreren Schrecknissen birgt der Gedanke einer lebenslangen Studentenschaft auch die Freundlichkeit des Unernstes, der dem Studenten zusteht, wovon jeder gewiß gern noch am Tage seines Todes Gebrauch machen wollte. Allerdings ergriff mich, wenn mir das Thema empfohlen wurde, ein Verlegenheit auslösendes Unbehagen, das weniger dem Komplex selbst entstammte als der fatalen Tatsache, daß ich tatsächlich als Student im zweiten Semester eine Aufgabe von Dir aufgetragen bekam.

Vorangegangen war Dein Hinweis auf einen Deiner Jugendfreunde mit Namen Walter Benjamin, der auf der Flucht vor den Nazis Selbstmord begangen habe und von dem es in der Deutschen Bücherei immerhin das Buch *Vom Ursprung des deutschen Trauerspiels* gebe. Ich las das Werk dann, welches in die Hände zu bekommen eines besonderen Ausweises bedurfte. Damit begannen jene endlosen ästhetischen Studien, die mein Unglück begründeten. Ich schrieb viele hundert Seiten, stets auf den Spuren des von Dir gewiesenen Fragezeichens, ob es angingе, die alte Katharsislehre des Aristoteles zu revolutionieren.

Laut Aristoteles und dem ihm nachfolgenden Lessing wirkt das Drama, indem es den Zuschauer zugleich fürchten und mitleiden läßt. Die Furcht, mit der er an den Vorgängen auf der Bühne teilhat, macht ihn klein, das Mitleiden macht ihn offen und menschlich.

Dir jedoch, lieber Ernst, gefielen Furcht und Mitleid in ihrer reinigenden Funktion wenig, denn es handelt sich um recht passive Emotionen und Affekte, und so brachtest Du die aktiven Affekte Trotz und Hoffnung ins Spiel. Demnach sollte das Drama im Publikum statt der Furcht die Hoffnung und anstelle des Mitleids den Trotz hervorrufen und bestärken, so daß der Zuschauer nicht entnervt, verkleinert und gebeugt das Theater verlasse, sondern mehr aufrecht gehend, bestärkt und guter Dinge.

Nun, damals, 1956, erschienen von meinem ästhetische Wälzer über die Fragen der Katharsis nur gut hundert Seiten. Immerhin wurde es mein erstes Buch, und der Umstand seiner Verstümmelung versetzte mich in einen anhaltenden Zustand von Unruhe.

Ein Thema hatte seinen Autor ergriffen, und je mehr Behinderungen er erfuhr, desto trotziger widmete er sich ihm. Du weißt, lieber Lehrer und Freund, meine Manie des Schreibens geht mit der zweiten Manie parallel, den Leser meiner Bücher nicht in Furcht und Fürchterlichem erstarren, wo nicht ersticken zu lassen, sondern ihn zu trotzi-

gem Leben und lebendigem Trotz zu geleiten, damit aus
menschlicher Vegetation Gestalt werde.

Meine lange Weigerung, in die Erörterung der Sklavensprache einzusteigen, entsprang der Erfahrung, die ich
mit »Furcht und Mitleid oder Trotz und Hoffnung« hatte
machen müssen. Nicht ein zweites Mal wollte ich mich von
meinem früheren Professor auf Lebenslang festlegen lassen
und fürchtete den Fangarm. Ich sagte mir: Einmal gingst du
dem Alten ins Garn. Einmal stellte er dir eine, vordergrün-
dig betrachtet, kleine Seminaraufgabe, und daraus wurde
die Zwangsauflage einer das ganze Leben umfassenden Parole. Soll ich mich als gebranntes Kind wiederum in Gefahr
begeben?

Wie denn, wenn, was zu befürchten steht, das Thema
der Sklavensprache die gleiche Weitläufigkeit entwickelte?
Dieselbe Dauerhaftigkeit? Dringlichkeit? (Zu-Dringlich-
keit)

Es war also eine Angst, von Dir festgelegt und gebannt
zu werden, die mich abhielt. Es war aber auch meine eigene vorlaute Festlegung, hatte ich doch in *Kopf und Bauch*
verlautbart:»Untersuchen müßte man, inwieweit die her-
kömmliche Belletristik Sklavensprache, deren Theorie und
Rezensionswesen dazugehörige Ideologie ist ...Vielleicht
ist die bürgerliche Belletristik in der Wolle gefärbte Verkleidung, sind die gesellschaftlichen Zwänge primär bestimmend auch darin, daß der Roman als Fictions-Genre
entstand, mit all seinen Personen- und Darstellungstechni-
ken? Die wahre Literaturgeschichte bestünde dann in der
Durchbrechung dieser Konvention, im Ablegen der Maske-
raden und im Durchstoßen der Masken. Unter den Verhüllungen wird erst die nackte Wirklichkeit sichtbar ... Indem
alle Belletristik, ihre apologetische Ästhetik einbeschlossen,
als Technik von Sklavensprachen dechiffriert wird, gewinnt
Literatur eine neue Dimension. Die Masken sind ab, nun
gehören die stinkenden Lumpen der alten Verhüllungen
verbrannt, der Leib leuchtet auf in all seinen Scheußlich-
keiten, Schönheiten und beider Steigerungen, von denen
die bürgerliche Idylle nichts ahnte.«

Mir scheint jetzt, lieber Ernst, da wurde trotz aller Abwehr im Kopf ganz aus dem Bauch heraus doch der Sklavensprache nachgeforscht – ich hatte abgelehnt und bin
dennoch aufgestiegen, um abzufahren. Als ich so schrieb,

befand ich mich im jugendlichen Alter von sage und schreibe fünfundvierzig Jahren, da pubertiert ein Schriftsteller bekanntlich noch, genau wie der Philosoph, denn beide entwickeln sich nur zäh voran Richtung Norm-Natur und Resignation. Im jugendlichen Überschwange also überantwortete ich die gesamte Belletristik der Abteilung Sklavensprache, fügte jedoch das brandmarkende Adjektiv »bürgerlich« hinzu, ganz als ob die sozialistische Belletristik qualitativ anders wäre. Wir wissen leider nur zu gut, sie ist es nicht geworden.

Vergessen wir den Unterschied, der es kaum ist. Das Verdikt, wonach Belletristik insgesamt Sklavensprache sei, also Ausweichmanöver, Ablenkung, Drumherumreden, Verniedlichen, Ästhetisierung, sollte wohl bedacht werden, auch wenn es in seiner Allgemeinheit übers Ziel hinausschießt.

Wahrscheinlich, nein sicherlich ließ ich mich bei der Niederschrift der Sätze vom Zustand der umgebenden westdeutschen Literatur zur Übertreibung verleiten, gerade weil in der Bundesrepublik die Wichtigkeit der Literatur stets behauptet, kaum aber bewiesen wurde, weder von ihren Freunden noch von ihren Feinden, weder von den Autoren noch den Kritikern.

Bleibt nachzutragen: Der Zustand der DDR-Belletristik konnte das Negativ-Urteil nicht korrigieren. Zwar gab es in der DDR mannigfache Konflikte zwischen Staat/Partei einerseits und Schriftstellern andererseits, aber in 99 Prozent der Fälle war der Konflikt nicht durch ein Werk verursacht, sondern Folge jenes nervösen Zitterns, an dem die Inhaber illegitimer Macht naturgemäß leiden. Kurzum, die Literatur wirkte nicht deshalb, weil sie die verordnete Einkleidung und Verhüllung von Wahrheit schuldig blieb, sondern lediglich, weil die Obrigkeit vermutete, daß es so sei. Dies nämlich scheint die sicherste Folge der von oben gebotenen Sprachversklavung zu sein – die Schriftsteller mögen noch so sklavisch schreiben, sie können den Anforderungen doch nie ganz und gar gerecht werden. Die Sklavensprachaufseher vermuten gerade hinter dem unschuldigsten Wort die Geste der Widersetzlichkeit und verdächtigen den schönsten inhaltsleeren Satz der Konterbande, am liebsten folterten sie einen ganzen Text, dem sein Autor die lieblichste Unschuld vollkommener Inhaltsleere mitgegeben hat, um ihm unter Schmerzen das Geständnis abzunötigen, daß seine Sätze doch die verbotene Freiheit einverlangten.

Ja, der Sklavensprachaufseher vermutet kraft seines Amtes den Verbalwiderstand noch dort, wo ihn der Sklavensprachdichter schon längst nicht mehr zu leisten imstande ist, sei es, weil die lange verordnete Angst ihn bis in die Tiefen des Charakters hinein zerstört hat, sei es, weil Herren und Sklaven in ihren Innenausstattungen einander gleichen, wie es etwa in der portugiesischen Literatur der Fall war als Folge zu langer Unterdrückung und Unterwerfung, sei es wie in der Literatur des deutschen Faschismus, wo die Sklaverei die Frucht der kurzen Radikalität war. Auf beiden Wegen, dem kurzen wie langen, scheiden sich die gern Mitmachenden von den ungern Mitmachenden. Die Parteigänger bedürfen keiner Sklavensprache als List, denn sie reden als die Sklaven, die sie sind, frei von der geschwollenen Sklavenleber weg.

Die andern wiederum brauchen keine Sklavensprache, weil sie nichts Widersetzliches besitzen, das auszudrükken wäre, wenn auch verdeckt und getarnt. Sie haben sich in der Unterwerfung wohnlich eingerichtet und sondern naturgemäß inhaltslose Belanglosigkeiten ab. Erst später hinzueilende dienstbare Geister sprechen dann von höheren Dingen wie der »Inneren Emigration«, indem sie in die Belanglosigkeiten jenes Widersetzliche hineindeuten, das darin nicht enthalten ist. Womit dann auch jene paar Einzelgeister, die tatsächlich in kunstvollen Andeutungen Opposition anklingen ließen, um die Anerkennung gebracht werden.

Soweit also meine Überlegungen zum Seminar-Thema. Gegeben vor drei Jahrzehnten. Bis heute nicht abgeliefert, woran auch dieser Brief an den Philosophen im Himmel der Philosophen nichts ändert. Übrigens fällt mir, indem ich dies erwähne, ein, daß Brecht oft mit sarkastischer Lust »Filosofen« schrieb statt »Philosophen«, und wir nahmen es als Signal.

Denn wenn etwas üblich ist, kann das Unübliche zum Stein des Anstoßes werden. Wir, die wir solange Brechts Schreibweise folgten, fühlen uns schon fast wieder subversiv, wählen wir die vorangegangene, ehrwürdig-traditionelle Form. Vielleicht kommt es immer mehr auf die Entgegensetzung an als aufs Entgegengesetzte?

Wie denn, wenn furchtbare Kriegszeiten, Epochen der Gewalt und der Drohung der alten Furcht-und-Mitleid-Katharsis bedürfen, während friedliche Zeiten oder solche, die wir dafür halten, die subversive Trotz-und-Hoffnung-Ästhetik brauchen?

Mir scheint, die Sprache der Sklaven muß keine Sklavensprache sein. Das Idiom dient der Verbindung untereinander und der Abschottung nach oben ebenso wie zu den Knechten der Oberen. Mir scheint auch, daß Spartacus, besiegt, ans Kreuz geschlagen, keinen Grund mehr fand zur Sklavensprache. Seine Schmerzklagen waren so direkt, wahr und unverstellt wie seine vorangegangenen Taten.

Wir erkennen, es werden mehrere Sklavensprachen gesprochen: Die Sprache der Unterwürfigkeit ist die erste. Sie macht ihren Sprecher zum lebenslangen Opfer.

Die Sprache der heimlichen Empörer ist die zweite. Sie solidarisiert. Wird der Aufstand niedergeschlagen, erübrigt sich das Sprechen mit verstellter Stimme. Die Klagen der Opfer, die in allen Sprachen ertönen, werden in allen Sprachen verstanden.

Bleibt noch die dritte Sklavensprache zu erwähnen: Die Sprache derer, die siegten. Nach ihrem Sieg zwingen sie anderen die Notwendigkeit auf, sich ihre eigene Sklavensprache zu erfinden.

Dieses blutige Dilemma, Meister, bleibt bestehen, eine schwarze Realität.

Was die Gesellschaft anbetrifft, den Fortschritt, Sozialismus, die Humanität: Da weiß ich keinen Rat. Auch nach dreißig Jahren nicht. Nur was den einzelnen angeht, kommt es, fürchte ich, ganz drauf an, was und wie er spricht: sklavisch verdeckt ohne Not oder um sich aus gutem Grunde nicht zur Vorzeit zu verraten. Da werden leider viele nun nach guten Gründen suchen und keine finden.

Und viele werden gar nicht danach suchen und einfach weiter als die Sklaven leben, die sie sind, wovon sie keine Kenntnis nehmen.

Lieber Ernst, es war, erinnere ich mich recht, ein polnischer Meister des Aphorismus, der lakonisch vermerkte: Dann bist du endlich mit dem Kopf durch die Wand, und was fängst du nun an in der Nachbarzelle?

Ihr solltet, Philosophen, dort oben in eurem Himmel darüber nachdenken, wie wir dem Dualismus entkommen, der uns umfangen hält, wonach der Teufel mit dem Beelzebub auszutreiben sei. Mir scheint, die beiden ergänzen einander besser als daß sie sich ausschlössen. Denn das konservative Abendland bildete und kultivierte seine Bürger durch zwei Jahrtausende hindurch derart, daß nun einer wie Kain mit jener einfachen Bewegung, die Abel das Leben kostete, die Menschheit ausrotten kann. Und das revolutionäre Morgenland zieht mit aller Macht, in aller Hast die industriellen Siebenmeilenstiefel an, den Kontrahenten einzuholen und zu überholen.

Das eine wie das andre Denken schafft nichts als Schützengräben, Frontverläufe, Ausgangspositionen: Ich rüste, also bin ich. Es wird Zeit, alter Freund, fürs dritte Denken, für die dritte Position: Ich widerstehe, also kann aus uns noch etwas werden.

Salut, Freunde!

Auf Wiedersehen, Ernst. Droben oder drunten.

Dein Gerhard Zwerenz

VIERTES BUCH

Die Genossenschlacht von Leipzig

> Das Leben ist schön. Die kommende Generation möge es
> reinigen von allem Bösen, von Unterdrückung und Gewalt
> und es voll genießen ...
>> *Aus Leo Trotzkis Testament vom 27. 2. 1940,*
>> *ein Halbjahr vor seiner Ermordung*

Der letzte Ausschluß?

Von Jörg Schröders *März Desktop Verlag* ist eben die dritte
Folge der neuen Schwarzen Reihe *Schröder erzählt* angekommen. Ich finde starke Episoden: Russische Militärpolizei
schlägt direkt neben der Autostraße einen eben eingefangenen Deserteur tot, Biermann wird als »Schmalztopf der privilegierten Kaste« definiert, der einen »Arschloch-Orden«
verdient, Hans Christoph Buch als »Renegat« und Corino
als »Stasi-Großinquisitor«.

Gut gebrüllt, Löwenbaby, das ein paar Seiten weiter die
Titanic lobt, als wär das Blatt nicht inzwischen zum Durchlauferhitzer der Deutschblödelei verkommen. Da ich Jörg
Schröder zur Aufnahme in den PEN vorschlug und das im
Vorjahr nicht klappte, fuhr ich am 26. 4. 2002 zur Jahrestagung nach Darmstadt. Für fünfzehn Uhr sind Neuaufnahmen vorgesehen. Ich finde blind den Parkkeller, dann per
Lift in den obersten Stock.

Wie oft in den letzten fünfunddreißig Jahren tagten wir
in Darmstadt? Die Kriege (manchmal auch kleine Siege) der
Vergangenheit. Welche Konflikte heute – ich, ein Übriggebliebener, falle aus allen Wolken. Die Neuaufnahmen sind
in den nächsten Vormittag verschoben. Stattdessen soll
Erich Köhler geschasst werden. Eine »Ehrenkommission«

berichtet von Stasi-Zuträgereien. Ein Mulm von Verdächtigungen, Vorwürfen, Anklagen. Der alte Graukopf Köhler versucht dagegen anzureden. Verteidigt sich bewußt ungeschickt oder aus Schwäche falsch. Will nicht Buße tun. Soweit es verstehbar wird, hat er als Schriftsteller nur »sein Land verteidigt«, eine Art Wort-Soldat also. Vor 1989 wäre ich ihm als Feind begegnet. Jetzt könnte er mir wie ich ihm Gegner sein, ist aber auch Kollege, dazu alt, leidend, schwach, offensichtlich sozial auf null. Die versammelte Masse scheint absolut kontra zu stehen. Die schmierigsten Opportunisten geiern am heftigsten auf ihn ein. Das Establishment hat längst die Weichen auf Ausschluß gestellt. Ich bin sauer. Alle gegen einen, das ist mies, würde Mama sagen, wäre sie nicht tot. Da wollte ich bloß etwas über Aufnahmen wissen und sitze unversehens in einer Ausschluß-Spruchkammer, die auch noch satzungsgemäß geheim tagt. Selbst der Funkmensch und die Kaffeeversorgerin sind des Saales verwiesen. PEN-Mitglieder, die journalistisch arbeiten, werden extra zum Stillschweigen verpflichtet. Muß ich jetzt, mit siebenundsiebzig Jahren, gehorsam die Klappe halten? Werde ich ausgeschlossen, wenn nicht? Zweimal verteidige ich den maladen Bürgerschreck, dessen IM-Tätigkeit ich nicht akzeptieren kann, aber verstehe, auch wenn ich sie ablehne. Was mir nicht gefällt, ist das Gesetz: Recht hat immer nur der Sieger. Die Diskussion zieht sich hin. Einer nennt den Delinquenten krank, ein anderer erinnert an den Ost-PEN, der kein einziges Mitglied jemals ausschloß, auch Wolf Biermann nicht. Ein dritter verweist auf Friedrich Torberg, der seine Geheimdienstlichkeit nicht leugnete. Mir fallen die Namen vieler PEN-Kollegen ein, die für diverse Dienste arbeiteten. Die kleine Masse aber will in Darmstadt ihr spätes Mütchen kühlen. Zum Ausschluß braucht es Zweidrittelmehrheit. Es werden fünf Stimmen mehr. Der Ex-Kollege hatte bereits den Raum verlassen, suchte wohl als mittelloser Anhalter von Darmstadt wegzukommen gen Osten ins westbesetzte heimatliche Revier, das er dereinst hatte verteidigen wollen.

Warum trete ich, die Szene nutzend, nicht aus? Habe mich im Club seit den Vereinigungsquerelen seitab gehalten. Bin hier aus Versehen in die Farce geraten. Bleibe im PEN wegen seiner effektiven Solidaritätsarbeit für verfolgte Autoren aus aller Welt.

Diese Aufgabe aber könnte auch eine Sparte bei *amnesty international* übernehmen. In allen übrigen Bereichen ist der PEN zur bloßen Hülle geschrumpft. Ich bin jetzt seit ca. sechsunddreißig Jahren dabei und weiß, daß es früher anders war. Auf der Rückfahrt, die Autobahn in Nebel und Regen, ein Stau in Fortsetzungen, denke ich an eine Szene vor einem kleinen halben Jahrhundert, als es am Leipziger Philosophischen Institut gegen den Oberassistenten Manfred Buhr ging. Wollte ihn verteidigen, geriet selbst in die Bredouille, stimmte in die Meute ein. Buhr stolperte, fiel nach unten, bereute heftig, stieg die Karriereleiter dann bis zur Spitze hinauf. Wie viele DDR-Intellektuelle hörte ich inzwischen auf Buhr schimpfen. Der hatte die Konsequenzen aus seinem Absturz gezogen. Meine unterlassene Solidarität ist mir heute noch peinlich.

Köhler wird nicht wie Buhr aufsteigen. Ich kenne Texte von ihm. Verrückte Phantasien mit scharfen Logismen. Gerne gelesen, weil total abseits. Und seine Geheimdienstlerei? Alte Soldatenweisheit: »Der gefangene Feind ist kein Feind mehr!« Ist auch vergessen gemacht worden. Heute werden Gefangene gefesselt, gefoltert, getötet. Das walte die Zivilgesellschaft. Wenn einer dann »Kultur« einfordert, entsichern sie den Revolver.

Ich ziehe am Schrank die eingesargten Akten. Wie verhielt ich mich damals als Angeschissener?

Ich lese, Datum 15. 5. 1957, 16 bis 19 Uhr 30:

»*Wagner:* Gehen wir davon aus, daß du mit deinem Argument, daß notwendige Veränderungen vorgenommen werden müssen, Recht hast. Es gibt Konterrevolutionäre, die sich treffen, wo es sich ergibt. Es gibt einige ideologische Zentren. Interessant im ›Leipziger Allerlei‹ ist, daß man etwas verändern muß, kein Wort wird aber von Partei, Nationaler Front usw. gesagt. Ein Trupp junger Unruheleute will in Leipzig ändern. Wer will ändern?

Zwerenz: Die Partei wird ändern. Es hätte noch vieles in den Artikel gehört.

Naumann: Du hast die Messe betrachtet, siehst den großen Erfolg, aber du schreibst wie ein Feind, schreibst von leichten Mädchen.

Zwerenz: Das stimmt doch auch.

Naumann: Du bist korrumpiert.

Zwerenz: Schmeißt mich doch raus, aber sagt das nicht.

Naumann: Du nimmst dir heraus, das Richtige zu tun.

Zwerenz: Macht sonst was, aber wenn jemand sagt, daß ich korrumpiert bin, so spucke ich darauf.«

Das war die Partei. Genauer die Parteikontrollkommission. Also das Rausschmeißergremium. Hat ja auch funktioniert. Der deutsche PEN ist keine Partei. Ein Rausschmiß aus ihm nicht vergleichbar. Damals hatte ich in Wieland Herzfelde einen Verteidiger gefunden. Der dann, als er selbst bedroht wurde, erschreckt zurückzuckte. Egal wer wann wo ausgeschlossen wurde oder wird, beschämend ist stets die Mentalität der Rausschmeißer.

Der PEN vermeint, mit dem Abgang des letzten Köhlers die Vereinigungskonflikte beendet zu haben, und dokumentiert doch nur seine Unfähigkeit im Umgang mit essentiellen Differenzen. Der vom Generalsekretär zum Präsidenten aufgestiegene Johano Strasser wie der von ihm protegierte Nachfolger Wilfried F. Schoeller bezeugen den Zustand. Die Konservativen schweigen, die Linken spotten, die brave Mitte herrscht. Johano Strasser, einst Mitautor des SPD-SED-Papiers, woran die *ND*-Redakteurin Irmtraud Gutschke in ihrem Blatt erinnert, ist »gewiß von Erfahrungen im Politik-Alltag« geprüft. Na schön. Ich äußerte mich damals entschieden gegen die sich abzeichnende Melange von SPD- und SED-Genossen, zusammengerührt ohne uns Ex-Kommunisten, Trotzkisten, Außenseiter, Exilanten und Kritiker.

Als die Vereinigung kam, sahen sich die SED-Ideologen getäuscht, und die SPD-Ideologen vergaßen ihr prächtiges Papier der Annäherung. Im PEN von 2002 ist nicht mal mehr ein Schatten vergangener Kämpfe und Erkenntnisse wahrzunehmen. Ein alter Dichter wird per Ausschluß an den Pranger gestellt. Den westlichen Mitgliedern war's leicht peinlich, den meisten östlichen Herzensangelegenheit. In Darmstadt hörte ich zwei Kollegen diesen Köhler so heftig beschimpfen, wie ich sie vor 1989 Moskau und Ostberlin belobigen hörte. Per Finger auf den anderen weisend, spielen sie Versteck mit dem eigenen Gewissen. In einer PEN-Rede vor einem Jahrzehnt schlug ich »neue Friedensgespräche vor, ohne alle Tabus, Lügen, ideologische Zwangsmaßnahmen. Das Publikum sollte freien Zugang haben, jeder Schriftsteller aus Ost und West sollte daran teilnehmen ...«

Was ist anderes daraus geworden als ein ewiges Spruchkammerverfahren? Für mich ist es spätes Detail eines fünfzigjährigen Schriftstellerlebens mit so vielen Querelen, daß ich aus bitterer Erfahrung mit jedem sympathisiere, gegen den die mittige Mehrheit anbellt, die in den werbegesponsorten, parteienbraven Medien sowieso den üblichen Schaum schlägt. Dem vereinsamten Köhler wurde vorgeworfen, er habe das Wort unterdrückt. Niemand wagte zu lachen.

Übrigens hatte der im Mai 2001 verstorbene noble Klaus Schlesinger dem ihn einst bespitzelnden Köhler vergeben. Mußte Köhler jetzt weg, weil ausgetretene Jungfrauen zurückgeholt werden sollen? Und wie steht es mit unseren westlichen Spionagefreunden? Der PEN versäumte die Chance, das Paket »Schriftsteller und geheime Dienste« aufzuschnüren. Argumentiert wird, der Casus Köhler sei nicht vergleichbar mit den Fällen Hermlin, Wolf, Fries. Mag sein. Fries schrieb nun das höhnende Bekenntnisbuch *Diogenes auf der Parkbank*, Frau Wolf reagierte mit episierten Krankheitsbulletins, Hermlin hatte literarisch-germanistische Bodyguards, deren hochgestochene Beweisführung ich in meinen Stasi-Akten vorfinde.

In Köhlers Credo lese ich den Satz: »In meinem Schaffen hatte ich es bei jedem Titel mit mindestens drei akademisch gebildeten Gutachtern zu tun, mit dem Ergebnis, daß mehrere Titel erst nach zehn Jahren erscheinen durften.« Die Köhler angelastete Unterdrückung des freien Wortes besitzt offenbar Dimensionen, von denen unsere PEN-Weisheit nicht zu träumen wagt. Und ich Idiot hatte jüngst in Darmstadt doch nur ganz harmlos an Zuwahlen teilhaben wollen.

Ursprünglich war beabsichtigt, diese Notiz bei den Tausenden von Nachlaß-Seiten abzulegen. Jetzt höre ich, Köhler sei lebensgefährdet. Braucht er Hilfe? Es ist Zeit, von den grotesk nachklappernden Repressionsmaßnahmen zu den gegenwärtigen Konflikten vorzustoßen. Nimm's leicht, Mann, der Sozialismus ist im Orkus. Sozialisten sollten nicht freiwillig nachspringen. Sie werden noch gebraucht.

Das sind so Nachrichten aus dem Bloch-Land. Da sind Spuren zu besichtigen. Die einen führen auf Umwegen zum Himmel, die anderen schnurstracks zur Hölle. Und wir roten Oppositions-Idioten immer mittendrin. Als der König der DDR Walter Ulbricht hieß, geriet er anno 1956 in Bedrängnis, suchte in Leipzig Hilfe und wurde vom dortigen Fürsten gerettet. Der hieß Paul Fröhlich. Als wir einander begegneten, war es Feindschaft auf den ersten Blick. Warum das so war, wissen die Götter, die sich allwöchentlich im Politbüro versammelten, um von Wolke sieben aus das Geschick der östlichen Provinzen zu bestimmen. So krümmte dort kein Gott dem anderen ein Haar, bis sie alle aus ihren roten Himmeln kullerten. Gott Fröhlich also, mit bester Vergangenheit, KPD, Illegalität, Widerstand, Haft, im Krieg Koch und Feldwebel, November 1944 in die Schweiz geflüchtet, kurze amerikanische Gefangenschaft, anschließende Karriere in Glauchau, Dresden, Bautzen, ab 1952 SED-Fürst in Leipzig, von 1963 an SED-Politbüro-Mitglied, weil er 1957 den Genossen Ulbricht rettete vor Revisionisten, Reformisten, Trotzkisten im Politbüro und außerhalb, insonderheit zu Leipzig, wo der Feind Ernst Bloch schon dabei war, sowohl als Platon wie als Petöfi verkleidet, die Staatsmacht zu übernehmen. Fröhlich starb 1970 eines schweren Todes. Friede seiner Asche.

Als ich später in diesen Geheimberichten las, was er außer den in Zeitungen gedruckten Drohungen gegen mich von sich gegeben hatte, war ich versucht, mit Stolz zu reagieren, aber nein, du treuer, toter Funktionär, ich hab leicht lachen, bin am Leben. Nur soviel: Den Feldwebel sehe ich dem Koch nach, falls er was Anständiges in seinen Kesseln zusammenrührte, doch wer als General noch feldwebelt, verspielt die Legitimität der Macht und bald auch die Macht selbst. Was mich beunruhigt, dieser Paul stammte aus Niederplanitz bei Zwickau. Er zählte nur zwölf Jahre mehr als ich, dabei hatte ich ihn als so kalt wie uralt empfunden. Von Feindschaft auf den ersten Blick ist die Rede? Und dennoch: Die Zeit des Streites ist vorbei.

Arthur Koestler: Der letzte Kampf wird zwischen Kommunisten und Exkommunisten stattfinden. Nein. Waffenstillstand herrscht. Frieden ist zu schließen. Wer jetzt noch feindet und bösert, lebt verspätet. Wer seiner DDR nachtrauert, darf das. Wer weiter Kalten Krieg führt, hat Nachholbedarf und war zu vage oder feige, als es an der Zeit gewesen ist, Partei zu ergreifen dafür oder dagegen. Ich habe mit Ulbricht oder Fröhlich nicht mehr zu rechten. Ihre

Stalinsche Haltung ist für sie unvermeidbar gewesen. Sie begriffen die längst eingetretene Wende nicht. Für sie zählte in den fünfziger Jahren, was seit der Marxschen Revolutionslehre und den Leninschen und Stalinschen Maßnahmen gegolten hatte.

Sie sahen die Sowjetunion immerfort siegen und nicht verdämmern und versagen. So verteidigten sie ihr Parteivaterland, und wir waren für sie die drohenden Zerstörer ihrer Macht und Ordnung. Sie siegten über uns, und daß sie am Ende unterlagen, ist, betrachten wir die heutigen Folgen, kein geschichtlicher Glücksfall. Wir aber sollten der Verkrümmung des Gedächtnisses, dieser zeitgenössischen Krankheit widerstehen.

Es ist legitim und legal gewesen, der DDR zu dienen und der SED die Treue zu halten. Klug war es nicht. Geholfen hat es für eine nur kurze Zeitspanne. Der Unwille, der aus den Worten meines früheren Kampfgenossen Erich Loest spricht, wenn er heute mit uns Linken heftig hadert, ankert in subjektiv schmerzlichen Erfahrungen. Nicht jeder ist im Alter so analysefähig wie korrekt genug, das gebeutelte Gehirn einzuschalten, wenn Worte Juckreiz signalisieren, doch die Stellung eines königlich-sächsischen Hofpoeten verbiedenkopft den bis gestern noch aufrechten Gang zum Tänzelschritt.

Das ist fast wie im nahen Berlin, wo bürgerliche Hofschwätzer die alte Schloßfassade rekonstruieren wollen, um sich geadelt zu fühlen. Wie war das mit Jehova, der den Saul hart ermahnte, kein Verleumder und Verfolger des neuen Glaubens mehr zu sein. Aus Saulus wurde Paulus. Wir werden auf Jehova und den alten wie neuen Glauben wohl verzichten und uns selber anrufen und ändern müssen.

Ohne Stalinisten wie Paul Fröhlich und Siegfried Wagner wäre Erich Loest nicht für sieben Jahre in Bautzen gelandet. Er hatte vorher im Glück gelebt, als er, der naive HJ-Knabe und Wehrmachtsidiot heldenhaft den Werwolf im Wald spielte, wofür so mancher weniger gut bediente Nazi-Jüngling von US-Soldaten oder Rotarmisten mit Blei vollgepumpt worden ist.

Ohne die peinliche sächsisch-berlinische Ulbricht-Brigade zu exkulpieren, sei vermerkt: ihre schuldhafte Geschichtslast erreicht nicht das Maß der sozialdemokratischen Blutsäufer Noske oder Zörgiebel.

Im übrigen entnehme ich Werner Mittenzweis Buch *Die Intellektuellen*, daß selbst Karl-Eduard von Schnitzler gegen die 32. ZK-Tagung aufgetreten ist, Kurt Barthel alias Kuba einen »Schmutzfink« genannt und gemeint hat: »Auch der Genosse Fröhlich soll sich erst einmal seine diktatorischen Methoden in Leipzig abgewöhnen, ehe er solche Reden hält ...« Auf das 32. folgte das 33. Plenum, in dem wir direkt als Feinde beim Namen benannt wurden und Ankläger Kurt Hager von Ulbricht durch Zurufe drohend weiter angespitzt wurde, wonach Bloch »seinen Plan für die Konterrevolution« parat hatte: »Hunderte von Studenten sind dabei verbraucht worden!«

Es waren nicht nur »Hunderte von Studenten«, sondern Tausende von Genossen, die nicht zurückbefohlen werden wollten auf den Stalinschen Kurs. Es gab einen versuchten Aufbruch ins Bloch-Land. Insgesamt gesehen benötigte die SED in ihrer kurzen Geschichte mehr als 800 000 Parteistrafen, die Genossen auf Linie zu trimmen. Der Fairneß halber sind hier besonders die vielen tausend Haftstrafen und an die hundert Todesurteile aufzuzählen, mit denen in der DDR Genossen wie Nichtgenossen überzogen worden sind, wenn auch zum Ende hin mit immer geringerem Strafmaß. Wofür viele in den fünfziger Jahren vernichtet werden konnten, trug Ende der achtziger Jahre nicht mehr als einige Monate Haft ein. Aber selbst diese Strafdiktatur verblaßt gegenüber den Ungeheuerlichkeiten des vorangegangenen Dritten Reiches. Nehmen wir nur die Opferzahlen aus *Widerstand gegen Hitler* von Francis C. Carsten (*Insel Verlag* 1996): Bis April 1939 gab es 112 432 Urteile gegen politisch Oppositionelle, nicht einbezogen KZ-Häftlinge. Allein im ersten Halbjahr 1943 wurden 28 000 Haftstrafen und 948 Todesurteile verhängt. Mehr als 10 000 Männer und Frauen wurden wegen verbotenen Umgangs mit Kriegsgefangenen und Zwangsarbeitern verhaftet. Schon diese Verfolgungsdifferenz zwischen Nazideutschland und DDR müßte die Rede von den »zwei deutschen Diktaturen« als deplaziert erscheinen lassen, zumal viele DDR-Politiker sowohl unter Hitler wie Stalin tödlich bedroht waren und sich mit dem anderen deutschen Staat ein verfolgungsfreies Vaterland schaffen wollten.

Natürlich ist Ulbrichts Vorwurf, Bloch habe »seinen Plan für die Konterrevolution« parat gehabt, die typische Flos-

kel des in Verlegenheit geratenen Machtinhabers, da trifft
Wagners Verdacht der »Zweiten Revolution«, mit dem er mir
zusetzte, eine enge Komplizenschaft mit dem Philosophen
konstatierend, schon genauer. Jedenfalls dementiert die Realität das übliche Klischee von Bloch als einem Denker mit
seiner »ewigen Hofferei« (Günther Anders). Als es 1956 in
Leipzig zur Sache ging, war der alte E.B. zur Stelle, ganz im
Gegensatz zu den Federfüchsen der Branche, diesen Maul-
aufreißern zur falschen Zeit und am falschen Ort. Wenn's
drauf ankommt, brillieren sie als Schnellweggläufer.

In der Leipziger Hochzeit hatte ich noch angenommen,
unsere Verweise auf den weithin unbekannten jungen Marx
könnten zur Erschütterung der Orthodoxie beitragen. Doch
zeigte sich, die Parteischulen mit ihrer dogmatischen Pro-
grammierung blieben stärker, die Hierarchien verhinderten
jede Erneuerung. Erst später sah ich den Fehler in Blochs
taktischer Verleugnung Nietzsches, denn dieser Wandervo-
gel des verbalen Aufruhrs lehrte damit jenen personellen,
subjektiven Aufbruch, der den sowjetischen und deutschen
Genossen gründlich ausgetrieben worden war, die aufs Kollektiv fixiert blieben, und wenn es sich versagte, waren sie
mit ihrem revolutionären Latein schnell am Ende.

Dies ist ein Punkt, an dem die Parallele zwischen Bloch
und Trotzki samt ihrer Differenz deutlich wird. Trotzki
äußerte sich stets offen analytisch. Begünstigt durch das
Exil sind seine Schriften als direkte Kritik an Stalins Politik immer kenntlicher geworden. Bloch tendierte seit des
»Führers« Machtantritt konsequent zu Stalin als einzigem
Machtfaktor gegen Hitler, was ihn fatalerweise zur Sklavensprache zwang. Hätte er wie Trotzki offen und ungescheut
formuliert, wäre er ausgestoßen worden, welche Situation
ab 1949 mit der Ankunft in der DDR sich noch zuspitzte.
Erst 1956, als er »Schach statt Mühle« zu spielen forderte,
begann er selbst sein Meister-Schach und sprach direkt,
statt kunstvoll verdeckt, was ihn prompt die Stellung kostete und beinahe die Freiheit. Allerdings stand 1956 keineswegs schon fest, ob im Osten die Stalintreuen oder die
Chruschtschow-Reformisten siegen würden und ob in der
Folge die Welt zum SU- oder US-Imperium würde. Das sind
so Konstellationen, in denen man sich entscheiden muß.
Die meisten tapferen Schneiderlein ziehen bekanntlich lieber die Mütze über die Augen und bekennen sich erst post

festum zu den Siegern. Wir dagegen lieben unsere Feinde erst, wenn sie geschlagen sind. In aller Regel sind wir die Geschlagenen.

Die differierenden Schreibweisen von Trotzki und Bloch sind zugleich Folgen unterschiedlicher Intentionen. Trotzki, von Lenin über lange Konflikte zum ebenbürtigen bolschewistischen Partner diszipliniert, versuchte seine revolutionäre Variante gegenüber Stalins Politik zu behaupten. Als er ins Exil verbannt wird, besteht seine Chance in der größtmöglichen Klarheit der Analyse. Je direkter er formuliert, desto deutlicher wird er und kann weithin verstanden werden.

Bloch trat als philosophischer Revolutionär an. Seine Wendung zu Lenins Oktoberrevolution, danach zu Stalin, brachte die Vernachlässigung Trotzkis mit sich, endlich die Sklavensprache, in der er partiell revolutionär zu bleiben versuchte, ohne sich Stalinscher Disziplinierung mit drohenden Straffolgen auszuliefern. Zog Trotzki Lustgewinn aus glasklarer Deutlichkeit, ergötzte Bloch sich an seiner eingeschmuggelten Konterbande. Seine Gegner definierten ihn als Nicht-Marxisten und fanden in ihrem alten, erstarrten Denksystem hinreichende Gründe dafür. Er hingegen empfand sich als Marx des 20. Jahrhunderts, der dem des 19. Jahrhunderts nachfolgen müsse, wenn nicht Stillstand herrschen solle. Dies ist eine der Ursachen, weshalb Bloch nie Fehler bekannte. Sie waren lediglich taktische Finessen seiner revolutionären Strategie. Aus dem 21. Jahrhundert auf Blochs Werk zurückblickend, ist mir, als habe er den nicht vorhandenen vierten Band von Marxens *Kapital* geschrieben, einschließlich der Umwege über Lenin und Stalin und von da zurück auf den Marxschen Ursprung als Korrektur.

Vom Umgang mit Feinden

Mein Artikel »Leipziger Allerlei«, abgedruckt in der Wochenzeitung *Sonntag* vom 21.10.1956, erschütterte offenbar die ganze Republik. Wie aus Gustav Justs Buch *Zeuge in eigener Sache* hervorgeht, es erschien Anfang 1990, reagierten

Walter Ulbricht und sein Politbüro »äußerst erbost«, und Kulturminister Becher gab der Redaktion strafweise einen »Berater« als Zensor zur Seite.

In der Kulturabteilung des ZK setzte es »heftige Kritik«, die wochenlang anhaltende Diskussion des Artikels im *Sonntag* wurde durch einen Herrn Kneschke abrupt beendet, von dem ich nur noch erinnere, daß er irgendeine obere Kulturbundkommandofunktion innehatte. Just: »Kneschke hatte ein grobes, energisches Schlußwort zum ›Leipziger Allerlei‹ geschrieben, das eine Fülle empörter Zuschriften auslöste, die wir allesamt zurückschickten.«

Der Vorgang ist zeittypisch: Eine offene Diskussion in der Presse wird autoritär abgebrochen, Überschrift: »Schluß mit Leipziger Allerlei«, die Leute wollen weiter diskutieren, die Redaktion traut sich nicht und retourniert die Leserbriefe.

Worin bestand denn das Verbrecherische meines Artikels? Es ging um gewisse Sätze, etwa diesen: »Wieviel Druckerschwärze wurde nicht vergeudet für rosarote Aufbaumeldungen, aber die Wirklichkeit verlangt Ziegel und Beton ... in der Vergangenheit wurde wohl zuviel gejubelt, und es ist an der Zeit, mit allem Nachdruck zu sagen, daß viele Trümmer noch der Beseitigung und viele, sehr viele Häuser noch des Aufbaus harren.«

Das wurde so nett und verbindlich im Oktober des Jahres 1956 geschrieben und gedruckt, und zwar in Ostberlin, wo der *Sonntag* erschien. In Leipzig, das gemeint war, wurden die Sätze als Konterrevolution verstanden.

Als Erster Sekretär des DDR-Schriftstellerverbandes zeichnete bis Anfang März 1990 ein Gerhard Henniger, den Insider als mächtigen Mann schildern, der über beste Verbindungen zu Partei und Staat verfügte und in Fragen von Reisepapieren oder Stipendien ein wichtiges Wort mitzureden hatte.

Sollte das wirklich der Henniger sein, fragte ich mich, der 1956/57 in Leipzig als Bezirkssekretär den Kulturbund leitete und meiner Erinnerung nach ein notorischer Scharfmacher war? Zählte das zu den Voraussetzungen seiner weiteren Karriere? In Justs Buch lese ich, was H. 1957 über mein unschuldiges Feuilleton geäußert hatte: »Dieser Artikel ist eine Beleidigung der Leipziger Kulturschaffenden und des Kulturbundes. Der Artikel ist keine Diskussionsgrundlage, sondern nur eine Herausforderung zu schärfsten Protesten. Bei der Bezirksleitung hagelte es Proteste über Proteste. Zwerenz hat mir gesagt, der *Sonntag* bemüht sich, eine Diskussion zustande zu bringen, es gelingt nicht, also habe ich, Zwerenz, einen Artikel geschrieben, und ich wollte in Wirklichkeit damit gar nichts, ich wollte eine Diskussion. Die Tendenz und Richtung der Fragestellung des Feuilletons zielt darauf hinaus, die Richtung unserer Kulturpolitik seit 1945 abzulehnen. Es ist ein direkter Angriff auf die DDR ...«

In den achtziger Jahren kreuzten sich Hennigers und meine Wege. Einige Male, wenn ich irgendwo in der Bundesrepublik las, war H. vorher dagewesen oder für die nächste Zeit angekündigt. Ich stellte mir vor, was geschähe, säße ich im Publikum und fragte ihn in der Diskussion, ob er jener G.H. sei, der drei Jahrzehnte früher die schweren Vorwürfe erhoben habe. Konnte ich das Gegenteil beweisen, wenn er das verneinte? Und was erst, wenn er sich dazu bekannte? Stimmte das westdeutsche Publikum nicht sofort mit ihm überein? Stünde ich am Ende als blindwütiger Antikommunist da? Ich könnte vorbringen, seine Angriffe auf mich hätten zugleich der *Sonntag*-Redaktion gegolten, weshalb er an den harten Urteilen gegen deren Redakteure Mitschuld trage. Doch was hätte es genutzt, Walter Janka, Gustav Just, Heinz Zöger zu nennen? Der BRD-Zuhörerschaft wären diese Namen kaum bekannt gewesen.

Anfang März 1990 zeigte das Fernsehen eine Sendung mit Henniger. Aufmerksam beobachtete ich ihn. Seit seinen Leipziger Anklagereden waren rund dreiunddreißig Jahre vergangen. Ich hatte einen etwa dreißigjährigen Feind im Gedächtnis und erblickte nun einen sechzigjährigen DDR-Schriftstellerverbandsbeamten. Ist das dein Mann? fragte ich mich angesichts der äußeren Unkenntlichkeit. Erst ganz am Schluß sah er für einen Moment direkt in die Kamera. Er ist es. Ich war mir so sicher, daß ich unwillkürlich das Gerät ausschaltete. Ich weiß nicht, wie viele Opfer die Wegstrecke dieses Herrn Genossen säumen, der zu den Urteilen von 1957 die ideologischen Verdikte lieferte. Ich habe ihm zu danken. Ich hatte seinen Blick damals entschlüsselt. Das gehörte zu den Warnungen, die mich wachsam werden ließen. 1956 hatten Janka, Loest, Just und ich arglos den Staatsorganen geglaubt, die versicherten, sich streng an die neue sozialistische Gesetzlichkeit zu halten. Wir wußten zwar, daß wir es schwer haben würden mit unseren Reformversuchen, doch erwarteten wir keine Zuchthausstrafen.

Bald darauf begriff ich das Zusammenspiel. Henniger lieferte den ZK- und Bezirksfürsten Fröhlich und Wagner die Munition, die sie der Ulbricht-Gruppe im Politbüro weiterreichten. Hennigers Feindseligkeit, durch kein Argument zu erschüttern, weil sie einer von oben befohlenen Linie entsprach, signalisierte das geplante Kesseltreiben. Noch glaubte ich, Anfang 1957, nicht daran, daß sie es fertigbrächten, alle jene, die für die Linie Chruschtschows votierten, als feindliche Gruppe aburteilen zu lassen. Das wird Moskau nicht akzeptieren, dachte ich vierzehn Tage lang. Dann häuften sich die Vorbereitungen für den Zugriff. Von nun an entsetzte mich die Arglosigkeit meiner Freunde und Genossen. Nach der Wende am 16. 3. 1990 stand in der Presse folgende Notiz: »BERLIN. Dirk von Kügelgen ist zum neuen Geschäftsführer des DDR-Schriftstellerverbandes berufen worden. Er löst Gerhard Henniger ab, der von seiner Funktion abberufen wurde.«

War dies Ende nun das Ende einer Karriere, deren Anfang ich im Leipzig des Jahres 1957 miterlebt hatte? Hennigers seltsame Vorwürfe kommen mir in den Sinn, ich hätte damals mit »Leipziger Allerlei« eine öffentliche Diskussion hervorrufen wollen. Jeder vernünftige Mensch fragt sich, was an einer Diskussion Verwerfliches sei. Tatsächlich diente ein nichtgesteuerter, lebhafter Meinungsaustausch unserem Ziel, die DDR in die Chruschtschowschen Reformen einzubeziehen. Ursprünglich hatte ich Gustav Just in Ostberlin Erzählungen zum Abdruck angeboten, leicht verschlüsselte Geschichten und Satiren über Konflikte in Leipzig und an der Universität. Wir einigten uns darauf, daß es besser sei, einen Leipzig-Artikel als Zwischending von Essay und Feuilleton zu schreiben. Brecht hatte Just derlei angeraten. Es sollte alles gesagt werden, aber in »andeutender Manier«, die zur Meinungsäußerung animiert. Das schwere Verbrechen, ohne Plazet der Partei, ja gegen ihren Willen eine Publikumsdiskussion hervorzurufen, hatte Henniger in seinen Leipziger Brandreden gegen den *Sonntag* immer wütender angeklagt. Bei einer Vernehmung durch zwei Stasi-Leute, in der es um die Vorbereitung des Prozesses gegen den bereits einsitzenden Günter Zehm ging, gaben sich die beiden Herren jede Mühe, mich auf einen Satz festzulegen, den ich Zehm gegenüber geäußert und den er beim Verhör zu Protokoll gegeben hatte.

Im Herbst 1956 hatte ich gemeint, Zehm solle aufhören unzufrieden herumzumosern: »Schreib auf, was du kritisch anzumerken hast. Jetzt, nach dem XX. Parteitag, ist endlich Gelegenheit, das Maul aufzumachen.«

Bei meinem nächsten Besuch in Ostberlin verwandte ich mich für Zehm bei Wolfgang Harich, der zusagte, dessen Manuskripte zu lesen. Zehm begann zu schreiben. Da jedoch wurde er wegen eines läppischen Paßvergehens zu drei Monaten Haft verurteilt, was sie dann zur Vorbereitung eines größeren Verfahrens nutzten.

Die Ladung als Zeuge zum Prozeß gegen Zehm erreichte mich, als ich zugleich erfuhr, Janka, Just und Zöger seien verurteilt worden. Schlagartig wurde der Wahnsinn des konstruierten Indizienringes klar: Just hatte mit mir in der *Sonntag*-Redaktion vom Ziel einer öffentlichen Diskussion gesprochen. Ich hatte den Plan naiverweise als Entlastungsgrund Gerhard Henniger gegenüber auf dessen Fragen hin erwähnt und, als Henniger das in den Leipziger Konferenzen anklagend gegen mich vorbrachte, nicht widersprochen. Jetzt hatten sie mit dem Angeklagten Zehm jemanden, der zu Protokoll gab, er sei von mir zur Niederschrift und Publikation seiner Unzufriedenheit ermuntert worden. Würde ich nun als Zeuge die Angaben Zehms bestätigen, die ich den beiden Stasi-Vernehmern gegenüber schon eingeräumt hatte, war es einfach, daraus wie bei Just und Zöger einen kriminellen Tatbestand von Gruppenbildung und Boykotthetze zu konstruieren und mich festzunehmen. Verblüfft erkannte ich die feine Haarlinie, die von der Argumentation des Kulturbundfunktionärs Henniger direkt über die Staatssicherheit zur Justiz verlief. Was Henniger gegen den *Sonntag* und mich vorbrachte, tauchte in den Urteilen gegen Janka, Just, Zöger genauso wieder auf wie im späteren Verfahren gegen Loest. Das war kein Wunder, denn die Urheberschaft der politischen wie juristischen Anklagen lag im Politbüro, genauer gesagt in der Politbüro-Gruppe Ulbricht. Als sie sich mit ihrer harten Stalin-Linie durchgesetzt hatten und die beiden Prozesse vor dem Obersten Gericht in Ostberlin mit den gewünschten Verurteilungen abgeschlossen waren, konnten sie auch ihre Kontrahenten

Schirdewan und Wollweber aus dem ZK und allen Funktionen ausschließen. Nun wurden die weiteren Prozesse gegen Oppositionelle in den Bezirken vorbereitet, mit teils noch härteren Urteilen als in Ostberlin. Hennigers Feindschaft signalisierte mir mein Schicksal, war ich doch derjenige, der mitten im Zentrum saß, mit Zehm, Bloch und Loest befreundet, mit Verbindungen von Leipzig nach Ostberlin in die *Sonntag*-Redaktion und zu Verlagen. Dazu kam, daß auf meine Kappe die meisten »zersetzenden« Veröffentlichungen gingen, wie die *Leipziger Volkszeitung* anklagend vorbrachte.

Hennigers aggressive Feindschaft veranlaßte mich zu Konsequenzen, ich entzog mich gerade noch rechtzeitig ihm und den Organen seines Staates.

Unter Freunden und Genossen galt einst, wer Freunde und Genossen verrät, kann weder Freund noch Genosse sein. Für die Zeit des Stalinismus traf das nicht mehr zu. Doch ist es zu billig, einem System die Schuld zu geben und sich selbst damit zu entlasten.

»Uns alle hatte der XX. Parteitag der KPdSU mit der Aufdeckung jener schlimmen Folgen und Erscheinungen, die man vereinfachend als Personenkult um Stalin bezeichnete, aufgewühlt.« So Markus Wolf in *Die Troika*. Dem muß ich widersprechen. Die Karriere des Gerhard Henniger begann erst richtig nach dem Moskauer Parteitag, als er, seinen Oberen gehorchend, mit ihnen zusammen antrat, den Stalinismus in der DDR zu verlängern. Nach den Gesetzen ihres Systems müßten die dafür Verantwortlichen für sehr lange Zeit in jenen kargen Einzelzellen schmachten, wohin sie die Reformer schickten.

Das Porträt des G.H. ist mein Beleg dafür, wie schwer es fällt, eine derart dumme und brutale Feindschaft zu vergessen. Zumindest muß es gelingen, eine gewisse innere Gelassenheit selbst diesen Leuten gegenüber zu erreichen. Ich muß mich zügeln, doch Zorn und Wut zu überwinden kann als humane Seelenartistik gelehrt und gelernt werden. Allerdings nicht allgemein und theoretisch. Jeder muß sich an seinen ganz eigenen Erfahrungen und Kontrahenten erproben.

Anfang 1993 hatte ich meine Feindschaft gegen H. soweit bewältigt, daß ich diese begütigenden Sätze niederschreiben konnte. Im August sah ich meine Akten ein und stieß vielfach auf H. Seinen niederträchtigen Zuträgereien verdankte die Stasi jene Übersicht über die »Spinne Loest-Zwerenz«, eine Zeichnung voll krimineller Phantasie. Das Modell diente den Verfolgern bei der Jagd auf uns. Soweit ich es übersehe, kamen mehr als neunzig Zuchthausjahre, zwei Selbstmorde, der Tod Jochen Wenzels und nicht zählbares Leid dabei heraus. Jens Fietje Dwars spricht in seiner Johannes-R.-Becher-Biographie *Abgrund des Widerspruchs*, sich auf Stasi-Quellen berufend, von »87 Verhaftungen, davon mehr als die Hälfte Studenten«, was wohl auf die »Leipziger Schule« zu beziehen ist.

Wie verhielte ich mich, begegnete ich diesem G.H. heute? Ich stelle mir vor, ihn zum Beispiel auf einer PEN-Tagung zu treffen. Sollte er ausgeschlossen werden? Ich stimmte wohl dagegen, weil ich nicht wie er sein möchte. Der Mann sei inzwischen verstorben, ist zu hören.

Ernst Bloch berief sich Ende 1957, als er fortbestehender Symapathien für den inhaftierten Walter Janka beschuldigt wurde, auf Henniger als Zeugen. Sie beide seien, als über eine Resolution gegen Janka abgestimmt wurde, nicht im Tagungssaal gewesen. Der Zeuge G.H. stimmte zu, ihr gemeinsames Wasserabschlagen war nicht zu leugnen, ein notorischer Spitzel bestätigte die Arglosigkeit des Philosophen.

Mit Arglosigkeit ist etwas von jenem Urchristentum der ersten drei Jahrhunderte gemeint, eine Haltung, die ein Querdenker nach zwei Jahrtausenden sich leisten kann oder muß, will er nicht mit den Übeln der Zeitgenossen infiziert werden. Sein Zeuge Henniger wiederum paßte insofern zu Bloch, als der Partei-Agent im religiösen Sinne zwar atheistisch war, die Partei jedoch als göttliche Instanz bewertete, an der zu zweifeln ein Sakrileg sei. Diese Überzeugung verschaffte den vielen Schuften ihr gutes Gewissen. Manche waren auch einfach naive Glaubensgenossen. Seien wir ihren armen Seelen gnädig.

Schach statt Mühle im Experiment

Der Schriftsteller Erich Köhler meinte noch am 26. 7. 1991 in einem Essay, Ernst Bloch habe mit seiner Philosophie den materialistischen Standpunkt verlassen. Er folgt hier der gebräuchlichen Argumentation, die von der SED bis hin zu Freunden des Zukunftsdenkers reicht, wenn auch in unterschiedlicher Weise. Werner Krauss und Walter Markov lehnten Blochs Naturphilosophie ebenfalls als spekulativ ab, und noch wenige Wochen vor Harichs Verhaftung kamen er und ich überein, daß diese Frage im Moment für uns keine wesentliche Rolle spiele. Mir schien der ganze Komplex zu wenig durchformuliert, weshalb ich auf Distanz blieb und mich auch nie als Schüler Blochs verstand. Allerdings sah ich es als dringlich an, die utopische Funktion und das Noch-Nicht rationaler zu fassen oder mit literarischen Mitteln zu paraphrasieren. Der Argwohn, Bloch verlasse den Materialismus, gleicht mir zu sehr dem der christlichen Dogmatiker im Kampf gegen Häresien.

Das wichtigste Gegenargument lautet: Der Sozialismus verendete keineswegs an Grenzüberschreitungen, sondern an der Herrschaft seiner einengenden Doktrin, von der die Menschen nichts mehr wissen wollten. Die Hoffnungs-Kategorien als Denkrahmen für neue Strukturen zu begreifen überfordert die Wiederkäuer-Ideologen. Sie denken, wenn überhaupt, nie über gesetzte Horizonte ins bisher Uneinsehbare und Unbekannte hinaus. Wer es dennoch wagt, wird repressiert. Als »spekulativ« wird dabei schon abgelehnt und verworfen, was sich der Banalität des Gewohnten per Sublimierung zu entziehen versucht. »Materialismus« dient als Kampfbegriff, mit dem das Ungewohnte abgewehrt werden muß. Wobei Materialismus und Idealismus ebenso einander ausschließen sollen wie Rationalismus und Irrationalismus. Der gleiche Kurzschluß zeigt sich in der naiven Unbedenklichkeit, mit der Politik als Wissenschaft ausgegeben wird, was einen Politiker im Schutz seines »Wissenschaftsstatus« als sakrosankt hinstellen kann. Widerspruch und Kritik lassen sich dann einfach als »unwissenschaftlich« zurückweisen. Geht aber die betriebene Politik bankrott, erklären Nachkommende die Handlungsweise der Vorgänger als »unwissenschaftlich«, wovon ihre eigene sich selbstverständlich radikal unterscheide. Wollten sie von diesen hybriden Definitionen abrücken und der Politik wie dem Wetter mit den Unsicherheiten der Chaos-Theorie begegnen, wären sie wahrhaftiger, freilich auch weniger autoritär, auf jeden Fall vorsichtiger und menschlicher.

Daran mußte ich denken, als ich im Frühjahr 2002 versehentlich in das schon erwähnte Ausschlußverfahren gegen Erich Köhler geriet. Einen kurzen Augenblick lang war ich verführt, meinen Protest gegen den Rauswurf mit der elf Jahre zurückliegenden Anti-Bloch-Stellungnahme Köhlers zu verbinden. Wäre das nicht eine intellektuelle Aufheiterung des unsäglichen Geschwätzes? dachte ich und unterließ es. Der auf Rausschmiß dringenden Mehrheit wäre die absurde Dialektik nicht zu vermitteln gewesen, wonach sie auf eine organisatorische Strafaktion verzichten sollte. Diese Stimmenmehrheit verbürgte den Sanktionsmechanismus, weil jeder wußte, es funktionierte reibungslos. Die Minderheit dachte anders und unterlag mit stoischer Disziplin, obwohl einige Mitglieder begriffen, welche Gelegenheit des intellektuellen Diskurses damit ungenutzt blieb. Vereine sind eben so, egal, ob sich fröhliche Kleingärtner oder unfrohe Kleinhirne treffen.

Von beiden unterschied Köhler sich durch seine Querköpfigkeit und dem rigiden Beharren darauf, die DDR als »sein Land« zu verteidigen und dessen Untergang zu bedauern. Ich müßte ihm, der Logik folgend, beipflichten, stünde »Blochs Land« nicht gegen »sein Land«, das so, wie seine Genossen und er es herrichteten, niemals mein Land sein konnte. War ich denn aber anders als dieser Köhler samt seinen PEN-Feinden, wenn ich Blochs beharrliche Hinweise, die Sklavensprache zu untersuchen, von mir gewiesen hatte wie eine Zumutung? Warum mißfiel mir Blochs Zurückhaltung in der Tübinger Zeit? In seiner Kritik an Sowjetunion und DDR klang Trauer an, und wenn er das Tragische seiner eigenen Person und Position geradezu barsch leugnete, so mögen Kleingeister empört reagieren.

Blochs revolutionäre Justierung hatte bereits 1906 stattgefunden. Von Lenin, Trotzki, Rosa Luxemburg bis hin zum letzten entfremdeten Personal der Rückzugslinie Gorbatschow – Honecker waren alle zeitlich nach ihm, dem »Denker der Revolution« hervorgetreten. Was soll der Vater die Töchter und Söhne zurechtweisen, wenn sie selbst wissen, wie sehr sie versagten. Für Bloch gab es nur die Front, die zwischen Genossen und Nihilisten verlief. Schlägt man das Riesenlexikon *Wer war wer in der DDR?* auf, ist in nahezu jedem ostdeutschen Ort die Geburtsstätte eines Genossen zu entdecken. Auf die sächsische Geographie eingegrenzt, gibt es kein Dorf ohne wenigstens einen guten, mit dem Sozialismus verbundenen Namen. Das aufrührerische Potential nahm seine Chancen wahr. Schulen, Universitäten, Ämter, Betriebe, Armeen füllten sich mit den Generationen nach Lessing, Richard Wagner, Nietzsche und Karl May. Und hatte nicht selbst Walter Ulbricht als tapferer Deserteur des Ersten Weltkrieges begonnen?

War das 1945 separierte östliche Gebiet nicht die Gestalt gewordene Alternative zum alten, kriegerischen Deutschland? Versammelten sich nach Kriegsende nicht hier die überlebenden namhaften Künstler und Schriftsteller? Und im Westen Hitlers Generäle Speidel, Heusinger, Gehlen wie im Bundeskriminalamt SS-Offiziere, SD-Liquidatoren, Judenmörder?

Das kleine östliche Deutschland führte keine Kriege. Seine Teilhabe am weltweiten Bürgerkrieg der Sowjets war aufgezwungen worden durch den Krieg Hitlers. Man stelle sich also bitte vor, das Politbüro hätte, wie von Bloch 1956 in Berlin vorgeschlagen, »Schach statt Mühle« gespielt. Eine Utopie? Aber gewiß doch. Was spricht dagegen? Moskau wäre einmarschiert wie in Budapest und zwölf Jahre später in Prag? Ist das eine Utopie oder bessere Realität? Das SED-Politbüro wäre explodiert – na und? Ungedachte Utopien weisen den falschen Weg. Das Ende kommt bestimmt und so schändlich wie die Heimkehr des Kriegers aus verlorener Schlacht.

Wolfgang Harich suchte die Russen für eine östliche Grenzrevision der DDR zu gewinnen, um das geographische Übergewicht der BRD zu mindern. Hatte die SED nicht ursprünglich diese Ostgrenze ebenfalls abgelehnt? Es siegte Stalins Machtpolitik. Wo bleibt die Ratio, wenn die Macht nur den allerfeindseligsten Emotionen gehorcht? Von hundert Möglichkeiten realisierte Moskau die schlechteste. Bloch, Philosoph der Revolution, bot das andere Denken an. Abgelehnt. Ausgetrieben. Beamte, die nun Funktionäre hießen wie Moskauer Minister am Anfang Volkskommissare, gehorchten brav den Befehlen, die von oben ergingen.

Oben saßen früher Zar und Kaiser, dann die Führer. Was kümmert es die Gehorsamen, wer sie diszipliniert? Da predigte einer etwas anderes? Hinweg mit ihm. Selbst der kluge Großbürgergenosse Jürgen Kuczynski lobte »Stalin als Historiker« sowie den *Kurzen Lehrgang* ... (1951) und verspottete im Banne des Großen Bruders die spekulativen Züge der Blochschen Philosophie. Kuczynski: »Der Sieger von 1918 war die deutsche Bourgeoisie ...« Gewiß doch, und das wiederholte sich 1945 in Westdeutschland und 1989/90 im verbliebenen Ostdeutschland, die SPD macht's möglich.

Die Kommunisten aber wollten alles und behielten nichts. Zu kurz gesprungen, Genossen. Hohenzollern, Weimarer Republik, Drittes Reich, DDR vergingen. Die Bonner Republik mutierte zum Berliner Deutschland, und das Kapital globalisiert. Je globaler, desto krisenhafter, kriegerischer, barbarischer. Wer es besiegen will, müßte noch kriegerischer und barbarischer sein. Wo bleibt dann der Sozialismus?

Schon beim Sieg der Sowjetunion über Nazideutschland war er im Eimer. Bloch bietet das andere an. Statt für einen Sozialismus der Menschen zu kämpfen, gehen Genossen ihren verderblichen Weg wie die Urchristen nach den ersten drei Jahrhunderten. »Wirkliches Überschreiten kennt und aktiviert die in der Geschichte angelegte dialektisch verlaufende Tendenz« (Vorwort zum ersten Band *Das Prinzip Hoffnung*). Ist das spekulative Naturphilosophie? Kann sein. Und wenn die Vernichtung der Menschheit zur Geschichtstendenz gehört? Dann gehen alle zum Teufel, doch einige im »Aufrechten Gang«, denn sie versuchten zu widerstehen. Und das »deutsche Volk«, diese Widmungsadresse am Reichstag zu Berlin? Es folgte 1914 brav in den Krieg, wollte ihn 1918 nicht als verloren ansehen und suchte 1939-1945 die kriegerische Revanche. Es wählte Adenauer, Erhard, Kiesinger, Kohl und zwischendrin Brandt, Schmidt, Schröder. Ulbricht und Honecker wurden nicht gewählt, doch mit den Füßen abgewählt. Zu den Vereinigungsfolgen zählen Finanz- und Wirtschafts-Krisen samt neuen Kriegen in fernen Ländern. Entweder wollte das Volk das alles nicht oder es ist für sein Wahlverhalten verantwortlich. Wenn dies jedoch nur die Intellektuellen so wollten, dann ist jener östliche Teil, von dem Werner Mittenzweis Buch handelt, keineswegs dafür haftbar zu machen. Sie wählten keinen der Meilensteine auf dem Weg zurück in die gestrigen Konfliktlagen der imperialen Krisen und Kriege, sondern wurden einvereinigt und sind wider Willen dabei, geht es in neue Schlachten. Was also bleibt zu tun, wenn aus »Nie wieder Krieg« »Doch wieder Krieg« geworden ist? Sind wir wieder bei Nietzsches ewiger Wiederholung des Gleichen? Findet sich ein Gegenmittel bei Bloch? Etwa in seiner Idee des Noch-Nicht?

Da ich mich nach 1957 nur sporadisch mit Philosophie befaßte, gelang es mir nie, Blochs originäre Entdeckung des Noch-Nicht hinreichend zu erfassen. Im Versuch, die Scharte auszuwetzen, nehme ich mir die Freiheit des Rückgriffs auf zwei ausgezeichnete Biographien – zum ersten *Ernst Bloch* von Silvia Markun, 1977 als Band 258 der Reihe Rowohlt-Monographie erschienen, und zum zweiten *Der Hintern des Teufels* von Peter Zudeick, *Elster Verlag* 1985. Silvia Markun führt zwei entscheidende originale Zitate des Philosophen an und schreibt über den jungen Bloch: »Damals war der Student schon von dem Kerngedanken seines späteren Lebenswerkes blitzartig getroffen. Zweiundzwanzigjährig machte er, wie in einer Erleuchtung, ›die Entdeckung des Noch-Nicht-Bewußten, die Verwandschaft seiner Inhalte mit dem ebenso Latenten in der Welt‹ und schreibt nieder: ›Besonders in der schöpferischen Arbeit wird eine eindrucksvolle Grenze überschritten, die ich als die Übergangsstelle zum noch nicht Bewußten bezeichne. Mühe, Dunkel, krachendes Eis, Meeresstille und glückliche Fahrt liegen um diese Stelle. An ihr hebt sich, bei gelingendem Durchbruch, das Land, wo noch niemand war, ja das selber noch niemals war. Das den Menschen braucht, Wanderer, Kompaß, Tiefe im Land zugleich.‹ Das ist die Geburtsstunde des Systems, das sich von nun an, in siebzig Jahren Schritt um Schritt, Ring an Ring sich fügend, entfalten wird.« Auf Seite 26 führt Markun aus: »Mit polemischer Unterscheidung zur Freudschen Psychoanalyse heißt es hier: ›Was niemals bewußt war, kann auch nicht unbewußt werden ... Auf neu gesetzte Anfänge kommt es an, statt archaischer, auf ein Noch-Nicht-Bewußtes und seine Inhalte über den Höhen des vorhandenen Bewußtseins, statt eines nur nicht mehr Bewußten im psychisch-archaischen Keller.‹ Das Programm einer Philosophie des antizipatorischen Bewußtseins ist aufgestellt.«

Eine noch umfänglichere Darlegung findet sich in Zudeicks Buch auf Seite 37: »Die Psychoanalyse – vor allem bei Sigmund Freud – hatte auch von Nicht-Bewußtem gesprochen. Bei diesem Unbewußten handelt es sich aber um Tatbestände, die aus dem Bewußtsein verlorengegangen oder herausgedrückt worden sind und die nur noch im Traum oder in krankhaften Handlungen erscheinen. Solche unbewußt gewordenen Tatbestände müssen nun, so Freud und seine Schule, durch die Methoden der Psychoanalyse wieder heraufgeholt, vergegenwärtigt werden. Dieses Freudsche Unbewußte nennt Bloch das ›Nicht-Mehr-Bewußte‹ und setzt ihm das ›Noch-Nicht-Bewußte‹ an die Seite – nicht als Gegenbegriff, sondern als Ergänzung. Der Bereich des Unbewußten, argumentiert Bloch, ist durch das ›Nicht-Mehr-Bewußte‹ nicht hinreichend definiert, es gibt auch Bewußtseinszustände, die nicht etwa vergangen und verloren, sondern erst noch im Kommen sind, es gibt Dinge, Zustände, Entwicklungen, die uns erst noch dämmern, von denen wir gerade so eine Ahnung haben. Das liegt zum einen daran, daß wir bestimmte Entwicklungen noch nicht richtig erfaßt haben, uns dämmert erst noch das Bewußtsein davon, andererseits aber auch daran, daß die Dinge, Zustände, Entwicklungen selbst noch ›dämmern‹, erst im Entstehen begriffen, noch ungeworden sind. Derart entspricht dem ›Noch-Nicht-Bewußten‹ als Bewußtseinszustand des Menschen ein ›Noch-Nicht-Gewordenes‹ in der Objektwelt. ›Es ging mir um das, was vor uns dämmert, um das, was erscheint in der Jugend, in Wendezeiten wie Renaissance, Sturm und Drang, in der Französischen Revolution, in der Frühromantik und in dem Pathos des Neuen, dem eigentümlichen Pathos des Kreativen im Menschen selber‹. An anderer Stelle zitiert Bloch aus einem damaligen Manuskript: ›Besonders in der schöpferischen Arbeit wird eine eindrucksvolle Grenze überschritten, die ich als die Übergangsstelle zum noch nicht Bewußten bezeichne.‹«

Hier findet eine Werte-Umwertung statt, die Nietzsches Rückwendungen eine Vorwärtsstrategie entgegensetzt.

Blochs »Noch-Nicht« enthält als Grundmuster den Bezug auf Saulus, der den neuen Glauben verfolgt und zur Korrektur seiner Feindschaft aufgerufen wird. Wer sich weigert, bleibt der alte Verfolger. Wer sich ändert, erblickt eine neue Welt und führt ein neues Leben. Biblisch betrachtet ist diese Erkenntnis nur durch Gottes Eingriff möglich. Wird Gott aber negiert, ist das handelnde Subjekt für seine Entscheidung selbst verantwortlich. Dies ist der Punkt, an dem der schöne Satz Wittgensteins, »Wovon man nicht sprechen kann, darüber muß man schweigen« unstimmig wird. Es geht ja eben um das noch nicht Seiende, das noch nicht Erkannte und Verbalisierte, eben jenes, das identifiziert, begriffen und ausgesprochen werden müßte. Als Beispiel dienen die »petites perceptions« von Leibniz, nach dessen Theorie winzige Partikel und Empfindungen so geringfügige Wirkungen erzielen, daß sie unter der Wahrnehmungsschwelle bleiben, aber dennoch Einflüsse ausüben, nach Benennung streben, ja sie erfordern. Heißt es bei Wittgenstein: »Alle Philosophie ist ›Sprachkritik‹«, dementiert Bloch diesen totalen Anspruch, denn seine Philosophie ist hier Sprachwerdung als Vorgriff auf Menschwerdung. Hingegen stimmte Bloch zu, wenn Wittgenstein befindet: »Die Philosophie ist keine Lehre, sondern eine Tätigkeit.« Blochs Leben ist Tätigkeit an vorderster Front, wo das Abwehrfeuer beider Seiten einschlägt.

Helmut Seidel, Nachfolger des Philosophen auf dem Leipziger Lehrstuhl, sieht die Differenz zwischen Bloch und den Orthodoxen folgerichtig in der Haltung zur Utopie: »Das ›Noch-Nicht-Bewußte‹ und sein objektives Pendant, das ›Noch-Nicht-Seiende‹ enthält im geschichtlichen Prozeß latent und tendenziell Künftiges. Deshalb liebte Bloch Leibnizens Spruch, wonach die Gegenwart mit der Zukunft schwanger geht.

Eben der Rekurs auf den Prozeß führt zu einem Utopie-Begriff, der so in der Geschichte noch nicht gedacht wurde. Die alten Utopien stellten unvermittelt ihre Wunschbilder der Wirklichkeit entgegen. Sein und Sollen standen hier in einem antinomischen Verhältnis. In der Nachfolge von Hegel und Marx löst Bloch diesen abstrakten Gegensatz dergestalt auf, daß er die im Prozeß angelegten und neu entstehenden Möglichkeiten bedenkt und zur Grundlage seines Utopie-Begriffes macht. Die alten Utopien, die im Gegensatz von Sein und Sollen verharren, nennt er abstrakte, seine eigene dagegen ›konkrete Utopie‹. Diese schießt nicht ins Blaue hinein, obwohl das Blaue die Fernfarbe der Hoffnung bleibt« (*Leipzigs Neue*, 26. 7. 02). Seidel anschließend und selbstkritisch: »Meine damalige negative Auffassung von Utopie muß allerdings der Korrektur unterzogen werden.«

In *Neues Deutschland* vom 3./4. 8. 02 äußert sich Blochs Lehrstuhl-Nachfolger ähnlich berichtigungswillig. Diese Aufarbeitung vergangener Fehler ist nötig. Als schwerer wiegend empfand ich allerdings die parteiobrigkeitstreue Haltung der damaligen Bloch-Feinde. Aus sturem Glauben an die SED-Dogmen die Vertreibung Blochs von der Universität bejaht und betrieben zu haben ist für jeden einzelnen Beteiligten ein unauslöschbarer Makel. Die inhaltliche Differenz hingegen, wäre sie im Streit ohne administrative Strafdrohung und anschließende Strafmaßnahme geblieben, mag weiterhin bedeutsam sein. Schließlich war Blochs Philosophie, als sie sich 1956 auf dem Wege der Verwirklichung befand, eine fundamentale, ergo revolutionäre Aufforderung zur politisch-reformatorischen Veränderung. Welcher Staats- bzw. Parteiapparat läßt das schon ohne Abwehr geschehen. Die philosophische Schwäche des orthodoxen Marxismus, im Nachhinein leicht zu diagnostizieren, war 1956 keineswegs für jeden deutlich sichtbar, der Historische und Dialektische Materialismus galt weltweit als siegreiche Philosophie.

Wer *Ernst Blochs Revision des Marxismus*, diese Leipziger Streitschrift gegen den Häretiker von 1957, liest und etwa Jürgen Tellers fulminante Rede zur Verteidigung Blochs dagegen hält, sieht sich mit zwei voneinander rigoros geschiedenen Welten konfrontiert. Die intellektuelle Brillanz der Teller-Rede speist sich aus seiner Befreiung von den Dogmen, die disziplinöse Engführung der auf Parteilinie verharrenden Bloch-Gegner läßt deren Sieg desto blamabler erscheinen. Dennoch ist schiere Verachtung nicht angebracht. Rugard Otto Gropp, der federführende Hauptfeind Blochs, steht vor der Kulturgeschichte gewiß als philosophisches Leichtgewicht da. Für ihn spricht seine Biographie: KPD ab 1929, 1941 Verhaftung wegen Verdachts auf Hochverrat, Gefängnis, KZ Sachsenhausen, 1944 Strafbataillon Dirlewanger, Desertion zur Roten Armee. So steht ein achtbares Leben gegen seine Aktivitäten an der Universität, ausgeübt im subjektiv guten Glauben, in den Wirkungen fatal und verheerend.

Jürgen Teller wiederum war ein erstaunlich romantischer, in aller Naivität gutgläubiger junger Nazi gewesen, der noch übers Kriegsende hinaus vergangenen Idealen nachtrauerte und erst, unter Blochs Einfluß geratend, sein Damaskus-Erlebnis verbuchen konnte. Derart gegenläufige Entwicklungen mit individueller Tragik komplizierten die Konflikte, sie einfach zu vergessen, führt zu ungerechten Urteilen. Schuldig ist nicht, wer guten Glaubens das Falsche vertritt, was aus vielerlei Gründen geschehen kann. Schuldig wird, wer etwas erkennt und sich verweigert. Das eben umreißt die Situation der DDR-Intellektuellen anno 1956, und es ist an jedem einzelnen, für sich selbst herauszufinden, wie er damit zurechtkommt. Analog die Lage deutscher Intellektueller zur Jahrtausendwende, wenn die Entscheidung für oder gegen einen Krieg ansteht.

In ihrer Autobiographie *Aus meinem Leben* (1981) berichtet Karola Bloch auf Seite 230: »Damals, 1959 in Frankfurt, fragte man uns, ob wir nicht in den Westen ziehen wollten. Aber Ernst war in diesem Punkt eisern: Er glaubte, daß sein Platz in der DDR sei, weil er nur von dort aus Einfluß auf die Entwicklung eines Sozialismus haben könne, wie wir ihn uns vorstellten. Er war der Meinung, daß der Weg dorthin zwar schwierig, aber nicht unmöglich sei. Walter Boehlich, damals Lektor bei *Suhrkamp*, unterstützte ihn in dieser Ansicht.«

1957 hatte ich Ernst und Karola noch einmal in Leipzig aufgesucht. Der Philosoph warnte mich damals vor der Verführung zum »Renegatentum«. Nicht zuletzt deshalb baute ich in mein Buch *Ärgernisse. Von der Maas bis an die Memel* (Köln 1961) Sicherungen ein: »Man muß einen neuen, jüngeren Exkommunismus zimmern. Nicht den der Salter, nicht den der Koestler, nicht den der Silone, ihrer Lehren aber eingedenk, ihrer Dogmen ungeachtet. Sie sind Männer des Westens, wie sie vorher Männer des Ostens waren. Sie wechselten die Ideologie, blieben aber in ihr. Alte Generation. Der junge Exkommunismus umfaßt Ost und West. Insofern ist er kein Exkommunismus, kein Antikommunismus, kein Kommunismus, keine Ideologie. Er stützt sich auf die Unzufriedenheit in Ost und West über Ost und West« (Seite 32). Für diese meine Differenzierung fand ich 1966 in München bei einem Gespräch mit Arthur Koestler, dem klassischen Renegaten, volles Verständnis, was Bloch wiederum, als ich ihm in Tübingen davon berichtete, außerordentlich erstaunte. Ihm war ich in den *Ärgernissen* bereits zu weit gegangen. Für ihn galt das Prinzip bruchloser Bewahrung. Man mußte die Revolution retten, deren Zustand im Osten wir allerdings beide völlig illusionslos bewerteten. Der Philosoph hielt an seinen eigenen Revolutionsideen fest, was ich zu seinen Lebzeiten nicht so deutlich erkannte, weil es mir an Sinn fürs Metaphysische fehlte, das ich mir bei Bloch als »materialistischen Glauben« übersetzte.

Dies ist eine Dimension, die sich mir spät erschloß, und damit erst begann ich zu begreifen, weshalb Ratzinger wegen Bloch entsetzt aus Tübingen geflüchtet war. Der Kleriker entwickelte eine Feindschaft gegen den Denker, die der Ulbrichts und Fröhlichs damals in der DDR vergleichbar war. Dogmatiker aller Kirchen und Parteien vereint der Haß auf den Revolutionär. 1974 wechselte ich die Stoßrichtung der Argumentation und beschuldigte das Politbüro des Renegatentums, was Bloch sehr gefiel, denn es entsprach seinem »Front-Gedanken«.

Tatsächlich exemplifizierte das Ende der Sowjetunion, in welchem Maße Marxens Revolutionstheorie überholt ist. Das Proletariat taugte nicht länger zum revolutionären Subjekt. Sagt man statt Proletariat »abhängig Produzierende«, bleibt dieser Begriff zu nebulös. Das nötige Klassenbewußtsein zu entwickeln scheitert an sozialen Differenzen und geographischen Entfernungen. Ein möglicher Ausweg deutet sich an, tritt an die Stelle der Idealvorstellung des klassenbewußten Proletariers der universalbewußte Intellektuelle, der allerdings keinesfalls in Parallele von Marxens Schreckbild des »Lumpenproletariers« zum »Lumpenintellektuellen« entarten dürfte, welche Hoffnung zu hegen wenig Anlaß besteht, wie ein Blick auf den Zeitgeist erweist. Was also ist zu tun?

So zu leben versuchen, daß man nicht im Sog der anderen außer sich gerät. Mit Bloch als Archetyp und Phänotyp ist es vorgelebt worden. Ein Abenteuer gewiß. Warum aber in Langeweile dahindämmern?

Herbert Marcuse schlug vor, das von Marx stammende ökonomische Klassenbewußtsein als ein mentales Bewußtsein aller abhängig Beschäftigten zu begreifen. Die Realisierungs-Schwierigkeiten sind bekannt. Das Proletariat sollte über die Diktatur die Klassengesellschaft und sich selbst als Klasse abschaffen. Wie könnte eine mentale Solidarität dieses Fernziel ersetzen?

Der Darmstädter Soziologe Helmut Dahmer bietet in seiner kleinen, aber normativen Schrift *Soziologie nach einem barbarischen Jahrhundert* Material an, das sich zu einem »inneren«, also psychologisch-mentalen Klassenbegriff nutzen ließe. Aufklärung über die eigene Interessenlage wäre aber Voraussetzung für deren Wahrnehmung, soll nicht Orwellsche Hierarchie mit massenhaftem Ducken unter die Großen Brüder um sich greifen. Eine erstaunlich intelligente und riskante Expedition unternahm Hans A. Nikel 1983 mit seiner Dissertation *Annäherung an das ganz Andere – Analogien zwischen Ergebnissen naturwissenschaftlicher Forschung und Erkenntnissen der Mystik*, in der er sich scharfsinnig und kenntnisreich zwischen Marx und Meister Eckart, Einstein und Bahro, Bloch und Wittgenstein bewegte und ganz neue Aspekte erschloß.

Werner Mittenzweis Buch *Die Intellektuellen* endlich betrifft die Hinterlassenschaft der DDR und beschreibt einige kritisch reflektierende Gruppierungen, wobei seine bewertende Sympathie den »wahren Marxisten« gilt, die erstmals als relativ eigenständige und widerständige Erben des aufgehörten Kleinstaates DDR erscheinen, mit denen die bürgerlichen Sieger weder rechneten noch mit Anstand zurechtkommen können. Das alles mögen Restbestände des Untergangs sein, aus denen vielleicht Ansätze eines neuen Aufbruchs entstehen.

Eine Erläuterung zu Helmut Seidel ist unumgänglich, dem Nachfolger Blochs auf dem Leipziger Lehrstuhl für Geschichte der Philosophie. Die bei ihm studierten, stellen ihm das beste Zeugnis aus, er geriet später auch in den Verdacht der Abweichung. Ich lernte Seidel 1956 im *Aufbau-Verlag* bei Wolfgang Harich kennen, der ihn mir vorstellte. Da ich hier zuvor von der »parteiobrigkeitstreuen Haltung der damaligen Bloch-Feinde« und von einem unauslöschbaren Makel sprach, muß ich anfügen, daß Helmut Seidels Name mit unter dem »Offenen Brief der Parteileitung des Instituts für Philosophie« vom 18.1. 1957 an den Institutsdirektor Bloch steht.

Das von Ulbricht und der Bezirksparteileitung soufflierte, auch korrigierte Schreiben ist das Musterexemplar parteitreuer intellektueller Schande. Es geht dabei nicht nur um unterschiedliche Utopie-Auffassungen, derenthalben der erste der neun Unterzeichner ja den Selbstmord wählen zu müssen glaubte. Es steht mehr auf dem Spiel. Ich halte wenig von den im Schwange befindlichen Entschuldigungen einer Seite, durch die meist nur die andere Seite exkulpiert wird. Allerdings rangiert der Offene Brief insofern »unauslöschlich« in der Kulturgeschichte, als er die Selbstaufgabe von Philosophen, ihre bedingungslose Unterordnung unter Parteibefehl protokolliert. Hier mangelt es an Einsicht bei den damaligen Unterzeichnern.

Klar dagegen ist die Auskunft Erich Köhlers, der alles, was er schrieb und tat, mit der Verteidigung seines Landes DDR begründet. Das kann man akzeptieren oder auch nicht, der Mann vertritt seinen Standpunkt, weshalb ich ihn gegen die Ausschließer im PEN in Schutz zu nehmen versuchte. Der Offene Brief gegen Bloch blieb bisher unrevidiert, ist aber nicht vergeßbar.

In Leipzig hatte damals vor allem Erich Loest mit sieben Jahren Haft in Bautzen die Zeche dafür zu zahlen, daß Bloch sich direkt mit Ulbricht (und Johannes R. Becher) anlegte, statt kühl bei der Analyse zu bleiben. So öffnete er seinen Feinden den Weg, die Konflikte als subjektiv einzuordnen und jede objektive Diskussion abzuwürgen.

Erich Loest hatten sie schon seit dem 17. Juni 1953 im Visier, jetzt unterstellten sie ihm wegen seiner Verbindung zu mir auch die zu Bloch, obwohl beide sich gar nicht kannten. Loests Trauma der Isolation und der Härte seiner Verfolgung und Haft machen einsichtig, weshalb er seither Freunde von links nicht besonders lieben mag. Für ihn erwies sich das Bloch-Land zu schmerzhaft als Gegen-Bloch-Land.

Nachdem ich eine Fülle erreichbarer Textstellen des Philosophen und seiner Exegeten über das Noch-Nicht und das »Dunkel des gelebten Augenblicks« gelesen und, ausgehend von meiner eigenen Unzulänglichkeit, kreuz und quer bedacht habe, frage ich mich, weshalb ich aus meiner Lebenserfahrung weniger von der Dunkelheit als von der Helligkeit des gelebten Augenblicks sprechen muß. Als erstes fällt mir der nicht sehr klare Morgen an der Front bei Monte Cassino ein, als ich, die Chancen einer Fahnenflucht wägend, urplötzlich einen Feind erblickte, der meinem drei Schritt von mir entfernt stehenden Begleiter das Bajonett in den Hals stieß. Ohne das Gehirn zu belästigen, rissen meine

Hände den Karabiner hoch, die Kugel, eindringend in die Stirn des Feindes, war von sich ausbreitender Helligkeit umgeben als wäre der Lichtstrahl eines Scheinwerfers darauf gerichtet. Selbst in der Erinnerung, die mich nicht so bald verließ, sah ich weder Blut noch Einschuß noch Kopf, sondern nur diesen hellgelben, sich vergrößernden Lichtfleck. Wenn ich mir später das Bild ins Gedächtnis zurückrief, war da als erstes der Eindruck von Klarheit.

In einem Vortrag »Festkrallen in der eigenen Landschaft«, gehalten 1992 in Angermünde, schilderte ich folgende Szene: »Im Alter von zwei Jahren nahm mich meine Mutter an die Hand, und wir gingen ums Haus. Im Vorgarten des Nachbarn umringten Frauen einen an die Sonne geschobenen Kinderwagen mit einem Neugeborenen. Als meine Mutter sich über das Baby beugte, verlor ich ihre Hand. Ein unbeschreiblicher Schmerz. Allein, verlassen stand ich in der Welt, die Ahnung durchzuckte mich, daß es nie mehr anders werden würde. Eine Nachbarsfrau beugte sich über mich. Was ist? Was hast du? Sie lachte hell auf. Hast Angst? Du hast Angst, ja? Deine Mutter kann sich nicht mehr um dich kümmern, sie hat jetzt ein anderes kleines Kind. Siehst du? Ich sah die Gestalt meiner Mama, vom kalten Licht umflossen, gebeugt über den Kinderwagen. Die Szene schrieb sich in mein Herz ein. Jedesmal in meinem Leben, wenn ein Verlust drohte, spürte ich den Schmerz an der gleichen Stelle. Bis es gelang, mir die dummen Worte der Nachbarin ins Gedächtnis zu rufen. Sie sprach genau aus, was ich fühlte. Lieh mir Sprache, die ich selbst noch nicht besaß. So erinnere ich mich als Erwachsener an meinen ersten frühen Eifersuchtsschmerz« (*Das Großelternkind*, Ausgabe *Dingsda Verlag* 1996).

Die Worte »... vom kalten Licht umflossen« entsprechen exakt meinem frühen Eindruck. In Situationen der Gefahr, bei konzentrierter Aufmerksamkeit oder Verwunderung ist mir oft, als werde ein Schleier fortgezogen, alles wird deutlicher kenntlich, und ich fühle mich energischer und entschlossener als vordem. Wie könnte ich also Blochs »Dunkel des gelebten Augenblicks« begreifen, da meine Erfahrungen so ganz anders sind. Erst wenn ich vom subjektiven Zustand in kollektive Verhaltensweisen übergehe, per Belehrung und Abstraktion also, ermesse ich, was vielleicht gemeint sein könnte. Nehmen wir nur unsere Deutschen.

1914 zogen sie begeistert und verblendet in den Krieg. Wollten 1918 nicht besiegt sein, versuchten es 1939-45 erneut und rüsteten ein knappes Jahrzehnt später wiederum auf. Das sind ganze Ketten von Dunkelheiten. Zwar leisteten einige wenige jedesmal Widerstand, die Mehrheit aber handelte offensichtlich aus dem »Dunkel des gelebten Augenblicks« heraus. Blind und taub für die Folgen. Wobei die Kollektive, das Volk jeweils »außer sich« sind, wie wir es auch von heutigen Wahlkämpfen her gut genug kennen, wenn Interessen-Gruppen für sich und gegen andere agitieren, um Volksmehrheiten zu gewinnen. Der Einzelne kann, wenn er will und die Lage intellektuell erfaßt, seinen Weg ichbestimmt in voller Klarheit gehen, die Kollektive besitzen diese Fähigkeit nicht. In Blochs Kategorien: formal-möglich ja, objektiv-real nicht. Auf die Masse bezogen, scheint das Dunkle im jeweils Handelnden wegen der aufgepeitschten Emotionen und Affekte vorzuherrschen.

Was aber ist mit den geistigen Einpeitschern, den Politikern und Wissenschaftlern, die mitspielen, obwohl sie es besser wissen müßten, was ist mit den Kommentatoren und Moderatoren, die in den Medien den jeweiligen hauseigenen oder parteilich-staatlich-religiösen Mainstream bedienen? Mag sein, in dieser Weise von den Massen und ihren Antrieben zu sprechen führt in Gebiete, für die der Blochsche Dunkelheitsbegriff zu subtil ist. Doch im Individualfall sehe ich mich nicht weniger ratlos, was vielleicht von der relativen Beliebigkeit solcher Kategorien herrührt. Auch Nietzsches »Ewige Wiederkehr des Gleichen« enthält die ewig gleichen Fatalitäten mangelnder Präzision. Dennoch besitzt Blochs rätselvolle Formel ihre Meriten. Auch wenn ich bereit bin, meine eigene Helligkeitswahrnehmung soweit zu relativieren, daß daraus eine bloß seelische Begleiterscheinung bei ausgeprägter Bedrohung oder der Erinnerung daran wird, sind derlei Vorgänge doch nicht so selten wie es den Anschein hat. Versuchen wir der Antwort also auf andere Weise näherzukommen. Zum 25. Todestag Blochs am 4. 8. 2002 berichtete Peter Stephan Jungk in der *Süddeutschen Zeitung* (3. 8. 2002), wie er am 19. 8. 1972 als Neunzehnjähriger in der Tiroler Berggemeinde Alpach mit dem damals siebenundachtzigjährigen Philosophen ins Gespräch gekommen war. Der Student gab sich als Novalis-Fan zu erkennen, Bloch begann sofort, angeregt die Romantiker zu interpretieren, deren Pessimismus gegenüber die modernen Ionesco, Beckett und Thomas Bernhard harmlos seien. »Dabei«, so der Philosoph, »gibt es doch in jeder Periode Anlaß für die abgrundtiefsten Verzweiflungsanfälle ... Aber kaum ein Mensch außer mir selbst kennt die unaussprechliche Angst und die unerträgliche Depression. Diesen entsetzensvollen Schock des Hierseinmüssens ...«

Dieser Satz aus dem Munde des Hoffnungsphilosophen klingt seltsam und befremdend. Ist es aber nicht. Begonnen hatte die Verzweiflungs-Arie der depressionsgeplagte Peter Stephan, dessen Vater Robert Jungk und Bloch einander kannten und schätzten, was den Zukunftsdenker nicht hinderte, den Zukunftsforscher und Bestsellerautor gelegentlich ein wenig zu ironisieren. War nun Blochs Eingeständnis seiner existentiellen Verzweiflung in frühen Jahren authentisch oder Pose? Für ihn gehörte es zum pädagogischen Eros, auf jugendliche Wißbegier und gar Hilferufe einzugehen.

Zudem zählten Novalis, Schlegel, Brentano, E.T.A. Hoffmann zu seinen Lieblingsdichtern. Womit wir wieder bei den »unerträglichen Augenblicken« sind, dem existentiellen Lebens- und Todesgefühl der intellektuellen schwarzen Garde, deren Kultur und Literatur Blochs Lehre leidenschaftlich einbeschloß. Zwar gab diese Romantik einen Gegenpol ab, doch an deren hohem Niveau mangelte es bei modernen Pessimisten. Ganz zu schweigen von den Neo-Nihilisten, dieser heruntergekommenen Bande von Glaubens- und Haltlosen, die jeder Verführung zum Opportunismus anheimfallen und den Nährboden für Faschismus und Nazismus bilden, weil sie dem nichts entgegenzusetzen haben. Blochs Philosophie bot als Therapie den »Wärmestrom« auf, während die Nihilisten nur im irdischen Elendstal herumjammerten. Bestenfalls brachten sie sich um oder reihten sich bei den braunen und schwarzen Marschkolonnen ein. Bloch jedoch baute auf seinen »gläubigen und wissenden Materialismus«, auch um den eigenen Anfechtungen standzuhalten. Sein Optimismus war operativer Widerstand. Wozu er eine unverstellte Aussicht brauchte. Das Fenster mußte aufgestoßen werden für den Blick ins Freie – nur so konnte das Noch-Nicht-Wissen zum Wissen werden.

Selbstverständlich bewegen wir uns bei all diesen Fragen auf kodiertem Gebiet. Gefunden werden muß ein Kompaß für den »Aufrechten Gang« durch die Wüste furchterregender Bilder und Begriffe. Deuten wir jetzt die luziferische Alpacher Begegnung, wird ein Schuh draus. Vielleicht der des Empedokles, den der Ätna ausspie, nachdem er den Mann im Krater verschluckt hatte. Der Schuh als Symbol der schlechten Nachricht vom Tode, die in eine gute Botschaft umgewandelt werden muß. Der griechische Weise litt am Dunkel seines vorletzten gelebten Augenblicks. Der letzte erhellte und verbrannte ihn.

Wenn das keine schöne Parabel vom Leben und Sterben der Philosophen ist ...

Blochs weitgespanntes Denken lehrt den Umgang mit Ungeheuern. Notabene, noch immer befinden wir uns auf kodierten Gebieten, wo Wissen und Können, Reflexion und Kunst ineinander übergehen und das Versagen des Begriffs in Bildern mündet wie umgekehrt auch.

Eine Lieblingsfabel Blochs, die er in vielerlei Varianten erzählte, handelt von einem Drachen: Eine Expeditionsgruppe wißbegieriger Akademiker wird auf einer Insel von einem fürchterlichen Monster angegriffen, das mehrere Männer umbringt. Die Überlebenden enthaupten den Drachen und setzen ihm den Kopf eines ihrer getöteten Gefährten auf. Das kopfgewendete Ungeheuer benimmt sich augenblicklich manierlich und dankt den Forschern für die Wohltat. Gemeinsam feiern sie.

In der Nacht werden die Männer von furchtbarem Stöhnen aus dem Schlaf gerissen. »Fliehet!« ruft der Drache aus seinem neumenschlichen Haupt, »fliehet, ich kann nicht mehr an mich halten, die alten bösen Säfte strömen wieder in mich ein und gewinnen die Übermacht!« Hastig entfernt sich die enttäuschte Forschergruppe, grauenvoll erdröhnen hinter ihr die Flüche und Morddrohungen aus dem Monster mit dem aufgesetzten Menschenkopf.

Das ist eine Variante der Fabel, wie sie Bloch zum besten zu geben beliebte. Vielleicht würde er sie heute abwandeln: Wir lassen die Expedition nochmal auf die fremde Insel starten. Das Monster greift an, bringt einen Mann um. Die Überlebenden enthaupten den Drachen und setzen ihm den guten Kopf ihres getöteten Gefährten auf. Das kopferneuerte Ungeheuer benimmt sich manierlich und dankt den Forschern für die Wohltat. Die Nacht verbringen sie gemeinsam im friedlichen Schlafe. Am Morgen nehmen sie am Strand das Frühstück ein. »Wie geht's?« fragen die Männer das Geschöpf mit dem Menschenkopf über dem schrecklichen Wanst.

»Möglicherweise gut«, antwortet das transplantierte Wesen, »es kommt wohl zuvörderst auf den Fortgang der richtigen Behandlung an.«

Vielleicht aber würde eine dritte Version daraus: Kein Angehöriger der berühmten Akademiker-Expedition kehrt wieder heim. Die Forscher töten den Drachen, braten und verspeisen ihn. Dann gründen sie auf der Insel eine neue Hochkultur, wie ihr Gott es ihnen befohlen hat. Und so erobern sie die Welt.

Von den Fabeln zurück in die Zeitgeschichte ist es nur ein paar Worte weit. Zum Authentischen gehören Differenzen in Leipzig, die nach Jahrzehnten erneut zutage treten. Aus geheimen oder auch nur internen Akten zu zitieren ist unfair, denn es verschafft dem, der zitiert, einen Vorteil und setzt den, der zitiert wird, möglicherweise bei unüberprüfbarer Sachlage ins Unrecht. Anders im vorliegenden Fall. 2001 erschien bei *Suhrkamp Hoffnung und Gefahr – Essays Aufsätze Briefe 1954-1999* von Jürgen Teller, herausgegeben von Hubert Witt.

Im Kapitel »Aus dem Briefwechsel Teller – Bloch« findet sich im Brief Tellers vom »Herbst 1961« an Bloch auf Seite 31/32 eine Passage über eine »Aussprache« am Leipziger Philosophischen Institut:

»Seidel und zwei andere Parteileute legten mir folgende – von mir erwartete – Fragen vor: 1. ob ich mich von dem Schritt meines Lehrers ›auf das entschiedenste‹ distanzierte. Antwort: Ja. 2. ob ich bereit sei, wenn man mir die entsprechenden Unterlagen vorlegte, diverse Artikel von Zehm und Zwerenz im Rahmen einer ›Hetzkampagne‹ gegen die Intelligenz der DDR öffentlich zu beantworten, zumal sie sich auf hiesige oppositionelle Strömungen z.T. namentlich berufen. Antwort: Ja (und ich muß sagen, fast ohne Hemmungen, wenn es so sein sollte – ich habe keine Lust, deren publicity meine Freiheit zu opfern). 3. ob ich zu einem Gespräch mit Angehörigen des Instituts über den ›politischen Charakter der B.schen Philosophie‹ bereit sei. Politik und Theorie bildeten doch eine untrennbare Einheit etc. pp. Höflich-bekümmerte Antwort: Aber natürlich, nur nicht im Moment, da ich vorerst psychisch und physisch dazu außerstande sei. Vielleicht in 3-4 Monaten. Na schön.«

Ich erhielt vom Inhalt des Briefes 1965 in Tübingen Kenntnis und buchte ihn aus Mitgefühl für Tellers verzweifelte Lage kommentarlos ab. Da der Fall nun an die Öffentlichkeit geriet, darf ich ihn kommentieren. In einem internen Bericht der Bezirksleitung steht zu lesen:

»Am 18. 10. 61 berichtet Gen. Dürr an Gen. Wetzel (Bezirksleitung) über eine Aussprache der Genossen Seidel und Ludwig mit J. Teller. Als Ergebnis der Aussprache wird festgehalten:

T. distanziert sich völlig von Bloch und seinen Schülern.

Er ist bereit, öffentlich Stellung zu nehmen.

Er ist bereit, seine philosophische Position neu zu überdenken.

Erwidert auf das Angebot, man wolle ihm bei der Überwindung seines bisherigen Standpunkts helfen, daß er augenblicklich psychisch fertig und arbeitsmäßig überlastet sei. Diskussion jetzt nicht möglich. Wartezeit.«

Nur widerwillig befasse ich mich nach so langer Zeit mit all diesen Details. Ingrid weist darauf hin, daß zwischen dem Protokoll der Bezirksleitung und Tellers Brief an Bloch eine erhebliche Differenz besteht.

»Was Jürgen an Ernst schreibt«, sagt sie, »ist eine weichgespülte Fassung.« In der Tat, Teller räumt ein, sich von dem Schritt seines Lehrers, also dem Entschluß, im Westen zu bleiben, »auf das entschiedenste zu distanzieren«. Im Protokoll dagegen ist zu lesen: »T. distanziert sich völlig von Bloch und seinen Schülern.« Hier bewegen wir uns auf gefährlichem Gebiet. Den unter ungeheurem Druck stehenden Jürgen Teller für diesen Satz zu kritisieren, beweist lediglich Gratismut und Pharisäertum. Von der BRD aus Standfestigkeit gegenüber den Parteimachthabern in der DDR zu fordern wäre so billig wie überheblich. In der abgemilderten Variante jedoch, die Teller 1961 aus Leipzig nach Tübingen berichtete, blieb er weiter »der getreue Major Tellheim«, als den der Philosoph seinen Schüler gern bezeichnete. Das Protokoll der Peinlichkeit wurde erst nach der Wende bekannt. Anders als die Stellungnahme von Hans Pfeiffer, der sich bereits am 10. 6. 1958 laut einem Bericht der *Berliner*

Zeitung zu einer radikalen Abtrennung von seinem Lehrer gezwungen sah und erklärte, er habe »eine zu Stagnation und literarischer Unfruchtbarkeit führende Krise unter dem Eindruck der Blochschen Philosophie ... durchmachen müssen.«

Hans Pfeiffer wurde das von Bloch bis zu seinem Tode nicht vergeben. Alle Versuche, den Philosophen hinsichtlich Pfeiffers umzustimmen, fruchteten nichts. Darüber ist Näheres nachzulesen in meinem Buch *Der Widerspruch*. Von diesen bekümmernden Einzelheiten unbetroffen bleibt der Briefwechsel Teller-Bloch so reizvoll wie degoutant. Zwei Intellektuelle, die 1957 den besten Zeitpunkt zum erklärten Bruch verpaßten, üben sich hernach in bestechend schöner, artistischer, wenn auch unnötiger Sklavensprache. Im übrigen gehört dieser ganze Casus wie hundert andere in einen Roman, wo subtil genug den kleinen und großen menschlichen Tragödien Gerechtigkeit widerfahren und ausgeleuchtet werden könnte, daß Bloch sich selbst verzieh und später verdrängte, wie er 1957 vor dem Kulturbund-Tribunal gleich Teller und Pfeiffer seine Philosophie verleugnete.

Der Paraklet

Die traditionelle Teilung der deutschen Linken in Radikale hier und Reformisten sowie Revisionisten dort ist von gestern. Reform ist schon als Wort sinnentleert und Revolution pure marxistische Romantik. Notwendig ist das örtliche Projekt einer modernen Reformation. Blochs Aufforderung von 1956, Schach statt Mühle zu spielen, ist aktuell geblieben, nur spielen die Globalisten heutzutage Mensch ärgere dich nicht, der Stärkere wirft den Schwächeren vom Brett. Das Modell nahm 1956 in Leipzig seinen Anfang. Damals war Moskau das neue Rom, wie heute Washington das strategische Herz der Weltgeschichte sein will – ein Vatikan der Eiszeit mit Uranummantelung.

Wäre aus dem Sozialismus etwas geworden, wenn Chruschtschow in Warschau, Budapest, Ostberlin, Leipzig mehr Unterstützung gefunden hätte? Es siegten nicht die Tauben, sondern die Geier. Ganz wie heute die Falken im

Weißen Haus. Konventionelle Reformen und Revolutionen helfen nur den Konterrevolutionären, die die äußere Macht besitzen, kraft derer sie auch die innere ausüben. Reformatoren gehen andere Wege. Der jüngere Bloch bezeichnete sich als Paraklet, der Begriff stammt aus dem Griechischen und wird mit »Helfer« oder »Fürsprecher«, bei Luther mit »Tröster« übersetzt. Im Sinne Blochs soll der Paraklet sein universales Wissen als Erfahrungsweisheit einbringen, um Frieden und Heimat zu erlangen, marxistisch gesprochen: die Entfremdung aufzuheben.

Dieser Bloch-Paraklet ist rückblickend stets auf der Seite der Linken zu sehen, scheitert jedoch an den Macht-Inhabern und der Mehrheit des Volkes, das sich untreulich im Tanz ums Goldene Kalb vereint. Laut Bibel strafte Gott dreitausend Kalbs-Tänzer mit dem Tode, was auf die Größenordnung der Moderne umgerechnet zig Millionen betragen kann.

Blochs lebenslanger Antikapitalismus scheiterte, beginnend mit der Zeit des Ersten Weltkrieges, mißlang auch beim letzten Großversuch mit Namen DDR, zu deren besten Taten zählt, daß sie diesen Paraklet rief und einreisen ließ.

Ich nahm seinerzeit die schöne Paraklet-Mythe als poetischen Religionsersatz. Manfred Riedel erwähnt sie einige Male, Günther K. Lehmann verweist darauf in seinem bisher unveröffentlichten Manuskript. Laut Frank Benseler bezeichnete Bloch sich in einem Brief an Lukács als »messianisch« im Sinne des Judentums. »Blochs Leitbild war die Vorbildlichkeit des einzelnen ... Bloch hielt sich an Nietzsches Erkenntnis: ›Bist du ein Sklave? So kannst du nicht Freund sein. Bist du ein Tyrann? So kannst du nicht Freunde haben.‹«

Benseler überliefert auch eine uns bisher unbekannte Nuance schwarzer Sprachmagie, wonach Bloch zum »erbleichenden Lukács« gesagt haben soll: »Wenn dich ein Erzengel am Arsch leckt, so ist das schöner als die Neunte Symphonie.«

Benseler apodiktisch: »Auch Bloch blieb einsam!« Was etwas seltsam klingt für einen Mann, der das Publikum magisch anzog. Soweit aber die existentielle Einsamkeit des Predigers in der Wüste gemeint ist, trifft es zu. Der erzählende, faszinierende, beschwörende Philosoph hingegen verschaffte sich Zugang zu den Menschen.

Als existentiell Traumatisierter bannte er die höllischen Schrecken des Seins und des drohenden Nichts durch Worte, die weder Religion noch Philosophie sind, aber beides zusammen als ein Drittes, für das uns bisher der Begriff fehlt.

Bliebe zu bedenken, weshalb Lukács mit seiner »linken« Theorie die Niederlage des Sowjetsozialismus garnierte, während Bloch mit seiner laut Lukács »rechten Philosophie« lebenslang »auf dem äußerst linken Flügel stand«.

Lukács, der Bloch großmütig »Talent« bescheinigte, relativierte sein hochmütiges Urteil allerdings mit der nachgeschobenen Bemerkung »Talent ist ohnehin eine Rechtsabweichung«. Das ist vom realsozialistischen Standpunkt aus bemerkt, denn vom realkapitalistischen Standpunkt aus gesehen ist Talent eher eine Linksabweichung. Eine politische Akzentverschiebung also.

Bleibt die Frage, weshalb unser marxistischer Klassiker Georg Lukács, der die »Zerstörung der Vernunft« so glasklar analysierte, am Ende zu den Zerstörten zählt, während Bloch mit seiner linken Haltung und rechten Philosophie die Ursachen des grandiosen Scheiterns genauer benennen konnte. Bleibt weiterhin zu fragen, ob die im Schwange befindlichen linken Theorien nicht selbst Ursachen der permanenten Niederlagen seien.

Bloch: »Nazis sprechen betrügend, aber zu Menschen, die Kommunisten völlig wahr, aber nur von Sachen.« Der Satz, in *Erbschaft dieser Zeit* nachzulesen, bezieht sich auf den antifaschistischen Widerstand der Kommunisten in Deutschland und ist über den Anlaß hinaus gültig. Womit der Paraklet auch weiterhin Botschafter, Missionar und Tröster sein kann.

Nietzsches Verwerfung des Christentums ist barbarisch begründet. Er zog das Alte Testament dem Neuen vor und seine feudale Herrenmoral ist so irreal, wie Lukács es ihm ankreidet. Auf meinen Einwurf, Europa wäre besser gefahren, hätte es statt der Religion die griechische Philosophie zur kulturellen Leitschnur erhoben, erwiderte Bloch, es war in Tübingen nach seinem 80. Geburtstag, keine Philosophie könne das Glaubensbedürfnis der Völker befriedigen, es sei denn sie »philosophiere den Glauben, ohne dessen Bedürfnisse abzutöten«. In meiner »atheistischen Religionslosigkeit«, die mir noch Nietzsches Bonmot vom Tode Gottes verdächtig machte, denn es enthielt die Behauptung vom vorherigen Leben dieses Herrn, bagatellisierte ich Blochs Auskunft und versperrte mir damit jeden Zugang zu seinem Entwurf eines religionslosen oder kirchenlosen Glaubens, welchen Gedanken schon Dietrich Bonhoeffer als »religionsloses Christentum« reflektierte, was indessen zu kurz greift, schließt es doch die jüdische und islamische Religion aus – statt ein.

Will man dem Monotheismus den Stachel religiöser Eifersucht und tödlicher Feindschaft ziehen, gilt das für alle seine drei Glaubensrichtungen. Für Bloch bleibt Nietzsches Verdikt vom Tode Gottes eine akzeptable Ausgangsposition, ein »religionsloses Christentum« aber rettet zwar den Gewaltverzicht samt Liebesgebot, ohne jedoch den Glaubensbedürftigen die Seele zu trösten. Sein Ausweg liegt deshalb in der Befreiungsfunktion der religiösen Freiheitsidee, die an die Stelle der Hierarchien eine revoltierende Gleichheit setzt. Dieser Versuch, zwischen Philosophie und Religion ein »glaubhaftes Anderes« zu setzen, zieht sich durch Blochs Werk von Anfang bis Ende. Soweit ich sehe, finden sich weiterführende Auskünfte dazu in dem bisher ungedruckten Manuskript des 1994 verstorbenen Bloch-Schülers Günther K. Lehmann. Da ich das nur in Auszügen kenne, beschränkt sich mein Urteil auf Blochs Hinweise im eigenen Werk. Mag sein, hier wird nur eine humane Vernunftgläubigkeit für Intellektuelle gelehrt, die der dionysisch-revolutionären Energie nicht entbehrt, offensichtlich jedoch mehr für Bloch selbst und seinesgleichen gültig sein kann. Schon der Freund Lukács reagierte verständnislos, weil ihm der rationale Verstand genügte. Das Volk aber scheint Religion wo nicht als Opium, so doch als Zuckerbrot und Peitsche zu benötigen. Entfällt dieses Element absolut, kann auschwitzhafter Pragmatismus an dessen Stelle treten.

Traumatische Feindschaften

Rainer Kirsch schrieb am 23.2. 1957 aus Jena einen denkwürdigen, in seiner radikalen Verzweiflung schon wieder kunstlos-kunstvollen Brief an Heinz Kahlau in Berlin. Dem wachsamen MfS ist die Abschrift zu verdanken. Kirsch: »Mein Freund Günter Zehm (der von Zwerenz im ›Leipziger Allerlei‹ erwähnte Philosoph mit der beachtlichen Staatsexamensarbeit ...) wird am Montag aus der Partei ausgeschlossen werden, dann wahrscheinlich arbeitslos dasitzen ...« In der Tat hatte ich Harich Zehms Arbeit empfohlen, was die beiden in engeren Kontakt brachte, der Stasi nicht unbekannt blieb und mich der absehbaren Folgen wegen bekümmerte. Bloch selbst war am 16. 12. 1957 nach Jena gefahren, um Georg Mende für Zehm einzunehmen. Vergeblich. Rainer Kirsch in seinem Brief: »Professor Mende tobte in ausgesprochen faschistischer Art ...« Zehm fehlte es also nicht an Feinden, aber auch nicht an Freunden. Wie konnte er selbst dann in späteren Jahren derart fanatisch *verfeindlichen*? Ein Foto von Blochs 80. Geburtstag anno 1965 in Tübingen zeigt Zehm fröhlich und entspannt übers ganze Gesicht lachend neben Jan Robert Bloch, Leo Bauer und mir. Wie ist zu erklären, daß der Mann kurz danach als stellvertretender Chefredakteur der *Welt* offene Feindschaft gegen Bloch wie Sartre artikulierte? In *Kopf und Bauch* (1971) schilderte ich den mir bis dahin bekannten Teil dieser Entwicklung, was das Rätsel beschreibt, nicht löst.

Fügen wir als Parallele nochmals Manfred Buhr hinzu, der in Leipzig in ideologische Auseinandersetzungen geriet. Bloch verhalf ihm zu einer Aspirantur. Zum Dank entwickelte Buhr gegen den vormaligen Lehrer und Förderer eine extreme Feindschaft, die von den Höhen der Philosophie ins Psychopathologische verweist. Extreme Feindschaften sind häufig, wenn nicht immer traumatisch bedingt. Kommunisten wie Ex- oder Antikommunisten handeln als Traumatisierte, und wenn Schrecken und Trauma nicht ausreichen, gesellen sich schwere Frustrationen dazu.

Zu erwägen ist: Blochs Versuch, Mende für Zehm günstig zu stimmen, resultierte aus der jähen Erkenntnis, die Verfolgung seines Schülers falle auf ihn, seinen Lehrer zurück, der die Staatsexamensarbeit so hoch bewertet hatte, was sich in der Tat nur mit der Hochstimmung der ersten Hälfte des Jahres 1956 erklären läßt. Zehm befand sich in seiner Klarsprache auf einer Ebene mit Harich. Beiden wurde der Herbst zum Verhängnis.

Das Netz der gegenseitigen Verflechtungen blieb lange unbekannt und verdeutlichte sich erst durch neuere Publikationen. Indem ich Zehm bei Wolfgang Harich empfahl, brachte ich beide in engeren Kontakt, und indem ich im *Sonntag* schrieb, wie sehr Bloch die Staatsexamensarbeit Zehms schätzte, entstanden Verbindungslinien, die in normalen Zeiten juristisch nicht verfolgbar sind, in der Extremsituation jedoch dahin eskalierten.

Der Zugriff auf Zehm erfolgte wegen einer Lappalie, die ihm drei Monate Haft eintrug, was der weiteren »gesetzmäßigen« Verfolgung diente und ihn für vier Jahre ins Zuchthaus brachte. Wenn Zehm später in der *Welt* und anderen Zeitungen gegen Bloch polemisierte, verschwieg er, wie sehr der Philosoph ihm beigestanden hatte, und argumentierte verbissen gegen Karola Bloch, die als »Kommunistin« ihren Mann im Westen davon abhielte, mit dem Sowjetsystem und der DDR radikal abzurechnen. Zehm verkannte Blochs radikalrevolutionäre Haltung, die es dem Philosophen unmöglich machte, sich bei den Antikommunisten einzureihen.

Umgekehrt Manfred Buhr, der bei Bloch einen Abfall von Marx konstatierte. Doch so gegensätzlich wie auch einander ausschließend Zehm und Buhr gegen ihren vormaligen Lehrer wüteten, die Intensität des Hasses war kaum mehr zu steigern, was auf schwere affektive Frustrationen verweist.

Fand der Erste Weltkrieg zwischen nationalen Feinden statt und der Zweite als notoperative Koalition ideologischer Gegner im Kampf gegen den rassistisch formierten Weltherrschaftsanspruch Hitlerdeutschlands, resultiert daraus danach eine dritte Kriegsfront traumatisierter Antipoden. Aus Antisemiten werden Philosemiten, aus Nazis Antifaschisten, verfolgte Juden mutieren zu israelischen Tätern und radikale Kommunisten zu extremen Antikommunisten. Das läuft auch manchmal umgekehrt. Waffen, die man gegen sich gerichtet sah, richten sie nun auf andere. Wer will schon fortwährend Opfer sein. Das Opfer beneidet den Täter, bis es dessen Rolle spielen darf.

Als eskalierender Spezialfall kann der Modellwechsel gelten: Der Kommunist Zehm läuft Amok gegen seinen Lehrer Bloch, weil der den totalen Bruch mit der Partei verweigert. Der Kommunist Buhr bekämpft seinen Lehrer Bloch wegen dessen »Revisionismus«, womit Buhr in Bloch den

Rechtsabweichler sieht wie Zehm ihn als Linksabweichler einordnet. In beiden Fälle kaschiert das ideologische Muster die nagende Unzufriedenheit mit der eigenen Position.

Eine ähnliche Konstellation zeigt sich im *Schwarzbuch des Kommunismus*, in dem Hitler mit fünfundzwanzig Millionen Toten, der Kommunismus aber mit hundert Millionen belastet wird. Der Autor Stéphane Courtois sucht damit seine eigene Vergangenheit als maoistischer Berufskommunist zu bewältigen. Dick aufgetragene Reue und Buße signalisieren die Flucht aus innerer Bedrängnis. Die frühere (Mit-) Täterschaft schrumpft zur läßlichen Jugendsünde, wird sie derart monströs bagatellisiert. Der gestrige Feind gewährt angesichts von soviel Selbstanklage Versöhnung, was die eigene Schuld minimalisiert und ihre Hauptlast auf die ehemaligen Genossen ablädt.

Dies alles hat, es sei hier wiederholt, wenig mit der Außenwelt zu schaffen und entstammt vor allem der eigenen Angst, die in Aggressivität umschlägt.

Blochs Entsetzen wegen der Enthüllungen auf dem XX. Parteitag der KPdSU, vom inhaftierten Harich bezeugt, taucht in geheimen Berichten mit der Bemerkung von den »zitternden Händen« des Philosophen auf. Das vermeldeten die zu ihm entsandten Kundschafter und Propagandisten ihren Oberen. Mag das ein aus der bedrohlichen Situation entstandenes Angstzittern gewesen sein oder die Nervenschwäche eines alten Mannes – was wirklich dahintersteckte, erahnten die Berichterstatter nicht.

Die Lebensphilosophie dieses Denkers, den sie einzuschüchtern beauftragt waren, bestand aus einer Brücke über den Abgrund, den die einen Hölle und die anderen Krieg, Gewalt und Faschismus nennen.

Kehren wir noch einmal zu Peter Stephan Jungk, dem Sohn von Robert Jungk zurück. Der Siebzehnjährige begegnete dem fast neunzigjährigen Bloch und beichtet ihm seinen bedrohten Seelenzustand, was der Philosoph mit dem Eingeständnis beantwortet, die Wurzel seiner eigenen Philosophie gründe in Horror, Angst, Depression und den »entsetzensvollen Schocks des Hierseinmüssens.«

Vielleicht suchte Bloch den Jungen nur zu trösten. Es gibt Details, die das nicht ausschließen und dennoch zugleich auf länger nachwirkende Erlebnisse verweisen. Blochs optimistisches Denken ist tröstlich und tröstend wie Religion, ohne eine zu sein. Die verschiedenen Techniken der Trauma-Bewältigung sind uns nicht fremd. Der Naturbursche ist kaum traumatisierbar, er nimmt nicht zur Kenntnis oder tritt weg. Subtile Naturen können mit Flucht in eine Krankheit bis hin zum Selbstmord reagieren. Schützenvereins-Charaktere geben sich mit Ritualisierungen zufrieden. Frauen hungern sich kränkelnd zu Tode, fressen sich fett oder verbürgerlichen im offenen S/M-Bereich, wo nicht in intimen Ehen. Der von Rolf Hochhuth so bewunderte Ernst Jünger stilisierte sein Dutzend Verwundungen in eherner Stahlgewitter-Prosa, der die kreatürliche Angst so nachhaltig ausgebrannt wurde, daß die Diagnose traumatischer Psychopathologie auf der Hand liegt. Emotionen werden mit Teufelsaustreibungen behandelt. Andere Soldatenfiguren, die solcher Ästhetisierung entbehren, erigieren an Stammtischen, bleiben lebenslänglich Waffennarren oder herrschen als familienväterliche Schlachtenlenker.

Hans Pfeiffers Schockerlebnis war die ihm aufgetragene Beerdigung eines amputierten Beins, seine Erfahrungen als Wehrmachtssanitäter an der Front konstituierten ihn als Seelen-Chirurgen. Hans und ich rätselten oft an der Grundstruktur Blochs und seiner Philosophie herum. Ingrid war aufgefallen, wie regelmäßig bei gewissen Themen Blochs Rhetorik in ekstatische Expressionismen auswucherte. Peinigen und Foltern im Mittelalter – das Rädern von unten herauf, zuerst wurden langsam Fuß- und Beinknochen gebrochen, dann erst die Wirbelsäule, so dauerte es qualvolle Stunden, bis der Delinquent auf dem Rad endlich zu Tode kam. Oder die Strafe der Germanen für Baumfrevel: Aus dem aufgeschnittenen Bauch holte man das Gedärm und wickelte es um den Baumstamm, die Prozeduren schilderte der Philosoph derart plastisch, daß uns auch bei der dritten und vierten Beschreibung noch grauste. Suhlen im Sadismus? Fürchterliches ganz nahe herangeholt, um es abzuwehren? Woher kommt die Lust an den breit ausgemalten Torturen? Vielleicht von dort, wo auch Jüngers kristallene Kälte herstammt. Normale menschliche Regungen wie Mitleids- und Entsetzensbekundungen werden ausgetilgt. Siehe Kafkas Foltermaschine oder Orwells Rattenkäfig.

Da erinnere ich mich an Heinar Kipphardt, den Mediziner, Stückeschreiber, Psychiatrie-Anatom, auch er getrieben und verfolgt von Schrecknissen, dabei eine Seele von Mensch, schon schön angesäuselt fuhr er im Citroën in München bei uns vor, schluckte reichlich Rotwein, trank mich untern Tisch, stieg danach nur leise schwankend ins Auto und sauste davon, als sei König Alkohol der Gott aller Nüchternen.

Erich Loest, nach der Entlassung aus Bautzen voll kalt-klirrender Wut: Jetzt erst recht, Genossen.

Bloch brauchte keinen Alkohol, keine von außen ein-dringenden großen Emotionen. Die Furien des Entsetzens ließen sich jederzeit herbeirufen und verschwanden wie fortgebannt im verbalen Rausch. Der weise Alte hatte den Abgrund mit Brücken überbaut. Nicht mit Religion, die war entweder zu mild oder zu verlogen. Nicht mit Literatur. Die war zu glatt. Nicht mit der gewohnten Philosophie-Ge-schichte – zu schulmeisterlich. Er erfand sein eigenes Idi-om philosophierender Kunst: Trotz und Hoffnung – damit bändigte er seine und unsere Abgründe.

Blochs Tod liegt jetzt fünfundzwanzig Jahre zurück. Ingrid und ich kannten ihn von 1952 (1953) an ein Vierteljahrhundert hindurch. – Wie kommt es nur, daß er heute der einzige geblieben ist, der die Verwirklichung des Menschen predigte und vorzuleben wagte? Seine Überlebens-Philo-sophie, von den historisch bedingten Schlacken der ersten Hälfte des 20. Jahrhunderts befreit, kann sich als Vorschein einer möglichen universalen Weltreformation erweisen, wenn die Chance nicht vergessen gemacht wird.

Allein das Authentische bleibt

Dem wachen Leser entgeht nicht, daß dieses Buch über das Philosophieren in unserer sumpfigen Neuzeit zugleich eins über die Macht der Medien ist. Nicht das Denken des Denkers bestimmt seine Wirkung, sondern der Aggregatzu-stand, in dem die Gedanken beim Leser als Konsumenten ankommen, nachdem sie ein Netzwerk von Zerstörungen durchliefen. Die erste Verformung resultiert aus dem uni-versitären Zustand des Massenbetriebs, das Verhältnis von Lehrer und Schüler, im Idealzustand eins zu eins, als Maxi-mum höchstens eins zu zehn, ist durch unbegrenzte Ausweitung völlig entstellt. Die Vermittlung per Buch krankt, dies als zweites, am Warencharakter, und drittens endlich: die Weitergabe, so sie stattfindet, bedient einen Medienmarkt, der das zu Vermittelnde zurichtet, indem er seinen Verdauungsprozeß dazwischenschaltet. Das Resultat stinkt entsprechend. Endlich fallen, soviel viertens, die Reflexionsresultate der scharfsinnigsten Denker den Verunstaltungen der jeweils herrschenden Mächte anheim, wie die Vorgänge Marx, Nietzsche, Bloch exemplarisch beweisen.

Von den Feinden abgesehen, lügen auch die Freunde, so wurde der ewig malade Nietzsche als Soldat in beiden Weltkriegen aufgeboten, Marx von der proletarischen Diktatur zum Spruchband reduziert und Bloch endlich von Stalins wie Hitlers Genossen und Kameraden je nach Situation belohnt oder bestraft.

Fünftens geistert Philosophie als erneuerter Mythos durch die Köpfe, so daß von einer mythogenen Philosophie gesprochen werden muß, die nicht im ursprünglichen Sinne von Kultur und Religion mythenstiftend und -bildend ist, sondern per Deformation. Wenn Lukács die aphoristische Schreibweise Nietzsches als antiaufklärerisch, doch durchaus unterhaltsam verübelt, trifft er nur einen Teil, denn das subjektive Potential des modernen Denkers entscheidet lediglich über dessen Verwertungsmöglichkeiten. Hegel zu zitieren scheitert leicht an dessen epischer Schwerfälligkeit, ist also höchstens Nachweis von Gelehrsamkeit, Nietzsche zu zitieren weist den Zitierenden ebenfalls als klugen Kopf aus, aber zugleich als artistischen Jongleur, der es so oder so drehen kann, wie Nietzsche es perfekt handhabe, denn im *Zarathustra* steht: »Zuschauer will der Geist des Dichters: sollten's auch Büffel sein!«

Kein Zweifel, hier sagte der Dichter Nietzsche seine eigene Zukunft voraus und unsere heutige TV-Kultur, in der selbst Meisterdenker noch ins Denkmuster zufällig diensthabender Moderatoren übersetzt werden und der fernste Zusammenhang per Digitalisierung hergestellt werden kann.

Das Volk der Dichter und Denker wähnt sich endlich bei seinen Kulturgrößen angekommen und die zensierende Staatsmacht ausgeschaltet. Die unendlich mächtigere Medienmacht wird als technischer Fortschritt akzeptiert, der brav dem eigenen Fingerdruck gehorcht. Dabei zappt und zappelt der Medienkonsument in einer Gemengelage wie der Mensch des frühen Mittelalters in seinen religiösen Himmels- und Höllenmythen.

Gegen die Entstellung einer Botschaft bis zu deren Gegenteil bleibt nur das Lächeln der Antipoden und die Berufung aufs Authentische.

In den zweiundvierzig Seiten »Weltveränderung oder die elf Thesen von Marx über Feuerbach« im ersten Band *Das Prinzip Hoffnung* sagt Bloch alles, was sagbar war, inklusive dessen, was die Partei hören wollte, und des anderen, was sie nicht hören wollte. Wer den Text ernst nimmt, stößt auf Konterbande. Des Philosophen Parteifeindlichkeit, Ende 1956 mit gewaltigem Getöse entdeckt und zum Lehrverbot führend, war 1954 in Band eins des Hauptwerkes längst enthalten. Allerdings verschlüsselt. Der Distanzierung, die Marx gegenüber der Philosophie an den Tag legte, statt dessen revolutionäre Praxis von Weltveränderung pointierend, wird zugestimmt, zugleich mit einer gewissen Relativierung. Zog die Orthodoxie aus der elften These den Schluß, die Philosophie sei beendet, verschiebt Bloch die Bedeutung, indem er die »bisherige« Philosophie als an einem Schlußpunkt angekommen erklärt und damit Platz für seine eigene schafft. Die Gegner, ihm das als Revisionismus verübelnd, hatten vom orthodoxen Parteistandpunkt aus gesehen recht und polemisierten guten Glaubens und im heiligen Zorn der Feindschaft gegen den Ketzer. Wobei sie verbissen ein untaugliches System verteidigten, das zum Niedergang führen mußte.

Genau betrachtet zeigt sich, Bloch akzeptiert die elfte Feuerbach-These im Sinne von Marx, der sie für sich als Leitschnur formulierte. Es kam auf Weltveränderung an. Marx kannte sich als Hegelianer allerdings in der Philosophie, wie bereits seine Dissertation erweist, zu gut aus, als daß er sie hätte etwa in toto verwerfen können. Eine über die revolutionäre Situation hinausgehende temporäre Vernachlässigung der Philosophie oder gar ihre völlige Mißachtung hingegen hätte, wie er genau wußte, endzeitliche Konsequenzen, weil damit die notwendige Variabilität der Kultur verloren ginge.

Um es an einem heutigen Beispiel zu zeigen – wir sprechen von Georg Lukács mit größter Hochachtung, ohne seine absolute Ablehnung Nietzsches zu teilen. Sollten jedoch faschistoide Tendenzen sich verfestigen, als deren Folge der Übermensch in welcher Gestalt auch immer zur Herrschaft gelangte, und sei es als christlicher oder islamischer usw. Fundamentalist, so wäre Lukács der richtige Gegendenker. Dialektik in Strategie und Taktik ist keineswegs nur den Clausewitzen vorbehalten. Auch dies ist eine der verschlüsselten Botschaften in Blochs Kapitel zu den Marxschen Thesen über Feuerbach, und soviel zur Sklavensprache, die der Revolte dient, indem sie die Köpfe so scharf macht wie die historisch überholten Straßenkämpfer ihre antiquierten Bomben und die hypermachtversessenen USA ihre Raketen.

Von allen Sklaven samt ihren Sprachen bleibt allein der Anteil Authentisches, den es zu entdecken gilt.

Das Kapitel »Die Schichten der Kategorie Möglichkeit« im ersten Band von Blochs Hauptwerk führt vier unterschiedene Möglichkeiten an: 1. Das formal Mögliche, 2. das sachhaft-objektiv Mögliche, 3. das sachhaft-objektgemäß Mögliche, 4. das objektiv-real Mögliche.

Das in dieser Differenzierung enthaltene Angebot ist bisher, soweit ich sehe, weder paraphrasiert noch weitergeführt worden, obwohl es sich sowohl für die praktische Politik wie für Geisteswissenschaften, Gesellschaftslehre, Ästhetik u. a. lohnen könnte. In der Politik, wo kurzatmige Entschlüsse oft zu folgenreichen Fehlern führen, wäre eine digitalisierte Möglichkeitsforschung sicher von Nutzen. Gutachten könnten subtiler ausfallen, würde quasi experimentell zwischen dem formal Möglichen, diesem Bereich des bloß literarischen, und dem objektiv-real Möglichen unterschieden. Die genauere Ausdifferenzierung erbrächte Hinweise darauf, was zu geschehen habe, um die unterschiedlichen Möglichkeitsstufen bis zur ausgereiften Realität weiterzubauen. Die Aufforderung Blochs vom Jahre 1956, Schach statt Mühle zu spielen, erschien dem Politbüro in seiner extremen Kurzsichtigkeit als konterrevolutionäre Provokation, jedenfalls nicht als realisierbare objektiv-reale Möglichkeit. Traumatisiert von bitteren Erfahrungen der Vergangenheit spielten die Obergenossen nicht einmal mehr Mühle, sondern Mensch ärgere dich (mich) nicht. So wurde die Riege der Materialisten und Rationalisten zur Beute ihrer eigenen Affekte und Ängste. Ein anderes Exempel wäre die genauere Analyse unterschiedlicher Konjunktive in Romanen wie Orwells *1984*, über den im Jahre 1984 Kritiker triumphierend urteilten, es sei »nicht so schlimm wie von Orwell vorausgesagt« gekommen. Diese Folgerung krankt an falscher Einschätzung literarischer Codierungstechniken, mithin an mangelnder Fähigkeit zur Differenzierung.

Der durch die Freiheitskonferenz von 1956 bekanntgewordene Ausspruch »Schach statt Mühle« zählte schon vordem zu Blochs Repertoire. Sein Text »Halbe Lunge« von 1954 endete mit einer Veränderungs-Forderung. Aber: »Diese Wende geschieht nicht, wenn nicht einmal Domino, sondern sozusagen nur Mühle gespielt wird, praktizistisch; statt dessen müßte endlich Schach gespielt werden.«

Zwei Jahre später in Berlin ließ er Domino weg, vielleicht wegen der »Dominotheorie«, made in USA, die als Kriegsgrund genutzt wurde, ihm aber ging es um »das zusammenhängende Bewußtsein von Freiheit und Sozialismus« (Schlußwort auf dem Kongreß der Deutschen Akademie der Wissenschaften Berlin, »Schichten der Freiheit betreffend«, März 1956). Walter Ulbricht bezog darauf seinen Vorwurf, Bloch habe »sein Programm der Konterrevolution« entwickelt.

Als 1956 Blochs *Differenzierungen im Begriff Fortschritt* als Sonderschrift im Berliner *Akademie-Verlag* erschien, ergaben sich im Leipziger Philosophie-Seminar Erörterungen über die Frage, welches Resultat zu erwarten stünde, entfielen in einer zukünftigen Gesellschaft die »antagonistischen Widersprüche«. Die fröhliche Botschaft lautete, der Mensch widme sich dann unbefangener den Anforderungen des »primären Leben«, also der Notminderung, Bedürfnisbefriedigung, des Berufes, der Liebe und Fortpflanzung – andererseits bestehe die Gefahr von Entpolitisierung und Verkindlichung, Stichwort: Von der Infantilität direkt in die Senilität. Das Thema wurde nicht weiter ausgeformt und ging in den eskalierenden Wirrnissen des Jahres 1956 unter. Heute, anno 2002, ist mir, als realisierten sich wesentliche Teile unserer damaligen Voraussagen, wenn auch unter Fortbestand und Radikalisierung diverser Antagonismen.

Die »Verluste im Fortschreiten« werden kenntlich zum »Fortschritt für Imperialismus« (Bloch). Dabei erlangt die Sprache im Erschrecken über das Tempo des Niedergangs ungewohnte Direktheit. Am 22. 7. 02 steht das Wort Kapitalismus in der *FAZ* ohne Anführungszeichen. Am Abend taucht das stets als Klassenkampfchiffre verteufelte Wort kurz nach 20 Uhr in der ARD-Tagesschau auf. Könnte sein, daß die nackte Not des Kursverfalls an den Börsen denken lehrt. Oder: Wer auf den Hund kommt, kann auch bellen.

Was aber Orwells Roman *1984* betrifft, über den die Kritik im realen Jahr 1984 befand, es sei alles nicht so fürchterlich wie prophezeit gekommen, so ist das eine oberflächliche Aussage gewesen, denn die Großen Brüder sind hurtig dabei, ihre drei Grundsätze zu realisieren: Krieg bedeutet Frieden / Freiheit ist Sklaverei / Unwissenheit ist Stärke.

Haßproduktionen

Als das gemeinsame SPD-SED-Papier 1987 bekannt wurde, trafen sich ehemalige DDR-Autoren in Marburg. Unsere Befürchtung, von beiden Parteien untergebügelt zu werden, war nicht so unbegründet, wie es heute scheint. Mir ist ein Foto in Erinnerung, das uns friedlich aufgereiht zeigt – Biermann, Loest, mich und all die anderen in letzter prästabilisierter Harmonie, bald würde der Vereinigungsprozeß die Übereinstimmung beenden.

Das geschah schneller als erwartet. Fraglich blieb, wie ein aus BRD und DDR gemixtes Deutschland aussehen sollte. Ich wollte Annäherung und sozialistische Reformation, das stieß schnell auf Widerspruch.

Nachdem ich 1994 über die Offene Liste der PDS in den Bundestag gekommen war, trafen Loest und ich uns in seiner damaligen Wohnung bei Bad Godesberg. Wir gingen gemeinsam essen, tranken Wein, spazierten, von früheren gemeinsamen politischen Abenteuern schwärmend, am Rhein entlang. Dann fuhr ich nach Bonn zurück. Es war nicht ausgesprochen worden, doch lag es klar zutage: Erich vermochte mein Engagement nicht nachzuvollziehen. Seither sahen wir uns nicht wieder. Die über Jahrzehnte andauernde Verbindung riß ab. Heute lese ich voller Unbehagen, wie Loest Genossen von Harich bis Gysi beschimpft. Sein nachgeahmter Biermann-Ton klingt, so der überhaupt steigerungsfähig ist, noch schriller. »Wider die Dunkelmänner unserer Zeit« donnert er am 16. Juni 2002 gegen die »Verächter der Freiheit: Mitarbeiter der Stasi, SED-Funktionäre und Westpolitiker entsorgen die Vergangenheit.«

Da ist Harich ein »Spitzel«, »Mittenzwei der Kurt Hager unserer Tage« und ein »roter Don Quixote«, ja nun, entweder das eine oder andere, beides zusammen geht nicht. Jürgen Kuczynski wird zornig auf seine stalinschen Dummheiten von 1951 festgenagelt, ganz als wäre ein gewisser Loest damals mit diversen Romanen wie *Die Westmark fällt weiter* nicht gleichermaßen stalinistisch erfolgreich gewesen. Da kriegen Werthebach, Diestel, Stoiber, Thierse unterschiedslos ihr Fett weg. Schorlemmer wird als »Halbdunkelmännlein« hingestellt, Gysi bleibt ausnahmsweise mal unbespuckt, das sächsische Lama hat sich trocken geschimpft, denn: »Die Politiker kommen und gehen, wir Opfer der DDR, der SED und ihres scharfen Schwertes aber bleiben.«

Hier übersieht unser Daueropfer nur die Kleinigkeit eigenen Mittuns zu Zeiten des fatal irrenden Kuczynski. Der Duktus erinnert mich an meine Polemiken in der Periode des Kalten Krieges.

Inzwischen hat sich etwas geändert. Wer jetzt noch wie vordem rechtet, der unrechtet. Im Internet wird auf Loests Dunkelmänner-Artikel begierig draufgesattelt: »In der DDR gab es 17 Millionen Gysis.« Freilich auch: »Keine Spielwiese für haßzerfressene Hetzer.« Ein Chatter kann die Mahnung zur Vernunft nicht ertragen und kontert: »Stalin ... hat 42,5 Millionen auf dem Gewissen, andere Wissenschaftler schätzen die Opfer auf 50 und 60 Millionen ein. Mit kameradschaftlichen Grüßen Gustav Rust.«

Wer diese Rechnungen nicht akzeptiert, ist eine »verlogene rote Drecksau«. Immerhin fragt ein anderer: »Mache Er weiter so, ist so schön entlarvend! Weiß Er, was Diskussion bedeutet?«

Das weiß bei uns keiner. Ironisiere ich Habermas ein wenig, versteht die Kommunikationsgesellschaft unter Diskurs das Gespräch derer, die prinzipiell gleicher Meinung sind und über randständige Details streiten als ginge es um Leben und Tod. Essentielle Gegenpositionen werden verschwiegen oder verunglimpft, mitunter per Exekutive ausgeschaltet. Sobald ein Land auf die einzige Meinung seiner Machthaber geschrumpft ist, läutet ihm das Totenglöckchen.

Ich hab meine Erfahrungen gemacht mit vier Sorten Deutschland. Drei Stück gingen unter. Das vierte übt noch. Am Tag, da Ingrid im Internet Loests »Rede wider die Dunkelmänner unserer Zeit« fand und herunterlud, an diesem 17. 8. 2002 waren ausgerechnet in der *FAZ* skeptische Sätze über Afghanistan, »einem zunehmend feindlichen Land« zu finden, wo »die Operation ›Dauerhafte Freiheit‹ in den politisch und militärisch unkontrollierbaren Zustand des Kleinkrieges abzugleiten droht«, über Kosovo, wo zu fragen sei: »Was für eine Freiheit meinten die albanischen Freischärler eigentlich, als sie gegen ihre serbischen Unterdrücker zu den Waffen griffen?« Die Sowjets brauchten ein Jahrzehnt, bis sie aus Afghanistan abzogen. Wie lange werden deutsche Soldaten dort und auf dem Balkan bleiben? Auskunft der *FAZ*: »... vermutlich werden es mehr als zehn Jahre sein.« Das klingt nun entschieden anders als Loests Freiheitslyrik, wenn er gegen Volker Braun einwendet: »Auf dem Balkan wächst sehr langsam die Demokratie. Neue Visionen möchte ich dir zeigen, Volker, in Polen, in Brünn und im Baltikum ...« Vorher heißt es: »Kein Bautzen II mehr, kein Buchenwald in zweifacher Funktion.« Walter Janka saß im Dritten Reich und in der DDR in Bautzen ein, und bevor in Buchenwald Nazis, Verdächtige und Unschuldige eingesperrt wurden, war es ein NS-KZ. Die »zweite Funktion« kam als fatale Folge der ersten.

Nicht zu befürchten stand, daß der einstige Hitlerjunge Loest von den Faschisten nach Buchenwald verbracht worden wäre. Die naiv-gläubige Kriegsspielerei des jungen Soldaten Erich anno 1945 als Werwolf gegen die US-Army aber hätte ihm die Kugel oder sehr wohl Buchenwald in »zweiter Funktion« einbringen können. Als früher Heimkehrer, Redakteur der *Leipziger Volkszeitung* und beginnender Autor profitierte er sowohl von der eigenen früheren Blindheit als auch von der Bereitschaft der sowjetischen Besatzungsmacht wie der leiderfahrenen älteren verfolgten Kommunisten, den jungen Ex-Nazi-Soldaten die Vergangenheit nicht nachzutragen.

Wenn sie unter den neuen Bedingungen mitspielten – ist hinzuzufügen. Wir spielten bis zu einem bestimmten Punkt mit. Dann folgte der Bruch. Wer aber bin ich, daß ich mir das Recht nehme, den Zeitpunkt meiner Aufkündigung für andere als verbindlich zu erklären? Nach seiner Flucht aus der DDR 1957 traf Alfred Kantorowicz in London seinen alten Freund Arthur Koestler, der ihn mit der vorwurfsvollen Frage empfing, warum Kanto »so spät« komme. Zu spät oder zu früh? Vielleicht hätte es gerade in dieser Zeit noch einiges zu tun gegeben in der DDR, und er hätte dort bleiben müssen. Wer aber darf wagen, das zu verlangen?

Wenn Loest den sowohl im Dritten Reich wie in der DDR einsitzenden Walter Janka abkanzelt, reagiere ich unwillig. Loest hat eine lange unverdiente Zuchthausstrafe hinter sich, sein Mißtrauen ist berechtigt und wach. Doch wo schlägt Mißtrauen in Mißgunst um?

Wir lernten uns einst als Endzwanziger in Leipzig kennen, ich hatte zwei Jahre Krieg, vier Jahre Gefangenschaft in der Sowjetunion, ein Jahr Lungenheilstätte hinter mir, ergibt zusammen auch sieben verlorene Jahre, die Erich bevorstanden. Er hätte, wie andere zu Kreuze kriechend, mit einer deftigen Selbstkritik davonkommen können. Was er verweigerte. Nachzulesen u. a. in seiner Autobiographie *Durch die Erde ein Riß* und bei mir u. a. in *Der Widerspruch*. Soviel dazu, weil ich neulich eine TV-Dame nach seinem damaligen Widerstand in Leipzig fragen hörte, und Loest antwortete, er sei dabei nicht ganz allein gewesen. Woher soll so eine nicht besonders gut bezahlte Fernsehredakteurin auch Zeit und Kraft nehmen, vor der Sendung die relevanten Bücher zur Sache und Person zu lesen?

Obwohl Erich nur ein Dreivierteljahr jünger ist als ich, trennen uns Erfahrungswelten, was in der Zeit gemeinsamer Widersetzlichkeiten nicht auffiel. Erst als ich 1977 in *Sinn und Form* Loests Geschichte *Pistole mit sechzehn* las, begriff ich die Distanz. Erich war 1936 als Zehnjähriger brav ins Deutsche Jungvolk eingetreten und im März 1944 zur Truppe geholt worden, kam aber als »Werwölfchen gar« mit dem Schrecken davon: »Fünf Jahre nach dem Krieg war er Genosse der SED und Redakteur einer Parteizeitung und aufgetaucht in ein zweites Leben ...« Wie es damals vielen Jungen »mit Pistole« erging. Nur mußte Loest als Häftling durch ein »drittes Leben« gehen, in das er gestoßen wurde nicht für wirkliche Taten, sondern als Sündenbock, ausersehen dazu von einer Handvoll SED-Funktionäre, die ihre Position zur Rechtsbeugung nutzten. Ein staatliches Gericht machte sich zum Vollstrecker des kriminellen Parteiwillens.

Soweit verliefe der Fall noch im damals üblichen Gleis. Walter Ulbricht und sein Leipziger Feldwebelkoch Fröhlich aber hatten einen Schriftsteller in den Bau geschickt, der sich siebeneinhalb Jahre später – kein einziger Tag war ihm erlassen worden – so ungebrochen an seine Schreibmaschine setzte, wie er sie verlassen hatte. Mit einem Unterschied: Er war jetzt, wie einst Dostojewski, schwer traumatisiert. Von diesem Trauma der Einsamkeit, von der Verlassenheit des Häftlings wird noch zu reden sein. Es gibt eine Differenz zwischen Schriftstellern, die aus Schmerz und Schock und Zwang heraus arbeiten, und den vielen anderen, die lieblich, heiter und unbeschwert sich äußern als feuilletonistische Traumtänzer oder postmoderne Äquilibristen und Akrobaten.

Dies bezeichnet auch den Abstand zum Radaubruder Wolf Biermann, dem ich alles nachsehen kann, ausgenommen den Fall Moneta. Über unseren Freund, den ehemaligen Chefredakteur der Gewerkschaftszeitung *Metall*, Jakob Moneta, der in der Bundesrepublik viel für ihn getan hatte und in dessen Haus er 1976 übernachtete, wußte Biermann im *Spiegel* Nr. 46 vom 12. 11. 01 mitzuteilen: Moneta »war damals bekannt als Kopf der ›Vierten Internationale‹ in der Bundesrepublik. Nach der Wende wurde derselbe Jakob Spitzenkandidat der PDS in Frankfurt am Main. Nach meiner Erfahrung kann aus einem waschechten Trotzkisten, egal aus welcher sektiererischen Gruppierung, alles werden: ein SPD-Mann, ein CDU-Mitglied, ein fundamentaler Moslem, ein RAF-Terrorist oder ein Banker oder ein Immobilienhai oder ein Sozialfall, er kann sich sogar umoperieren lassen zur Frau – aber ein Mitglied der stalinistischen Bande wird er nur dann, wenn er es im Grunde immer schon heimlich war.«

Was Biermann nicht erwähnt: Bei seinem Aufenthalt im Hause Jakob und Sigrid Monetas erzählte er den beiden von seinem letzten Treffen mit Margot Honecker. Sie sei vor seiner Reise die Nacht über bei ihm gewesen und in der aufscheinenden Morgensonne habe er sich sehr vor »ihrem faltigen Hals geekelt«. Was muß der Mann gelitten haben. Verbrachte da unser Widerstandsheldenpoet die Nacht mit der gestandenen Stalinistin Margot, der Frau des obersten stalinistischen Bandenführers Erich Honecker, und ein Vierteljahrhundert später fällt ihm ein, daß er im Goldenen Westen im Hause des einladenden Helfers wieder bei einem stalinistischen Bandenmitglied gelandet sei? Nun behauptet unser Staatsdichter ja, Trotzkisten könnten »alles werden«, notfalls sich sogar »umoperieren lassen zur Frau.« Biermann, der in der DDR als Privilegierter nie in reale Gefahr für Leib und Leben geriet, hat inzwischen im Westen allerhand Reichtum angehäuft. Er sollte der exilierten Margot im fernen Chile aus Dankbarkeit etwas Geld für einen kosmetischen Eingriff an ihren Halsfalten überweisen, wenn die ihn denn so ekeln.

Im seither vergangenen Vierteljahrhundert modellierte sich der Faltenflüchtling zum Musterexemplar der dritten Exkommunistengeneration. Von Biermann bis Schabowski wird die Richtung gewechselt. Das einzige Lebenselixier ist die »Haßproduktion«, wie Werner Mittenzwei das nennt. Was bei Schabowski verständlicher Haß auf die eigene borniere SED-Karrierevergangenheit sein mag, ist bei Biermann wohl Vaterhaß, denn dieser Vater ist ein unauslöschbarer jüdischer Kommunist gewesen. Wer so auf der Achterbahn in die Mussolini-Kurve rast, von links unten in Richtung rechts oben, muß natürlich auch seine früheren Lieder gegen den Krieg verleugnen und sich den schönen neuen militanten Zeiten anpassen. Am 25. 3. 02 delirierte sich der Wolf ohne Schafspelz im Feuilleton der *Welt* in Gewaltphantasien hinein, die von Bomben auf den Irak bis China und Rußland reichen, wozu er sich von Orwell Argumente holt, die der, lebte er noch, ihm um die Ohren hauen würde.

So kann einer aus vielerlei Ekel zum Kriegssänger werden und blitzgeschwinde im Jahre 1914, wo nicht 1941 ankommen. Anno 1980 begegneten wir uns im Mainzer ARD-Studio, und Biermann erkundigte sich, ob ich ihm seine Haltung verüble. Was ich verneinte. Entweder war er noch nicht Richtung Mussolini-Kurve unterwegs oder wir haben uns mißverstanden. Schade drum.

Vom von allen guten Geistern verlassenen Biermann zurück zum Häftling Loest und zu seiner Verurteilung. Hier gerät Ernst Bloch ins Spiel, für den Loest auch zu büßen hatte, obwohl er dem Philosophen nie direkt begegnet war. Man konstruierte die Verbindung über mich als »Zwischenglied«. Eine schwere Strafe zu erleiden für etwas, das man nicht getan hat, und nur als Gesinnungstäter weggeschlossen zu werden, das steckt keiner so einfach weg und erst recht kein Schriftsteller. Es wächst sich aus zur ungeheuerlichen Energiequelle, zu einem Motor, der läuft und läuft. Die Oberen bilden sich ein, sie entlassen Jahre später einen veränderten, »geheilten« Mann. Doch ist der weniger »geheilt« als im Dostojewskischen Sinne »geheiligt« oder, da wir pathetische Worte kaum vermeiden können: nicht mehr zu begütigen, mögen auch Jahre und Jahrzehnte darüber hingehen.

Ich weiß, wovon ich rede. Bis zu meiner letzten Stunde werde ich mich der Nacht vom 18. zum 19. August 1944 erinnern, als ich mich aus der Wehrmacht entfernt hatte, aber noch nicht von der Roten Armee erreicht worden war. Du bist da ein armes Schwein zwischen den feuerspeienden Fronten, nirgendwo zugehörig, voller Ungewißheit, was der nächste Tag bringen wird, Stillstand von Zeit und Leben. Wollte ich es Trauma nennen, müßte ich andere Traumata bagatellisieren, die der Infanterist verdrängen muß, will er sich nicht der Überlebensfähigkeit berauben. Geblieben ist über inzwischen achtundfünfzig Jahre hinweg die jederzeit plötzlich ausbrechende Wut. Es gibt eine so reale wie wahnwitzige Verlassenheit, die dich alles vergessen läßt, auch dich selbst. So begreife ich Erichs elend lange Haftjahre, die durch nichts wettgemacht werden können, auch durch keine noch so gutgemeinte, aufwendige Rehabilitierung. Fragt sich nur, ob einer seine höllische Wut im Leibe zum kalten Zorn zu keltern versteht.

Mein oft benutztes Halbpseudonym »Herr Z.« geht zurück auf Hermann Kant, der es mir in der frühen Eiszeit des Kalten Krieges anheftete, wofür ihm zu danken ist, denn die Feindseligkeit schockte mich aus meiner Lethargie auf, ich begriff, im Kapitalismus ist ein mittelloser Melancholiker der Fußabtreter, auf dem alle herumtrampeln. Geld mußt du haben, und um dich zur Wehr zu setzen, mußt du angreifen, das war mir eine Lehre. Daß ich mich nach dem Ende der DDR mit Kant auf eine offene Diskussion einließ, ist durch seine ehemalige erklärte Feindschaft verursacht, ohne die ich in den fünfziger Jahren noch lange stillgehalten, wo nicht mich verkrochen hätte, denn es ist vertrackt, als Sozialist von Sozialisten verfolgt zu werden. Die Situation mobilisierte mich. Lese ich heute Dieter Schenks Buch *Auf dem rechten Auge blind – Die braunen Wurzeln des BKA*, bin ich angesichts der Detailfülle betroffen, doch nicht überrascht. Schon vor Jahrzehnten sickerte durch, welche Judenmörder, Justizverbrecher, Sonderkommando-Mordschützen im Wiesbadener Bundeskriminalamt und in der Bonner Sicherungsgruppe untergeschlüpft waren, wobei mich nur wunderte, wie wenig das andere Ex-DDRler zu stören schien. Mit dem Frontwechsel geht leicht der Charakterwechsel einher. Oder chronische Chamäleonitis. Die baumbewohnenden Eidechsen übersehen gern, was sich zu ihren Füßen auf dem Boden abspielt. Diese Erfahrung erleichterte mir nach dem DDR-Exitus das Verständnis für meine früheren Ost-Genossen.

Begründete Feindschaft erledigt sich mit ihren Gründen, oder sie ist nur noch individuelle Ranküne bis hin zum verfestigten Haß. Das Leben in der BRD lehrte mich, auf Schmeicheleinheiten lieber zu verzichten. Hinter meinem Schreibmaschinengewehr feuernd, schaffte ich es, assistiert von Ingrid, mir soviel Honorare und Respekt zu verschaffen, daß ich auf die anrüchigen Taler verzichten konnte, die von den Tischen der Mächtigen abfallen. Mit den später in den Westen kommenden Renegaten, die nun Bürgerrechtler hießen und von denen mancher hier so laut gegen den Osten bellte, wie er zuvor den Westen vom Osten her angekläfft hatte, wußte ich wenig anzufangen. Ich versuchte, Sozialist zu bleiben. Andere verzichteten unverzüglich darauf. Sie hatten nur so getan und schwammen tüchtig in der Mediensuppe herum, immer obenauf als Fettaugen, wie vordem in der Partei-Gunst. Manche, die drüben hatten leiden müssen, verschwanden bald ganz und gar, als hätte es sie nie gegeben. Wenn Loest auf seine Knastbrüder verweist, bin ich einverstanden, ein halbes Leben lang hatte ich für sie gesprochen und könnte leicht ein Buch mit all den Interventionen füllen. Seltsam nur, in die östlichen Ämter und Regierungsstellen rückten Westler und bereits in der DDR geübte und bewährte Überlebensprofis ein. Kaum ein »Knastbruder« unter ihnen. Von denen agieren einige inzwischen aus höchst verdächtiger Nähe zum Nazitum. Mein Verständnis für Opfer endet an der Barriere, die auch Erich und mich nun zu trennen scheint. Ich lese, wie ein Opfer des Stalinismus meinen guten Freund Ludwig Baumann wegen dessen Desertion aus der Wehrmacht beschimpft. Für solche Leute ist am Ende noch Hitler ein Opfer des Stalinismus.

Im Fernsehen tritt Wolfgang Thierse auf, jetzt zweithöchster Rang im Staate. Germanist, Sprachwissenschaftler, statt Lehre in Bautzen Mitarbeiter im DDR-Kulturministerium, kein Karrierebruch. Schon schmecke ich Loests giftige Ironien gegen Windschlüpfrigkeit nach. Denke an die Talkshow in Bremen anno 1990, der brave Wolfgang aus Ostberlin und ich nebeneinander sitzend. Nach dem Talk zeigte ich ihm die Zahlstelle, wo die Teilnehmer ihre fünfhundert Märker bar auf die Hand erhielten. Weiß Thierse noch, wie erfreut er sein erstes ehrlich verdientes Westgeld einsteckte? Nichts dagegen zu sagen, ein sympathischer Mann. Ich find ihn nett und bin sicher, er war auch in der DDR-Kulturbürokratie einfach nett. Der Fehler vieler Opfer des Stalinismus ist ihre mangelnde Nettigkeit gewesen. Da tagtäglich Drittes Reich und DDR miteinander verglichen werden, riskiere ich es: Nach 1945 fanden sich in westlichen Ämtern und Regierungsstellen kaum Opfer des Faschismus – manche Parallele ist so sinnfällig wie fatal. Kaum war die Deutsche Demokratische Republik perdu, erlebten wir eine umfangreiche polemische Abrechnungsliteratur. Plötzlich waren da ganze Scharen später Freiheitshelden. Zwar kam die PDS als SED-Nachfolgerin auch reichlich spät, doch lag sie gezwungenermaßen auf der Linie unserer Reformversuche der fünfziger Jahre. Dienten vormalige Erzkommunisten von Biermann bis Schabowski sich jetzt den Bürgerlich-Konservativen bis hin zur CSU als Bettgenossen an, waren mir die unterlegenen Genossen wieder nähergerückte Adressaten meiner Solidarität, es sei denn, einer blieb so borniert, wie das Parteilehrjahr verlangt hatte. Gegen Stalins Getreue trete ich ebenso gern als Antikommunist auf, wie ich sofort Kommunist werde, sehe ich mich mit Faschisten konfrontiert. Denn es gibt eine Ehre des optimalen Engagements, sind Entfremdete in Freunde umzuwandeln oder Kannibalen in Vegetarier, und es gibt einen Lustgewinn, der aus dem Sieg der Rationalität resultiert, sind wir am Ergebnis beteiligt. Über all dem dominiert die Erkenntnis, daß unsere Kontroversen Folgen des Dritten Reiches sind und die deutsche Nazikanaille nichts weniger als bezwungen ist. Oft verbirgt sich hinter den üblichen Verweisen auf sowjetische Verbrechen wie in Katyn nur der Wunsch nach Relativierung eigener Schandtaten. In der beliebten Gleichsetzung von Drittem Reich und der Deutschen Demokratischen Republik wuchert der deutsche Wahn. Nehmen wir die Gleichsetzer beim Wort, sind die etwa tausend bedauerlichen DDR-Grenztoten in Beziehung zu setzen mit den unfaßbaren über fünfzig Millionen Toten des Zweiten Weltkrieges, so bleibt ein Fünfzigtausendstel als DDR-Schuld. Davon abgesehen ist die Zahl der im Dritten Reich Verfolgten und Widerständler, die dann im anderen deutschen Staat lebten, ungleich höher zu veranschlagen als in der Bonner Republik. Warum wohl. Keineswegs darf das verschwiegen werden. Da hat Martin Walser neuerdings bei Hauptmann Dregger gelernt, Versailles sei die Ursache für Hitlers Erfolg, und so wird überall zurückgeschaltet vom Wissens- in den Unwissensstand bis hin zu Leni Riefenstahl, die mir zwar nicht, wie offenbar vielen unserer Zeitgenossen, einen filmästhetischen Orgasmus verschaffte, doch ihr publizistisches Pendant Noelle-Neumann, die Riefenstahl der *FAZ* inklusive der Vorläufer *Das Reich* und *Frankfurter Zeitung* ging mir nahe. Noelle-Neumann verdanke ich das Bildungserlebnis der Lektüre ihrer fulminanten Schriften, einschließlich der Dissertation aus dem Jahre 1940, als sie Propagandaminister Goebbels artig Tribut zollte. Das gemahnt an Schabowski, der nach dem Ende seiner steilen SED-Karriere als antikommunistischer CDU-Berater auftritt. Vor 1989 ein parteitreuer Wüterich, danach bereuender Partei-Christ. Begäbe sich so was bußbereit ins Kloster, wäre der Verlust ein Gewinn, doch die Schreibtischtäter werden von der Öffentlichkeit angezogen wie Motten vom Licht. Wer fällt mir da nicht alles ein: Friedrich Sieburg, Karl Korn, Carl Schmitt, Manfred Hausmann, Erich Peter Neumann, Kurt Ziesel, Hans Rössner, Werner Höfer, von Manstein, Guderian, Heusinger, Speidel, Gehlen, Giselher Wirsing samt tausend Namen, die ich mir jetzt erspare, denn ich will mir die sturzbachheftigen Wutanfälle nicht Tag für Tag leisten und tausche sie lieber in Lachanfälle um, an denen man indessen auch ersticken kann – an diesen meinen westdeutschen Erfahrungen gemessen, was bleibt da von Loests Attacken auf Harich, Janka, Kuczynski, Mittenzwei, Gysi oder gar von Biermanns Wutausbrüchen gegen die Genossen seines ermordeten Vaters und seiner bewährten Freundin Margot Honecker?

Als die *taz* noch eine jugendlich schöne, tolle Zeitung war, nutzte ich sie oft zur gefälligen Verlästerung impertinenter FAZ-Kapriolen. Am 28. 11. 1987 nahm ich mir mit Lust ein Loblied auf Generalfeldmarschall Erich von Manstein vor, in der *FAZ* gesungen von Günther Gillessen am 21. 11. 1987 zum Totensonntag. Nach dem Bedauern, daß der Zeitgeist verlange, »Angriffskriege zu tadeln«, moserte Gillessen: »Dabei gibt es in Europa ... eine Tradition, die geschickte Führung einer Streitmacht eine Kunstfertigkeit zu nennen ...« Sodann belobredete er Mansteins »Kunst der beweglichen Kriegführung«, vom »Sichelschnitt« bei der Eroberung Frankreichs bis zu den schwierigen Rückzugsbewegungen im Südabschnitt der Ostfront ...«

In der *taz* komplettierte ich diesen Heldenquark schlicht mit der Manstein-Vernehmung durch den Ankläger Oberst Taylor (Protokolle des Nürnberger Kriegsverbrecherprozesses Band 20, Seite 698). Meine höfliche Objektivität war, ich gestehe es, von subjektivem Leidensdruck begleitet, welcher Schmerzen ich mich tagträumerisch entledigte. Warum statt im fernen Rußland und Frankreich nicht einfach im nahen Frankfurt/Main sicheln? Maschinenpistolenbewehrt genoß ich meinen Rückfall ins Soldatenheldentum, schoß und panzerte tagträumerisch am Ursprung herum, wo die Schreibtischsicheln gedengelt werden.

Unter Beihilfe Blochscher Psychologie löst unsereins Rückfälle in die militärische Perversion im diskreten Diskurs mit seinem besseren Ich antizipatorisch auf – die schlechte Vergangenheit sucht das Noch-Nicht, ich zerschmetterte die verführerische Waffe an der Wand und beschloß, in der zivilcouragierten *taz* der kriegslüsternen *FAZ* zu entgegnen. Das tat einfach gut.

Im August 2002 saß FAZ-Schirrmacher in der Sendung »Zur Person« bei Günter Gaus im Sessel hingefläzt, Beine breit, prallen Bauches, wie er sonst ältere Herren ziert und das Oberhemd zu sprengen droht. Man erblickte das verquollene Gesicht eines verspäteten Jünglings, dem die Pubertät zusetzt. In Erregung geraten, fuchtelte der Knabe plötzlich mit seinen wie aus der Garage fahrenden Händen. Mühsam unterdrückte ich meine Erheiterung, um Ingrid nicht abzulenken, die eine Videoaufnahme für diese unnachahmliche Vorstellung einrichtete, und ich dachte: Das sind ja Sieburgs Hände! Und dann: Der junge Mann ist Sieburgs Inkarnation – die Wiedergeburt eines nicht unbeachtlichen Potentials auf der Suche nach seinem Gral. Plötzlich ordneten sich die Bruchstücke zum Ganzen, und ich erinnerte mich vergangener Sätze und Szenen: Der in eigenen konservativen Kreisen wegen des Verdachts unorthodoxer Gedanken nicht unumstrittene knabenhaft gestylte FAZ-Meisterfeuilletonist hatte am 8. 8. 1997 in seinem Blatt ein paar erstaunliche Sätze als Programm »für die ungeschriebene Mentalitäts- und Geistesgeschichte von DDR und Bundesrepublik« formuliert: »Sie wird das akademie- und diskussionserprobte Ich porträtieren müssen, das in West wie Ost selbst noch in den apokalyptischen Warnungen vor der atomaren Gesamtauslöschung immer auch seine Größenphantasien zu erkennen gab.«

Vom FAZ-Idiom in menschliche Sprache übersetzt heißt das: Schirrmacher erkennt in den führenden Politikern und Akademikern, die sich aus Ost und West im Kalten Krieg befehdeten, jene Kräfte, die sich auch durch sehr reale Atomkriegsgefahren nicht abbringen ließen von ihren »Größenphantasien«, was besser »Größenwahnphantasien« genannt werden sollte.

Der Ausweg aus der drohenden Apokalypse laut Schirrmacher: »Die Historisierung der beiden Republiken gibt allmählich Material frei, das die intellektuelle Verfassung des vereinigten Landes zu verändern verspricht.«

Veränderung wohin? Das Rezept wird nebenan in Leitartikel und Wirtschaftsteil als freie Bahn den Globalisierungsgewinnlern ausgefertigt, so dient der Feuilletonist vor Ort als Kranzlieferant am Friedhof der Opfer, d. h. jener achtzig Prozent Beschäftigter, die arbeitslos gemacht werden, setzt die Globalisierung sich unkorrigiert durch, in deren Folge die anderen zwanzig Prozent der heutigen Arbeitnehmer genügen, alle benötigten Waren zu produzieren. Dies die intimen Nachrichten aus dem USA-Paradies, dessen deutsche Kapitalmagnaten über die famosen *FAZ*-Goldfedern ihre Interessen kundtun.

Wohin also soll die Reise gehen? Im Kalten Krieg richteten sich die deutschen Größenphantasien trotz Atomtodgefahren gegeneinander. Wogegen richten sich die hernach vereinigten Größenphantasien? Es gab in West und Ost dem Kalten Krieg wie den Atomkriegsrüstungen widerstehende Menschen, gegen die das Frankfurter Kapitalzentralorgan nur Hohn und Haß abzusondern hatte. Spätling Schirrmacher drückte damals noch die Schulbank und hat heute leicht phantasieren.

Der konservative Holthusen lehnte nach dem Krieg die Aufnahme Ernst Jüngers in die neue westdeutsche Akademie aus Imagegründen ab, wissend, daß der Nietzsche-Adept 1933 den angebotenen Eintritt in die Dichterakademie respektablerweise verweigert hatte. So versammeln die deutschen Akademien jeweils Zeitgeistgenerationen, damit die Nachfolgenden Grund für Generationshahnenkämpfe finden. An der Spitze immer die flinken Hauptleute mit dem Degen aus Papier.

Im Rückblick erscheint jede Akademie als Operette, die Sänger treten aber als Opernhelden auf. »Prolog im Himmel« nannte Schirrmacher es, wenn Gottfried Benn 1949 in einem Anfall von Ehrlichkeit meinte, alle guten Schriftsteller seien jetzt im Osten, keiner im Westen. Ein Professor Hosaens hatte eben für die CDU die Gründung einer neuen West-Akademie beantragt, um »Europa gegen Asien zu verteidigen«. Das ist inzwischen gelungen, doch welchen Begriff hat Schirrmacher vom Himmel? Es ist wohl mehr ein Epilog in der Hölle gewesen. Ernst Jünger aber, der 1933 nicht akademisch sein wollte und nach dem Krieg nicht sein durfte, rehabilitierte sich als Überhundertjähriger tapfer. Am 9.8. 1997 servierte Ernst Jüngers Frankfurter Hauszeitung einen Vorabdruck aus dessen Buch *Siebzig verweht V*, wo es heißt: »Wenn ich als Anarch auf mein Verhalten im Dritten Reich zurückblicke, fällt mir ein, daß ich nie mit Heil Hitler gegrüßt habe.« Ja, diese tollkühnen aufrechten Anarchen! Wir verstehen: Ins Widerstandsmuseum mit dem tapferen Helden zweier Weltkriege, neben General Heusinger, der beim Attentat am 20. Juli 1944 neben seinem Führer am Tisch in der Wolfsschanze aufrecht stehend leicht verletzt wurde und später von Minister Rühe als Bundeswehrgeneral und braver Mann gewürdigt worden ist.

Da sind noch Plätze frei, auch für Stephan Hermlin, der am 13.12. 1989 angesichts der Mauerbruchfolgen tapfer erklärte: »Aber ich bin nicht bereit, vor der Gewalt zu kapitulieren. Ich bin nicht bereit, der Gewalt Gewaltlosigkeit entgegenzusetzen« (Beifall, aber Widerspruch von Kurt Masur). Die zuständigen NVA-Generäle freilich kapitulierten und folgten Hermlin klugerweise nicht. Beim Lesen der vielerlei Geheimprotokolle von allerlei Akademien wird leuchtend klar, welche heroischen Worte deutsche Geistesriesen selbst in allerdunkelsten Zeiten finden. Hitlers und Stalins promovierte Kinder erweisen sich als Nietzsches Urenkel. In aller Unschuld und Wortgewalt. »Die intellektuelle Verfassung des vereinigten Landes zu verändern«, bereiteten sich Walser und Schirrmacher anno 1998 in brüderlichen Telefonaten auf den gemeinsamen Auftritt in der Paulskirche vor. Der eine hatte sich den Großen Preis erschwafelt, der andere lobredete ihn hoch, daß den versammelten Geistesgeschäftsriesen im orkanbrausenden stehenden Beifall der letzte Hauch von Intellekt abhanden kam und nur ein einzelner Bubis stumm sitzen blieb. Von der Verleihung des Buchhändlerfriedenspreises anno 1998 bis zum *Tod eines Kritikers* im Jahre 2002 ist es nur ein kurzer Schritt im Programm der Skandalplanung. Das Feuilleton spuckt Kultur aus. *Frankfurter Rundschau* gegen, *Süddeutsche Zeitung* für Walser, *Zeit* für und gegen, *Welt* plus *Bild* sowieso. Jens, Giordano, Kunert, Karasek erschreckt lautgebend. Das Fernsehen rülpst kräftig oder zart und weiß nicht so recht. Möllemann erteilt Walser Ratschläge fürs Fallschirmöffnen und stürzt später ab. Friedman ist contra. Unseld fällt aus wegen Krankheit. Enzensberger will Walser gar nicht erst lesen, hatte Saddam Hussein schon zehn Jahre früher zu Hitler II. ernannt und erwartet US-Vollzug, die Börne-Taler gibt's vorneweg. Endlich haben alle den erwünschten Skandal. Suhrkamp-Autor Handke sitzt schon überm Gegen-Buch und hat recht. Denn der nächste Krieg kommt bestimmt. Das Feuilleton bereitet ihn vor und will es dann nicht gewesen sein. Das ist Kultur, »Material« eben, das »die intellektuelle Verfassung des vereinigten Landes zu verändern verspricht«. Im schweigenden Staunen stehen die anvereinigten Ostdeutschen am Wegesrand der brausenden Veränderung, der sie nun in Freiheit angeschlossen sind. Als depperte Antifaschisten wurden sie beschimpft und nun droht Antisemitismus? Normalität, Genossinnen und Genossen, will gelernt sein. Und das alles, weil Walsers Frau Mama, die Gastwirtin, unter den Folgen des Versailler Vertrages in wirtschaftliche Nöte geriet und der NSDAP beitrat. Was sagt unser ungefärbter Herr Bundeskanzler jetzt zu alldem?

Antisemitismus ist nötig, weil er das Geschäft vergoldet. Das liebe Wahlvolk muß abgelenkt und unterhalten werden, damit die nächsten Bomben und Raketen bald ungestört ihre himmlischen Klänge ertönen lassen können. Das schafft Arbeitsplätze. Zumindest für die muntere Feuilletonfamilie. Wann kommt die heiße Reality-Show mit rundgerechnet hundert Folgen ins Fernsehen?

Aus Kreisen der israelischen Friedensbewegung hört man die Klage, sie fühle sich durch den jüdischen Zentralrat in Deutschland nicht vertreten, weil die Herren Spiegel (SPD) und Friedman (CDU + TV) Scharonisten seien. Nun, die deutsche Friedensbewegung fühlt sich durch die *FAZ* auch nicht gerade repräsentiert. Vielleicht sollten wir einen Rat der jüdischen Alten einberufen, von Adorno, Horkheimer, Benjamin bis Stefan und Arnold Zweig, Toller, nicht zu vergessen Einstein, Freud, Tucholsky, Jean Amery, Herbert und Ludwig Marcuse, Alfred Kantorowicz, Polgar, Bloch, Kafka, Seghers, Mehring, Mayer, Heym, Feuchtwanger, Friedrich Wolf ... (Ende aus Platzgründen). Wetten, daß diese Runde der Alten vom Zentralrat als antisemitisch, von der *FAZ* als jüdisch-bolschewistisch (Fest/Nolte) und von Walser als zu großkritisch befehdet würde? Schrittmacher Schirrmacher aber lenkte allen Streit in sein Feuilleton, denn das Blatt verliert an Auflage. Selbst das schönste Kapital wird schwach, wenn die Kurse ewig sinken.

Endlich ist festzuhalten, Sieburgs Enkel führen ihre postmodernen Familienidyllen auf. Der Turmwächter vom Bodensee begriff einst als junger Mann, rechts war out, links in. Mit der Vereinigung verkehrte sich die Lage. Wir erinnern uns an Blochs Fabel vom Ungeheuer mit dem transplantierten Kopf eines Kulturmenschen. Der Drache plaudert nun ganz possierlich-humanistisch, bis das böse Blut des Untiers menschenfresserisch obsiegt. Walser redete mit aufgesetztem Linkskopf gar linksradikal daher, bis er sich seiner armen Mama, der Gastwirtin, erinnerte, die wegen des Versailler Vertrages finanziell nicht über die Runden kam. Flugs setzte der Sohn den Linkskopf ab und das Mutterhaupt auf. Am Ende sind alles nur Masken. Auch der Antisemitismus soll eine Larve sein, in deren Schutz er sich ungescheut wie im Karneval am bösen Kritiker rächt. Den Literaturpapst ernennt die Frankfurt-Mainer Oberbürgermeisterin dafür im Handumdrehen zu Goethe II. Gerührt kopiert Marcel den Olympier im TV-Licht zum Steinherzerweichen. Sein ganzes zweites Leben lang hatte M.R.R. die Böll, Grass, Walser kleingehackt und Tucholsky in der *FAZ* seitenlang beschimpft, all seine Liebe auf Wolfgang Koeppen richtend, der mit seinem *Treibhaus* längst den *Tod in Rom* gefunden und sich bis aufs letzte Komma leergeschrieben hatte. Unser Kritiker bejubelte seinen Mann, von dem nicht wie bei Walser-Böll-Grass neue Werke drohten, die er dann hätte niedermachen müssen, sich selbst auf die ersehnte Geistesheroenhöhe zu katapultieren.

So war die Lage, als der beleidigte Bodensee-Wassergeist zum Gegenschlag ausholte und den Generalrezensenten der ersehnten Ermordung preiszugeben schien. Die Republik hatte ihren Skandal. Der Buchhandel seinen Bestseller. Autor und Verlag eine PR, von der andere nicht zu träumen wagten. Wenn alle meucheln und schießen, müssen auch die Dichter ihre Waffen in Anschlag bringen.

Inmitten dieser kruden Krimi-Mimen-Gesellschaft leben allerdings noch ein paar reale Täter-Opfer und Opfer-Täter, die der Wende vom Realen ins superbe Reich der imaginären und imaginierten Schmerzen nicht recht folgen können oder wollen.

Von Gaus befragt, geriet Schirrmacher plötzlich aus seiner bräsigen Pose und etwas in Rage, als er sich gegen Jens, Böll, Grass wandte und über die Großvatergeneration sprach, zu der er und seinesgleichen, angeödet von den 68ern, zurückgekehrt seien.

Die Namen stehen pars pro toto. Es ging gegen die intellektuelle Linke, aus der einige Wechselbälger *fa*zistisch angezogen gegen die eigene bessere Vergangenheit stänkerten, entlaufene Adorniten, zum offenen Nationalismus zu klug, beim kapitalen Feuilleton angeheuert, weil als Kronzeugen nutzbar. Schirrmachers Abwehrzauber gegen die Linke wurde von Gaus registriert, er selbst schien das Fatale seiner Aussage nicht zu spüren, nur die Bewegungen der fuchtelnden Sieburg-Hände verrieten ihn.

Im deutschen Märchen ist der Großvater durch die Großmutter vertreten, deren Gestalt der Wolf annimmt.

Dieses versumpfte Gelände wölfischer Ahnen ist klaftertief geschieden vom Bloch-Land. Deshalb passen wir 56er mit unserem ewig jugendlichen Großvater Bloch nicht ins übliche Schema, was endlich ungescheut ausgefabelt werden muß, weil wir eben nicht zurückwollen ins abgesunkene, abgestunkene Gestern der Krieger. Wenn schon Vorväter, dann Bloch. Von ihm ist zu lernen, das Kind nicht mit dem Bade auszuschütten oder, wo er selbst irrte, mit der Korrektur nicht erneut übertreibend Schaden zu stiften. Blochs Lehre liegt dabei quer wie der Buddhismus zu den üblichen Religionen, ein Anderes eben, wie der Trotzkismus zwischen den marxistischen Richtungen ein Anderes ist. Vorausgesetzt sind die Brüche mit Bürgertum, mit Faschismus und linken Diktaturen.

Egon Krenz zeigte sich am 17./18. 8. 2002 im *Neuen Deutschland* belesen und belehrt, als er zum Umgang des Politbüros mit dem SPD-SED-Papier anmerkte: »Daß wir unfähig waren, die längst fälligen Schlußfolgerungen für die Innenpolitik zu ziehen, gehört zweifellos zu unseren folgenschweren Fehlleistungen. Ernst Bloch spricht – ein Problem der menschlichen Existenz berührend – von der Dunkelheit des gelebten Augenblicks.«

Anders Walser im *Neuen Deutschland* vom 24./25. 8. 2002, wo er auf die Frage nach der Utopie antwortet:

»Nein, das interessiert mich nicht. Ich lasse mich lieber von Erfahrungen leiten als von Zielen. Das Gehabte ist eine bessere Leitplanke als das Gewollte. Die schöne Glocke der Utopie hörte ich nur einmal bei Ernst Bloch, im ersten Band vom ›Prinzip Hoffnung‹. Dieser Ton hat mich verführt, er war anschließbar an den Kindheits-Kirchenton. Ein Religionston.

Frage: Aber kein Denkton?

Nein, kein Denkton. Aus der Ferne beobachtet und etwas schnöde gesagt, ist ja auch einer wie Bloch den fast christlichen Weg gegangen. Der Glockenton wurde kleinmütiger, kirchlicher. Das entspricht einem Klischee aus der Geistesgeschichte meiner Rezeptionslandschaft: Werden die Kerle älter, werden sie frömmer, weil dann zur Kasse gebeten wird. Die Theologie wartet auf solche einlenkenden Maßnahmen, sich selber abzumildern. Und das Publikum vielleicht auch. Daß unser Leben mit dem Tod aufhört, das kann ja wahrlich nicht als etwas bezeichnet werden, das gut ausgeht – vor dem Hintergrund versagt irgendwann jeder utopische Schwarm.«

Was Walser hier gegen Bloch einwendet, ist so falsch wie der wuchernde nationale Unverstand, den er inzwischen selbst als »ein älter gewordener Kerl« vertritt, ganz der smarte Autorentyp, nach dem Krieg zeitgemäß links agierend, weil rechts sich nicht schickte. Indessen schickt es sich wieder, und so unterstellt er dem früher in Dutzenden Jubelartikeln besungenen Freigeist Bloch, der sei fromm, kirchlich, christlich geworden. Fehlt bloß noch zahnlos.

Der opportunistische Umwandler Walser hat keine Ahnung vom jüdischen Revolutionär und bäckt sich einen Philosophen aus dem eigenen säuerlichen Teig zurecht.

Als die Sozialdemokraten kaiserfromm und pragmatisch geworden waren und es schief ging, durfte Noske die Revolution niederschlagen. Auf 1918 folgten 1933 und 1945, und die Pragmatiker blieben, was sie geworden waren. Die Rechte pragmatisierte sich mit. Ihre Intellektuellen allerdings teilten sich in Konservative und Neonihilisten. Die Konservativen blicken mehr zurück als vorwärts, die Neonihilisten knüpfen bei ihren Vorgängern von Carl Schmitt bis Ernst Jünger an, die Nase immer scharf im Wind, ob sich von der modernisierten Stahlhelmfront nicht bald ein neuer Kreuzzug anstiften ließe. Weht der Wind stärker, gehört keine Prophetie dazu, den visionslosen Sozis schnellen Anschluß an frühere Niederlagen vorauszusagen.

Erich Loest ist im Geiste bei den Sozialdemokraten gelandet. Das ist ehrenwert und verständlich. Nur rechnet er mit seinen vormaligen linken Genossen ab, als wären das alles Kerkermeister. Werner Mittenzwei lieferte ihm den Aufhänger, indem er den Fehler beging, Loests Schicksal zu mißachten, was der Berliner Geringschätzung Leipzigs als Provinznest entspricht und vermutlich Angst vor der Schwere des Exempels ist. Loest sieht sich in seinen Aversionen bestätigt und zieht vom Leder gegen »ein paar zehntausend aufs Abstellgleis geratene Professoren, Generäle und Botschafter, Stabü-Lehrer und Kaderleiter, denen die Geschichte ... einen häßlichen Streich gespielt hat.« Das mag die adäquate Reaktion auf Geringschätzung sein und ist doch mit ihr identisch. Keine Bautzen-Haft darf ausblenden, daß Loest, unsere Mitstreiter und ich, ja selbst unsere Genossen Feinde Fleisch vom Fleische dieser DDR sind, meinetwegen gewesen sind. Verweigert er ihnen die Korrektur und die daraus zu filternden Einsichten, wird aus Hoffnung Enttäuschung. Die administrative Enthebung der DDR-Elite ist der geistige Anteil an der materiellen (industriellen) Vernichtung, nun hängt die gewesene DDR dem Westen wie ein Mühlstein am Hals. Die Entmachtung der Linken verlief nach Plan und gezähmt, das Resultat ist Ohnmacht und linke Leere wie 1933, und wer das als Pluralität verkaufen will, hegt fatale Absichten. Im SPD-SED-Papier agierte man einst klüger. Kein Wunder, daß Lafontaine wie Gysi inzwischen privatisieren.

Ein schwer beleidigter Loest verkennt die Leistung Mittenzweis, der den kulturellen Erfahrungshorizont einer besiegten Gruppe von Intellektuellen benennt, deren totale Vernachlässigung und gar Befeindung zu kulturellen Verlusten führte. Nicht akzeptabel ist Loests politische Ranküne. Der Haß auf die einstigen SED-Genossen spricht den Gehaßten die Fähigkeit ab, aus dem Schmerz der Niederlage achtbare Konsequenzen zu ziehen, wie sie sich in Mittenzweis Buch leicht auffinden lassen, wenn man nur will. Die deutsche Linke, ob sie sich in einer Partei integriert, in zweien oder dreien, kann nur Schach statt Mühle spielen, wenn SPD und PDS mit der Vergangenheit brechen und die Grünen sich auf ihren ehrenhaft-radikalen Anfang besinnen. Der Krieg gegen Hitler war der letzte legitime Krieg des Zeitalters.

Habt keine Angst vor einem deutschen Sonderweg, wenn er die Erfahrungen des Volkes einbezieht. Wir tun recht daran, Kriege und Niederlagen nicht zu vergessen. Den Siegern stehen ihre Desaster möglicherweise noch bevor. Vielleicht können sie von uns lernen, wie Hybris sich vermeiden läßt.

Am 3. 9. 1957 hatte ich von Westberlin aus einen Brief an Loest in Leipzig geschrieben, der ihn schützen sollte, wobei mir klar war, meine Worte erreichten vor dem Adressaten seine Überwacher, für die sie in der Tat bestimmt waren:
»Lieber Erich, Du hast einmal gesagt, du seist zwar mit einigen Dingen in der DDR nicht einverstanden, deshalb aber würdest Du nie nach dem Westen gehen, denn dies sei Klassenverrat. Nun gut, dann bin ich eben Deiner Meinung

nach ein Klassenverräter. Ich meine aber, ich bin es nicht. Übrigens, Du bleibst dabei durchaus bei Deiner Einstellung, und ich sage Dir, daß Du im Grunde eben auch nichts anderes bist als ein Stalinist. Du magst manchmal auffahren, zornig schimpfen, doch das liegt in Deinem Wesen, ansonst mein Lieber, und das hab ich längst erkannt, bist Du ein treuergebener und orthodoxer Parteigenosse. Nun meinetwegen. Ich konnte es nicht mehr aushalten, ich wäre dort draufgegangen. Es gibt eine Grenze, da hört alles auf. Ich war dran.«

Loest lebte von seiner Verurteilung Ende 1958 an in konsequenter Ablehnung der DDR, die ich immerfort zu retten versuchte. Meine Distanz war am größten, als ich nach ihrem Untergang den Bericht der beiden Geheimdienst-Offiziere aus dem Jahr 1976 las.

In *Das Großelternkind* steht vermerkt: »Wie es gelang, 1976 die Reise ins mir seit 19 Jahren verbotene DDR-Land zu meinem Geburtsland durchzusetzen, ist ein Lach-Kapitel für sich ... Weil der Staat DDR einen Kontakt des für 3 Tage eingereisten Zwerenz mit Erich Loest im 72 km entfernten Leipzig befürchtete, wurden wir beschattet, wurde Loest in Leipzig beschattet, wurden Kontrollen und Straßensperren in mehreren Städten errichtet, gab es Alarm bei Polizei und Armee, rätselten Agenten bis hinauf zum General, warum ›der Zwerenz und seine Ehefrau‹ im Dorfe Gablenz an einem Platz mit ›mehreren Teichen‹ spazieren gingen. (Es sind nur zwei Teiche.) Warum er dort photographierte. Nun ja, dort steht sein Geburtshaus, das er nach 19 Jahren wiedersah. Auf einen so banalen Grund kommt ein Geheimdienst nicht, der naturgemäß Konspiratives argwöhnt.«

Die Überwacher ahnten nichts von meiner besonderen Beziehung zu diesem Ort, nichts von der »Weißbach«, die sich dort erstreckt, wo sich 1933/34 die Widerständler insgeheim trafen, nichts vom nahebeiliegenden Häuschen, in dem Alfred Eickworth gelebt hatte, der 1943 Erschossene. Wie sollten SED-Geheime so schnell antifaschistische Orts- und Geschichtskenntnisse aktivieren, wenn sie doch vollauf damit beschäftigt waren, einen Renegaten zu überwachen. Kein Gedanke auch an den tapferen Rudolf Hallmeyer, der sich hier in der Weißbach mit den Gablenzer Hitler-Gegnern traf. »Am 8. September 1943 mit dem Fallbeil hingerichtet«, vermerkt Chronist Wolfgang Gärtner in seinem Bericht *Der antifaschistische Widerstand 1933/34 im Raum Crimmitschau (die Alfred-Eickworth-Gruppe)*. Die Broschüre erschien 1977, ein Jahr, nachdem Ingrid und ich für drei Tage einreisen durften und genau am Ort des Widerstandes von den beiden Geheimdienstlern observiert worden sind.

Ich kenne zwei Erich Loest. Der eine ist der schwermütige, lachfaltentreibende Humorist, den ich unseren in Geldnöten steckenden Krankenhäusern als Therapeuten empfehle. Lachen heilt ohne Pillen und Skalpell. Der andere Loest will es »denen« heimzahlen. Das ist der Rückfall-Erich, zu Unrecht eingesperrt und preisgegeben. Beide kenne ich gut.

Ich versuche auch gegen den zweiten E.L. fair zu sein. Es fällt mir nicht leicht und hat Ursachen, die etwas weiter zurückliegen. Wenn wir Schulkinder im Winter auf den Gablenzer Teichen Schlittschuh liefen, gaben die älteren Arbeitersportler und Genossen des Ortes und vom Gablenzer Berg Ratschläge, wie wir uns dem Jungvolk widersetzen könnten. Als Lehrlinge gingen wir, wie sie es empfahlen, in die Marine- und Flieger-HJ. Devise: Bei Kriegsmarine und Luftwaffe braucht ihr danach lange Ausbildungszeiten, das ist besser als Kanonenfutter im Heer. Wenige überlebten. Im Denkmal für Alfred Eickworth sehe ich sie alle, die uns Jüngere vor dem Tod im Krieg zu bewahren suchten. Im verschwundenen Denkmal sehe ich alle diese Männer beleidigt und vergessen gemacht.

Die DDR endete, als wären Marx und Moritz ihre Begründer gewesen. *Mit Marx- und Engelszungen* nannte Wolf Biermann 1968 einen seiner Gedichtbände – der Titel nutzte einen frühen Scherz Conrad Reinholds, bis 1957 Leiter des Leipziger Kabaretts *Die Pfeffermühle*.

Unsere deutsche Sozialdemokratie ist auf ihre alte Kriegsdevise *Noske statt Marx* zurückgerastet. Das Land wird dominiert von Machtmenschen und jenen Neonihilisten-Kompanien, die nur darauf lauern, sich den Machtmenschen anzuschließen. Im Inneren der Volksseele und zensiert von ihren Verführern läuft die kommunistische Tragödie ab. Was fortexistiert, ist unser verborgenes Bloch-Land. Denn der Wunsch nach linker Einheit ist bloße romantische Sehnsucht, solange Sozialdemokraten sich weigern, Tote, die sie auf dem Kerbholz haben, ehrlich zu betrauern und offen zu bereuen; nicht anders die Kommunisten, denen es noch schwerer fällt, die von ihnen verschuldeten Opfer über den eigenen Toten nicht zu vergessen, zumal die Reihe der Täter von Noske bis Hitler auch Stalin und seine Henker einbeschließen muß. Wie da gerecht und aufrecht bleiben? Einzig die Trotzkisten, von allen Seiten bedroht, brauchen sich nicht zu korrigieren. Ihr Klassiker Leo T. prognostizierte jeweils beizeiten die künftigen Massaker. Doch ihr andauerndes Scheitern resultiert aus der Unfähigkeit, dem Gefängnis der Vergangenheit zu entfliehen, so schlagen sie die vergangenen Schlachten noch einmal und immer wieder. Sie sitzen fest in den Betonburgen antiquierter Begriffe.

Ernst Bloch ist tot, doch bilden sich Schulen der Blochianer. Erich Loest, der bei aller Unschuld für Bloch mit zu büßen verurteilt worden war, erzählt wie kein anderer humoristische Geschichten, bis ihm das Lachen in der Kehle stecken bleibt. Dann predigt er Feindschaft, ganz dem Staat seiner schmerzlichen Erfahrungen zugewandt und von eingestürzten Mauerresten eingegrenzt. Sozialdemokraten und die letzten überlebenden Kommunisten verharren in der gleichen Feindschaftspsychose.

In der PDS versuchen Genossen die üblichen tradierten Haltungen und Methoden zu überwinden. Das Experiment schwankt zwischen Aufbruch und Abbruch. Was fortbesteht, sind subkutane Blochsche Nachwirkungen inklusive religiöser Kleingruppen, die ausbrechen möchten, stets in Gefahr, von ihren kirchlichen Hierarchien zurückgepfiffen und abgestraft zu werden. Allüberall mehr Heulen und Zähneklappern als fröhliches Lachen, Täter wie Opfer wechseln die Stellung und weisen anklägerisch ihre alten Wunden vor, um neue Wunden zu schlagen. Von ihnen wird nichts bleiben, bringen sie es nicht fertig, sich selbst zu verzeihen.

Beim Warschauer Aufstand im August 1944 klauten ein Wehrmachtsdeserteur und zwei seiner polnischen Bewacher einen deutschen Panzer. Auf Irrfahrt durch die umkämpfte Hauptstadt werden sie im Gebiet der Aufständischen beschossen, weil ihr Panzer noch das Hakenkreuz der Wehrmacht trägt. Geraten sie in von Deutschen beherrschte Stadtteile, halten die Polen dem deutschen Fahrer die Pistole an den Kopf, und der hätte als Deserteur ohnehin den Tod zu erwarten.

Der Panzer dröhnt so lange durch die Straßen, wie die Feindschaft anhält. Wir sitzen drin, und wer zurückschießt, verlängert den Krieg. Mein Vorschlag zur Güte: Mittenzwei studiert die Akten der Prozesse gegen die Oppositionellen der Jahre 1957/58 und widmet in der dritten Auflage seines Buches den damals Verurteilten mindestens soviel Aufmerksamkeit wie den späten Bürgerrechtlern. Loest liest Mittenzweis Buch nochmals und ohne Wutanfälle. Die sächsische Landesregierung ehrt die tausend in Torgau erschossenen Fahnenflüchtigen der Wehrmacht und entschuldigt sich für Biedenkopf, der gegen die Rehabilitierung der Deserteure protestieren ließ. Sie richtet in Leipzig einen Lehrstuhl für Blochsche Philosophie ein mit dem Ziel, einen Dritten Weg zwischen US-Hypermacht und fundamentalen Islamisten zu finden. Beide Partei-Imperien können mit ihren religiösen Fanatismen nur zu ewigen Kriegen führen, hindert Europa sie nicht daran. Das klingt utopisch und ist es auch, aber bei weitem besser als den Realitätsidioten die Politik zu überlassen.

Hans-Peter Martin und Harald Schumann in ihrem Buch *Die Globalisierungsfalle*: »Die Einfünftelgesellschaft zieht herauf.« Zwanzig Prozent der heute Beschäftigten werden zur Produktion gebraucht, die übrigen achtzig Prozent haben »eben Pech gehabt«. Die Politiker wissen das, versprechen dennoch ungerührt weiter Lohn und Brot für alle, und keiner wagt, die Systemfrage zu stellen. So ziehen sie mit ihrem Killerkapitalismus lieber von einem Krieg in den nächsten, als daß sie einhaltend sich fragten, ob sie mit ihrem kannibalischen Pragmatismus nicht den Weg zur Orwellschen Hölle pflastern. Erich Loest dementiert seine eigene widerständige Vergangenheit, beschimpft er die vormaligen Genossen, statt in den Schmerzen ihrer Niederlage das eigene Trauma zu erkennen.

Zurück zu Erich Loests autobiographischer Erzählung *Pistole mit sechzehn*, die durch Genauigkeit der erinnerten Fakten besticht. Die Bilanz der Hitlerjugend-Zeit mündet in ein Kriegsende, das Erich als Soldat miterlebt, verwundert jedoch in seiner humoristischen Verniedlichung. Den naiven Jahren der HJ, ein Generationserlebnis spiegelnd, folgt eine Soldatentums-Skizze, die kein gültiges Generationserlebnis enthält. Vielleicht ist die Zeitspanne zu kurz, oder der Erzähler nutzt sie lediglich zum Abschluß.

In unseren gemeinsamen Leipziger Tagen fiel mir die Diskrepanz zwischen Erichs und meinem eigenen Kriegserlebnis nicht auf. Umgekehrt begriff ich nicht Loests starke emotionale Enttäuschung über den 17. Juni 1953, den ich nach einer Parteirüge verarbeitete – vielleicht auch deshalb, weil ich Material zu einem Roman über den Aufstand zu sammeln begann, der allerdings erst 1959 in der BRD erscheinen konnte – während Erich offenbar sein Urvertrauen verlor. Nach dem Dritten Reich und der gläubig erlebten HJ fuhr nun für ihn die DDR samt SED zur Hölle, und auf den Schock des gegen ihn verhängten ungerechtfertigten Urteils von 1958 hin fühlte er sich einsam und verlassen. Was später auch geschah, er ließ sich auf nichts mehr mit ganzer Kraft ein. Mein Urvertrauen hingegen erwies sich weder im Dritten Reich noch in der DDR oder danach in der BRD als erschütterbar, da ich nichts anderes als Feindseligkeit von den Oberen erwartete und mich von vornherein auf Abwehr einrichtete. Genau darin fühlte ich mich wohl. Wo Erich mißtrauisch ablehnte, sagte ich »Ja, aber ...« und entwickelte ein ganzes Arsenal operativer Verhaltensweisen von tastenden Vorstößen bis hin zu taktischen Tarnungen und Lügen, ohne die du im Umgang mit den jeweils regierenden Lügen-Adepten keinen Fuß auf den Boden kriegst, willst du dich denen nicht als tumber Tor auf dem Tablett servieren. In petto hatte ich überdies ein subtiles Gespinst oppositioneller Verwirrnisse, Persiflagen, Parodien und originaler Novitäten.

Die Zäsur des Jahres 1953 prägte Loest. SED und KPdSU erschienen ihm fortan nur noch als die feindlichen Brüder der Nazis, auf die er als Junge hereingefallen und enttäuscht worden war, was ihm mit den Kommunisten nicht nochmal passieren sollte. Gerade weil er einige Jahre auf einem Weg mit ihnen gewesen war, wurde er aus Enttäuschung und Ratlosigkeit oppositionell. Mir hingegen blieb das revolutionäre Ideal erhalten, meine Opposition war ein Ziel, für das zu leben sich lohnte.

Zwei junge Männer unter den Arbeitern, denen ich als Kind begegnete, waren nicht wie die anderen Sozis, Sapper oder Kommunisten, sondern Trotzkisten. Sie imponierten mir sehr.

Als meine Tante Hilde 1933 aus New York zu Besuch bei uns weilte, fragte sie mich, was ich einmal werden wollte.

»Trotzkist!« antwortete ich. Daraufhin hatte Mama mich zu unterweisen: So etwas sagt man nicht. Das ist unanständig oder gefährlich oder beides. Fortan verhielt ich mich vorsichtiger und überstand das Dritte Reich, bis ich mich im August 1944 davon abtrennte. Den vier Jahren Kriegsgefangenschaft in der Sowjetunion folgten neun Jahre DDR und dreiunddreißig Jahre Bonner Republik. Als sich 1990 die Vereinigung ereignete, wurde ich gerade fünfundsechzig und hatte exakt 32,5 Jahre im Westen und vorher 32,5 Jahre im Osten gelebt, immer als heimlicher Trotzkist, der aber wußte, was er wollte.

Bei Bloch war Ähnliches zu spüren. Er führte ein Doppelleben, wie Blick, Wort, Haltung signalisierten. Auch Wolfgang Harich zeigte solche Züge. Wollte die DDR geographisch ostwärts vergrößern, um sie Westdeutschland gegenüber konkurrenzfähig werden zu lassen. Eine vernünftige Überlegung. Und Staatsverrat. Die kleine, von den siegestrunkenen Russen am Nasenring in die Welt gezerrte DDR bliebe chancenlos, hülfe man ihr nicht auf die Beine.

1990 legte ich meinen Heiligen Trotzki beiseite, ohne ihn zu vergessen. Wir wollten keine spurenlos abgeschaffte DDR, sondern Vereinigung von gleich zu gleich. Mein verborgener Trotzki flüsterte mir ins Ohr: Die Sieger hängen sich den anderen deutschen Staat wie einen Mühlstein um den Hals. Tatsächlich verabschiedete sich das vereinigte Deutschland auf Jahrzehnte aus der first class. Jetzt arbeiteten sich die lieben Deutschen wie zuvor die Sowjetmenschen an veralteten Denkmodellen ab. Ich stellte mir den listigen Bloch als Erzengel hoch da droben vor: Die Deutschen unfähig zum revolutionär Neuen! Es ist wie 1848, 1871, 1914, 1918, 1933, 1939, 1945.

Und weiter ging es so verkehrt – am 17. Juni 1953 wurde Walter Ulbricht durch den Aufstand gerettet, bis 1989 das ostdeutsche Volk energisch die D-Mark verlangte und nach dem Westgeld bald den Euro und die Arbeitslosigkeit erhielt. Wir wenigen Trotzkisten, Blochianer, Utopisten wissen alles besser und unterliegen doch immerzu der Volksmehrheit. – Bei der biste nun, lieber Erich, endlich angekommen und fühlst dich dabei, wie ich lese, fröhlich und putzmunter.

Meine Neigung zum Trotzkismus entstammt frühen Kindheitserlebnissen, aus denen ich den Schluß zog, Trotzkisten seien stets wenige, die anderen aber viele. Das im Namen Trotzki enthaltene deutsche Wort »Trotz« weckte wohl bei meinem davon nicht freien Naturell emotionale Sympathien. Der Begriff Kommunismus verschmolz mir mit dem Trotzkismus, denn die mir bekannten Männer, ab 1933 die Zuchthäuser und später die Konzentrationslager füllend, waren zwar zumeist KPD-Mitglieder, bei genauerem Hinsehen aber gehörten sie zur SAP, KPO, waren Sozialisten, Gewerkschafter oder eben Trotzkisten. Oft durchliefen sie mehrere dieser Stadien wie Alfred Eickworth, der erst 1932 von der SAP zur KPD ging.

Die Schwäche der Trotzkisten von der Vierten Internationale gründet in den Revolutionsvorstellungen des 19. und frühen 20. Jahrhunderts. Obwohl Trotzki selbst im Exil darüber hinauswuchs, bleiben seine Nachfolger in Begriffen und Zielen gefangen, die nur magere Erfolge ermöglichen. Abseits vom organisierten Trotzkismus entstand eine andere Form. In Anlehnung an Brecht bildete sich ein intellektuelles Plebejertum heraus, das mit dem von der Partei klischierten proletarischen Typus nichts zu schaffen hat. Diese individuellen Trotzkisten und nahestehenden plebejischen Intellektuellen finden sich unter Arbeitern, Studenten und Akademikern. Sie scheuen große Worte und laute Töne und verfolgen still ihre Ziele. Der Russische Oktober lehrte sie die Möglichkeit, der Sieg Stalins die Unmöglichkeit der Revolution. In der Distanzerfahrung entfalten sie ihre Aktivitäten, nie siegreich, doch unbesiegbar wie die Christen der ersten drei Jahrhunderte, denen die Verstaatlichung des Christentums folgte. Die Oberen siegten, die Unteren unterlagen, exakt wie sechzehnhundert Jahre später in anderer, doch paralleler Situation. Der Neo-Trotzkist wirft deshalb nicht die Flinte ins Korn, weil er sie sowieso als antiquiert zu entbehren gelernt hat.

Von Trotzki abgesehen: In Loests Artikel »Elfenbeinturm und Rote Fahne« von 1953 und Harichs zwei Subversions-Schriften von 1956 war das Programm einer anderen DDR skizziert. Ein Skribent, der neulich dummdeutsch feixend fragte, wer Loest sei, wird es nie erfahren.

Fünftes Buch

Unterbrochenes Endspiel

Ernst Bloch und seine Anhänger – die manchen, die er schon hat, und die vielen, die er noch kriegen wird – sind die Baader-Meinhof-Bande der Philosophie. Und Sozialismus, der denkt statt schießt, ist auf Dauer nicht umzubringen.

Günter Nenning in »Neues Forum«, Wien, Oktober 1977

Seltsamer Aufstieg zur Bastei

Ich sah nicht gerade wie die personifizierte Gesundheit aus. Der ständige Streit mit politischen Instanzen rieb auf. Ich verlor an Gewicht und wurde wächsern blaß. Bei den Kontrolldurchleuchtungen ergab sich zum Glück nichts Neues. Die alte Tbc zeigte keine Neigung zu Aktivitäten, die vernarbte, verschwartete Lunge hielt fein still, doch ging ich noch immer aufpumpen, der nichtkomplette Pneu war inzwischen fünf Jahre alt.

Frau Franke, Sekretärin am Philosophischen Institut und Erzengel im Fachbereich Fürsorge und Mütterlichkeit, musterte mich mehrfach mißbilligend. Im Frühjahr erhielten Ingrid und ich vom Freien Deutschen Gewerkschaftsbund via Frau Franke zwei Ferienplätze in der Sächsischen Schweiz. Erholt euch schön, ihr habt's nötig!

In Bad Schandau war die Elbe über die Ufer getreten. Wo sonst Feriengäste ihre Gesundheitsspaziergänge absolvierten, fuhr man Kahn. Wir gelangten per Ruderboot ins Hotel. Solche Hindernisse wunderten uns nicht mehr, der Zug nach Dresden fuhr in Leipzig fast eine Stunde später ab als vorgesehen, das war selbst für den DDR-Eisenbahnverkehr happig ...

Im Hotel regierte eine strenge Matrone, registrierte uns unerbittlich als unverheiratet und verordnete verschiedene Zimmer. Ingrid kam mit einer jungen blonden Kindergärtnerin zusammen, ich mit deren Freund. Wir besprachen die Lage bei einer Flasche Apfelröschen, einem erfrischenden, säuerlichen Getränk, danach ordneten wir die Lage neu, die Matrone kriegte das spitz und kassierte ungerührt pro Kopf fünf Mark. Der Sozialismus regelte sich also bei Kleinigkeiten auf altbekannte Art und Weise. Mich störte das, doch beschloß ich, harmonischer Ferien halber, keine Prinzipienfrage daraus zu machen ... Wir besichtigten die Burg Königstein mit der Festung, wo Johann Friedrich Böttger vom sächsischen König arretiert worden war, bis ihm endlich das Porzellan als Weg in die Freiheit einfiel ...

Ich wunderte mich über das damals anscheinend noch recht saubere Wasser der Elbe. Wir saßen am Flußufer und starrten den Schleppkähnen und Raddampfern nach. Schwalben flogen über uns pfeilschnelle halsbrecherische Bogen. Sie fingen zwar nur Mücken, doch sah es so schön und kunstvoll aus, daß man ihnen unwillkürlich weniger profane Gründe erfinden wollte.

Es wurde warm, der Himmel stand verblüffend blau über den Bergen, der reinste Kitsch in Natur, ich dachte an den politischen Knatsch in Leipzig, und die Harmonie ringsum ging mir entsetzlich auf die Nerven. Es fehlte aber noch der krönende Abschluß, ohne den einer die Sächsische Schweiz nicht verlassen darf. Wir beschlossen also, auf die Bastei zu gehen.

Mit dem Schiff kamen wir am Fuß des Berges an. Der Dampfer war mit Ausflüglern voll besetzt. Mengen von Urlaubern aus Großbetrieben. Sie hingen in schweren Trauben zusammen, redeten sich mit Vornamen an, schwangen unternehmungslustig ihre Bergstöcke und Bierflaschen. Nach dem Aussteigen beeilten wir uns, an die Spitze des vielköpfigen Ungeheuers zu kommen, und schafften es auch. In Gespräche vertieft, stiegen wir gemächlich bergan, der Weg war gut gezeichnet, kleinere Treppenstücke und ansteigende Wegstrecken wechselten ab. Als es steiler wurde, hatten wir die Nachhut der vor uns eingetroffenen Dampferbesatzung eingeholt. Ein Schwarm alter Damen keuchte bergauf. Sie gingen unkorrigierbar und schwerfüßig nebeneinander, an Überholen war nicht zu denken.

An einer Biegung zweigte ein schmalerer Pfad links ab. Hundert Meter vor uns marschierten drei junge Männer.

Das ist gewiß eine Abkürzung, sagte ich beiläufig, hier können wir das Alte-Damen-Geschwader endlich hinter uns lassen.

Apropos alte Damen, sagte Ingrid, letzten Sommer war meine Tante Gustel auf der Bastei, sie ist über sechzig und kurzatmig, hat den Aufstieg aber prima überstanden, das ist also kein Problem.

Wir stiegen, munter disputierend, den drei jungen Männern nach. Indessen wurde der Weg zur Bastei immer schmaler und steiler. Ich verstehe nicht, wie meine Tante Gustel das geschafft hat, sagte Ingrid pustend, aber dann kamen wir wieder ab vom Aufstieg und seinen Problemen und redeten uns fest übers Totum. Eine Weile setzten wir uns nieder, disputierten, schöpften Atem. Danach gab's eine sanft ansteigende Wegstrecke, die vor einer mächtigen Felsplatte endete. Man mußte den Brocken irgendwie bezwingen, rechts und links war völlig unwegsames Gestrüpp. Ingrid hatte Stoffschuhe an mit geflochtenen Sohlen, sie rutschte immer wieder vom glatten Stein. Endlich gelang es mir, sie hochzuziehen. Mein Ehrgeiz erwachte, als Jungen hatten wir daheim im Steinbruch und in der »Hohle«, einer uralten verwachsenen Bucht, Kletterübungen an Steilhängen unternommen, uns aber dabei mit Wäscheleinen abgesichert. Wäscheleinen fehlten uns jetzt, doch ersetzten wir sie durch Eifer. Das half eine Weile, bis sich, nach einem Wegstück über Felsbrocken mit spitzen Kanten, die Sohle vorn von Ingrids rechtem Schuh löste. Jetzt reflektierten wir nicht mehr auf eine Wäscheleine, ein winziges Stück Bindfaden hätte uns schon gerettet. Wir hielten Umschau. Hoch über uns erblickte ich die drei jungen Männer, angeseilt am Hang, fachmännisch einer den anderen absichernd. Von unten schauten Normalwanderer zu uns herauf, die Bergsteiger bewundernd, dazwischen wir armen Verirrten, Ingrid mit schlappender Sohle. Endlich verfiel die angehende Philosophin auf eine praktische Lösung. Bevor wir von Leipzig aufgebrochen waren, hatten Erika und Ingrid als Näherinnen gewirkt und eine Art Anorak produziert, außen beige, innen mit kariertem Futter. Das riß Ingrid jetzt mit Zähnen und Nägeln auf, fetzte unten einen handbreiten Streifen ab, band mit dem karierten Stoff die Schuhsohle am Oberschuh fest, das ergab eine hübsche Schleife überm Spann. So konnte sie wenigstens wieder auftreten. Ich blickte in die Höhe, und mir schwindelte, als ich den Weg abschätzte, der uns noch bevorstand. Ich begriff, wir befanden uns auf keiner Abkürzungsstrecke für übliche Wanderwege, sondern am Berg auf einer zünftigen Klettertour.

Diese Erkenntnis behielt ich für mich. Ingrid war viel zu sehr mit den Schwierigkeiten des Aufstiegs beschäftigt. Sorgen bereitete mir, daß sie nicht schwindelfrei war. Außerdem ist sie etwas herzkrank, und bei größeren Anstrengungen zeigen sich rote Flecke in ihrem Gesicht, Warnzeichen. Ich blickte sie besorgt an, sie wunderte sich als Flachlandmensch zwar über den seltsam strapaziösen Bergspaziergang, doch gewohnt, bei Anforderung mit Leistung zu antworten, arbeitete sie sich tapfer den Berg weiter hoch, zwischendurch immer wieder die karierte Schleife richtend, die sich in Ästen und Gräsern verfing und ständig auflöste.

Wir gelangten an einen Schacht. Er war für Bergübungen eigens angelegt und stellte wohl die Gipfelprüfung für Seilschaften dar, die dieses schräg überhängende Felsstück zu überwinden hatten. Ich war drauf und dran, sitzenzubleiben und um Hilfe zu rufen. Eine Herzkranke und ein Mann mit einem aufgepumpten Lungenflügel zur Bewährung am Berg – das ging zu weit. Indessen war eine Umkehr längst unmöglich, der Abstieg wäre noch gefährlicher geworden als der Versuch, das letzte Stück bergauf zu zwingen. Der Berggeist wies uns einen dritten Weg. Wenn man um einen Kegel herumkletterte, kam man in einen sogenannten Fahrstuhl; eine von Felsen fast gänzlich umschlossene Schlucht erstreckte sich schlauchartig schräg aufwärts, und in diese Röhre hinein war eine Fichte geschoben. Kletterte man an deren Stamm hoch, gelangte man ans obere Ende, wo der Himmel hell und ermunternd leuchtete.

Wir schafften auch dieses schwierige Stück, doch weiß ich nicht zu sagen, wie. Die drei jungen Bergsteiger, denen wir nachgefolgt waren, lagerten schweratmend und stolz ob der vollbrachten Leistung wenige Meter seitab. Uns blickten sie an, als seien wir nicht ganz von dieser Welt.

Wozu braucht man für so 'ne Kleinigkeit 'ne Bergausrüstung, erklärte ich großspurig, während wir an den Bergsteigern mit blutig aufgerissenen Händen, zerschrammten

Knien, erdverschmierten Gesichtern, mühsam festgehaltener Schuhsohle vorbeiwankten.

Die Trimm-dich-Tour endete hier wirklich. Wir standen auf einer breiten, ebenen Waldwiese, ein Stück seitab führte der gebahnte, durch Stufen erleichterte Weg ans Ziel, auf dem eben die Gruppe alter Damen plaudernd näherschlenderte, der schöne Weg auf die Bastei, den wir so leichtsinnig verlassen hatten. Jetzt, nach überstandenem Abenteuer, wurde uns übel. Ingrid hatte beim letzten Aufstiegsstück begriffen, was mit uns geschehen war.

Hernach in der Berggaststätte beim Kaffee überfielen uns Lachkrämpfe. Die Leute hatten sowieso schon sehr erstaunt aufgeblickt, weil wir so derangiert und dreckig in das gemütliche Lokal gezogen kamen. Ich erkundigte mich beim Kellner und erfuhr, was wir uns unterdessen schon selbst zusammengereimt hatten. Wir waren auf eine reine Kletterstrecke abgeirrt und vermutlich die einzigen, die diesen Weg jemals ohne zünftige Bergausrüstung angegangen und geschafft hatten. Das ist der rückwärtige Hang, sagte der Ober, reine Ehrfurcht in der Stimme, dort üben die Bergvereine. Wir brachen wieder in Gelächter aus. Der Kellner, uns mißverstehend, meinte entschuldigend: Früher sind unsere Bergsteiger oft in die Alpen gefahren, jetzt ist das wegen der Zonengrenze nicht mehr möglich. Doch besitzen wir hier in der Sächsischen Schweiz auch Hänge mit oberstem Schwierigkeitsgrad.

Und wie wir beide dem Mann zustimmten!

Erschöpft wie wir waren, schafften wir kaum den Weg zurück ins Tal und bildeten dann auf dem Schiff nach Bad Schandau die Sensation des Tages, obwohl wir uns auf der Toilette halbwegs wieder hergerichtet hatten. Ingrid trug ihre Schuhe in der Hand, die Schleife hatte nicht mehr gehalten, mir hing ein großer Triangel Stoff aus dem Hosenknie. Ein ungewöhnlicher Anblick für die friedlichen Urlauber, denen es nicht eingefallen war, nach links vom Weg abzuweichen.

Zwei Tage und Nächte schliefen wir durch vor Erschöpfung.

Zwei Eigenheiten verdankten wir den abenteuerlichen, halsbrecherischen Aufstieg »Rückwärts auf die Bastei«. Zum einen liebten wir beide die überraschenden Abkürzungen und unkonventionellen Wendungen, weshalb uns ein abzweigender, kleinerer Weg unwillkürlich als die Möglichkeit erschien, schneller voranzukommen. Zum anderen stiegen wir, ganz wie richtige Bilderbuchphilosophen, völlig in Gespräche vertieft, bergan. Peripathetiker am Fuße der Bastei. Was uns beschäftigte, war der Begriff der Totalität. Ingrid hatte eben ein längeres Gespräch mit Bloch hinter sich und ihre Vorlesungsaufzeichnungen repetiert.

In der 14. Vorlesung des Semesters war Bloch am 12.11. 54 anläßlich der Aristotelischen Logik auf die Lehre von der Ganzheit (hysteron te physei) gekommen – das Ganze ist mehr als die Summe seiner Teile, durch Analyse können Summationsphänomene erschlossen werden, nicht aber die Qualität der Ganzheit, das geistige Band.

Aufmerksamkeit hat das Phänomen des öfteren erregt, etwa bei Othmar Spann in der Gestaltlehre, bei Goethe sind Anklänge in der Morphologie enthalten; der Faschismus verwarf die Analyse vollständig und sah allein die Gestalt. Im Marxismus soll sowohl die Analyse der Einzelteile als auch der allgemeine Zusammenhang beachtet werden.

Soweit gekommen, hatte Bloch eine Vorlesung in der Vorlesung begonnen, denn eben die Kategorie Totalität enthielt die wohl wichtigste Differenz zwischen ihm und Georg Lukács. Wo es nur möglich war, sprach sich Bloch über diesen Unterschied aus, den Angelpunkt seines Hoffnungsdenkens, wonach das Vorhandene und Gegenwärtige nicht abgeschlossen, sondern »nach vorn« Richtung Zukunft offen und damit entwickelbar sei.

Verständlicherweise galt für Bloch das Erkannte als ein Fertiges. Indem man Wirklichkeit auf Begriff brachte, war sie als Begriffenes abgeschlossen, ein fixiertes, fertiges Wissen.

Das Prozeßhafte, die Möglichkeiten seiner Tendenzen und Weiterentwicklung gingen nicht mit in die Begrifflichkeit ein, und insofern stellt unsere Erkenntnis aufgrund ihrer festen Formeln die sich entwickelnde Wirklichkeit immer als Abgeschlossenes dar. Ingrid malte aus, wie sich Bloch echauffierte, als er darauf zu sprechen kam. Sie standen beide auf dem Flur im Philosophischen Institut, der Professor packte die Studentin am Arm, Lukács, meine Liebe, sagte er, gleitet dauernd ins Deduzieren aus Feststehendem ab. *Die Zerstörung der Vernunft* ist voll davon. Dagegen komme es darauf an, und die Dialektik verlange das, die

Wirklichkeit in ihrer Bewegung und Weiterentwicklung zu erkennen und zu fassen.

In der Vorlesungsnachschrift fanden sich eine Menge Beispiele, die Bloch für seine Auffassung heranzog. Die Gestaltlehre in der Musik, wo das Ganze, die Melodie, früher da sei als die Teile und wo die noch so strenge Analyse der Teile eben nicht die Qualität Musik ergebe.

Ich versuchte Ingrid klarzumachen, daß der Streit um die Kategorie der Totalität nicht durch Rückgriff auf die marxistischen Klassiker zu entscheiden sei. Die Partei löst das Problem von Fall zu Fall nach Interessenlage. Historisch gesehen hatte sie jeweils Lukács bejaht und Bloch abgelehnt. Wie tiefreichend die Gegnerschaft war, erwies erstmals die Expressionismusdebatte von 1938. Die Totalität von Lukács stellte sich als ästhetische Parteidisziplin vor. Die Favorisierung des bürgerlichen, klassischen Romans war nichts anderes als die ästhetisch verkleidete Vorliebe für die geschlossene Form, die unbeirrbar herrschende, sich überall durchsetzende Hegelsche Totalität. Das Ganze als Totales beherrschte alles Einzelne diktatorisch: Die Kunst bedurfte des Totums als Korsett, das die auseinanderstrebenden Einzelelemente gewaltsam zusammenpreßte. Fehlte dieses Zwangsmieder, kam genau jener Expressionismus, jene Einzelteilkunst und Splitterliteratur heraus, die Bloch vertrat und verteidigte. Das bedeutete konkret in der Belletristik Brecht statt Thomas Mann, John Dos Passos statt Scholochow. Kurzum, es lief auf den der Partei abscheulichen Formalismus hinaus, ein Teufelswerk von Kunst und Literatur, dem die Harmonie fehlte, die Ausgewogenheit, das Abgeschlossene.

Lukács, der seiner früheren einsichtsvollen Arbeiten wegen zumindest einen Sinn behalten hatte für künstlerische Problematik, vermutete denn auch neben dem Zusammenhang von Expressionismus und USPD einen noch weit schlimmeren Zusammenhang von Expressionismus und Spontaneität, was wiederum auf Rosa Luxemburgs Spontaneitätstheorie verwies, die durch Lenin zur schlimmen Abweichung und von Stalin zum todeswürdigen Verbrechen erklärt worden war.

Gleichgültig, ob das alles von Lukács so gedacht worden ist oder nicht, und es war wohl in der Konsequenz nicht ganz so angelegt, hatten wir hier ein schönes Beispiel dafür, wie ein differenziertes Gedankengebäude zum dickmauri-gen Kerkerbau werden kann, nimmt man nur die richtigen Vereinfachungen und Verstärkungen vor und zieht eine ri-gorose Wachmannschaft ein. Die Gefangenen finden sich dann schon von selbst.

Lukács vertrat die Totalitäts-Theorie übrigens nicht ganz so borniert, wie Bloch das in der Polemik darstellt, oder Lukács gestattete sich selbst Abweichungen, jedenfalls kann sein mehrfach angebrachter Verweis auf den Leninschen Satz »Die Wirklichkeit ist immer klüger als wir« durchaus selbstkorrigierend verstanden werden. Denn wenn die Wirklichkeit klüger als der Erkennende ist, so enthält die Realität eben genau jenen Überschuß, auf den Bloch hin-wies, gleichgültig, wie man diesen Überschuß nun benann-te.

Übrigens endete der Streit damit, daß beide Kontrahen-ten aus dem Kampf geworfen wurden. Lukács engagierte sich bei der Regierung des Imre Nagy im Oktoberaufstand 1956 wiederum als Kulturminister wie schon in der Revolu-tionsregierung Bela Kuns und wurde dafür zwar nicht wie Nagy und Maleter an die Wand gestellt; so doch verhaftet, isoliert und erst viel später wieder öffentlich akzeptiert ...

Womit der Kategorien-Krieg nicht beigelegt ist, sondern in diversen politischen und ästhetischen Auseinanderset-zungen unentschieden fortlebt.

Wir bewunderten Bloch seinerzeit in Leipzig, weil er sei-nen Standpunkt so energisch und grimmig vertrat. Die Tie-fe und Leidenschaft seines Engagements ging mir erst auf, als ich begriff, daß es sich um einen jahrzehntealten und mehrere Generationen begleitenden wie sie entzweienden Konflikt handelte, der eben auch heute nicht beizulegen ist. Im Kern bleibt dies das Problem der sozialistischen Macht, ihrer Struktur und Herrschaftsweise wie Herrschaftsform. Im Kern haben die Kontrahenten Lukács und Bloch auch recht mit ihren extremen Stellungnahmen. Nie vor und nicht nach ihnen wurde der Gegensatz derart ausformuliert, wiewohl er sich aus dem politischen Raum in den ästheti-schen verlagert hatte. Die ästhetischen Kämpfe waren eben stellvertretende Kämpfe gewesen, denn politisch ließ sich der Konflikt unter Stalins Herrschaft gar nicht mehr formu-lieren. Nachdem Stalin gestorben und mehr oder weniger verdammt worden ist, besteht jedoch kein Grund mehr, die

Differenzen in ihrer politischen Brisanz weiterhin undefiniert zu lassen. Wer für die unbeschränkte Herrschaft der Totalität ist, spricht sich damit für einen totalitären Sozialismus aus. Wer die Totalität mindert, gerät in die Nähe jener Sozialisten, die der Spontaneität der Massen vertrauen und das Individuum in Rechnung stellen. Die Gefahren, die ein spontaner, also tendenziell antiautoritärer, vielleicht trotzkistisch-demokratischer Sozialismus mit sich bringt, können nur gegen die Gefahren des totalitären Sozialismus, der historisch als Stalinismus erschien, abgewogen werden. Vielleicht liegt die Wahrheit irgendwo in der Mitte und muß als historischer Prozeß gesehen werden.

Zu diesem Prozeß gehört die Parallelität der westdeutschen 68er Bewegung mit der mißglückten Revolution von 1848. Die damals Unterlegenen sammelten sich mit Marx und Engels im Namen des Proletariats zum Klassenkampf. Nicht wenige 48er liefen 1871 zum Hohenzollernreich über. Von den 1968ern blieb keine alternative linke Bewegung bestehen. Integration wie anno 1871 herrscht vor. Kein Wunder, daß die Berliner Republik wie vordem die DDR Ernst Bloch und die 1956er Revolte vergessen machen oder bagatellisieren wollen. Der verkündete Pluralismus darf keine Alternative enthalten.

Ernst Blochs taktischer Selbstverrat
(Tagebuchnotizen nach Kenntnisnahme einer unwürdigen Verteidigung)

Am 12./13. Dezember 1957 wurde der Philosoph Ernst Bloch auf einer Tagung in Ostberlin von führenden Mitgliedern des ZK der SED wegen revisionistischer Abweichung und Verführung seiner Studenten zur Rede gestellt. In seiner Verteidigungsrede wandte Bloch sich gegen die Neuerer und bekannte sich zu den alten Dogmen.

Die Protokolle des »Tribunals« wurden erst Ende 1991 bekannt.

Hier meine Eindrücke bei Kenntnisnahme:

»Heute, am 26.11.91, erhielt ich die Zeitschrift *Utopie kreativ* (Heft 15 vom November 91) von der Redaktion zugeschickt. Erstmals las ich die Texte, abgedruckt unter der Überschrift ›Ein Tribunal gegen Ernst Bloch, Protokolle‹.

Die Lektüre ist erschütternd. Aber ich sage: Es erschüttert mich nichts mehr.

Protokolliert wird die Sitzung eines dreifachen Genitivs: ›Sitzung der Parteigruppe des Präsidialrates des Kulturbundes‹.

Bloch also, obzwar parteilos, zur Rede gestellt von der Parteigruppe. So geschehen am 12. Dezember 1957: Fröhliche Weihnachten.

Den Protokollen vorangestellt ist ein Brief Blochs von 1952 an seinen alten Duzfreund Erich Wendt, der nun, fünf Jahre später, das Tribunal eröffnet und ›insbesondere‹ begrüßt: ›... die Genossen Prof. Kurt Hager, Sekretär des ZK; Alfred Kurella, Leiter der Kommission für Kultur beim ZK; Siegfried Wagner, Leiter der Kultur-Abteilung beim ZK‹. Ein schöner Kulturbund also. Mir fallen zu jedem der aufgezählten Namen die Skalps ein, die ihnen an den ZK-Hosenträgern hängen. Der Begrüßer Wendt, die Begrüßten Hager und Kurella können selbst frühere Verfolgung geltend machen. Wie sie sich von Verfolgten zu Verfolgern mauserten, ist ihre urpersönliche Schuld. Anders Wagner, der schlimmste Finger der politideologischen Kulturunterdrückungs-Gang.

Ich begegnete Siegfried Wagner 1952 in Leipzig. Es war Feindschaft auf den ersten Blick. 1957 trieb dieser Kulturgeneral dem Kabarett *Pfeffermühle* den damaligen Leiter Conrad Reinhold und die Schauspielerin Christa Burgert aus und in den Westen ab. Dem Jazz-Fachmann Rudorf schickte er Kampfgruppen aufs Podium. Der Mann landete im Krankenhaus. Mich fertigzumachen brauchte der feine Genosse ein ganzes Jahr. Als ich endlich weg war, wurde Bloch zermürbt und Erich Loest für die nächsten sieben Jahre in Bautzen deponiert.

So viele sozialistische Siege wollen belohnt sein. Wagner avancierte zum Leiter der Kulturabteilung beim ZK. Zum Mauerbau 1961 arrangierte er das Kesseltreiben gegen Heiner Müller. *Sinn und Form* dokumentiert den Fall im Mai/Juni-Heft 1991, da ist nachzulesen, wie die Bonzen triumphierten und die Intellektuellen reihenweise in die Knie gingen. Aber warum sollten deutschsozialistische Dichter und Denker aufrecht bleiben, wenn der ›Aufrechtgänger‹ Bloch den Kriechgang vorzog. Einzig Hans Mayer hielt zu Heiner Müller. Wagner aber, dieser sozialistische Siegfried, siegte unentwegt weiter, nun als stellvertretender Kulturminister der DDR, und Heiner Müller weinte seine Selbstkritik hinzu. Drei Jahrzehnte später ironisiert er im selben Ton noch einen drauf, das Schlitzohr mit Sprungtuch im Souterrain.

Zurück zum feinen Kulturbund anno 1957. Den Anklagen gegen Bloch folgen die fatalen Ausreden des Angeklagten, die er offensichtlich als meisterliche Verteidigung mißverstand.«

Zweite Eintragung vom 26.11. 91 nach eingelegter Ruhepause:

»Meine Gefühle gleichen dem, was ich empfand, als ich 1983 erstmals Blochs ›Offenen Brief an die Parteileitung am Institut für Philosophie der Karl-Marx-Universität‹ vom 22. 1. 1957 zu lesen bekam. Nicht für Bloch schämte ich mich. Aber für jene Partei, der ich dankbar bin, daß sie mich feuerte. Mögen andere sich rehabilitieren lassen. Ich beharre auf dem damaligen Rausschmiß. Keines meiner Worte ist zurückzunehmen. Im Gegenteil, es wurde zu vieles verschwiegen, wenn auch aus gutgemeinten Gründen.

Im Sommer 1957 suchte ich Bloch (und Erich Loest) nochmals in Leipzig auf, um ihn zu warnen. Er war schon vom Institut verbannt. Daß gegen ihn ein Haftbefehl ausgestellt war, wie ich in Ostberlin hatte munkeln hören, mochte er nicht glauben. Seinen ›Offenen Brief‹ erwähnte er kurz, doch gab er ihn mir nicht zu lesen. Mein Glück, wie hätte ich darauf wohl reagiert.

Erich Loest nahm meine Warnung auch nicht ernst. So mußte ihn erst Bautzen überzeugen. Wie könnte ich Angeklagten verübeln, daß sie in der Verteidigung alle Register zogen, zu denen Notlügen gehören wie Flöhe zum Lotterbett. Wir kannten die Rituale und hatten sie oft genug gebrauchen müssen.

In seiner Verteidigungsrede beschuldigt Bloch mich, Lügen zu verbreiten, den Sozialismus zu verraten, es für Geld zu tun, die Kritik von ›außen‹ zu betreiben, statt von innen. Dreieinhalb Jahre später beging er alle diese Verbrechen selbst: Blieb wegen des Mauerbaus, der ihn auf Reisen überraschte, dort ›draußen‹, verriet den Sozialismus, verbreitete antikommunistische ›Lügen‹ und tat es, um leben zu können, ›für Geld‹.

Ich kann Bloch das nicht ankreiden. Die Verhältnisse erzwangen den Spagat. Da die Situation im Sozialismus keine kritische Analyse erlaubte, konnte sie nur von außen geleistet werden. Blochs Verteidigungstaktik war die normale Funktion seiner unfreien Lage.

Nicht entschuldigen mag ich allerdings seine offensichtliche Feigheit. Bei unseren vielen Treffen im Westen blieb er stets dabei, er habe sich 1957, von der Partei gezwungen, zwar gegen mich gewandt und Erklärungen abnötigen lassen, jedoch die Nennung von Namen vermieden. Mag sein, ihm war da einiges mit der Zeit entfallen. Mag sein, er meinte, die Belege seien verschollen im Parteistaatsapparat. Sie kommen indessen jetzt Stück für Stück ans Licht. Gewiß doch: Diese Partei schickte ihre Oberknechte aus, den Denker zu knechten. Er hatte vordem tüchtig mitgeknechtet und berief sich noch als Gerüffelter stolz auf seine früheren Disziplinierungs-Mithilfen bei den Moskauer Prozessen. Jetzt aber, 1957, machte er sich selbst zum Knecht, indem er sich verteidigte. Statt vier Jahre später bei den Koffern im Westen zu bleiben, hätte er vor ZK-Funktionärs-Thronen jenen ›Aufrechten Gang‹ vorführen können, den er predigte. Es wurde nur Kriechgang.

Sokrates erwies vor dem antiken Gericht seine Größe, nahm den Giftbecher, verhüllte sein Haupt und starb.

Bloch, vor eine Handvoll lasterhafte Greise und Büttel geladen, enthüllte sich als schwadronierendes Mittelmaß und offenbarte, wie sehr er zu denen gehörte, die ihn verhöhnten. Hoffentlich erschienen ihm in der Nacht darauf die Geister der Hingerichteten von Moskau, die er zur Zeit der Prozesse verdammt hatte.«

Eintragung vom 27. 11. 91:

»Die Kenntnis des Blochschen Kulturbund-Kotaus setzt mir mehr zu als ich anfangs annahm. Bei erneuter Lektüre fällt die banale Sprache auf. Der Expressionist wird entzaubert. Wie schon im ›Offenen Brief‹ wirkt der Philosoph schuljungenhaft ertappt, sich herausredend, leugnend, erneut ertappt, mal hochfahrend, mal Nachsicht heischend. Daß er mich unbedingt am Institut halten wollte, als ich ihm meinen Weggang ankündigte, er war der erste, dem ich es sagte, verschwieg er in taktischer Klugheit. Sein Verweis, ich sei publizistisch, nicht philosophisch interessiert, berührt einen alten wunden Punkt im Verhältnis, kulminierend in seiner Mißachtung Tucholskys, dessen feuilletonistische Texte er ähnlich vehement verdammte wie die von Heinrich Heine.

Ingrid vermutete, Tucholsky als *Weltbühnen*-Mitarbeiter habe durch die Ablehnung eines Manuskripts den gelegentlichen Mitarbeiter Bloch mal beleidigt. Das ließ sich nicht exakt belegen. Nachzuweisen ist dagegen, wie sehr sich beide im Urteil über Karl May unterschieden, den Bloch überaus hochschätzte. Völlig diametral jedoch, was Ingrid bei K.T. dazu fand: ›Es gibt Leute, denen dieser Karl May – mir ist der Bursche immer als Ausbund der Fadheit vorgekommen – lieb und teuer ist.‹ Und weiter mit beißender Ironie: ›Ihr meint, das sei einfach ein Unterhaltungsschriftsteller für die reifere Jugend gewesen? Gott bewahre, ein Philosoph war das, ein Mann mit den allegorischsten Hintergedanken, ein schwerer, vollbärtiger sächsischer Denker, weiland zu Radebeul, jetzt in der Unsterblichkeit.‹ So der Satiriker im Jahre 1919.

Trotz dieser literarischen Meinungsverschiedenheiten äußerte sich Tucholsky in Briefen, etwa an Siegfried Jacobsohn, positiv über Bloch.

Jeden Weggang vom Philosophischen Institut verübelte der Professor als persönlichen Verrat. Siegfried Pfaffs Wechsel an die Humboldt-Universität ließ Bloch eifersüchtig gegen Berlin reagieren. Empfindsame Denkerseele. Als Vogelsang, Vorsitzender der Parteikontrollkommission, von mir eine Arbeit gegen Bloch forderte, lehnte ich glattweg ab. Als die Studenten von Bloch Abstand nehmen sollten, ließ Ingrid sich exmatrikulieren. Hans Pfeiffer lieferte auf Parteidruck hin eine öffentliche Distanzierung, die ihm Bloch bis an sein Lebensende nicht verzieh. Der Philosoph aber grenzte sich ungescheut ab. Gut, ich befand mich nicht mehr im Bereich der Troglodyten. Doch warum gestand es Bloch danach, nun der Höhle ebenfalls entronnen, nicht ein? Ich ahnte einiges, wußte es nicht genau. Er mochte darauf vertrauen, daß die schmähliche Verteidigung unbekannt bleiben würde. Dazu seine eilfertige Abwendung vom ›Dritten Weg‹ und vom Wort ›menschlich‹ im ›menschlichen Sozialismus‹. Der zur Rede gestellte Ketzer sucht sich in

Unwürde zu bewähren. Endlich die Aufregung um meine Formulierung ›Bloch-Kreis‹.

Jürgen Teller, ganz auf der gleichen krummen Linie, verargte mir den Begriff noch nach drei Jahrzehnten bei unserem ersten Zusammentreffen 1990 in Leipzig. Die auf ihren alten Ängsten sitzengebliebenen Kader kapierten von Anbeginn nichts. Die Akzeptanz des ›menschlichen Sozialismus‹ hätte sie in die polnisch-ungarische Reformlinie mit einbezogen, also internationalisiert. Sie blieben bei der eingeübten Sklavensprache.

Partei wie Stasi suchten mich erst auf ›Fraktion‹ festzulegen, welche Unverfrorenheit ihnen schnell einsichtig wurde. Nun sollte es eine Bloch-Gruppe sein in Analogie zur Harich-Gruppe. Ich verlegte mich in der Verteidigung auf den ›Kreis‹, eine schon vom Begriff her losere Kategorie. Natürlich wußten die Genossen Funktionäre durch ihre Genossen Spitzel längst Bescheid, was Hager in seiner Anklagerede im Kulturbund offen zugab. Mein Hinweis aus Westberlin, im *Telegraf* sehr bewußt veröffentlicht, weil das SPD-Blatt das röteste Tuch für die Genossen Stiere in Ostberlin und Leipzig abgab, bot den in der DDR Verbliebenen eine Möglichkeit für Angriff und Verteidigung. Bloch erhielt die Chance, Charakter zu zeigen. Statt nun zu stehen, lavierte er herum. Dieser 12. Dezember 1957 wurde sein Canossa. Daß er später uns gegenüber nichts darüber verlauten ließ, beweist, er war sich klar über das Desaster.«

Zwischenbemerkung vom 28. 11. 91:
»Die Vorstufe des Widerstands ist der Widerspruch, und beides ist rar in Deutschland. Ich würde weder meine Fahnenflucht 1944 noch meine Oppositionshaltung von 1956/57 als Widerstand bezeichnen. Im Dritten Reich war es zuviel Flucht, in der DDR blieb ich im Rahmen des gesprochenen und geschriebenen Wortes. Zum Widerstand gehört hingegen die Tat.

Allerdings soll auch der Widerspruch schon unterbleiben. Daß ich 1974 bei S. Fischer in Frankfurt/Main ein Buch mit diesem Titel vorlegen konnte, war ein Glücksfall. Im Westen wurde das Buch damals zwar rege rezensiert, doch weder verstanden noch viel gelesen. Inzwischen sprechen mich Leser auf die Aufbau-Taschenbuch-Ausgabe an, die in Berlin erschienen ist. Im Buch beschreibe ich die fünfziger

Jahre in Leipzig und in einigen Zwischenkapiteln Vorgänge der siebziger Jahre im Westen. Der Titel *Der Widerspruch* zwingt alles zusammen. Die für Lektüre benötigte Aufgeschlossenheit, die nötige Aufmerksamkeit des Publikums scheint sich erst einzustellen, nachdem die Ereignisse zwanzig und vierzig Jahre zurückliegen.

Mag sein, der Stoff wurde durch die deutsche Vereinigung aktuell. Ich gewöhne mich nur mühsam daran, um Jahrzehnte vorausgeeilt zu sein. Weit zurückliegende Bücher, die so verspätet wirksam werden, erregen mir Unbehagen. Im Grunde genommen langweilen sie mich, denn sie waren von meinem Gedächtnis längst abgelegt worden, nun muß ich sie hervorkramen wie alte Kleider.

Das Hervorkramen zurückliegender Ereignisse verändert mein Tagebuch gegen meinen Willen. Als ich vor Jahren damit anfing, waren es Notizen zum Tage. Individuelles, vermengt mit Politik und Beruf. Ab Herbst 89 trat das Ichbezogene in den Hintergrund. Jetzt mischt die Vergangenheit so stark mit, daß es fast ein Tagebuch der Rückblicke wird. Immer wenn ich mich entschließe, zur gegenwärtigen Realität vorzustoßen, treten Neuigkeiten von gestern ans Tageslicht. Meine früheren Schriften werden dadurch zumeist bestätigt und aktualisiert. Plötzlich zeigt sich, man kann durch den Fortgang der Geschichte recht bekommen, obgleich man vieles nicht genau wußte. Das Bedürfnis, sich exakter zu artikulieren, wächst und treibt an, dabei hatte ich mir vorgenommen, mich zurückzuhalten und mein frisches Rentnerleben zu genießen. Keine zwei Jahre blieb es so schön ruhig beim gelassenen Zurücklehnen. Diese deutsche Vereinigung kam skandalös unerwartet über uns.«

Zweite Zwischenbemerkung vom 28.11.91:

»Ursprünglich wollte ich meine Aufzeichnungen ganz einfach ›Unzeitgemäße Tagebücher‹ nennen. Jetzt neige ich dazu, dies als Untertitel zu nehmen. Der Haupttitel soll lauten: ›Schöne Geschichten von der menschlichen Dummheit‹.

Ich mag mich davon nicht ausschließen.«

Notiz vom 29.11.91:

»Gestern las Ingrid das Bloch-Protokoll, heute schrieb sie meine Anmerkungen dazu ins reine. Das fatale Papier empört sie mehr als mich. Für sie zeigt es einen gefallenen Engel. Bloch als reuiger Sünder, dazu noch bußfertig, vor ZK-Figuren, das ist ihr unerträglich, sie stürzt aus allen Wolken. Frauen sind wohl gutgläubiger. In Leipzig fand Bloch bei den Studentinnen das dankbarste Publikum.

Ingrid in Rage: ›Zumindest in Tübingen hätte Ernst uns doch erzählen können, mir war elend ängstlich zumute, und so habe ich ein paar elende Sätze sagen müssen, das verdrängt man doch nicht einfach. Selbstverständlich hätten wir seine Zwangslage verstanden.‹

Meine Bemerkungen zum ›Kniefall‹ findet sie ›erstaunlich kühl und gelassen‹.

Endlich erscheint sie mit Karola Blochs Buch *Aus meinem Leben* und liest mir von Seite 226 die Passage vor, die vermerkt, daß am 20. Februar 1957 in Leipzig eine Kampfansage der Partei gegen Bloch, die Harich-Gruppe und Gerhard Zwerenz gestartet wurde. Lies weiter, sagt Ingrid, Seite 231, dort schreibt Karola: ›... überraschte mich eines Morgens der Besuch von Gerhard Zwerenz. Er war mit der Harich-Gruppe in Verbindung gebracht worden und mußte mit seiner Verhaftung rechnen. Seit Wochen schon schlief er nicht mehr zu Hause. Zwerenz hatte bei Ernst studiert, verehrte und liebte ihn. Er fragte mich, ob Bloch es ihm übel nehmen würde, wenn er in den Westen ginge. Er war zweifelnd geworden, denn er kannte Blochs Standpunkt. Aber ich sagte zu ihm, uns würde es beruhigen, ihn im Westen zu wissen; er sei jung und in Gefahr, sein Opfer wäre sinnlos, das wisse auch Ernst. So verabschiedeten wir uns herzlich. Später in Westdeutschland sahen wir uns oft.‹

Soweit Karola Bloch 1981 in ihrem Buch über die fünfziger Jahre in Leipzig. Stimmt, wir trafen uns im Westen häufig. Es wurden nostalgische Abende und fast wie in Leipzig lange Nächte mit Gesprächen, wie der Alte es liebte. Anfangs hatte Ingrid mich erst überreden müssen, nach Tübingen zu fahren. Wir saßen auch in München zusammen, als wir dort wohnten. Später in Frankfurt. Blochs verbrachten gern einige Tage in einem schön gelegenen Königsteiner Hotel. Nach einigen Jahren vergaß ich meinen Argwohn und heimlichen Groll wegen der unklaren Leipziger Vorgänge. Auch daß Bloch von Tübingen aus nur halbherzig und zögerlich an die Korrekturen seiner Irrtümer ging, nahm ich hin. Mit dem Alter zieht der Friede ein. Es muß zu Blochs 80. Geburtstag in Tübingen gewesen sein, als ich in einer Tischrede darauf anspielte. Ich war gerade vierzig geworden, halb so alt wie der Jubilar. Ich werde Sie noch einholen, drohte ich, am Tisch ringsum wurde gelächelt, nur Hans Mayer blickte maskenhaft starr drein. Es gab einige unbeglichene Rechnungen. In Tischreden besteht die Kunst darin, nichts zu sagen, alles anzudeuten, den Gästen zum Wein einen bunten Strauß Anzüglichkeiten zu servieren. Im *Widerspruch* (1974) hatte ich manches über Bloch geschrieben, er ließ es sich gern von Jan Robert vorlesen. Vorher war ich in *Kopf und Bauch* (1971) noch dringender geworden. Etwa: ›Mit dem Übertritt in den Westen erlahmte die belebende, verlebendigende Wirksamkeit seiner Philosophie zum bloßen, formellen Ruhm ...‹ Das waren Anspielungen auf seine Charakterschwächen 1957 in Leipzig, die er doch leugnete und die ich damals nicht beweisen konnte. Gern hätte ich sie entschuldigt, vorausgesetzt, sie wären zugegeben worden. Also beließ ich es bei Andeutungen, und er nahm es wohlwollend zur Kenntnis, wenn auch, wie ich natürlich hörte, mit sarkastischen Glossen, war ich nicht dabei. Wie alle deutschen Intellektuellen redete er geistreich und übel von anderen, wenn die nicht anwesend waren. Wie oft mokierte er sich über ›Hänschen Mayer‹, was ich nun wieder gern hörte, und da er genau Bescheid wußte über unsere Antipathien, kachelte er drauf, daß die Flamme loderte. Aber ja doch, Marxens Spottwut vererbt an die Jünger noch bis ins letzte Glied, doch litt der Meister an Furunkeln, während seinen Nachkommen die Galle ins Gehirn stieg als wäre es Most.

Wie auch immer, ich vergab den Meisterdenkern der alten deutschen Linken im Vorhinein, Nachhinein und pauschal, waren sie doch einem deutschen Führer konfrontiert, der ihnen das Leben zu löschen suchte. Daß sie dabei unter die physische oder geistige Herrschaft des Gegenmörders Stalin gerieten, war der Fluch der guten Tat. Gott ist mit den Mächtigeren, und er verdirbt die Guten wie schon seinen Sohn, das Jesulein, das er ungerührt ans Kreuz nageln ließ, der Sadist.«

Zweite Notiz vom 29. 11. 91:
»Da muß ich nun wohl wiederholen: Ich verüble Ernst Bloch nicht, daß er wenige Monate später vor den Kultur-

bundanklägern den außer Machtbereich befindlichen Zwerenz zu seinen Verteidigungszwecken nutzte. Die aber den Philosophen in eine solche Situation brachten, glaubten es aus Gründen der Machterhaltung zu tun. Und verspielten sie Stück um Stück.

Unter Tucholskys ›Schnipseln‹ findet Ingrid das schöne Stück: ›Es gibt in der Kunst ein unumstößliches Gesetz. Was einer recht auffällig ins Schaufenster legt, das führt er gar nicht. Brecht keine Männlichkeit, Keyserling keine Weisheit und Spengler keine Ewigkeitsperspektive.‹

Soweit der Satiriker, und ohne es wirklich zu wollen, denke ich an Blochs ›Aufrechten Gang‹.

Mit dem Wechsel von Nietzsche zu Hegel verwandelte Bloch sich in einen Denker von Staat und Ordnung. Revolutionäres, das ihn auszeichnete, geriet mit dem Übertritt zum Leninismus in den Sog der Parteistaatsdoktrin. Bloch ließ sich mit der Macht ein, also mußte er ihr Diener werden, denn der Intellektuelle, der sich einer Herrschaft anschließt, verliert seine geistige Freiheit und ordnet die Skepsis der Taktik unter.

Bloch wurde vor dem Kulturbundtribunal nicht sich selbst untreu. Im Gegenteil. Er bewies seine Treue und fragte im ZK untertänigst an, wie nun zu denken sei, hatte er doch ›ganz offensichtlich die Orientierung verloren‹, so ZK-Hager. Bloch rühmte sich in Tübingen masochistisch, während der ganzen Leipziger Zeit die eigene Philosophie nicht gelehrt zu haben, vielmehr bloß die Geschichte der Philosophie. Das Opfer der Vernunft, das zugleich ein Opfer der eigenen Würde und Subjektivität ist, wird als Beweis der geleisteten Unterwürfigkeit dargestellt, vorgebracht in der Tonlage des unschuldig Angeklagten, der einwendet, er habe doch weder Mühe noch Kosten gescheut, die geforderten Leistungen zu erbringen. Kulturbundmitglieder, die in Berlin als Ankläger fungierten, hätten dem Bundesfreund sicher gern Absolution erteilt, allein sie hingen im selben Spinnennetz und fürchteten, vom Spinnentier angefallen zu werden. Ganz als wäre noch Blut durch ihre Adern geflossen. Es war längst nur noch Angstschweiß, den sie nach innen absonderten vor lauter Schrecken, man könne es ihnen ansehen.

Das Ritual der Unterwerfung Blochs machte sinnbildlich, wie der Staatssozialismus den zivilisatorischen Umgang vernichtet. War die Obrigkeit längst Endprodukt einer Negativauslese geworden, verlangte sie von ihren Adepten das Ritual, denn wer aufsteigen und jedenfalls nicht absteigen wollte, ohne den Nachweis vollendeter Charakterlosigkeit zu erbringen, der mußte von Fall zu Fall dazu gezwungen werden.

Keiner der ›Bundesfreunde‹ glaubte tatsächlich daran, Bloch zur Dummheit verurteilen zu können. Gemeinsam aber gaben sie dem Parteilosen weiter, was sie als Parteigenossen verinnerlicht hatten: Durch Angst zur Verleugnung. Es muß ihnen ein ebenso sardonisches wie sadomasochistisches Vergnügen bereitet haben, den Philosophen seinen eigenen Dreck schlucken zu lassen. Nun war er ihnen ganz und gar zugehörig. Um so heftiger die Wut, als dieser Unterworfene später im Westen blieb, bei dem ›Gesocks und Gesindel‹, wie der große Dichter und Kulturminister Johannes R. Becher jene nannte, die sich seiner ›Stasistaatsmacht‹ zu entziehen gewagt hatten, ohne danach eingeschüchtert zu schweigen.«

30. 11. 91:

»Nie wagten wir, die blanke Wahrheit zu sagen. Es wäre auch dumm gewesen, sich derart zu entwaffnen.

Bloch erwies sich an jenem 12./13. Dezember 1957 zugleich als Meister und Lehrling bolschewistischer Überlebensweisheiten. An Wissen und Gelehrsamkeit übertraf er alle, und so brillierte er in seinen Verteidigungssätzen von Zeit zu Zeit, wo aber nicht, offenbarte er die Weltfremdheit des Philosophen, der nicht wie Sokrates auf die Straße ging, mit den Leuten zu reden. Der Mann, der Stalins Prozesse verteidigt hatte wie kein anderer, Feuchtwanger ausgenommen, führte sich auf wie der Elefant im Porzellanladen.

Das Herumtrampeln hätte jeden anderen ans Messer geliefert, die oberste Staatszentralmonade beschloß jedoch, den ausgestellten Haftbefehl nicht zu vollstrecken, der Denker sollte in der verhängten Isolation zappelnd hängenbleiben, frei in seiner vom Staat zur Verfügung gestellten kleinen Villa lebend, doch unfähig zu jeder weiteren ›Jugendverführung‹. Daß man ihn vorgeladen hatte, um ihm die Vergänglichkeit seiner Existenz als ›parteiloser Bolschewik‹ zu demonstrieren, genügte den Mächtigen. Er drehte sich im Tanz der Vergeblichkeit und bat die gütige Mutter Partei um Nachsicht. An einigen Stellen seine Wahrheit aufblitzen lassend, um sie sogleich wieder zurückzunehmen. Nun ja, wir alle hatten es ähnlich praktiziert. Die Frage ist nur, ob einer sich irgendwann endlich entschließt, alle Taktik verlassend, zur Strategie überzugehen: Ganz und gar mit vollem Existenzrisiko. Also keine Rücksichten mehr, keinerlei Abschweifung, heraus aus der Deckung ... Viele vollbringen die ›Selbstenttarnung‹ nicht, sie übten sich zu lange in der Lüge. Die individuelle Revolte fällt schwer, solange das Leiden Kollektivitis im Herzen sitzt.«

Notiz vom 1. 12. 91:
»Mein letzter Besuch bei Blochs im August 57 in Leipzig, von dem Karola in ihrem Buch berichtet, galt nicht, wie sie sagt, der Beschwichtigung von Ernst. Karola stellte ich es so dar, insoweit stimmt auch ihre Notiz. Unter vier Augen warnte ich Bloch vor der Verhaftung. Was er dann bei seinem freiwilligen ZK-Besuch in Berlin anstellte, weiß ich nicht. Er sprach nie offen darüber. Ich drückte mich bisher bei meinen diversen Beschreibungen der damaligen Ereignisse nicht genauer aus. Solange Ernst Bloch lebte, wollte ich ihm das nicht antun. Später hielt ich es nicht mehr für so wichtig. Erst jetzt, nachdem Dokumente ans Licht kommen, muß das geklärt werden.

Blochs ewige Taktiererei ging mir ab Herbst 56 auf die Nerven. Meinen *Sonntag*-Artikel ›Leipziger Allerlei‹ nannte er am Telefon mit distanzierendem Unterton etwas feuilletonistisch. Als ich Jochen Wenzel zu Bloch ins Haus brachte, sicherte er sich nochmal so ab, daß Wenzel es hören konnte. Da waren die sowjetischen Panzer schon in Budapest eingefahren, der alte parteilose Bolschewik ahnte, was bevorstünde. Dennoch betonte er Wenzel gegenüber seine Sympathien für den *Sonntag*. Wie Gustav Just in seinem Buch *Zeuge in eigener Sache* berichtet, gab Wenzel das so an die Berliner Redakteure weiter. Diese Sympathieerklärung für den *Sonntag* muß Bloch am 12./13. 12. 57 entfallen sein, als er sich gegen die Anklagen Hagers, Kurellas, Wagners (und Bechers) mit dem triumphierenden Hinweis zur Wehr setzte, er habe für den *Sonntag* in der Zeit, da dieser ›seine neue Politik begann‹, keinen einzigen Artikel geschrieben. Daß die ZK-Bosse Bloch nicht auf seine Wenzel gegenüber geäußerte Zustimmung festnagelten, lag möglicherweise an

Jochen Wenzels Tod im Haftkrankenhaus. Der eine Zeuge war verstorben und ich, der andere Zeuge, im Westen. So fand Bloch in seiner Verteidigung gegen die 1957er Stalinisten zu seinem 1938er Stalinismus zurück. Das Wort vom ›Aufrechten Gang‹ kam in dieser Rede ehrlicherweise nicht vor.«

1.12. 91 – und noch ein Nachtrag zur Chronologie der Ereignisse:

»Im Oktober 1957 kündigte die SED-Bezirksleitung Leipzig eine Kulturkonferenz an, was ich, seit Ende August in Westberlin lebend, mit gemischten Gefühlen hörte. Erleichtert, weil nicht mehr im Machtbereich derer, die mir ein ganzes Jahr lang deutlich genug gedroht hatten, beschwert andererseits, weil ich nur zu genau wußte, was den Freunden an der Pleiße bevorstand.

Mein Artikel im *Telegraf* erschien genau am Tag der Konferenz. So konnte der Philosophie-Dozent Heinrich Schwartze auch am selben Tag noch eine Rede gegen mich halten, die das *Neue Deutschland* schon am 15. Oktober 1957 abdruckte, zusammen mit kleineren Beiträgen von Alfred Kurella, Paul Wandel, Hermann Duncker. Schwartzes Antwort trug die Überschrift ›Die Illusion vom dritten Weg‹. Blochs Ausfall vom 12.12. 57, seine Verdammung des ›dritten Weges‹ und des ›menschlichen Sozialismus‹, bezog sich darauf. Kurt Hager hatte es ihm anklagend vorgehalten. Da war also der Stock, nun spring drüber, Philosoph, und der alte Ernst sprang und sprang und hatte keine Erleuchtung und keinen Schimmer einer Ahnung, daß es nun der letzte Moment war, in dem es hieß, sich zu bekennen. Der parteilose Bolschewik hatte die längst konterrevolutionär gewordenen Parteidogmen so verinnerlicht, daß er nicht mehr anders konnte.

So schwammen dem Hoffenden die Felle davon. Die Partei zog ihm, feist grinsend, seins über die Ohren. Er bedankte sich artig dafür.

Karola hatte recht, wenn sie behauptete, ich liebte Bloch. Gerade deshalb erwartete ich von ihm Haltung. Je mehr ich seine Kapitulationsbereitschaft verspürte, desto konsequenter suchte ich ihn auf seine selbstgewählte Rolle des revolutionären Reformators festzulegen. Er indessen schlüpfte in seine vormalige Rolle des Stalinisten zurück. Die Haut war inzwischen zu eng geworden, platzte aber erst vier Jahre später. Diese Inkonsequenz hätte der Philosoph sich und uns ersparen können.«

1.12.91:
»Eine Merkwürdigkeit ist noch aufzuklären. In Kurt Hagers Anklagerede findet sich der gegen Bloch gerichtete Satz: ›Schüler von ihm vertreten seine Politik und traten gegen uns im Radio auf.‹ Nirgendwo sonst wird das Radio wieder erwähnt.

Tatsächlich deutet Hager hier etwas an, ohne genauer zu sagen, was er meint. Schon die Mehrzahl ›Schüler‹ legt eine falsche Spur. Die Partei fürchtete Aufklärung übers Radio (das Fernsehen spielte noch keine Rolle). Ich hatte von Westberlin aus alle Möglichkeiten über den damaligen *NWDR, RIAS, BBC* genutzt und war im German Service der *BBC* von Erich Fried unterstützt worden.

Daß mein Artikel im *Telegraf* als Beweis für meine Feindtätigkeit herhalten mußte, hatte seine Gründe. Das Blatt gab es im DDR-Bereich nicht zu kaufen. Die Rundfunksender aber waren weithin zu empfangen. Also wurden sie nicht beim Namen genannt. Bloch ging ebenfalls auf diese Sprachregelung ein.

Von seinen sonstigen Flausen sei der Abkürzung halber nur die über den Kronstädter Aufstand erwähnt, wo ›Stalin nicht die Matrosen geschlagen‹, als Grund für den Aufstand vielmehr Hungersnöte erkannt habe: ›Also wurde dort etwas geändert und der Aufstand erlosch.‹ So unser Philosoph in seiner unerschütterten Weisheit. Ich nehme gutmütig an, er wußte tatsächlich nichts von den wirklichen Vorgängen beim Aufstand von Kronstadt und seiner Niederschlagung durch Lenin und Trotzki.

Mein Verhältnis zu Bloch war anfangs das eines dankbaren Zuhörers. Nie war ich sein Schüler, denn mir fehlte der Glaube. Ich hielt es mehr mit Schopenhauer. Aus dem Vierteljahrhundert Bekanntschaft wurde bald Freundschaft, doch stets mit Reserven. Als Bloch 1955 den Nationalpreis erhielt und sich sicher zu fühlen begann, versorgte ich ihn insgeheim mit internen Informationen über seine Gegner in der Partei, was wichtig für ihn war. 1956 hatte ich mir vorgenommen, Bloch zu den Konsequenzen seines Denkens zu verführen. Ich sage ›verführen‹.

Er wußte, was er tun müßte, riskierte es jedoch nicht. Jener Besuch bei ihm, von dem Karola berichtet, war mein letzter Versuch. Wenn ich schon westwärts gehen müßte, würde ich nicht wie andere schweigen, nahm ich mir vor. Da ich in Bloch den Reform-Philosophen sah, wollte ich, daß er es offen erweise und nicht wie bisher taktisch verdecke.

Verstand er mich nicht oder wollte er nicht verstehen? Ich begriff, daß er in seinem Alter vor dem Risiko zurückschreckte.

Im Westen nutzte ich jede Möglichkeit, ihn über die Medien zur Konsequenz zu provozieren.

1957 zauderte er noch. 1961 holte er nach, was er vordem versäumt hatte. Sein jetzt aufgedeckter fataler Kniefall vom 12./13. 12. 1957 ist höchst ärgerlich. So fehlt diesem dennoch großen Leben jene einsame Größe des scharf vollzogenen Bruchs, den er bei seinen Helden enthusiastisch feierte.

Sie waren zu früh gekommene Revolutionäre.

Er kam zu spät.

Grenzüberschreitung war die Devise seines Sprechens und Schreibens. Nicht seines Lebens. Allerdings lebte er in freundlicher Bescheidenheit anspruchslos, ohne den modernen üblichen Größenwahn, ein der Vergangenheit verhafteter Geschichtenerzähler, der sich als Zukunftsdenker ausgab, auch darin ganz und gar Märchenerzähler, der uns alle miteinander nach Herzenslust bezirzte, wo nicht täuschte, und sich selbst dazu, ganz wie alle großen, sprachmächtigen Dichter.«

3. 12. 91:

»Heute las ich das Protokoll nochmals in Ruhe durch und stolperte über eine Passage, in der unser Philosoph sich in seiner Verteidigung verplapperte.

Weder er noch seine Ankläger bemerkten es. Wieviel Aufregung gab es um meine Formulierung ›Bloch-Kreis‹. Da schlug die verleugnete Sprache zurück. Der Philosoph, in Rage, an diesem 12. Dezember 1957 vor dem Kulturbund: ›Das war alles, was ich sagte. Und das, was in dem ›kleinen Kreis‹ unter Freunden gesagt wurde ...‹

Da war er nun also wieder, der Kreis, und nahm Rache an seinen Verleugnern. Es lohnt sich nicht, Freunde, Wahrheiten zurückzuhalten, in kleine Kreise einzusperren und diese dann auch noch abzustreiten.

Zum ›Aufrechten Gang‹ hätte gehört: Hier stehe ich, ich kann nicht anders.

Oder: Ich könnte anders, doch stehe ich trotzdem.

5. 12. 91:

»Im Vorspann zum Bloch-Protokoll heißt es unter Punkt 5: ›Zusammenfassender Bericht über den Verlauf der Bezirksdelegiertenkonferenz – dazu spricht Gen. G. Henniger.‹

Dieser feine Genosse wird von Bloch selbst mehrmals erwähnt. Auf Seite 66 der Zeitschrift mit dem Abdruck des Protokolls ist Zwerenz mit seiner Kritik ›von außen‹ laut Bloch ein Verräter, der Gen. Henniger hingegen eine Seite weiter ein ›verdienstvoller Bundesfreund‹. Auf Seite 68 avanciert Zwerenz zu einem ›abscheulichen ... Lügner‹, während auf Seite 76 Henniger als Zeuge aufgerufen wird für die aufrechte Haltung Blochs im Falle der Verurteilung seines Verlegers Walter Janka, wogegen er nichts gehabt habe, wie Henniger bezeugen könne: ›Also gut, ich rufe Herrn Henniger als Zeugen auf, ob es so war oder nicht ...‹

Wer nun darf da bezeugen, daß Bloch nichts gegen die Verurteilung Jankas einzuwenden hatte und nur zufällig die Stellungnahme des Kulturbundes gegen Janka nicht unterschrieb, weil er eben, zusammen mit Henniger, gerade die Abstimmungszustimmung versäumt habe?

Einen besser beleumundeten Zeugen als H. hätte Bloch gewiß nicht finden können. Zum Beweis, um welche sozialistische Charaktermaske es sich handelt, müßte ich weiter ausholen als der Platz es hier gestattet. Auf der letzten Seite des Protokolls, ich erwähnte es eben, verplappert sich der sprachmächtige Philosoph zum Steinerweichen. Da war er nun wieder, der Kreis und nahm Rache für den Verrat am alten Freund Lukács, den zu retten Bloch im Oktober 1956 für richtig gehalten hatte, weil, wie er jetzt meinte, ›falsch informiert‹ über dessen ›wahre Rolle‹ im ungarischen Aufstand.

Bloch: ›In der Zeit, als der *Sonntag* seine neue Politik begann, habe ich nicht einen einzigen Artikel geschrieben ...‹ Das rieb er den ZK-Bundesfreunden unter die Nase.

Tatsache, er schwieg, wo er hätte sprechen müssen.

Dann aber sprach er und weist es nun stolz vor, denn: ›... habe ich ... als fast einziger das Voranrücken der Roten

Armee verteidigt und gejubelt, als im Radio das Dekret be-
kanntgegeben wurde ...‹

Das Dekret vom Aufmarsch der Sowjetpanzer gegen
die Budapester Aufständischen ist gemeint. Da hat er ›gejubelt‹.

Bloch: ›Spricht so einer, der nicht auf dem Boden unserer Republik und des Sozialismus steht?‹

Keine vier Jahre später, als die Mauer gebaut wurde und
er sich zufällig gerade nicht auf dem Boden der Republik
und des Sozialismus befand, blieb er einfach im Westen,
ohne sich nun selbst Verräter und Lügner zu nennen.

1957 sah er dort im Westen ›übergelaufene Renegaten, an
deren Spitze Zwerenz.‹ Wer dachte da nicht erschaudernd
an die sowjetische Partei, an deren Spitze Stalin. Ohne einen
an der Spitze ging die bolschewistische Chose nicht.«

6. 12. 91:

»Die Geschichte vom ›Kreis‹ muß noch erläutert werden.

Die schwerwiegende, seit Lenins Fraktionsverbot krimi-
nalisierende Bezeichnung ›Fraktion‹ hatte ich 1956/57 erst
in der Partei und dann in den Vernehmungen so beharrlich
zurückgewiesen, daß man es mit dem Vorwurf der ›Gruppenbildung› versuchte. Auf diese Alternative zwischen Pest
und Cholera ließ ich mich nicht ein. Da ich allerdings zu-
geben mußte, mit vielen Leuten in Leipzig, Ostberlin und
anderswo bekannt zu sein, versuchte ich dem Vorwurf der
partei- und republikfeindlichen Gruppenbildung zu begegnen, indem ich ausdrücklich von ›Kreisen‹ sprach. Es gab
da einen ›Bloch-Kreis‹, einen Freundeskreis, endlich einen
weniger bestimmten Kreis von Redakteuren, Lektoren, Ver-
legern, mit denen ein freier Schriftsteller beruflich zu tun
hat.

Der sich entfaltende Sprachkrieg ging um Definitionen. Nicht ohne Erschrecken begriff ich, wie schwer es für
mich werden würde, die einzelnen ›Kreise‹ auseinander-
zuhalten und der Interpretation von Partei und Stasi, die
verschiedenen Kreise seien eine Gruppe, zu widerstehen.
Wäre ich inhaftiert worden, hätte ich genau dieselben Erfahrungen machen müssen wie kurz darauf Erich Loest:
Die Staatssicherheit suchte mit unheimlicher Akribie jede
einzelne Bekanntschaft festzustellen, und aus der Vielzahl

der Bekannten wurde die staatsfeindliche Gruppe konstruiert. Was ein Untersuchungshäftling dagegen auch tun mag, ihm wird alles zum Nachteil ausgelegt. Wobei sich kuriose Pannen ergaben, die freilich am Endergebnis der Verurteilung nichts änderten, den Gang der Untersuchung allerdings hemmten.

So wollte die Stasi einfach nicht glauben, daß Gustav Just und Erich Loest einander nicht kannten. Loest wiederum wurde nicht abgenommen, daß er Ernst Bloch nie getroffen und mit ihm gesprochen hatte. Den Vernehmern, für die das Vorhandensein einer konterrevolutionären Gruppe feststeht, erscheint es unglaubhaft, ja unvorstellbar, daß die einzelnen Gruppenmitglieder nicht miteinander bekannt sein sollen. Ihr Konstrukt, das vorausgesetzt wird, entwickelt seine eigene kriminelle Logik, wonach die einzelnen Gefangenen entsprechend anteilig kriminell zu sein haben. Läßt sich das im Laufe einer Untersuchung an einigen Punkten nicht beweiskräftig machen, sieht es wie Leistungsverweigerung aus. Man behilft sich, wenn auch ungern, mit Ersatzkonstruktionen.

Als ich lange Zeit später die Berichte Loests, Jankas, Justs von ihrer U-Haft las, wurde mir klar, wie sehr ich als mehrfaches Zwischenglied der Konstruktionen gefehlt hatte. Vielleicht erklärt dies den Haß der Offiziere auf mich, von dem mir Häftlinge später berichteten. Es muß die Herren Verfolger schwer getroffen haben, daß ich entwischte, denn ich sollte als Glied der Vermittlung dienen, kannte ich doch den Bloch-Kreis und den Leipziger Schriftstellerkreis mit Verbindungen zum *Sonntag*, zum *Aufbau-Verlag*, zu Wolfgang Harich, Alfred Kantorowicz, Manfred Bieler ...

Die Kulturbundsitzung vom 12./13. 12. 57 diente der internen Anklage gegen Bloch. Im leicht sedimentierten Parteijargon liest sich das so: ›1. Stellungnahme zum Verhalten des Herrn Prof. Bloch, Leipzig, Mitglied des Präsidialrates.‹

Das ablaufende Ritual erinnerte ganz von ferne an die Moskauer Prozesse. Deren eifriger Verfechter Bloch müßte es bemerkt haben, denn er konnte Spuren lesen. Daß für ihn keinerlei Todesgefahr bestand, schrumpfte die Sitzung zur Parodie ein, die Bloch nur durch unangepaßtes Verhalten hätte dementieren können. Da saß er und hatte so viele Rebellen von Spartacus über Thomas Müntzer bis Lenin und darüber hinaus in fetzenden Kaskaden unerhörter Beredsamkeit geschildert, besungen, illuminiert. Was hätte er riskiert mit ein paar offenen Worten, der Herr Präsidialrat? Mag sein, eben dies. Doch war's das wirklich wert?

In dieser Sitzung offenbarte der Kulturbund sich als bloßes Herrschaftsinstrument der Partei. Der Philosoph, der es sich gefallen ließ, redete sich nicht um Kopf und Kragen, aber um jenen Rest von Freiheit, den er sich mit kleinen Widersprüchen bis dahin noch bewahrt hatte.

Die ausdrückliche Distanzierung Blochs vom ›dritten Weg‹ und ›menschlichen Sozialismus‹ wird aus dem revolutionär-moskowitischen Selbstverständnis heraus begreifbar, denn die alten Dogmen schrieben die Welt als einerseits kapitalistisch-imperialistisch und andererseits sozialistisch-progressiv vor. Demnach hatte der vorhandene Sozialismus menschlich zu sein, was einen dritten Weg als ›Wanderung zwischen beiden Welten‹ ausschloß. Indem der Philosoph sich derart zur Partei bekannte, scheute er vor der anstehenden Erneuerung zurück und verpaßte überdies die letzte Gelegenheit zur achtbaren Revision früherer Irrtümer. Mag sein, die Bekenntnisse zu Stalin als ›weisem Führer‹, die hartnäckige Verteidigung der Moskauer Prozesse und die Bagatellisierung, wo nicht penetrante Akzeptanz des Hitler-Stalinpaktes waren in ihrer Zeit begründet, jetzt jedoch, 1957, ein Jahr nach Chruschtschows Antistalinrede, wäre es höchste Zeit zur Korrektur gewesen. Er begriff seine Chance nicht einmal.

Was er dann, anderthalb Jahrzehnte danach, vom Westen aus an Kritik nachholend vorbrachte, geschah so verspätet, daß er nicht nur sich als Person, sondern auch seiner Philosophie einen kaum reparierbaren Schaden zufügte. Die Korrekturen erfolgten zu spät, halbherzig, marginal. Der Zuspruch der jungen Linken im Westen, der vorab emotional erfolgte, verdeckte den Mangel lange. Die Gespräche mit Dutschke gingen nicht ins Prinzipielle, Biermanns Besuch in Tübingen verlief als lyrische Festveranstaltung zur Hebung der Imagewerte, wie Biermanns fatal-egozentrischer Bericht beweist. Man versicherte einander seine sozialistische Romantik und drang nie zur Schmerzgrenze vor. Wer die Äußerungen und Auskünfte früherer Exkommunisten, etwa von Koestler, Regler, Sperber kennt oder weiß, wie Kantorowicz, Kolakowski oder Brechts Meisterdenker

Korsch sich äußerten, stellt einen merkwürdigen Niveauverlust fest.

Selbst der nie der Partei zugehörige, zeitweise mit ihr paktierende Sartre reflektierte den Zustand der Bewegung radikaler, konsequenter, kenntnisreicher. So zählt Bloch nicht zu diesen politischen Revolutionären, ja alles, was er dazu äußerte, steht unter Ideologieverdacht. Bloch war kein politischer Denker, seine Fähigkeit zur Analyse ging ihm in dem Maße verloren, in dem er sich zur Partei bekannte, und als er sich zaghaft abkehrte, geschah es als stilloses Nachklappern.

Wer Blochs Werk retten will, muß viel Schutt abräumen, um auf jenen möglicherweise unbeschädigten inneren Kern zu stoßen, der bleibt. Was aber bleibt? Abgesehen von einer großen Anzahl Texten literarischer Philosophie und Psychologie, die immer bestehen werden, ist der verhinderte revolutionäre Reformator des Sozialismus zu entdecken. Ernst Bloch hatte versucht, Luther und Müntzer in einer Person zu sein. Erst nach dem Untergang von Sowjetunion und DDR werden die Konturen der Blochschen Moderne deutlich.

Konfrontiert mit dem globalisierenden US-Imperium enthüllt sich diese Philosophie als neues Projekt einer Zweiten europäischen Reformation.«

Das vorläufige Ende – verdient oder unverdient

Bei der Vorstellung seiner Autobiographie *Spuren eines Lebens* in Frankfurt am Main sprach Walter Janka vom »Verrat der Intellektuellen« und zielte damit auf die östliche Variante. Obwohl ich es auch mehrfach so formulierte, benutzte ich das Verdikt vorsichtig, denn was als Verrat erscheint, entpuppt sich bei näherem Zusehen leicht als gegenteiliges Treueverhalten. Um der Idee und dem bisherigen Leben nicht untreu zu werden, sucht man den Konflikt und vorher schon die dazu führende Abweichung zu vermeiden. Der Glaube macht's möglich. Wir kennen das aus verschiedenen religiösen Institutionen. Allerdings legen die als Voraussetzung für mancherlei Privilegien geforderten Zugeständnisse den Verratsgedanken nahe. Wenn allein die Partei oder Kirche/Staat über Karriere und Wohlergehen entscheidet, vermehren sich beflissene Kleriker und intellektuelle Höflinge.

Blochs selbstverleugnende Verteidigung von 1957 ist deshalb nur als pars pro toto zu verstehen. Daß er mich nicht auf seine Kappe nehmen wollte, war politisch richtig gehandelt, denn es schadete mir nicht. Er wandte sich jedoch auch gegen die einsitzenden Wolfgang Harich und Walter Janka und strich triumphierend heraus, daß er für den »neuen«, also reformerisch orientierten *Sonntag* nicht geschrieben, ergo mit der gesamten Reformbewegung nichts zu tun gehabt habe. In der Tat hielt er sich, wie viele andere, auffallend zurück, im Gegensatz zu den polnischen und ungarischen Intellektuellen. In der DDR herrschte nach 1956/57 wie in Prag Friedhofsruhe. Die Prager wurden erst ein gutes Jahrzehnt später reformfreudig, in der DDR kam überhaupt keine größere Solidaritätsbewegung mehr zustande, nachdem die Partei mit den einzelnen Reformern abgerechnet hatte.

Für den Staatssozialismus gab es eine einzige Chance: die frühzeitig einsetzende, nicht national beschränkte Entwicklung von Reformen. Die meisten DDR-Intellektuellen begriffen diese Chance nicht. Havemann und Biermann waren 1956/57 noch voll auf Parteilinie. Stefan Heym wurde erst Jahre danach richtig wach. Rudolf Bahro betätigte sich als verspäteter Einzelkämpfer. Fritz Behrens spielte mir Anfang der siebziger Jahre seine kritischen Manuskripte im Westen zu. Ich fand keinen Buchverlag, der zu begreifen vermochte, daß hier die verfehlte sozialistische Ökonomie analysiert wurde.

Über allem aber lag das erdrückende Bleigewicht der Erfahrung, daß die Sowjets mit Chruschtschow zwar per Tauwetter einen ersten Frühling signalisierten, mit dem Ende des ukrainischen Bauern aber auch den Beginn der neuen Eiszeit. Die Völker erfuhren mit dem 17. Juni 1953 in der DDR, 1956 in Budapest und 1968 in Prag, wie wenig gegen sowjetische Panzer auszurichten ginge. Das klügere polnische Exempel wurde nicht beachtet.

Die nachstalinsche Sowjetmacht verhinderte mit ihren Siegen jede Entwicklung einer reformerischen Kultur.

Dennoch gingen die Erhebungen in Polen und Ungarn und später in der Tschechoslowakei nicht spurlos vorüber. In den demokratischen Revolten von 1989/90 konnte auf Erfahrungen, Ideen und Personal der vergangenen Aufstände zurückgegriffen werden. Anders in Moskau und der DDR, wo der vollständige Sieg der Partei sich nun in die vollständige Niederlage verwandelte. In der DDR löste sich die unbesiegbare Arbeiter- und Bauernmacht im Handumdrehen auf, und in der Sowjetunion schlug die allmächtige Diktatur in das allseits ohnmächtige Chaos um.

Die vormaligen DDR-Reformer waren nach ihrer Haftentlassung zur Untätigkeit verurteilt, wir in den Westen gegangenen oder abgeschobenen Ehemaligen zur selben Wirkungslosigkeit degradiert worden. Die im Lande verbliebenen Intellektuellen lebten weiter mit dem Stigma der Mittäterschaft, des Opportunismus und der Passivität innerer Emigrationen. Was nicht ganz stimmte.

1989 ließen die verspätet losbrechenden Leidenschaften des Volkes die Reformsozialisten nicht mehr zum Zuge kommen, denn ihre Zeit war verstrichen.

Mit der deutschen Vereinigung reanimierte sich die Idee von Grenzveränderungen, der Volkswille erhielt neue Qualität, und so tauchten von den Balten und Tschetschenen bis nach Jugoslawien die alten völkischen Veränderungswünsche auf, legitimiert durch die Deutschen. Da die betonierte Welt von Jalta als bedrückend empfunden werden mußte, zerfiel die alte Ordnung, der Ruf nach Einführung der Marktwirtschaft wurde zur neuen revolutionären Parole, ganz als ob man etwas einführen könne, das zu seinem Entstehen längere Wachstumsprozesse benötigt. Die Intellektuellen aber, neue Demokratiebewegungen vertretend und anfeuernd, befanden sich insgesamt nicht auf der Höhe der geschichtlichen Aufgabe. Es gab keine Ideen außer der Marktwirtschaft, womit das Chaos vorprogrammiert war.

Das Versagen der DDR-Intellektuellen begann 1956/57, als sie sich in ihrer Mehrheit stumm und diszipliniert obrigkeitstreu verhielten, ganz als wären sie die Verlierer des 17. Juni 1953 gewesen. Das waren jedoch die Arbeiter, während die Intellektuellen beiseite gestanden hatten. Nun, 1956/57 befanden sich die meisten von ihnen erneut im Abseits. So blieb der Stalinismus in seinem Wesensgehalt auch nach Stalin an der Macht, und die unterlassenen Erneuerungen schwächten das gesamte System, bis es Ende der achtziger Jahre an Auszehrung verendete. Im Rückblick kann man das sowjetsozialistische System betrachten wie den Aufstand und die Herrschaft der Wiedertäufer zu Münster. Man mag mit den Aufständischen sympathisieren, ihre Methoden aber erregen nur fassungsloses Kopfschütteln. Dabei war die Oktoberrevolution im Gegensatz zu den Münsteraner Vorgängen das Werk scharfsinniger Intellektueller, die geschichtsblind und buchstabengläubig ein System schufen, das sie als erste kopflos werden ließ. Karl Marx geriet in russische Gefangenschaft, und in den Gulag-Quartieren traten nicht seine Stärken hervor, sondern seine Irrtümer. Der gute Glaube führte direkt in die Dystrophie, bestenfalls zum Genickschuß.

Bei meinem Vortrag in Zagreb zum zehnten Todestag Blochs suchte ich seine Schwäche als Halbkritiker gegenüber Nietzsche zu verdeutlichen. Hinzuzufügen wäre die Verminderung des Raums der Freiheit. Während Nietzsche sich unumwunden äußern und endlich auf den Baseler Lehrstuhl pfeifen konnte, wurde seinem halben Nachfahren erst im Pensionsalter ein Lehrstuhl angeboten, dessen Annahme mit teilweisem Freiheitsverzicht verbunden war. Bloch geriet in die Situation, entweder unwirksam und unbekannt im US-Exil zu bleiben oder im Konnex mit der SED sein Werk auszubauen. Solange er auf den Leipziger Lehrstuhl nicht verzichten zu können glaubte oder eine Chance sah, das Hausverbot von 1957 werde wieder aufgehoben, kämpfte er um seine Wirkungsmöglichkeit, denn in der Abwägung zwischen Person und Werk darf die Person selbst um den Preis der Verletzung eigener Integrität dem Werk den Vorzug geben. Man muß diesen Entscheidungsspielraum zugestehen, auch wenn einem die Entscheidung mißfällt. Problematischer ist die anschließende Tübinger Periode zu bewerten, wo der Philosoph die neuen Möglichkeiten freier Kritik nur spät und zaghaft nutzte. Prinzipieller Zweifel, tiefreichende Analyse mußten dem Denker durch fortgesetztes Nachfragen entlockt, wo nicht entrissen werden, etwa im Fetscher-Interview.

Wobei die meisten Besucher und Interviewer keine substantiellen Fragen stellten, sondern sich so artig verhielten, daß der Befragte wie gewohnt sibyllinisch antworten konnte, womit er dem Zeitgeistbedürfnis nach sozialistischer Romantik entgegenkam. Die westdeutschen Linken erkoren den dreifach emigrierten Altmeister zum Hoffnungspropheten, der er in diesem flachen Sinne gar nicht war, und er widersprach dem nicht. Indem er seine tragische Position verleugnete, verkörperte er einen falschen sozialistischen Optimismus. Erst das volle Eingeständnis seines Scheiterns hätte den Weg zu neuen Erkenntnissen freigeräumt. Er schwindelte sich jedoch um seine Niederlage herum, statt nun schonungslos mit den eigenen Irrtümern abzurechnen. Ein letztes Mal folgte er der diktatorischen Untergangspartei, die lieber den Bankrott ansteuerte als die Charakterstärke zur Erneuerung und zweiten Revolution zu entwickeln. Erst dieses Versagen minderte sein Werk auf den nachgelassenen Zustand der Halbherzigkeit. Im Verhältnis zu den großen Denkfiguren und Autoren des Exkommunismus verwandte er einen zu geringen Teil seiner Kraft auf die Darlegung des Bruchs.

Die Werke der klassischen Exkommunisten überzeugen durch ihr Gewicht, ihre Größe, den heraushörbaren Schmerz und die Trauer über den erlittenen Verlust. Nichts dergleichen bei Bloch. Außer einigen Nebenbemerkungen, die noch abgeschwächt werden durch die Vielzahl taktischer Tiraden, die nach dem Zusammenbruch des Sozialismus ans Licht des Tages kommen und die revolutionäre Substanz des Werkes selbst dann noch dementieren, wenn man gewillt ist, dem Manne jede Berechtigung zum Taktieren zuzusprechen. Die Niveaulosigkeit seines Taktierens löscht den Glanz. Der hohle Ton der Sprache, die vor den Anklägern hörbar wird, erhält Dauer. So nahm das Verhängnis seinen Lauf. Die Niederlage der deutschen revolutionären Linken kulminiert in der tragischen Figur des Kommunisten als personifizierte Parallele zu den Märtyrern des Christentums. Lenin wurde 1917 mit Geldern des kaiserlich-deutschen Generalstabs als dessen Geheimwaffe nach Rußland geschickt, wo er die Revolution machte, die ohne ihn ausgeblieben wäre. Trotz dieser illegitimen Eltern der Oktoberrevolution mutierte sie in den Herzen gläubiger Genossen zur Wiedergeburt Christi, der nun, seine Fehler einsehend, mit dem Schwerte niederfuhr, seine Feinde vernichtend und anschließend seine Freunde und Genossen.

Keinen traf das Schwert des braunen und roten Terrors härter als die deutschen Genossen, die vor der Wahl standen, in Hitlers Konzentrationslagern zu verkommen, wo nicht unterm Fallbeil zu verbluten, oder bei Stalin den Glaubenstod des Verräters und Agenten zu erleiden. Wer mit Glück überlebte, hatte hernach in der deutschen Sowjetkolonie zu gehorchen, bis von den Revolutionären nichts blieb als die gewissenlose Hülle.

Am Ende erwuchs dem Kreml mit Gorbatschow ein wohlmeinender Reformator, der nicht nur zu spät kam, sondern ausgerechnet dem deutschen Kapital die Rettung seines Reiches im Schnellverfahren zutraute, so daß er 1990 bei dem Treffen im Kaukasus, seinen arglos guten Willen erweisend, den Rückzug aus den erbeuteten Gebieten anbot, was Bundeskanzler Kohl zur überragenden Geschichtsfigur verfälschte.

Damit war ein Tempo vorgegeben, das den völligen Zusammenbruch östlicher Märkte mit sich bringen mußte. Die schnelle Einführung der D-Mark in der DDR zerstörte noch vorhandene wirtschaftliche Kreisläufe und erbrachte Massenarbeitslosigkeit. Schon die Stabilisierung der vormaligen DDR führte die alte Bundesrepublik an die Grenzen ihrer Leistungsfähigkeit und setzte Polen und die sowjetischen Länder matt.

Die Hilfe, die sich die Romantiker Gorbatschow und Schewardnadse von den Deutschen erhofften, mußte ausbleiben, obwohl viele Milliarden im östlichen Faß ohne Boden verschwanden. Die sowjetische Reformpolitik war endgültig gescheitert, weil an falsche Voraussetzungen gebunden. Mögen Polen, Ungarn und vielleicht Tschechien sich stabilisieren, die anderen vormals staatssozialistischen Länder können es nicht. Daß sie ihren Status von Drittweltländern sozial verkraften, ist kaum zu erwarten. Schwerste Krisen sind unausweichlich. Das Vertrauen russischer Reformer auf die Deutschen wird enttäuscht wie das Vertrauen Lenins auf die deutsche Revolution enttäuscht wurde. Die deutschen Kommunisten aber behalten ihre ewige Opferrolle bei. Die Stärke ihrer Glaubenskraft ist umgekehrt proportional ihrer Fähigkeit zu Skepsis und Analyse. Noch in der tiefsten Niederlage glauben sie an die Heiligkeit von Marx-Sätzen, insofern ihren Vorläufern gleichend, den christlichen Märtyrern, die freilich den Vorteil besitzen, im nachhinein von einer mächtigen Kirche heiliggesprochen zu werden.

Aus Gründen, über die genauer zu sprechen jetzt zu weit führen würde, die aber auch in inneren Dispositionen zu finden wären, übernahm Ernst Bloch schon im amerikanischen Exil stalinistische Positionen, auf die er sich 1957 erneut berief. Bei aller Taktik, die gewiß im Spiele war, handelte er guten Glaubens. Revisionismus, Reformismus, Sozialdemokratismus waren ihm ein Greuel. So entzifferte er die geschichtlichen Lehren seines Lebens. Dies auch der Grund, weshalb er später in Tübingen nur zaghaft zu Korrekturen bereit war. Der historische Irrtum des Stalinismus hatte für ihn den Rang einer absoluten Wahrheit eingenommen. In den Ungenauigkeiten seiner schönen Rhetorik, in der Metaphysik und Atheismus sich vereinbaren ließen, verknotete sich die Revolution ins Emphatische.

Michael Rohrwassers Gedanke, daß deutsche Linksintellektuelle sich einen deutschen Stalin wünschten, weil anders Hitler nicht zu besiegen wäre, erklärt das ansonst Unerklärliche, entzieht den Fall der allgemein üblichen Empörung und verleiht den Gläubigen die Würde tragischer Biographien. In diesem letzten Sinne verstehe ich alle meine kritischen Anmerkungen als bloße analytische Hilfsmittel. Als herausgearbeiteter Rest stehen am Ende Lebensgeschichten von historischer und moralischer Größe vor dem Betrachter, und wer sie niedriger ansetzt, begibt sich jeder Legitimität. Soviel auch als Kritik an mir selbst. Wir werden also eine Reihe ganz anderer Überlegungen riskieren müssen.

Umwertungen sind notwendig, der These hat die Gegenthese zu folgen.

1959 wurde ich auf der Rückreise vom Treffen der »Gruppe 47« auf der Elmau beim Aufenthalt in München vom Verleger Klaus Piper umworben. Im Gespräch mit dem Verlagsleiter und Lektor Dr. Hans Rößner sah ich mich genötigt, die Russische Oktoberrevolution zu verteidigen, weshalb Rößner mich hinterrücks einen »Linksfaschisten« nannte. Ich hörte davon, sagte Piper ab, brauchte den mir in die Tasche geschobenen kleinen Vorschuß nicht zurückzuzahlen und blieb bei *Kiepenheuer und Witsch*. In Erinnerung behielt ich neben dem schalen Geschmack den ostentativen Bezug Rößners auf Heidegger, den er übern grünen Klee lobte, auf Hannah Arendt verweisend, als deren unverzichtbaren Lektor, wo nicht Freund er sich ausgab. Als ich später erfuhr, der Mann habe es im Reichssicherheitshauptamt bis zum SS-Obersturmbannführer gebracht, wunderte mich das nicht. Hannah Arendts berufliche und private Verbindung mit ihrem Lehrer Heidegger hatte eben Früchte getragen, ohne daß ihr die fatale Vergangenheit des *Piper*-Lektors bekannt wurde. Begegnete sie beim Eichmann-Prozeß der Banalität des Bösen, erwies sich eine gewisse Wehrlosigkeit im Umgang mit den Luxusausgaben der Bewegung. Ich sagte mir: Aus dem Bloch-Land kommend, gibt es für dich nicht den geringsten Anlaß, das Deutschlandlied zu singen. Schade nur, daß es in der DDR nie zur wahren Revolution reichte.

Kirche gesprengt. Hörsaal 40 verschwunden

Zwischen der Universitätskirche und dem Platz, wo heute Leipzigs ungeliebter Universitätsturm sich reckt, erstreckte sich das Augusteum, dessen teilausgebaute Ruine den Hörsaal 40 enthielt, der in den Erinnerungen vieler Nachkriegsstudenten inzwischen fast legendäre Züge annahm, denn wer dort in den fünfziger Jahren des vergangenen Jahrhunderts sitzen und hören durfte, erlebte intellektuelle Abenteuer und Ansätze einer sozialistischen Gegenwart, die vom darauffolgenden realen Sozialismus nie eingelöst wurde. Teils weil sie nicht verwirklicht werden durfte, denn die Sowjetmacht bewachte ihre eigenen Kurzschlüsse unnachsichtig, teils weil die Partei der Einheitsfront gar nicht begriff, wie stark ihr weiteres Schicksal davon abhing, ob man zu neuen Ufern aufbrach oder an den alten hocken blieb, bis eine gewaltige Flut alles wegspülte. So zugleich großfressig und kleinmütig ging noch keine Staatsmacht in die Binsen. Ihre Wächter hatten sich schon so lange ans eigene Parteikauderwelsch gewöhnt, daß sie nicht begriffen, wie ihre Sklavensprache Worte und Realität voneinander trennte.

In den fünfziger Jahren wurde im Hörsaal 40, inmitten der Pleißestadt, eine ganz andere Sprache gesprochen. Ich habe nicht vor, aus dem Gedächtnis heraus alles wie Gold glänzen zu lassen, doch insgesamt gesehen versammelte sich hier eine Anzahl von Gelehrten, wie sie die Universitätsgeschichte selten kennt. Es ist deshalb durchaus legitim, von den »Goldenen Leipziger Jahren« zu reden, sind damit die dort versammelten Wissenschaftler gemeint. Um einige beim Namen zu nennen: der Romanist Werner Krauss, im Dritten Reich zum Tode verurteilt; der Historiker Walter Markov, im Dritten Reich zwölf Jahre Haft; der Literaturgeschichtler Hans Mayer und der Philosoph Ernst Bloch, beide wegen politischer und rassischer Verfolgung ins Exil getrieben. Auch der Theologe Ernst Fuchs war aus politischen Gründen behindert und bedrängt worden und exiliert. Nennen wir noch das frühere KPO- und KPD-Mitglied Fritz Behrens, dem es gelang, in Leipzig und Prag zu überleben, so zeichnen sich die ersten Umrisse einer Gelehrtenrepublik ab, in der bürgerliche Professoren wie der Germanist Theodor Frings oder der Goetheforscher Hermann August Korff ungestört leben und arbeiten konnten. Anders eine ganze Reihe von Sozialisten, die auch in der DDR in Konflikte gerieten.

Exemplarisch wurde der Hörsaal 40 durch die Vorlesungen von Hans Mayer und Ernst Bloch, sowie das Schicksal der beiden, die anfangs heftig für die DDR votierten. Die abenteuerliche Geschichte der Gründung, des kurzen Aufstiegs und endlichen Falls der Deutschen Demokratischen Republik läßt sich auf den Hörsaal 40 fokussieren, dessen Abriß ebenso wie die Kirchensprengung den Niedergang der DDR zu symbolisieren vermag. War diese Tat eine Dummheit, so steht das Ende des Hörsaals 40 für die Zerstörung einer demokratisch-sozialistischen Alternative, die alle linken Professoren in Mißkredit geraten ließ: Krauss flüchtete immer mehr ins Leiden, Markov wurde als Titoist entlarvt, Behrens durch unzählige Angriffe verschlissen, Bloch erhielt Lehrverbot und blieb 1961 beim Mauerbau im Westen, Mayer folgte ihm 1963 nach.

Der Wiederaufbau der Leipziger Universitätskirche, von Gläubigen gefordert und betrieben, führt mich zur Frage nach einem Wiederaufbau des inzwischen in den Stand höchster Weihen erhobenen Hörsaals 40. Ich habe nur noch vage Erinnerungen an das Augusteum, das ich als Ausgesperrter nach meinem Weggang im Jahre 1957 nicht mehr zu sehen bekommen durfte. Weshalb der Bau ebenso wie die Kirche verschwinden mußte, mögen die Stadthistoriker und Architekten erörtern und beurteilen. Der in die Ruine eingetriebene Hörsaal allerdings lebt im Gedächtnis der damals dort Lehrenden und Lernenden fort, wie sich an den literarischen Zeugnissen von Uwe Johnson bis Christa Wolf zeigt. Literaturkenner mögen die Namen all derer hinzufügen, die über den Hörsaal berichteten. Die Universität erwies sich damals als sehr lebendig und strahlte in Stadt und Land aus, was die junge Studentenschaft, zum großen Teil aus bisher vernachlässigten unteren Schichten und Klassen zur Universität vorgedrungen, manchmal verwirrte, oft lenkte und anspornte, manche von ihnen, wie Winfried Schröder, Assistent bei Prof. Krauss, auch ins Gefängnis brachte.

Kommen wir direkt zur Sache, um die es geht.

Wolfgang-Fritz Haug, Professor an der Freien Universität Berlin und Marxist dazu, philologisierte bei seiner Abschiedsvorlesung im Februar 2001 Marxens elfte Feuerbach-These, die das Foyer der ebenfalls Berliner Humboldt-Universität schmückt oder auch, je nach Unverstand, verunstaltet, denn es steht zu lesen: »Die Philosophen haben die Welt nur verschieden interpretiert; es kommt aber darauf an, sie zu verändern!« Semikolon und Ausrufezeichen sind Erfindungen, die als unzulässiges Beiwerk zurückzuweisen leicht fällt, während das eingefügte »aber« schwerer wiegt, denn es ist nicht Zutat von Ideologen, sondern oszillierende Verdeutlichung von Friedrich Engels. Der Marxsche Urtext lautete kurzum: »Die Philosophen haben die Welt nur verschieden interpretiert, es kömmt darauf an, sie zu verändern.« Haug monierte die gebräuchliche, wo nicht mißbräuchliche Entstellung des Zitats, wobei die Modernisierung des »kömmt« ins »kommt« marginal bleibt, die Einfügung des »aber« jedoch den Dollpunkt bezeichnet. Haugs fairer Verweis auf Ernst Bloch führt ins Zentrum marxistischer Kontroversen. Anfangs hatte Bloch die laxe Formulierung von Engels übernommen, bis er die Urfassung entdeckte, die Philosophie (Theorie) und Praxis (Veränderung) nicht durch das eingefügte »aber« soweit trennt, daß Parteien, ihre Zentralmonaden, endlich Diktatoren schalten und walten können, bis der Marxismus in sein Gegenteil entfremdet.

Es war denn auch der Trotzkist Ernest Mandel, der wie Bloch in den elf Feuerbach-Thesen »die eigentliche Geburtsurkunde des Marxismus« sah und die neuen Blochschen Überlegungen dankbar aufnahm.

Ich erfuhr von der Berliner Abschiedsvorlesung des Prof. Haug durch die Zeitung und war anfangs auf die übliche Weise zu reagieren versucht, etwa: Brav vorgetragen, Herr Professor, doch warum so spät? Wo waren die scharfsinnigen Marx-Kenner damals in den fünfziger Jahren, als Bloch seine Konterbande in Leipzig an der Pleiße feilbot und die dortigen Herren Dogmatiker ihn feindlich einkesselten? Erst jetzt, also ebenso verspätet, wie es das Privileg der Marxisten ist, die laut Wolfgang Harich gar nicht mehr anders als verspätet leben können, erst jetzt wurde einsichtig, weshalb in der Messestadt der einstmals hier einwohnende Ernst Bloch Unperson ist, nichts als ein toter Hund, womit die Wendegewinner nach 1989 fortsetzen, was die Vorwendegewinner von 1957 bis 1989 praktizierten. Bloch ist als Nicht-Marxist, ja gar Marx-Feind mehr als drei Jahrzehnte lang zugleich beschimpft und beschwiegen worden. Ab 1989 wurde er wegen unheilbarem Marxismus wiederum vergessen gemacht, so ändern sich die Zeiten, indem sie sich nicht ändern.

Ingrid Zwerenz und ich besichtigten vor einigen Jahren das vormalige Blochsche Direktorenzimmer im vormaligen Philosophischen Institut zu Leipzig im Petersssteinweg, wo wir beide studiert hatten. Verfaulte Dielen, Mäusefraß und herausgerissene Installationen bezeugten jene Haltung, die Hegel dem »geistigen Tierreich« zurechnete. Nun ja, die Leipziger hatten auch ihren Johann Sebastian Bach lange Zeit dem schmählichsten Vergessen anheimgegeben, bevor sie begriffen, daß man sich in seinem Glanze sonnen kann. Bloch ist inzwischen in seine Geburtsstadt Ludwigshafen heimgeholt worden, wo Kapital offenbar nicht so neudeutsch dumpf und bar jeder Tradition dahinvegetiert wie in zurückeroberten Ländereien. Bloch, ein exilierter Jude wie Marx selbst, dazu Marxist, teilt das Schicksal aller revolutionären deutschen Juden als doppelt und dreifach Ausgestoßene.

Der alte Konflikt, der sich im Streit um die Marxschen Feuerbach-Thesen entwickelte, insonderheit der elften, ist bisher weder beigelegt noch zufriedenstellend aufgeklärt worden. Derart lief die Einfügung des »aber« darauf hinaus, die philosophische Interpretation der Welt zu marginalisieren, wo nicht ganz abzusagen und einzig ihre »Veränderung« zu akzeptieren. Der Moskauer Orthodoxie zufolge führte der revolutionäre Weg von Marx/Engels zu Lenin und Trotzki sowie zur Nachfolge Stalins, der Trotzki tilgte und sich an seine Stelle setzte.

Die Blochsche List, in der dieser ganze Skandal kulminierte, bestand in der Entheiligung des Dogmas. Erstens blieb die Veränderung der Welt nicht identisch mit dem Weg der Sowjetunion, zweitens erhielt die Interpretation wieder ihre ursprünglichen philosophischen Rechte, und die Usurpation durch die jeweilige Partei- und Staatsspitze verlor ihre angemaßte Legitimität. Da saß also von 1949-61 ein Denker mitten in Leipzig, und als er sagte, es gebe »Unabgegoltenes und Noch-Nicht-Bewußtes« in den Köpfen, der Mensch sei mehr als ein Echo aufs Parteilehrjahr, ergriffen die Oberen ihre Chance keineswegs, begriffen noch nicht einmal, daß es eine Chance war.

Wie ich als Ausgeschlossener erst verspätet wahrnehmen konnte, versuchten die Nachfolger Blochs im Philosophischen Institut der Karl-Marx-Universität Leipzig, anhand der elften Feuerbach-These der inneren Reform auch in den folgenden Jahren noch auf die Sprünge zu helfen. Das ist ehrenwert und so nutz- und folgenlos geblieben wie Blochs Lehrtätigkeit in dieser Stadt. Die Partei in ihrer berechtigten Angst vor dem Machtverlust hatte ihr Wägelchen ein für allemal an den sowjetischen Panzer gekettet, und als Gorbatschow abkoppelte, blieb der Parteikarren im Sumpf stecken. Den Dogmatikern ging nie auf, daß nur die objektive Analyse zur Theorie, ergo »Interpretation« führt, mithin bereits Teil von Praxis ist. Und Praxis leitet in die Irre, hat sie nicht Real-Analyse zur Grundlage. Den Hauptkategorien Interpretation und Praxis waren überholte Definitionen unterlegt worden. Eine Fortführung Marxscher Begrifflichkeiten durfte bei Strafe nicht stattfinden.

Schon die russische Oktoberrevolution, die das Subjekt anfangs befreite, unterdrückte es kurze Zeit darauf mit aller Härte, wogegen sich Blochs Erweckungsversuch des Subjekts richtete, diese Ermutigung zu einer zweiten Revolution, durch die der Mensch Herr seiner Möglichkeiten würde. Das kühne Experiment endete in der DDR mit Repression. Die Entscheidung aber wurde im Hörsaal 40 der Leipziger Universität sichtbar, als ein kurzes Jahr hindurch, vom

Frühlingstauwetter 1956 bis zum letzten Tag vom Katheder herab ohne Sklavensprache philosophiert werden konnte. Das war die Zeit, als der große Raum sich mit Ahnungen füllte. Für wenige Monate schien greifbar, wo nicht begreifbar, daß Sozialismus möglich werde. Es endete mit Lehrverbot für Ernst Bloch. Fortan war dieser Hörsaal diskreditiert. Ein Nachhall sozialistischer Freiheiten hing im Raum.

Der Abbruch des Augusteum mit Hörsaal 40 schadete der verordneten Macht mindestens soviel wie der Abriß des benachbarten religiösen Heiligtums. Die Gedankenkette führt von der Religion über die Reflexion zur eingeforderten Veränderung. Das individuelle Modell eines Saulus, sich in einen Paulus verwandelnd, stand Pate. An die Stelle Gottes, der dem Sünder Saulus zuredet, sich zu ändern, tritt das revolutionäre Gebot der neuen, also anderen Lebensmöglichkeiten. Statt der theologischen, religiösen, biblischen Erweckungen sind Entdeckungen gefragt, welche Einsicht direkt die Machtfrage stellt.

In Franz Kafkas Erzählung von der Strafkolonie lobt ein Offizier den Kommandanten, weil der eine perfekte Foltermordmaschine erfunden habe. »Bis jetzt war noch Händearbeit nötig, von jetzt an aber arbeitet der Apparat ganz allein«, rühmt der Offizier die mörderische Automatik. In der DDR wurde die Folter durch eine fertige Ideologie ersetzt und in der Machtfrage »arbeitete der Apparat ganz allein«. Weder Hand- noch Kopfarbeit sollte nötig sein. Auf den Gedanken, daß in der elften Feuerbach-These die moderne Fassung der christlichen Saulus-Paulus-Legende stecken könnte, kam die Obrigkeit mitnichten. Hatte sie doch das Denken längst dem »Apparat« überlassen, der entschied, Bloch müsse der »Maschine« zur Aussonderung überlassen werden, und was Marx gemeint hatte, sei von Stalin endgültig interpretiert worden.

Wer die inneren Verbindungslinien zwischen der abgerissenen Kirche und dem verschwundenen Hörsaal 40 entdeckt, der sollte dem Wunsch nach Restitution des Gotteshauses den Wunsch nach Wiederherstellung des Hörsaals beifügen. Denn die Kirche wie der Hörsaal bilden ein Ensemble von Architektur, Theologie und Philosophie, ergo rationalisierender Kultur, wobei das Gespräch mit Gott durch den sokratischen Dialog zwischen den Menschen komplettiert wird. Gläubige wie Sozialisten erfuhren gleiche Bedrängnisse. Wenn Christen mit dem Wiederaufbau ihrer Kirche nur das Vergangene zurückzuholen trachten, weichen sie in diese Vergangenheit aus, statt sich ihr zu stellen. Kirche hatte ihre Fürsten, Bischöfe und Führer und auch deren Opfer.

Zwischen Luther und Müntzer lagen Welten. Wer trägt Schuld daran?

Zwischen den sozialistischen Gelehrten – oder sollten wir sie Prediger nennen? – die dem Hörsaal Dauer im Gedächtnis verleihen, und ihren Oberen, die nicht von den Dogmen weichen wollten, lagen Welten. Wer trägt Schuld daran?

Das hier vorliegende Kapitel exemplifiziert die Geschichte der Kirche bis zum Abbruch. Es ist die Geschichte einer bestimmten Gruppe von Gläubigen. Erst wenn das Leben und Denken der Lehrer und Studierenden vom Hörsaal 40 hinzugefügt würde, ergäbe sich das zukunftsweisende Ganze, das darin besteht, die Reformation als Herzstück ostdeutscher Kultur zu begreifen, die eben nicht als abgeschlossen gelten kann. Die DDR als Teil deutscher Nachkriegsgeschichte ist nicht denkbar ohne die Kirchengeschichte im Dritten Reich. Unsere Konflikte in der DDR resultierten auch aus den Konflikten vor 1945. So gehören Kirche und Hörsaal zusammen wie zwei Fragmente, die solange noch kein Ganzes ergeben wie sich daraus keine lebendige Einheit bildet. Bloß wiederzuerrichten, was einmal gewesen ist, heißt die alten Geister zurückzurufen, die schon früher zu nichts Gutem führten.

Wie wir wissen, birgt die Bach-Stadt Leipzig viele Erinnerungsstätten. In der Hofmeisterstraße 14 wurde Hanns Eisler geboren. In der Goldschmidtstraße 12 wohnte und starb Felix Mendelssohn-Bartholdy. Als ich, während der fünfziger Jahre, in meinem Studentenzimmer im selben Haus lebend, erfuhr, daß Richard Wagner 1846 hier bei Mendelssohn zu Gast gewesen war, las ich in der Deutschen Bücherei Richard Wagners Schrift *Das Judentum in der Musik* und begriff langsam, wie sich der Antisemitismus konstituierte, bis er 1933 Staatsraison wurde.

Zu den Besuchern meines Studentenzimmers im Mendelssohn-Haus, in dem seit einiger Zeit ein Museum für den weltberühmten Musiker eingerichtet ist, zählten Wolfgang Harich, Erich Loest, Hans Pfeiffer, Carl Andrießen,

Karola Bloch, um nur einige zu nennen. Von hier aus war es nicht weit zum Hörsaal 40, zum Philosophischen Institut und zum Schriftstellerverband. In diesem Zimmer entstanden meine beiden ersten Bücher, viele Artikel für *Weltbühne* und *Sonntag*, darunter jenes Gedicht »Die Mutter der Freiheit heißt Revolution«, für das ich dann ein Jahr lang beschimpft und bedroht wurde. Von da an stellten sich eine Reihe Geheimpolizisten bei mir ein. Soviel sei, ohne Vorwurf, von Eigenem berichtet, denn es konstituiert Raum und Zeit der Erfahrung. Jede Sicht ist biographisch bedingt. Ich blicke ohne Haß zurück. Vielleicht hin und wieder im Zorn. Unbetroffen davon bleiben die daraus zu ziehenden Lehren, deren Bitternis, zur Ratio kalt gekeltert, Geschmack gewinnt. Parallel zu Blochs Leipziger Versuch von 1956, den Sozialismus zeitgemäß zu reformieren, stand in Berlin Wolfgang Harichs Wagnis, mit den Grundsatzpapieren einer »Plattform« und eines »Memorandums« die Stagnation zu überwinden. Beide Aufbrüche, der philosophische Blochs und der politische Harichs endeten mit dem Gegenschlag der Orthodoxie. Das Fraktions- und Oppositionsverbot der Bolschewiki von 1921, gegen die Feinde der Revolution gerichtet und später fatalerweise nie aufgehoben, wirkte als eine Disziplinierung fort, die nicht nur neue Ideen und Reflexionen hemmte, sondern schon deren Voraussetzungen unter Strafe stellte.

Die Revolution versagte nach ihrem Sieg, den sie doch unbedingt sichern wollte. Im Rückblick erscheinen beide Reformer als zu früh gekommene innersozialistische Partisanen, deren Ziel, die universelle sozialistische Renaissance der Oktoberrevolution von 1918, noch nicht oder bereits nicht mehr realisierbar war. Dies ein historischer Verlauf, der wiederum dem Verlauf der Kirchengeschichte nicht so fern steht, wie es auf den ersten Blick erscheint. Es existiert eine verbindende Gerade zwischen der gesprengten Universitätskirche und der Aura von Hörsaal 40.

In unseren vielleicht zu zaghaften, sicherlich zu wenig pluralistischen Aufständen der fünfziger Jahre, als wir eine Welt jenseits der Kapitalwerdung allen Lebens zu begründen suchten, war jedenfalls keine Rücknahme der Revolution vorgesehen. Wenn wir als eben dem Zweiten Weltkrieg Entkommene auch nur wenig wußten, so ahnten wir doch, daß die grenzenlose Kapitalisierung neue

Krisen und furchtbare Kriege mit sich bringen würde. Der Beginn des kriegstollen 21. Jahrhunderts läßt uns einen melancholischen Blick zurück auf die alternativen fünfziger Jahre werfen. Unseren östlichen Oberen standen die westlichen Oberen mit gleicher Härte gegenüber. Den Herren der Stahlgewitter galten die Zwischenklässler hüben wie drüben als Verräter. Beide Seiten bekämpften einander als Pragmatiker der Machterhaltung. Im Osten galt »Lieber rot als tot«, im Westen »Lieber tot als rot«. In den Kirchen standen die Nachfolger der Deutschen Christen gegen die Nachfolger der Bekennenden Kirche. Dibelius gegen Niemöller, Adenauer gegen Heinemann, zu dem damals noch Johannes Rau gehörte. Da erhoben sich manche Stimmen, die man lieber nicht vernommen hätte. Beim Kirchentag 1955 in Leipzig hörte Ingrid dessen Präsidenten Reinold von Thadden-Trieglaff dröhnen: »Wer kein Christ ist, kann kein sittlicher Mensch sein.«

Wir unsittlichen Utopisten hockten im Hörsaal und lauschten unseren Predigern des Sozialismus, die die Bekennende Kirche mit dem Marxismus zu vereinen suchten. Was aber, wenn Paulus vergeblich gelebt hätte und die Zukunft von den Saulussen geprägt würde? Wenn vom Marxismus nur die blanke Staatsgewalt übrig bliebe und Kirchensprengung und Hörsaalvernichtung nur Platz für die nächsten Kriege schüfe? Daß die Mordorgien des 21. Jahrhunderts unser utopisches Engagement als humanen Pragmatismus ausweisen, mag unsere Ideen und Widerspenstigkeiten im Nachhinein rechtfertigen. Trösten kann es nicht. Zum Vergessen aber legitimiert es ebensowenig. Die ewigen Machthaber mögen sich noch so laut als Rechthaber ausgeben. Es ist nicht mehr glaubhaft. Marxens elfte Feuerbach-These, die von der Veränderbarkeit der Welt handelt, wurde vom Kantschen Kategorischen Imperativ begründet, dessen volkstümliche Fassung lautet: »Was du nicht willst, daß man dir tu, das füg auch keinem andern zu.«

Die Odyssee Blochs war mit dem Lehrverbot in Leipzig noch nicht zu Ende. Ernst und Karola Bloch befanden sich auf einer Reise in der Bundesrepublik, als die Mauer errichtet wurde, beide kehrten nicht in die DDR zurück. Im neuen Wohnort Tübingen war der für die DDR unerträgliche Philosoph als Quasi-Nachfolger Heideggers bald Anziehungspunkt einer rebellischen, mindestens unzufriedenen Studentengeneration, was den Unmut zahlreicher Konservativer auf ihn lenkte.

Ganz besonders betroffen von der Ausstrahlungskraft dieses Neubürgers am Neckar fühlte sich ein jüngerer Kollege vom Jahrgang 1927, sein Name: Joseph Ratzinger, der schließlich nach Rom auswich, inzwischen zum obersten Sittenwächter eines erzkonservativen Katholizismus aufstieg und zu seinem 75. Geburtstag am 16. April 2002 von den Medien ringsum gefeiert, wo nicht in den Himmel gehoben wurde, zu dem er ohnehin schon die innigsten Beziehungen pflegt.

Der einstige Tübingen-Flüchter entwickelte sich zu einer Säule des weitgestreckten Kirchenstaates, was der Leiter der Vatikanischen »Kongregation für die Glaubenslehre« auch fürderhin bleiben soll. Der Regel gehorchend, hätte ein Fünfundsiebzigjähriger aus seinem Amte im Vatikan auszuscheiden, doch Karol Wojtyla, Papst Johannes Paul II., möchte mit seinen zweiundachtzig Jahren den energischen, sieben Lenze jüngeren Deutschen und Nachfolger der Inquisitions- und Zensurbehörde nicht missen.

Begonnen hatte die nichtweltliche Weltkarriere Ratzingers mit einem Schockerlebnis Ende der sechziger Jahre, als der von konservativen SED-Politikern aus der Leipziger Karl-Marx-Universität entfernte Philosoph sein neues Amt antrat und regen Zulauf erhielt. »Ernst Bloch lehrte nun in Tübingen und machte Heidegger als einen kleinen Bourgeois verächtlich.« So ein entnervter Ratzinger, der in Bloch die »marxistische Versuchung« der »Theologischen Fakultäten« nahen sah, weshalb der Kampf für das von »existentialistischer Reduktion« bedrohte Christentum aufgenommen werden mußte.

Es war fast wie vordem in Leipzig, nur hatten dort die herrschenden Glaubenswächter im Philosophen den feindlichen Nicht-Marxisten bekämpft, während Ratzinger jetzt den existentiellen Erz-Marxisten um sich greifen sah. Also gab er seine bisherige liberale Haltung auf, verließ den freundlichen Neckar-Ort seines Schreckens und landete nach diversen Zwischenstationen im obersten Zensorenamt seiner Heiligen Kirche, von wo aus er alles bekämpft, was die Dogmen bedroht: Frauen, Befreiungstheologen, Kommunisten, Liberale, Hans Küng, Zweifel an der Vormacht des Papstes, die Schwangeren-Konflikt-Beratung, die Reformation, die modernen Ansprüche der Laienbewegung, die Liberalisierung von Sexualmoral ...

Ratzinger erkannte schlagartig die Gefahr für den reinen Glauben, das Trauma traf ihn mit voller Wucht mitten in die, bzw. in der Seele. Wie Jehova einst Saul andonnerte: Saul – weshalb verfolgst du mich? – so sah Prof. Ratzinger sich angerufen, nur schlug er den umgekehrten Weg ein, vom liberalen zum unnachsichtig strafenden Gottesmann, hatte er doch dort zu Tübingen mitten ins »Antlitz atheistischer Frömmigkeit« blicken müssen.

Es darf aber allein eine gottgewollte Frömmigkeit geben, die zu schützen und zu mehren der Weg nur nach Rom führen kann. So erfuhr das kleine Parteistaatsschauspiel von Leipzig in Tübingen seine weltkirchliche Fortsetzung. Die Reinheit der Lehre war für die einen in Moskau verkörpert, für die anderen ist sie es in Rom. Die einen bauen Kirchen, die anderen reißen sie ein. Hörsäle bauen alle. Und reißen sie ein. Denn die »atheistische Frömmigkeit«, die alle Gläubigen zu umfassen anhebt, unterspült den Fels der Fanatiker sämtlicher Kirchen und Gegenkirchen. Über das Wirken Blochs im Hörsaal 40 notierten wir: »Die Blochsche List, in der dieser ganze Skandal kulminierte, bestand in der Entheiligung des Dogmas.« Um welches Dogma es sich dabei handelt, wußte schon der junge Marx: »Wir, unsere Hirten an der Spitze, befanden uns immer nur einmal in Gesellschaft der Freiheit, am Tage ihrer Beerdigung.«

Im ein wenig melancholisch stimmendem Rückblick darf am Ende dennoch optimistisch behauptet werden, daß die hörenden, betenden und protestierenden Christen in der vormaligen Leipziger Universitätskirche ebenso wie die Studenten, die im legendären Hörsaal 40 lauschen und reflektieren lernen durften, nicht bei den schlechtesten Aufklärern in die Lehre gegangen sind.

Bloch übrigens reagierte mit wenig Verständnis auf Ratzingers Feindseligkeit. In Leipzig befand sich sein Direktorenzimmer nur ein paar Schritte von dem des Theologen Emil Fuchs entfernt, der nicht nur als Vater des Atomspions Klaus Fuchs bekannt war, sondern auch als christlicher Sozialist auf eine achtbare antifaschistische Vergangenheit zurückblickte. Es gab eine Christen wie Sozialisten einende Gemeinsamkeit in der revolutionären Reformation.

Anmerkung:
Aus der Fülle der Arbeiten zu Ratzinger seien hier vermerkt: Ratzingers ca. vierzig Bücher; John L. Allen, *Kardinal Ratzinger, Patmos Verlag*, Düsseldorf 2002; »Als Küng mit
dem Alfa durch Tübingen brauste« von Christian Geyer
und »Weltpolitik im Auftrag des Papstes« von Heinz-Joach-
im Fischer, beide *FAZ* (15. und 16. 4. 2002)

Der unterbrochene Kreis

Die am Leipziger Philosophischen Institut bestimmende,
politisch »federführende« Parteigruppe diskutierte am 13. 4.
1956 den kurz vorher abgelaufenen XX. Parteitag der KPdSU
in Moskau. Zu meinem Erstaunen referierte Prof. Johannes
Heinz Horn, inzwischen nicht ganz freiwillig zum Parteisekretär bestimmt, recht zurückhaltend die Anti-Stalin-Rede
Chruschtschows. Im internen Bericht stehen Proteste verzeichnet, und über meine Einwände heißt es: »Zwerenz kri-
tisiert Horn sowie die PL wegen Entstellungen im Referat.
Es bestehe Gefahr der Isolierung der PL von den Mitgliedern. Die Versammlung unterschätze die Bedeutung des
XX. Parteitages. Sichtbarer Ausdruck dafür sei das Referat
von Welsch. Er habe manch vom XX. PT beiseite Geräumtes
wieder in den Weg geräumt ... Die Studenten und Wissenschaftler des Instituts seien zu wenig mit der Praxis verbunden, keiner habe bisher öffentlich zum XX. PT Stellung
genommen.«
Bei aller gebotenen Skepsis gegenüber den internen Berichten wird deutlich, daß Horns späterer Selbstmord in
der dubiosen Doppelrolle wurzelt, die er als Parteisekretär
spielen zu müssen glaubte. Ich kannte seine wirkliche Meinung gut genug, um einschätzen zu können, wie sehr er
sich mit seiner Rede verleugnete und verbog.
Da ich politisch immer stärker unter Druck geriet, verließen Ingrid und ich das Philosophische Institut, fortan gehörte ich zur Parteigruppe des Schriftstellerverbandes. Die
SED versuchte dort, meinen Ausschluß zu erreichen. Weil es
nicht gelang, fügte man die Parteigruppe des Schriftsteller-
verbandes mit der des Johannes-R.-Becher-Literaturinstituts

zusammen und beauftragte Alfred Kurella, dort meine Entfernung aus der Partei durchzusetzen. In vielen Versammlungen während eines Vierteljahres fand sich dafür keine Mehrheit, so daß der Ausschluß endlich durch die Parteikontrollkommission vollzogen wurde, was der Formalien wegen monatelang dauerte. Noch nach fast fünfzig Jahren gedenke ich mit dankbarem Respekt der Genossen, die sich damals widersetzten. Welche Chancen waren für uns in der kleinen DDR nach dem Moskauer reinigenden Gewitter erwachsen. Meine relativ freischwebende Existenz als Schriftsteller hatte mir Publikationen ermöglicht, die den Bruch mit der Parteilinie unausweichlich machten.

Fragt sich am Ende, was aus dem Leipziger Bloch-Kreis der fünfziger Jahre wurde. Hans Pfeiffer, Autor, Nationalpreisträger, Professor am Johannes-R.-Becher-Literaturinstitut, verstarb bald nach der Wende. Siegfried Pfaff wurde am Berliner Rundfunk ein vielgerühmter Hörspiel-Autor, Redakteur und Betreuer. Frank Fiedler, nach anfänglichen ideologischen Auseinandersetzungen als Professor am Institut verblieben, verzog inzwischen an die Ostsee. Richard Lorenz, Professor für Neuere und Neueste Geschichte an verschiedenen westlichen Universitäten, lebt in Kassel; Günter Zehm als rechtskonservativer, pensionierter Professor in Bonn.

Von vier weiteren ist zu hören, sie existierten als inzwischen emeritierte oder abgeschaffte Akademiker in Ostberlin. H.M. machte im DDR-Militärverlag Karriere, bis er in den Westen retirierte, wo er als Arbeitsloser bald einer unheilbaren Krankheit erlag. S. wurde in Hamburg Computer-Spezialist. Erika L. ging 1957 in den Westen und nach einigen Semestern bei Adorno in Frankfurt/Main zurück in die DDR, wo sie für uns verscholl. Einer unserer Freunde stieg steil auf bei der Staatssicherheit. Ein anderer heuerte inoffiziell dort an und enterte offiziell als DDR-Film-Gewaltiger die Kirch-Gruppe, wo er sich auch nach 1989 halten konnte. Einer unserer Kommilitonen schrieb einen DDR-Jugendbuch-Bestseller mit gigantischen Auflagen und trank sich am Honorar zu Tode.

Ingrid und ich zeugten 1957 in Leipzig trotz aller Wirren und Ängste aus lauter ungebärdigem Trotz ein Kind und konnten doch in der Stadt nicht bleiben, in der wir gern weiterhin gelebt hätten.

Der Blick in die Autorenliste des Bandes *Ernst Blochs Revision des Marxismus* endlich lehrt die Vergeblichkeit aller Feindschaft. So viele gute, kluge Genossen – und solch ein unnötig fatales Ende. Von den Unterzeichnern des »Offenen Briefes« an und gegen Bloch beging einer Selbstmord, einer erkrankte und verstarb, einer hielt 2002 zum fünfundzwanzigsten Todestag des Philosophen im August 2002 in Leipzig den Festvortrag: »Ernst Bloch – Zum Verhältnis von Freiheit und Ordnung«. Von den fünf anderen Unterschreibern weiß ich nichts, kannte auch damals keinen von ihnen.

Endlich ist Gerhard Urbach zu nennen, der 1957 als Assistent von Leipzig an die Universität Jena kam und wegen verweigerter Selbstkritik repressiert wurde. Urbach begreift nicht, wie Ernst Bloch ihn noch 1959 zum Verbleib in der DDR ermuntern konnte, selbst jedoch zwei Jahre später wegblieb (*Leipziger Volkszeitung* vom 3./4. 8. 2002). Das Exempel zeigt, der Zukunftsdenker hoffte noch bis zum Mauerbau 1961 auf Besserung und erwartete offenbar, seine Schüler könnten an den Universitäten der Republik als Hefe im Teig einen wichtigen Platz einnehmen. Genau dies fürchtete der fuchsschlaue Walter Ulbricht, was die rigiden Verfolgungen der entsprechenden Leute erklärt. Nachdem er direkt und über die Leipziger Parteileitung eingegriffen hatte, überließ er Erich Mielke das weitere Aufräumen, auf dessen Anweisung hin Unmengen von Manuskripten und Dokumenten beschlagnahmt und gesichtet wurden. Die Quintessenz dieser oppositionellen Ideen war mitbestimmend für die Ulbrichtschen Reformversuche der sechziger Jahre. Sie blieben zaghaft, kamen zu spät und verliefen im Sande. Die geistige Enteignung der Inhaftierten, Observierten, Kontrollierten, Berufsverbotenen und gerade noch dem Staat Entflohenen mißlang. Unrecht Gut gedeihet nicht.

Gerhard Urbach und seine Frau besuchte ich im Juni 2003 in Dresden-Radebeul. Er hatte eben von der Erhöhung seiner geringen Monatsrente um etwas über zweihundert Euro erfahren und gleichzeitig eine ihm längst zustehende Nachzahlung erhalten. Keine horrende Prämie für den lebenslänglich zum Hilfsarbeiter degradierten Mann mit Philosophie-Diplom.

Wir sitzen im etwas engen Wohnzimmer, die offene Terrasse mit Sonnenschirmen gegen die flirrende Hitze abgesichert. In Dresden hat es seit Wochen nicht mehr geregnet.

Gerhard kommt auf unsere letzte Leipziger Begegnung im Herbst 1955 zu sprechen und setzt den damals unterbrochenen Dialog exakt an der abgerissenen Stelle fort, ganz so als läge nicht die Kleinigkeit vergangener achtundvierzig Jahre dazwischen. Der 1957 repressierte Bloch-Schüler war in jahrzehntelangem Trotz zum Experten und exzellenten Kenner Blochscher Philosophie gereift. Fast ein halbes Jahrhundert hindurch mußte er mit sachfremden, ungeliebten Arbeiten verbringen, der Selbstbewahrung halber das Werk des Meisterlehrers rekapitulierend und zum insgeheimen Meisterschüler reifend.

Um keinen Tricks aufzusitzen, gefiel ich mir in einigen Fragen wie der nach Marxens Doktorarbeit und den Vorsokratikern. Kaum hatte ich angesetzt mit »Über die Differenz zwischen der demokritischen und epikureischen Naturphilosophie«, sprach er blitzschnell die letzten sechs Worte mit. Bloch hatte stets die Differenz betont, denn mit Epikurs Abweichung der Atome im freien Fall des »Atomregens« taucht das »Subjekt« auf, von Urbach sofort als »Natursubjekt« definiert, was mir fremd bleibt, weil mein rigider Atheismus Mystifikationen wittert. Mir liegt nur daran, mit dem Begriff den personalen, individuellen Menschen samt seiner Freiheit zu verbinden.

So exakt Gerhard Urbach seinen Bloch der frühen Jahre bewahrt, so wenig kümmern ihn spätere Begebnisse und Diskussionen. Für ihn existiert allein der Philosoph, den er damals kennengelernt hatte. 1988, ein Jahr vorm DDR-Ende, äußerte er beiläufig zu einer Bibliothekarin, über Bloch sei »das letzte Wort noch lange nicht gesprochen«, wobei ihm ein ebenfalls im Raum befindlicher Vorgesetzter entging, der ihn tags darauf in sein Büro beorderte und verwarnte.

Der 1957 von der Universität Jena verwiesene Diplom-Philosoph und heutige siebenundsiebzigjährige Rentner erzählte mir den Vorfall von 1988 mit einer Gelassenheit, um die ich ihn beneidete. Danach holte er Band III von Blochs *Prinzip Hoffnung* herbei, der in der DDR nie erscheinen durfte und den er vom Autor als Korrekturabzug geschenkt bekommen hatte, signiert mit der Widmung: »Freund Urbach in herzlicher Gesinnung – 21. II. 59 Ernst Bloch«.

Die reale Reliquie bestärkte den Trotz des Berufsverbotenen. Seine unerschütterbare Klassizität mag ein Brief vom 20. 1. 03 zeigen, in dem Urbach schreibt:

»Trotzki: ›Wir haben den Kapitalismus überall dort besiegt, wo es ihn noch gar nicht gab.‹

Urbach: Das westlich-kapitalistische System hat einen Sozialismus besiegt, der niemals einer war.

These: Nach Maßgabe der hegelsch-marxschen Revolutionstheorie hat noch nirgends in der Welt eine Sozialistische Revolution stattgefunden. Weder in Rußland noch in Deutschland noch in Ungarn oder sonstwo.

Was sich abspielte waren Antikriegs-Demonstrationen, Hunger-Revolten, allenfalls Bürgerkriege, Machtkämpfe innerhalb des bestehenden Systems, Keilereien und Straßenkämpfe Hinz gegen Kunz, Militärs gegen Zivile, Oben gegen Unten, Rechts gegen Links u.ä. Resultat des ganzen Blutvergießens war letztlich die Konsolidierung der seit langem bestehenden Zustände bei einem gewissen veränderten Zuschnitt. Der Kaiser – seine Majestät – wurde durch Herrn Kaiser, der König durch Herrn König ersetzt. Doch das Fett ranzig oder neu nach oben geschwemmt – mästete Alt- und Neureich.

Eine neue, höhere gesellschaftlich-soziale Qualität etablierte sich nirgendwo.

Der totale Bruch von Marx durch die Lenin-Partei neuen Typus: Verbot jeglicher Fraktionsbildung, sogenannter Demokratischer Zentralismus = Diktatur einer Partei, Gruppe, Person – Pervertierung durch Stalin zur absoluten Unmenschlichkeit. Dies alles hatte nichts, aber auch gar nichts mit Marxschen Intentionen zu tun.

(Siehe: *Philosophisch-ökonomische Manuskripte, Deutsche Ideologie, Heilige Familie, Kommunistisches Manifest.*)

Siehe auch Bloch!!!«

Soviel zu Urbach, von dem ich erst durch die *Leipziger Volkszeitung* im August 2002 erfuhr und über den Ingrid und ich fast fünfzig Jahre lang nichts gehört hatten. Die Marx-Bloch-Parallele am Ende seines Briefes führt direkt zur Frage nach der Differenz. War für Marx das Proletariat das revolutionäre Subjekt der Industriegesellschaft, übernahm Bloch zwar die Revolutionstheorie, wandte sich als halber Nietzscheaner aber stärker dem einzelnen Menschen zu, dessen Existenzform bis zur mentalen Verfaßtheit in den Mittelpunkt des Interesses rückend. Diese Verinnerlichung ist es, die Bloch sowohl zum Nachfolger von Marx wie Nietzsche werden läßt. Da das Proletariat mit dem Ende der Industriegesellschaft selbst marginalisiert wird, ist der Platz des revolutionären Subjekts vakant oder, in der Sprache Arthur Koestlers gesagt, steht Gottes Thron leer. Bloch setzt auf ein individuelles Revolutionssubjekt – die revolutionäre Reformation ist angesagt oder auch nicht. Aus konservativer Sicht ergeben sich daraus neue Glaubenskriege. Bloch akzeptiert aber weder das Globalkapital noch den konservativen Marxismus, dem die revolutionäre Energie abhanden kam. Gefunden werden muß eine dritte Antriebskraft.

Sprechen wir noch von Lothar Kleine, dem genialen Simultan-Schachspieler und lächelnden Schnelldenker, der die Termini technici mit höflichster Ironie zu setzen pflegte und in einem Bloch-Seminar gezielt arglos die »reziproke Emanation« in eine »reziproke Animation« verwandelte. Der Philosoph hustete daraufhin beinahe seine Tabakspfeife aus, bevor er leicht irritiert Lothars Sprachwitz lobte. 1957 geriet Kleine unter Verdacht, weil er einige Tage bei uns in Dahme/Mark logierte, der kleinen brandenburgischen Stadt, wo Ingrids Eltern lebten, in deren Wohnung wir nach dem Weggang aus Leipzig Unterschlupf fanden. Dort rückten zwei Stasi-Leute wegen Günter Zehm an, der uns auch hatte besuchen wollen, jedoch gerade inhaftiert worden war. Lothar brachten wir in einer winzigen Dachkammer unter, dort hoch oben traktierte er seine Reiseschreibmaschine, die beiden Stasi-Herren witterten Untergrund.

Vom Philosophischen Institut weg wurde Kleine zur Bewährung und Strafe in einen Gleisbautrupp bei den Leipziger Eisenbahnern abgeordnet, wo der hochaufgeschossene, dürre Ex-Student nicht gerade durch physische Fitneß und Professionalität auffiel. Die geübten, kräftigen Streckenarbeiter wollten wissen, weshalb er zu ihnen gekommen sei. Lothars Antwort: »Weil ich die Differenz zwischen der demokritischen und der epikureischen Naturphilosophie nicht richtig einschätzte.« Die werktätigen Proletarier ließen sich die stringente Information mehrfach wiederholen und standen dem großen Kleine solidarisch bei, kam der mit Hacke und Schaufel nicht zurecht. Nach der Bewährung im Gleisbau schaffte er es zum Dozenten an der Leipziger Hochschule für Körperkultur. Ein achtbares Angebot Helmut Seidels zur Rückkehr ans Philosophische Institut schlug er aus. Kurz vor der Wiedervereinigung verstarb er an einem Krebsleiden. Wir sahen ihn nie wieder und vermissen ihn sehr.

Zu einem andern besonderen Genossen: Am 24. Dezember 1958 meldete *Neues Deutschland,* in Halle habe vor dem Ersten Senat ein Prozeß gegen »Schröder, Lucht, Loest und andere« stattgefunden. Die Urteile von über sieben bis zu zehn Jahren lagen selbst für DDR-Verhältnisse sehr hoch. Stichhaltige Straftatbestände gab es nicht, sie wurden erfunden. Der Häftling Lucht verschmolz in unserem Gedächtnis mit dem Leipziger Kommilitonen Lucht, der es zum Empfangschef eines internationalen Hotels in Ostberlin gebracht haben soll. Eine superbe Karriere für einen studierten Philosophen.

Inzwischen stellte sich heraus, der 1958 in Halle verurteilte Lucht trägt den Vornamen Harro und lebt heute achtzigjährig in Hamburg. Den Vornamen des Leipziger Lucht wissen wir nicht mehr. In meinem Hörspiel *Des Meisters Schüler,* das Siegfried Pfaff 1990/91 im untergehenden Rundfunk der untergehenden DDR noch produzieren konnte, gibt es einen als Hotelportier verkleideten Philosophen namens »Luchs« – ein Verweis auf den einstigen Kommilitonen in Blochs Institut am Peterssteinweg.

Das Zentrum der durch den Moskauer XX. Parteitag ausgelösten Erschütterungen hatte sich in der DDR bald von Ostberlin nach Leipzig verlagert, der Konflikt im Politbüro ließ Ulbricht bei seinen sächsischen Getreuen Hilfe suchen. Gemeinsam nahmen sie das Philosophische Institut auseinander, von wo aus die Blochsche Schule die ideologische Vorherrschaft der Partei schon seit einiger Zeit anzweifelte. Die Anklagen in den Prozessen von Harich bis Loest gipfelten im Vorwurf, sie hätten den Sturz der Regierung geplant. Das traf zu bei Harich. Allerdings war Ulbrichts Stellung im Politbüro strittig, so daß die Partei-Ideologie ins Wanken geriet. Die Chance, in Polen, Ungarn und der DDR im Einvernehmen mit Chruschtschow Reformen durchzusetzen, war so real, wie es sich später nie wieder ergab. Mit den Kämpfen zwischen den Budapester Aufständischen und der Sowjetarmee Oktober 1956 endete der Veränderungsversuch in einem Blutbad.

Ab September 1957 lebte ich erst in Westberlin, dann mit Ingrid und unserer Tochter Catharina am Rhein. Carola Stern nennt mich in ihrer Autobiographie *Doppelleben,* unsere in Köln verbrachte Zeit der sechziger Jahre charakterisierend, »grantig«. Es ist das mindeste zur Definition meines damaligen Lebensgefühls: dem Zugriff dunkler Gestalten entkommen, die Kerkermeister zu nennen noch zu höflich wäre, bedrückt wegen unserer in der DDR verbliebenen Freunde und Genossen – gerettet in ein Deutschland der wieder in Rang und Amt stehenden Schreibtischtäter und Kriegsverbrecher, die von Globke bis Gehlen als unverzichtbar oder gar Vorbilder gelten. Und wir hatten ein anderes Land schaffen wollen, wir glücklosen Bankrotteure. Wären uns im Osten nur halb so viele Hilfen zuteil geworden, wie sie der Westen von seinen Besetzern erfuhr, es wäre vieles anders gelaufen, und der Herrschaft des Kapitals hielte heute ein demokratisierter sozialistischer Osten stand.

Wie bei uns daheim gab es auch im Westen eine Opposition, deren Ziel nichts weniger als ein erneut aufrüstender Staat sein sollte. War alles vergeblich? Wo sind sie geblieben: Der Pazifist Gustav Heinemann, der im Zweifelsfall linke Augstein, der tapfere Wolfgang Abendroth (das sogenannte Unterschriftenkartell von Abendroth bis Zwerenz ...), die Adorno und Horkheimer bis Haffner und Dutschke, die furchtlosen Christen Niemöller und Gollwitzer, die jüdischen Exilanten Jean Amery, Ludwig Marcuse, Erich Fried, Fritz und Leo Bauer, Robert Neumann, der KZ-Häftling Eugen Kogon – verstorben, vergessen? Aus dem Gedächtnis getilgt im Rausch kriegerischer Normalisierung? Sind nur eifernde Zwerge übrig, behelmte Schwachköpfe und reichtumsgeile Kapitalraffer?

Da ich im Deutschen Bundestag ungezählte Male und nicht nur vom CDU-Ehrenvorsitzenden Alfred Dregger vernahm, es sei ehrenhaft gewesen, daß der deutsche Soldat sein Vaterland bis zur letzten Sekunde verteidigte, und vor allem im Osten, wo Rotarmisten die deutschen Konzentrations- und Vernichtungslager stürmten, kann ich es nicht für unehrenhaft halten, wenn Genossinnen und Genossen ihre DDR zu schützen und verteidigen suchten. Daß sie es mit den falschen Mittel taten, wie nicht allein das Ende beweist, steht auf einem anderen Blatt und hing von Politbüros ab.

Für den gescheiterten Reformator Bloch spricht die lebenslange Hellsicht seiner wichtigsten Entscheidungen: Im Ersten Weltkrieg stritt er für die deutsche Niederlage. Der Oktoberrevolution der Bolschewiki begegnete er anfangs mit Mißtrauen. Die Bedrohung durch das erstarkende Hitler-Deutschland führte ihn an die Seite der Sowjetunion. Im Prager und Pariser Exil zählten er und Karola zum Widerstand. Aus der amerikanischen Emigration nach Leipzig geholt, blieb er der Sowjetunion ergeben, erkannte ihre fundamentalen Schwächen und versuchte sich als Erneuerer. Nach seinem Scheitern in der DDR hinterließ er in Tübingen seine Lehre von der notwendigen Transformation des Kapitalismus in eine neue Mischung von Freiheit und Ordnung.

Blochs Erkenntnisse und sein Engagement standen durchweg konträr zum Verhalten der Mehrheit und ihrer Führer. Das Volk hangelte sich lieber von Katastrophe zu Katastrophe dahin, als seien seine Oberen und ihre Intellektuellen zwar mehrheits- aber nicht besserungsfähig, also Hopfen und Malz ohnehin verloren. Was indessen zu widerlegen wäre.

In der Konfrontation zwischen dem Optimisten Bloch und dem Pessimisten Orwell siegte bisher Orwells Großer Bruder. Als der Schüler Ernst Bloch einst von Ludwigshafen aus über die Brücke zur Mannheimer Schloßbibliothek pilgerte und die Abenteuer der Philosophie entdeckte, begann er eine unendliche Erzählung. Sie ist nicht zu Ende gekommen, aber zu entziffern.

Es wäre reizvoll und zugleich bedrückend, sich vorzustellen, Blochs Entscheidungen, die wir hier kurz zuvor skizzierten, einer Meinungsumfrage zu unterziehen, etwa: War es richtig, Deutschlands Niederlage im Ersten Weltkrieg zu wünschen, war es opportun, sich gegen Hitler mit der Sowjetunion zu verbünden usw. – noch heute würde die Mehrheit dies wohl verneinen. Die historisch bestätigten Haltungen Blochs wären also noch im Jahr 2003 nicht konsensfähig, das Dunkel des gelebten Augenblicks herrscht übers Jahrhundert hinweg und kann, bleibt es bestehen, nur zu weiteren Finsternissen führen.

Nach der Niederlage von 1956 versuchten verständlicherweise viele der Beteiligten und Sympathisanten sich zu tarnen. Walter Markov bagatellisierte in *Zwiesprache mit dem Jahrhundert* sowohl Blochs wie meine Situation. Auch Georg Lukács gefiel sich in taktischen Verrenkungen, von anderen nicht zu reden. Blochs Kniefälle vor ZK-Potentaten wurden bereits geschildert. So mancher der damals Aktiven verwirft meine Bewertung des Jahres 1956 als letzte Chance östlicher Reformbewegung. So urteile doch ein jeder, wie er kann und unlustig ist. Meine Antwort lautet: Als der Offiziersaufstand vom 20. Juli 1944 scheiterte und der Hitlergruß in der Wehrmacht als verbindlich eingeführt wurde, wußte ich, jetzt gilt es, den Gehorsam ein für allemal aufzukündigen. Fort aus diesem Vaterland. Als im März 1956 die Informationen über Chruschtschows Anti-Stalin-Rede auf dem XX. Parteitag in Moskau zu uns drangen, war ich mir sicher, jetzt war die Reformchance greifbar. Nach unserem Scheitern und meinem Weggang wurde ich im Oktober 1957 in Westberlin von Geheimen befragt, und als ich subtile Auskünfte verweigerte, drohte man mir, mich ins Auto zu setzen, nach Ostberlin zu fahren und vor dem Polizeipräsidium hinauszuwerfen. Da werden die sich drüben freuen ...

Der Herr, von dem mir dies so liebevoll ausgemalt wurde, war ein mindestens zehn Jahre älterer, unverkennbarer Wehrmachtsheldentyp. Da wußte ich doch gleich, auf welche Insel der Freiheit ich mich gerettet hatte. Das Exempel erhellt exakt eine Situation, die ich 1997 auf dem Ernst Bloch gewidmeten fünften Walter-Markov-Kolloquium in Leipzig mit den Worten schilderte: »Die DDR bestand aus zwei Republiken. Die Macht lag in Moskau, das den unterworfenen deutschen Vertrauten das untaugliche Modell verschrieb. In der Gesellschaft aber bildeten sich die Konturen eines anderen Modells heraus, das unterdrückt zu haben die Schuld der Machtinhaber ist, die sich und den sozialistischen Versuch damit zur Untauglichkeit verurteilten, und es ist die Schuld derer, die zum Dritten Reich keinen hinreichenden Bruch zulassen wollten, so geschehen im Westen.«

Diese verhinderte zweite DDR, eine mögliche, aber nicht realisierte Republik, die durch Blochs Emigration nach Tübingen sich Richtung BRD öffnete, läßt an eine kulturelle Europäisierung denken, wie sie nach dem Ersten Weltkrieg von der *Weltbühne* Jacobsohns, Tucholskys, Ossietzkys angestrebt worden ist. Keine schlechten Ahnen am Vorabend des drohenden Weltbürgerkrieges zwischen amerikanischen religiösen Fundamentalisten und den islamischen Massen, denen das geölte, waffenstarrende US-Imperium als modernisierte Kolonialherrenmacht entgegentritt, die jede Widersetzlichkeit mit Strafaktionen ahndet wie das Römi-

sche Reich seine Sklavenaufstände. Jüngst läßt dieses neue
Imperium verlauten, daß es in wenigen Jahren auf Verbündete verzichten könne, weil es bald über neuartige Raketen
und ferngesteuerte Drohnen, genannt »Falcon«, verfügt,
die mit zehnfacher Schallgeschwindigkeit und bestückt
mit sechs Tonnen Sprengstoff jeden Zielpunkt des Erdballs
zu erreichen imstande sind. Dann hätten die »Falken« aus
dem Weißen Haus endgültig gesiegt.

Angesichts dieser makabren Aussichten erscheint Or-
well als Idylliker und Joe Stalin als letzter Widerständler.
Wer dann noch furchtlos zu denken wagen sollte, wird den
Untergang von Sowjetunion und DDR betrauern.

Gesprochen oder gedruckt – eine Differenz

Fritz Vilmars Gespräch mit Bloch im Jahre 1965 über »Ungelöste Aufgaben der sozialistischen Theorie« sollte ursprünglich von Bloch für die Veröffentlichung überarbeitet werden,
weil in freier Rede »ungeschützte Formulierungen vorkom-
men«, die der Philosoph schriftlich »wesentlich differenzieren würde.« Er unterließ die Korrekturen, und Vilmar lobt
den Verzicht, weil die dann gedruckte »freie Rede« die Meinung »besonders deutlich« werden lasse. In der Tat äußerte
Bloch sich sonst weniger direkt als zum Beispiel Trotzki zur
entgleisten Diktatur, die »Befreiung des Individuums«, wie
von Marx gedacht, unumwunden einfordernd, was 1965 von
der BRD aus leichter fiel als 1961 in der DDR. »Es hat sich
also gezeigt, daß die Prämissen vom »Aufrechten Gang« im
Marxismus nicht genügend ausgedacht worden sind ... Wie
rette ich den einzelnen Menschen vor dem Staat?« Das ist
der kleine Nietzsche in Bloch.

Bleiben wir beim frei gesprochenen Wort: Ab Anfang
1956 merkte Bloch Richtung Moskau öfter »im kleinen
Kreis« an: »Schade, sie haben keinen großen Geist mehr.« So
der Rückblick auf die Klassiker. Dem orthodoxen Marxisten
mag der Satz als personenkultische Geringschätzung der
Massen erscheinen, die doch Geschichte machen. Tatsächlich zählt die Mißachtung der Rolle des Einzelnen zu den
Kardinalfehlern der Linken, durch die sie ihre Niederlage

organiert, im schönen Glauben befangen, klüger zu sein als die rechten Gegner.

Was Blochs Äußerungen betrifft, ist bei ihm das gesprochene Wort selten so kodifiziert wie das geschriebene, denn es ist spontan.

Blochs Projekt im Versuch

Blochs Projekt ist inhaltlich erst durch Nietzsche, später durch Marx und endlich durch die eigene Existenzphilosophie bestimmt. Der Krieg 1914-1918 gibt den Grundakkord, indem Bloch sich von seinem verehrten, aber kriegsbegeisterten Berliner Lehrer Georg Simmel abwendet, in die Schweiz geht und sich als radikaler Kriegsgegner artikuliert, wozu für ihn als Voraussetzung die Niederlage Deutschlands gehört.

Der europäische Sündenfall ist und bleibt die Burgfriedenspolitik der Sozialdemokratie, dieser Urzelle geteilter Arbeiterbewegung als Konflikt zwischen Sozialdemokraten und Kommunisten. Bloch hielt es mit den Kommunisten als Vertretern des revolutionären Marxismus. Sein Wechsel 1961 von der DDR in die Bonner Bundesrepublik ist das Eingeständnis seiner Niederlage, doch die Absage an das östliche Sozialismusmodell war keine Option für die Sozialdemokratie, deren opportunistische Kriegsteilhabe von 1914 zu den Ursachen der Kriege im 20. Jahrhundert zählt. Bloch als Mitstreiter des revolutionären Marxismus legitimierte 1961 zwar seinen Bruch mit Moskau durch den Übertritt in den Westen, doch blieb der revolutionäre Anspruch als Forderung nach sozialistischer Reformation erhalten. Indem Karl Liebknecht die Zustimmung für weitere Kriegskredite am 2. 12. 1914 ausdrücklich verweigert hatte, setzte er den pazifistisch-sozialistischen Gegen-Akzent, der fortan das politische Engagement in Blochs Philosophie und Haltung ausmachte, worauf er bis zu seinem Tode beharrte.

Obwohl Bloch den Begriff der trotzkistisch besetzten »Zweiten Revolution« scheute, lief seine Philosophie darauf hinaus, was die Kontrahenten in Leipzig und Ostberlin logischerweise als Bündnis-Aufkündigung werteten. 1956 setzte der Philosoph auf die Reformkräfte um Chruschtschow und deren Einwirkungen Richtung SED. Daß er sich dabei irrte, ist für die Nachfolgenden leicht ersichtlich, lag damals aber im »Dunkel des gelebten Augenblicks«. Getreu seiner Theorie von der »Front« begnügte Bloch sich nicht mit dem Hoffnungsprinzip, sondern vertraute auf die Kraft der revolutionären marxistischen Idee. Im Nachhinein betrachtet, war sein Wechsel von Ost nach West weder revolutionär noch reformerisch, ergab sich jedoch zwingend aus den reformatorischen Grundgedanken der individuellen Kultur-Revolte Nietzsches, der objekthaften Klassenrevolution von Marx, endlich der riskanten Synthese im Sinne des Noch-Nicht, in deren Folge die Reformation siegen kann, wenn die Idee die Emotionen der Massen ergreift.

Dieser Vorgang, den ich mir auf Hörsaal 40 der damaligen Karl-Marx-Universität zu fokussieren erlaubte, enthält in der geographischen Erweiterung bis Berlin, Budapest, Warschau und Moskau die Beweiskraft des historisch konturierten Exempels als Weltpolitik in der Nußschale. Die Sprengkraft der Parabel verleiht zugleich Einsicht in die Vergeblichkeit des klassischen Marxschen Revolutionsmodells, dem in verspäteten Rhythmen die Folgen Leninscher Russifizierung anhaften. Die Alternative lautete noch nach Stalins Tod: entweder mit der Leiche weiter in die den Marxismus delegitimierende Konterrevolution oder per (verspäteter) Liberalisierung in den Zusammenbruch des Systems und die Übernahme durch das Kapital. Bloch stand vergeblich gegen beides.

Daß seine Niederlage von 1956/57 das Ende der Sowjetunion samt DDR gleichsam vorwegnahm, ist die eine Seite der Medaille, was aber ist die andere? Der zeitlichen Begrenzung und ihrer örtlichen Zutaten entkleidet, also ins 21. Jahrhundert transformiert, bleibt die marxistische Philosophie eine auf revolutionäre Praxis zielende Überlebensstrategie. Doch setzte der klassische Marxismus auf die Massen, die Revolutionäre sollten dann mit Lenin als Vorhut avantgardistisch den Sozialismus erzwingen. Bis das Moskauer Exempel zutage treten ließ, wie schnell die revolutionäre Masse unter den totalitären Stiefel gerät. Stalins Vernichtungsorgien dienten der Unterwerfung. Trotzki wie die anderen Leninschen Revolutionäre mußten sterben, damit der Liquidator leben konnte.

Blochs Reformationsmodell dreht das Muster um. Mit Nietzsches individueller Revolte soll Stalins Kollektivierung des Geistes samt den Orwellschen Folgen der Großen-Bruder-Herrschaft von vornherein unmöglich gemacht werden. Wer es so zu betrachten wagt, sieht sich unwillkürlich an Luthers Kampf gegen Rom erinnert. Inklusive der Ort wie Zeit sprengenden Konsequenzen, denn es geht um den guten und scharfen Glauben, den der Realist benötigt, will er nicht enden wie Hans im Glück.

Die Differenz zwischen Ober- und Untertext fordert, so sie vorhanden, Entschlüsselung. Bei fehlender Differenz entsteht eindimensionale Unterhaltung oder Verlautbarung. Erst das Vorhandensein von Sub-Botschaften macht den Text subversiv. Blochs Bevorzugung des Details, noch besser des »Ornaments«, einem Ort, in dem sich mehr spiegelt, als man vermutet, gehört zu seiner Art des Denkens. Auf dem Gang im Leipziger Institut am Peterssteinweg nahm er Ingrid beiseite und deklamierte ihr animiert eine Gedichtzeile von mir: »Die Wäsche hält die Klammer, den Bürger der Besitz« – hier lautete die zu dechiffrierende Botschaft: Gut gemacht, weil im Inhalt exakt und in der Form lapidar. Kurz darauf begannen wegen meines Artikels »Leipziger Allerlei« kritische Diskussionen und Vorwürfe. Bloch äußerte sich vorsichtig distanzierend, zunächst wieder unter vier Augen im Gespräch mit Ingrid, der er sagte: »Wo kommt denn dieser Anklang ans Wiener Feuilleton her? Bei mir hat er das nicht gelernt.« Meine Frau, bestrebt, mich zu verteidigen, verblüffte den Philosophen, der nicht leicht zu verblüffen war, durch eine kräftige Redewendung: »Aber gerade auf diese Art und Weise konnte Gerhard der Partei doch eine Menge unter die Weste jubeln.« Der Professor ließ sich den Satz wiederholen, schmeckte ihn nach und nickte. Anfangs reagierte ich befremdet auf Blochs taktische Einwände, bis ich begriff, schon der Titel des Artikels erschien dem Philosophen zu leichtgewichtig hingetupft. Er ahnte nicht, wie schwer es gefallen war, aus harter Prosa leichtfüßiges Feuilleton zu machen, wie Gustav Just mir geraten hatte, der sich wiederum auf einen Hinweis Bertolt Brechts berief.

Ein Wort noch zu Jochen Wenzel, der im Berliner *Aufbau-Verlag* arbeitete, in Leipzig wohnte und am 18. 11. 1957 in Leipzig unter dem »Verdacht auf Staatsverrat« verhaftet worden ist. Wegen einer »Gallenblasenentzündung ...«, die einen operativen Eingriff erforderlich macht« und um »den Gesundheitszustand des Wenzel soweit wiederherzustellen, daß die Durchführung von Vernehmungen gewährleistet ist«, wird er operiert und im Haftkrankenhaus Meusdorf untergebracht. Leberkrebs wird diagnostiziert, der zuständige Arzt und »Oberst der VP Ahnert« gibt dem Häftling nur noch zwei bis drei Wochen Lebenszeit. Es wird ein rigoroser zehntägiger »Untersuchungsplan« aufgestellt. Man hat es eilig. Vier Tage nach dem Eingriff beginnen die Vernehmungen. Am 1. 4. 1958 stirbt Jochen Wenzel im Haftkrankenhaus.

Ein »Staatsanwalt Kramer«, der die Haftentlassung des zu Tode Erkrankten abgelehnt und die Verhöre auf dem Sterbebett gehorsam zugelassen hat, teilt der Witwe den Exitus »Hochachtungsvoll« mit. Ein »Oberleutnant Hober« beobachtet, »daß die Liane Wenzel die Sachen des Toten mit dem PKW SV 00-37 wegfuhr. Die Überprüfung ... ergab, daß es sich bei diesem Wagen um einen PKW des Urania-Verlages Leipzig handelt.«

Soviel zur ebenfalls bemißtrauten Witwe. Immerhin wird das Verfahren gegen den Verstorbenen nun eingestellt und der Haftbefehl aufgehoben. Der tüchtige *Aufbau-Verlag* Berlin hatte Wenzel am 20. 2. 1958 die Kündigung »wegen Umstellung der Arbeitsorganisation« zum 20. 3. 58 mitgeteilt – da blieben dem Gefangenen gerade noch zehn Tage Lebenszeit. Aber Ordnung muß sein. Da man nach dem XX. Parteitag der KPdSU großen Wert auf strikte Befolgung der »sozialistischen Gesetzlichkeit« legte, sind die Maßnahmen gegen Wenzel bis ins Detail formaljuristisch abgesichert. Im ganzen nimmt der Fall sich aus wie eine Erzählung von Franz Kafka.

Der politische Zweck dieser Vernehmungen am Sterbebett erstreckte sich über drei Ebenen:

Wenzel als Verbindungsmann zwischen den Oppositionellen in Berlin und denen in Leipzig.

Verfolgung von Erich Loest.

Aufspüren der Linie Loest – Wenzel – Zwerenz –Bloch (Siehe die Zeichnung »Spinne Loest – Zwerenz«).

Der eben operierte Jochen Wenzel versuchte andere und sich zu entlasten, mußte auf Vorhalt jedoch Zugeständnisse machen, wozu ihn vor allem Wolfgang Harichs vorgelesene

Geständnisse zwangen. Der Hauptvorwurf des Staatsverrats und des Regierungssturzes stand im Mittelpunkt – wiederum eine Konstruktion von Kafkaschen Dimensionen.

Wenzels Schilderung unserer Bekanntschaft und seines Besuches bei mir sowie unser beider Fahrt zu Bloch ist in der Sache richtig, in vielen Details jedoch falsch. Der Verhaftete war darauf bedacht, sowohl Bloch und mich wie auch sich selbst zu schützen. Von seinem mit Sicherheit bevorstehenden Ende hatte man ihm nichts gesagt. So tat er alles, um sich nicht noch die Ausweitung der Anklage auf die strafbare Verbindung mit mir und von mir zu Bloch einzuhandeln.

Zwischenbemerkung von I.Z.: Nachdem ich die Auszüge aus dem Jochen-Wenzel-Protokoll in den PC übertragen hatte, wurde mir übel vor Wut. Stundenlange Vernehmungen des Moribunden sind schon unerträglich, die Wortwahl der Niederschriften steigert den Eindruck von Menschenverachtung noch. »Der Wenzel« und die »Liane Wenzel« steht da fortwährend zu lesen. Wie oft prangerte Dr. jur. Kurt Tucholsky in seinen kritischen Artikeln zur reaktionären Rechtsprechung in der Weimarer Republik an, daß es »bei diesen Juristen die Prädikate »Herr« und »Frau« nicht gibt. – Die DDR berief sich gern auf den Autor und suchte ihn zu vereinnahmen, was kannte man dort tatsächlich von seinen Büchern?

Ingrids Zwischenbemerkung rührt an eine wunde Stelle. Es kommt darauf an, die Kulturgeschichte der vergangenen DDR gegen den Strich zu bürsten, anders als sie sich selbst sah und anders als es heute die Sieger sehen. Wohin aber dann zum Beispiel mit Tucholskys Justizkritik?

Als Bloch bemerkte, wir wurden von Obskuranten und Horchern umgeben, widerrief er im Brief vom 25.3. 57, von der Leipziger Universität bereits ausgesperrt, ausdrücklich jeden Anschein von Abstandsnahme: »... etwas stimmt da nicht. Wir scheinen keine gut arbeitenden Zwischenträger zu haben ... Bei mir selber brauchen Sie jedenfalls nicht zu meinen, daß ich mich zu einer ... – wenig edlen – Distanz bequeme ... bevor Sie weggehen, machen Sie mir das Vergnügen, Sie zu sehen und zu sprechen ...«

Auf mein Buch *Ärgernisse* antwortete er am 30.12. 1961, nun schon von Tübingen aus, mit einem: »... schönen Dank für Ihre Zusendungen. Das Scharf-Freundliche über Bloch hat mich eigens erfreut. Und wenn ich an die *Ärgernisse* denke, so scheint mir, nein so ist es, daß Sie in diesem Jahr besonders unverwechselbar sich selbst geschmeckt, in Ihre Form gekommen sind, auch stilistisch ein Gesicht zeigen, das man nicht vergißt ...« Zuletzt die Zeilen: »Grüßen Sie Ihre Frau, meine unvergessene Studentin, Ihnen herzlich

Ihr Ernst Bloch«

Wie genau er es auf den Begriff brachte: Scharf-Freundliches konstatierend und klug einkalkulierend, daß blinde Anbetung weder zu erwarten stand, noch einzufordern war.

In meinem Roman *Casanova oder der Kleine Herr in Krieg und Frieden* entzückte ihn besonders die ebenso verfremdende wie enthüllende Figur des Leipziger Universitäts-Rektors Georg Mayer. Am 26. 11. 66 schrieb er dazu: »... in der Tat, bin von der Säbelmayersache entzückt. So etwas Wirkliches konnten Sie wohl erfinden, und es wurde dadurch noch wirklicher. Schade, daß die sympathische Magnifizenz a. D. dieses ihr Denkmal nicht lesen kann.«

Bunte Individualität und weitreichende Pluralität, auf die Bloch Wert legte, stehen dem Trend der Vereinheitlichung entgegen, der uns offensichtlich systemunabhängig bedroht. Lenins Fraktionsverbot, für 1921 verständlich, blieb in der Sowjetunion wie DDR bis zum bitteren Ende strafbewehrt bestehen, was die Modernisierung hemmte, wo nicht ausschloß.

Im Bereich des Kapitals entstammt die Entpluralisierung und Monopolisierung anderen Zwängen. Deutschland wurde im Ersten Weltkrieg zur Militärdiktatur, die Weimarer Republik ging fließend repressiv ins autoritäre Dritte Reich über, das Hitler bis zum Untergang diktatorisch vereinheitlichte. Von den pluralen Anfängen Deutschlands, ab 1945 in zwei Staaten zerteilt, gab die Einheitspartei SED ihren Staat 1989 auf, was die so siegreiche wie krisenhafte Berliner Republik zu erneuten Vereinheitlichungen verführt. Verstünden die pragmatischen Politiker etwas von Gestaltlehre, ahnten sie, was sie anrichten.

Ein letztes Wort zu Blochs Aufforderung, ich solle über das Thema Sklavensprache schreiben. In der Tübinger Zeit rechtfertigte ich meine Weigerung, die ich als bloßes Zögern kaschierte, mit dem Projekt eines Bloch-Romans, das ich oft erwog. Am 25. 2. 1984, sieben Jahre nach dem Tod des

Philosophen, schrieb mir Karola: »... eigentlich ist es schade, daß Du den Plan, einen Ernst-Bloch-Roman zu schreiben, aufgegeben hast ... Aber dem Bloch entgehst Du sowieso nicht.«

Das klang nun fast wie Dr. Wolfram Burisch-Wieler, der mir am 5.8. 1977 schrieb, er habe den Philosophen kurz vor dessen Tod besucht: »Und er hat mir unmißverständlich eingeprägt, daß er zwei seiner Schüler als seine ›Erben‹ verstehe: Gerhard Zwerenz und Wolfram Burisch.«

Ich erwiderte: »Was Bloch und seine ›Erben‹ angeht, so meine ich, der listige Uralte hat da Ringe vergeben wie Nathan der Weise – mehrere, und wer weiß denn, welcher der echte ist. Wenn nur alle Ringträger sich bemühen ...« Mir schien die Burisch-Nachricht unfair gegenüber anderen zu sein. So rettete ich mich mit einem Verfahren, das keine Ausflucht war: Aus der Nähe wie Ferne protokollierte ich in ungezählten Arbeiten Bloch und sein Werk, es wurde die Beschreibung von Philosoph und Philosophie daraus – eine quasi lebenslängliche, dabei halbautobiographische Schreibmanie. Mit den Briefen an Ernst Bloch im Himmel oder in der Hölle vom Jahre 1984, gezielt auf den 100. Geburtstag im Jahr darauf, glaubte ich das offene Sklavensprachenkapitel mit einiger Eleganz abgeschlossen zu haben. Pustekuchen. 1989 versank die DDR im Orkus. 1991 las ich die vordem geheimgehaltenen Kulturbund-Protokolle mit den Anklagen gegen den Philosophen und seiner obskuren Verteidigung. Die Eindrücke gingen in meine Notizen über.

Das von mir oft genutzte Wort »Gelebte Philosophie« ist mißverständlich, denn Papier, auf das sich bei uns Denklust reduzierte, läßt sich nicht leben. Anders der Versuch, schmerzvoll errungene Einsichten weder zu vergessen noch aus Schwäche zu verdecken. Meine ursprüngliche Neugier auf Philosophie war erst abgeschreckt, dann beinahe eingeschläfert worden, bis ich in Blochs Vorlesungen ein gegen Langeweile und Lebensüberdruß immunisierendes Elixier entdeckte. Es setzte dem Sozialismus der sturen Nachplappermäuler, Linientreue-Richter, Schimpfkanoniere und Strafvollzugsidioten etwas entgegen, das dem Gedanken Schärfe, den Gefühlen Tiefe und dem Leben die Schönheit des Risikos verlieh. Als ich nach den Gefechten abseits in Westberlin hockte, fehlte mir das Riskante der Eingriffsmöglichkeiten, das Kapital war weder mein Ziel noch mein Freund, es dauerte einige Jahre, bis ich mich in neuer wie alter Opposition zurechtfand, doch bevor es gelang, den zweiseitigen Partisanenkampf zu führen, schwor ich mir, der Philosophie nie wieder mehr zu gewähren als allerhöchstens ein moderates Interesse aus weiter Ferne. So blieb ich stets, wenn auch mit wechselnder Intensität, der Beobachter, den an tiefer Teilhabe ein Erbteil schmerzlicher Erfahrungen hinderte, zuvörderst die gallebittere Einsicht, daß die klügsten Gedanken oft die dümmsten Resultate zeitigen und Philosophen sich als Person häufig weit unterhalb ihres intellektuellen Niveaus zu bewegen pflegen.

Die verborgene Botschaft in Blochs ewigen Aufforderungen, dem Thema der Sklavensprache nachzuforschen, wurde mir erst nach und nach offenbar, als ich mich jener Greisenaltersgrenze näherte, an der zu entscheiden ist, ob einer dem Bild entsprechen will, das die moderne Gesellschaft in ihrem dumpfen Jugendwahn vom Alter vor(ver)zeichnet, oder ob ab siebzig einzig die Konsequenz gezogen wird: eine Quersumme nicht als Ergebnis bequemen Durchschnitts, sondern als Basis fürs letzte Gefecht gegen die Staat und Parteien beherrschende Sklavenmoral.

Von den Alten wird jene gezähmte Weisheit der Bescheidenheit gefordert, die Rentner ziert, die sich damit zum Lumpen degradieren oder wie Nietzsche zum prominenten Kranken, den zu besichtigen die Neugierigen von überallher anreisten, als werde dort im Zoo zu Weimar ein besonders exotisches Tier zur Besichtigung feilgeboten. Besser wäre es, die wache Wildheit zu kaschieren, um unvermutet zubeißen zu können. Der knochige, unleidliche, gnomenhafte Reaktionär Schopenhauer, lebenslang auf den Erfolg wartend, unerkannt durch Pfeffersacks mainisches Frankfurt seinen klugen Pudel ausführend, genoß die Anonymität im Wissen, ein wahrer Feind der offiziellen Gesellschaft zu sein.

Während Hegel in Berlin gut besuchte Auditorien erzielte, brachte Schopenhauer es auf ganze sieben Hörer. Nietzsche kam an manchen Tagen in Basel gar auf zwei Stück. Bloch, der anfangs fast ohne Echo blieb und ab 1955/56 zu Leipzig wie Hegel vordem zu Berlin den Saal füllte, durfte in der Folge nicht mehr durchs Hochschulportal. So wird die subversive Kommunikation entweder nicht wahrgenommen oder bestraft und zur Vergessenheit verurteilt, bis der alte Adler die Flügel ausbreitet und als Todesvogel erst die wahre Wirkung erreicht. Jedenfalls solange die Gefahr in Worten und Büchern geborgen überdauert. Zuletzt, also wohl heute, erscheint der wirkliche Tod in den flüchtigen blassen Gestalten einer Urenkelgesellschaft, die das Leben nur noch in zerhackten kleinen Bildern annehmen kann. Jedes Buch kommt ihnen vor wie dem Kurzläufer die Marathonstrecke. Ihr hechelnder Atem und kurzer Verstand braucht alle zwanzig Sekunden einen Kick, sonst finden sie es voll uncool und schlaffen ab, diese modernen Spielfiguren des neuen Weltgeistes Hampelmann, der nun an den eigenen Gliedern zieht, und sei es per Handy.

Mag sein, die Vorgänger wurden in der Verwirklichung kafkaesk, doch die Nachkommen der Postmoderne erweisen sich nur noch als kasperesk. Beiden Klassen fehlt jeweils das Widerständige, das die in diesen Kapiteln aufgebotenen letzten Individualisten auszeichnete, sei es im Pro oder Contra, was oft in eins fällt und nur aus Gründen der Dramaturgie und des stilistischen Abenteuers geschieden wird.

Der Entschluß, den beabsichtigten Bloch-Roman nicht zu schreiben, resultierte aus der fatalen Einsicht, daß er eine Fiktion aufgrund von Fiktionen würde. Die Durchsicht des über fünfzig Jahre hindurch gesammelten Materials, aller Vorarbeiten und diversen Äußerungen zu Bloch, die mir immer erneut abverlangt wurden oder die ich zur eigenen Selbstverständigung verfaßte, erschütterte mir jene schriftstellerische Sicherheit, die ein Autor benötigt, das angepeilte Ziel zu verfolgen.

Bei der Arbeit an einem Roman über Geheimdienste mit der Zentralfigur des Markus Wolf hatte ich mir noch durch zügige Phantasien helfen können, weil die Mischung und Montage von Fakten und Fiktionen nicht vorausgesetzt war, sondern im Belieben des Schriftstellers stand, was sich beim beabsichtigten Bloch-Roman schon aus dramaturgischen Gründen verbot. So entschloß ich mich, an Stelle des Romans einen statthaften Teil der Vorarbeiten zu veröffentlichen, was ich ohne Ingrids Anteil und Gedächtnis nicht zuwege gebracht hätte. Als sich nach der Montage unverhofft eine gewisse romanhafte Annäherung ergab, fühlte ich mich zusätzlich legitimiert. Der Zusammenhang der Text-Teile führt zu einigen Wiederholungen. Wer aufmerksam liest, wird erkennen, es sind wie im Schienennetz Weichen, die in verschiedene Richtungen führen. Von den ersten fünf Büchern dieses Bandes steht jedes für sich allein, unerachtet aller wechselseitigen Bezüge. Unterschiedliche Urteile, Schlußfolgerungen und Interpretationen resultieren aus den unterschiedlichen Zeiten der Niederschriften, behalten aber Sinn und Funktion.

In Blochs Wort, Zwerenz sei ihm bereits in Leipzig vorgekommen wie schon dreimal verbrannt, schwingt mit, bei der dritten Verbrennung war der Philosoph nicht ganz unbeteiligt. Während der Leipziger Zeit besuchte ich ihn oft zusammen mit Hans Pfeiffer oder auch allein in Schleussig, Wilhelm-Wild-Straße 8, wo ich auch Jan Robert antraf, dem die DDR-Erziehungsmethoden wenig behagten, wie ihm leicht anzumerken war. Ein artikulierter Austausch darüber ergab sich erst später. Ich beneidete den Sohn um diesen Vater, der sich bemühte, seinem Jungen das Land erträglich zu machen. Später erfuhren wir, die Geheimen planten, einen Keil zwischen die Mutter Karola und Jan Robert zu treiben, wie sie auch erwogen, Ingrid und mich gegeneinander auszuspielen, was wir durch unsere rasche Heirat dementierten. So stiftet Agentenfrechheit Ehen.

Das hier publizierte Material steht zum vorhandenen etwa im Verhältnis eins zu zehn. Erst im Verlauf der Arbeit erkannte ich, weshalb Kardinal Ratzinger in seiner Frühform als Theologie-Professor in Tübingen gar so entsetzt auf Blochs Auftauchen in der Stadt reagiert hatte. Dessen Lehre ist nichts Geringeres als eine Materialisierung des Christentums, das, um eine bei Marxisten gebräuchliche Redewendung zu benutzen, vom Kopf auf die Füße gestellt wird – eine ketzerische Todsünde in den Augen fanatischer Anhänger des römischen Glaubens. Insofern entschlüsselt sich auch mir selbst jedes Buchkapitel als Zeugnis einer bisher unbekannt gebliebenen Ketzer- und Revolutionsgeschichte.

Als Atheist stehe ich etwas fremd daneben, sage mir aber: Wenn diese Christen an Gott, seinen gekreuzigten Sohn und dessen jungfräuliche Mutter Maria zu glauben vermögen, warum sollen wir Sozialisten dann nicht glauben, daß es möglich sein muß, den Rückfall des Menschen in die kannibalische Barbarei zu verhindern? Das Christentum besteht aus einer Abfolge von Korrekturen. Die jüdische Religion begann den Monotheismus, der sich abspaltende christlicher Glaube wurde zur Römischen Kirche, von der die Protestanten sich separierten, bis der Marxismus als soziale Lehre revolutionärer Gleichheit aufkam und wie seine religiösen Vorgänger scheiterte, als der Staat ihn okkupierte und schändete. Daß Bloch seine eigene Philosophie als revolutionäre Reformation von Christentum und Marxismus verstand, ist evident. Daß er die Lehre in Sklavensprache predigte, zählte zu den Bedingungen.

Als ich auf die Frage meiner New Yorker Tante, was ich einmal werden wollte, mit der Naivität eines Achtjährigen antwortete: »Trotzkist«, wurde ich anschließend von meiner Mutter belehrt, das sei kein Beruf, und außerdem dürfe man so etwas nicht offen sagen. Bloch verfolgte überlebenslang als Missionar seiner unruhvoll friedenbringenden Revolution ein Ziel, das sich nicht offen verkünden ließ, weil keine Seite reif dafür war, der einzelne jedoch nicht aufgeben dürfe, denn das wäre »gewußtes falsches Bewußtsein, mithin Betrug« (*Das Prinzip Hoffnung,* 1. Band, *Entdeckung des Noch-Nicht-Bewußten*).

Am 13. 8. 2002 war dieses Manuskript soweit beendet. Im September brachte die Post mit fünfjähriger Verspätung das Protokoll des Leipziger Bloch-Kolloquiums von 1997 (*Ernst Blochs Leipziger Jahre – Beiträge des fünften Walter-Markov-Kolloquiums,* Rosa-Luxemburg-Stiftung Sachsen). Gründe für die Verzögerung bleiben ungenannt.

Die Beiträge sind in ihrer pluralen Differenzierung ein Gewinn, was sich 1997 bereits andeutete, als man sie zu hören bekam. Desto unverständlicher die immens verspätete Edition, zeitlich danach liegende Kolloquien erschienen viel früher im Druck.

Für mich erschütternd ist die Rede des inzwischen verstorbenen Hans Pfeiffer. Wir sahen uns bei dieser Tagung zum letzten Mal, der nahende Tod hatte ihn schon gezeichnet. Den Abschiedstext nachlesend betrauern Ingrid und ich die lange unterbrochene Freundschaft. Er hatte mich, den »feindlichen Renegaten«, auf einer Westreise heimlich aufsuchen wollen, jedoch leider keinen von uns angetroffen. Pfeiffers Rede von 1997 beweist, Bloch hätte ihn nicht so radikal abstrafen dürfen. Pfeiffers letztes Buch *Der Selbstmord der Rosa Luxemburg* blieb als verschlüsselte Botschaft bis heute unbegriffen. Im signierten Exemplar steht an erster Stelle ein Satz aus dem Text: »Der einzige Sinn der Geschichte der Wahn-Sinn?« Es folgt, schon wie ein Vermächtnis: »Für Gerhard Zwerenz in unlösbarer Verbundenheit – 7. 3. 98«.

Erich Loest mochte meine nach dreiunddreißig Jahren nicht erneuerte, sondern einfach fortgesetzte Freundschaft mit Hans nicht, für ihn zählt Pfeiffer zu den »Dunkelmännern«. Ulrich von Hutten, Verfasser der *Epistolae obscurum vivorum* rotiert ob dieser Nachricht gewiß im Grabe.

Hochinteressiert lerne ich auch Helmut Seidels Vorlesung vom 18. 4. 1991 kennen. Welch ein Aufbruch wäre da möglich gewesen. Zum Heulen komisch finden wir Marion Schütrumpf-Kunzes Bericht vom Abenteuer, in der Sowjetunion und DDR »über Ernst Bloch zu arbeiten«. In der üblichen Aufarbeitungsmanier bleibt leider Guntolf Herzberg mit »Philosophieren in der Diktatur« stecken. Sein Abstraktum herrscht totalitär. Der Bloch-Kritiker verfehlt seine Funktion, unbedingt der Tendenz zur Lobrede zu widerstehen, durch faktenreiche Verblendung. Wer Bloch »biographisch erklärbare Voreingenommenheit« attestiert, desavouiert sich selbst. Überlebende Todeskandidaten Hitlers sind als Antifaschisten offenbar nur noch »biographisch erklärbar«. Das Dogma vorausgesetzter Feindschaft führt Herzberg selbst dann noch in die Irre, wenn er einen tatsächlich schwerwiegenden Vorgang schildert: »Im Laufe des Jahres 1956 zerbrach dann das Stillhalteabkommen zwischen der SED und dem Philosophen. Auslöser war natürlich das Bekanntwerden von Chruschtschows sogenannter ›Geheimrede‹ und Blochs (durch Harich aus seiner Zelle dokumentiertes) Entsetzen, ›daß er in den dreißiger Jahren in Wirklichkeit die Propagandageschäfte eines Massenmörders – nämlich Stalins – besorgt hätte.‹ Es folgte die unverhohlene Sympathie Blochs für die Veränderungen in Polen, seine widersprüchlich-vorsichtige Verteidigung des ungarischen Aufstandes, seine heftigen Reaktionen auf die Verhaftungen Harichs und Jankas.«

Tatsache ist jedoch, der Bezug auf Polens Opposition war ebenso wie der auf Ungarn älteren Datums. Blochs »Entsetzen« über die in Chruschtschows »Geheimrede« eingestandenen Stalinschen Verbrechen wäre exakter zu definieren. Des Philosophen frühere Parteinahme für Stalin, besonders während der Moskauer Prozesse, gleicht der Lion Feuchtwangers. Karola Bloch dazu in ihrer Autobiographie: »Im Jahre 1938 mußten wir Trauriges erleben ... Die Moskauer Prozesse erfüllten uns mit Entsetzen ... Ernst versuchte, in ihnen einen Sinn zu finden.« Hier muß noch einiges geklärt werden. Wahrscheinlich handelt es sich einerseits um Befürchtungen, es könne so sein, wie die Feinde behaupteten, und andererseits besteht die Notwendigkeit, die Sowjetunion in ihrem bevorstehenden Kampf gegen den erstarkenden Faschismus nicht zu schwächen. Endlich galt es, die Position der Sowjets in Analogie zum Terror der Französischen Revolution zu bewerten.

Mit Sicherheit aber erfuhr Bloch nicht erst 1956 von Stalins Mordtaten. Sie waren ihm vorher bekannt, wurden jedoch sklavensprachlich marginalisiert und, zwar schlechten Gewissens, als unvermeidliche Spesen der Geschichte eingeordnet.

Wenn Chruschtschow den roten Terror nun öffentlich eingestand, fühlten sich Stalins vormalige Verteidiger blamiert und beleidigt. Der Glaubwürdigkeitsverlust konnte von der Partei per Polizei, Justiz, Militär abgefangen werden. Für Intellektuelle wie Bloch oder Feuchtwanger wog schwerer, wieviel sie dabei politisch und moralisch einbüßten. Blochs übliche Renitenz, in unterschiedlich revolutionären Sklavensprachen enthalten, artikulierte sich nun deutlicher, was den Bruch unausweichlich machte. Die Ende 1956 einsetzenden Abhörmaßnahmen im Haus Wilhelm-Wild-Straße 8 lieferten den Lauschern Gewißheit, wo sie sich zuvor lediglich auf Zuträger- und Spitzelberichte stützen konnten. Mich verwundert übrigens die späte Verwanzung der Villa. Interne Gespräche hatten wir schon zwei Jahre zuvor vorsichtshalber im Garten geführt, an kalten Wintertagen nicht eben angenehm.

Herzbergs Haltung erinnert an frühere westliche Feindseligkeiten, wenn sich etwa Golo Mann 1979 im CSU-Magazin *Löwe und Raute* Nr. 2 von Raymond Aron die Überschrift »Das Opium der Intellektuellen« auslieh und Filbinger gegen Bloch in Stellung brachte. Nicht weniger neidvolldümmlich Helmut Schelskys Streitschrift von 1979, in der Bloch als ewig jugendbewegt hingestellt wird, was gar nicht so schlecht wäre, käme der Vorwurf nicht aus dem Munde eines im Dritten Reich sattsam Jugendbewegten.

Von den Beiträgen, die ins Bloch-Land weiterführen, seien wenigstens noch zwei genannt, da ist zum einen der von Volker Caysa, Titel: »Wunde Bloch«. Inhalt: Bloch als »Rebell gegen Zeus«, wobei »Nietzsches Ideen ... mit Marx erweitert« werden. »... immer geht es um eine Rebellion ...« Der Alte hätte dazu wohl impulsiv bemerkt: »Kein trocken Holz, ein grünes Holz ...«

Zum anderen sei verwiesen auf den 1994 verstorbenen Günther K. Lehmann, an den seine Frau Eva Lehmann ingeniös erinnert. Sein Essay trägt die Überschrift: »Mythos und unio mystica in der Hoffnungsphilosophie Ernst Blochs«, was einen Ungläubigen wie mich erst einmal abschreckt, doch die Lektüre lohnt. Der Bezug zu Hans A. Nikels Dissertation »Annäherung an das ganz Andere« ist mit Händen zu greifen. Lehmann: »Unverkennbar das jüdisch-existentielle Motiv: der Jude – der Fremde – mit einem philosophischen Sinn für Fremdes und Befremdliches begabt (auch bei Georg Simmel und Sigmund Freud). Ernst Bloch wählt das Bild: ›Kaspar-Hauser-Natur des Subjekts.‹« Für mich überraschend, gelangt Lehmann auf anderen Wegen zu meiner Sicht des Systems verschiedener Sklavensprachen und zu Blochs spezifischer Artikulation bis hin zum knallharten Resultat: »Erst dann, wenn Bloch die Wirklichkeit in eine Realchiffre übersetzt, vermag er mit ihr philosophisch umzugehen, entlastet auch von ihren Mißlichkeiten.« Jedenfalls: »Die Wirklichkeit erscheint verschlüsselt ... Den reflektierenden Philosophen holt fortwährend der Geschichtenerzähler, der Dichter und Bild-Magier ein. Philosophie versteht sich bei Bloch ganz ursprünglich als Sinndeutung: Wovon erzählt uns die fremde Welt?«

Neben dem Philosophen E.B. wird der Therapeut kenntlich. Die Faszination des Redners Bloch, im Gedruckten nur andeutend spürbar, führt zur »reinigenden« Wirkung, bezeugt durch Aussagen seiner Hörerschaft: Es fiel mir wie Schuppen von den Augen ...

Ich erwähnte Lothar Kleines Formulierung von der »reziproken Animation« statt »der reziproken Emanation«, womit die »Ausstrahlung«, bzw. der »Ausfluß« in eine Bewegung und Belebung auf Gegenseitigkeit verwandelt wird, was allerdings den fachsprachlichen guten Ton verletzt, der Terminus technicus wirkt wie parodiert. Bedenken wir, daß »Animation« in den fünfziger Jahren des vorigen Jahrhunderts noch nicht den heutigen Beiklang reiseunternehmerischer Volksbelustigung besaß, wird begreiflich, wie flott der Student Kleine mit seiner lockeren Wortwahl Blochs Sprachtechnik als Sprachartistik definierte. Die gegenseitige Animation beginnt bereits mit dem Zitat, das üblicherweise einem Autor als Beweis oder Gegenbeweis eigener Gedankenführung dient. Bei Bloch erhält es eigenständigen Rang, wird also autark. Blochs Arbeiten, mit der Einordnung als *essayistisch* nur annähernd charakterisiert, erhalten die Qualität eines Gesamtkunstwerkes, bei dem eigener Text, fremder Text, Wort, Bild, Phantasie und Logik (Logos) ineinander verschmelzen. Der Philosoph liebt Verweise auf Musik und Komposition – letzteres der passende ästhetische Oberbegriff – Bloch-Texte als Sprach-Opern. Lothar Kleines »Animation« ist spürbar, wie Musik für Musikalische spürbar ist. Ausgeschlossen sind die Unmusikalischen.

Im Dezember 1977 begann ich meinen Vortrag auf dem Leipziger Bloch-Kolloquium mit den Worten: »In *Geist der Utopie* zitiert Ernst Bloch Novalis und Nietzsche hintereinander. Zuerst Novalis: ›Gemüt und Schicksal sind Namen eines Begriffs.‹ Dann Nietzsche: ›Hat man Charakter, so hat man auch ein Ereignis, das immer wiederkommt.‹ Und in geradezu prophetisch-hellsichtiger Weise ergänzt Bloch die beiden Merksätze durch einen dritten von Hegel, wonach das tragische Individuum stets nur die Früchte seiner eigenen Taten pflücke. Alle drei Zitate stützen die These, daß der Mensch als Subjekt der Geschichte und Kultur seinen eigenen schicksalsgestaltenden Wert besitze.«

Genauere Überprüfung zeigt, die Konstanten des Individuums gelten auch für gesellschaftliche Gruppen. So wäre die Verknüpfung des FAZ-Feuilletonisten Schirrmacher mit seinem Vorgänger Friedrich Sieburg lediglich polemischer Schaum von der Art des Konflikts zwischen Walser und Reich-Ranicki, lägen nicht existentielle Übereinstimmungen vor.

Ein Rundblick auf konkurrierende Redaktionen zeigt: *Die Zeit* und die *Süddeutsche Zeitung* bleiben tendenziell liberal wie die *Frankfurter Rundschau* SPD-nahe, die *FAZ* aber lebt wie die vorangegangene *Frankfurter Zeitung* von der intimen Nähe zur politischen und wirtschaftlichen Macht. Sieburgs fatale Einordnung ins Dritte Reich, sein Verrat an Weimar, der ihn zum Propagandeur der deutschen Besatzungsmacht in Paris werden ließ, ist einerseits Folge des artistisch verschleimten Charakters, andererseits Funktion der Machtteilhabe. Die Verführungen bestehen fort, weil das Blatt seinen elitären Status als Sprachrohr von Kapital und Macht behält.

Scharnierfeuilletonisten erhalten damit wie 1933 ihre Chance als Übergangsfunktionäre von der plural verfaßten zur unitären Gesellschaft, die allerdings keinen Faschismus mehr benötigt, weil die Massen medial hierarchisiert und beherrscht werden können und Widerspenstige im Zweifelsfall binnen zweier Stunden eine Rakete (Drohne) aufs Haupt bekommen. Voraussetzung dafür ist lediglich eine Gruppe beherzter Milliardäre, die sich und ein paar hundert entschlossener Anhänger in die obersten Ränge einzuschleusen verstanden, so daß eine kapitalgestützte Herrschafts-Gang ganz nach Gusto den Lauf der Welt zu bestimmen vermag.

Der tendenzielle Verlust realer Pluralität, der den schleichenden Prozeß der Entpluralisierung auf die Spitze treibt, braucht keine Diktatoren wie im 20. Jahrhundert. Indem die Hemmnisse der Globalisierung verschwinden, setzen globale Leader ihr damit errungenes Potential in die Diktatur des Kapitals um. Die feuilletonistischen Zutreiber erfüllen im Status hierarchischer Intellektueller dabei ihre Aufgaben als Goldfedern. Julien Benda sah das voraus, als er schrieb: »Ich könnte mir sehr gut vorstellen, wie in einem eventuellen nächsten Krieg ein Volk beschließt, die Verwundeten des Gegners nicht mehr zu versorgen, oder wie im Zuge eines Streiks die Bourgeoisie anordnet, keine Krankenhäuser mehr zu unterhalten für eine Klasse, die sie um Hab und Gut bringt und ihren Untergang will. Ich kann mir auch bestens ausmalen, wie beide sich brüsten, des ›stupiden Humanitarismus‹ endgültig ledig zu sein, und wie sie dann von den Jüngern Nietzsches und Sorels noch in ihrem Jubel bestärkt werden.«

Die Abkehr vom »Humanitarismus« geschieht portionsweise. Eine Entmachtung der Gewerkschaften erfolgt nicht mehr wie 1933 per Staat, Polizeikräften und Justiz, sondern im Gefolge medialer Suggestion. Wer nicht mitmacht, der fliegt, hat jedenfalls keine Karriere vor, sondern höchstens hinter sich. Die Verteidigung der Gewerkschaften ist anno 2002/03 in den Kapitalzentralorganen nicht verboten. Sie geschieht nur nicht. Die Herrschaft kann die Gewerkschaften nicht mehr gebrauchen.

Kollektive Schicksalsgemeinschaften zeigen sich auch bei den bürgerlichen Parteien und der Sozialdemokratie. Erkauft die SPD ihren Fortbestand mit prinzipieller Changierkunst, was sie zur Attrappe werden läßt, sind Sozialisten und Kommunisten auf Machtverlust und Opfertod abonniert. Auf ihre antiquierten Konzepte pochend, rutschen sie Stück für Stück in die unterste Etage, ohne auch nur ansatzweise zur Analyse fähig zu sein. Das von der Bonner zur Berliner Republik ausgedehnte Deutschland aber verharrt in der Agonie des Scheintodes. Zwei gleichstarke Volksparteien halten sich, einander bekämpfend, eng umschlungen. Beide gemeinsam führen ihren permanenten Stillstand vor, den Aufschwung erhoffend, stattdessen folgen Destruktion und Resignation. Krieg und Chaos drohen.

Es ist die Zeit der einsamen Revolteure in allen Parteien und außerhalb. In unterschiedlich dosierten Sklavensprachen verkünden sie ihre verdeckten Wahrheiten, bis der Tag direkter Sprache kommt. Dann bricht Orwells Jahr 1984 an und in Nietzsches Diktion die Wiederkehr des ewig Gleichen. Oder es wird Blochs Jahr 1956 – ein Ausbruchsversuch, der nicht enden muß wie einst Spartacus. Die Revolution kehrt in die Köpfe zurück. Und damit zu Jehovas Frage an Saul, warum er den neuen, friedlichen Glauben der Christen verfolge. Die Wandlung als Ver-Wandlung des Saul in Paul erfährt in der Philosophie Blochs ihre neomarxistische Modernisierung, was 1956 in Leipzig und Moskau von der Partei und danach in Tübingen von Joseph Ratzinger übel vermerkt wurde.

Im mitteldeutschen Mutterland der protestantischen Reformation zeichneten sich ab 1945 die politgeographischen Grundlinien des 16. Jahrhunderts erneut ab. Martin Luthers Bündnis mit der fürstlichen Obrigkeit samt militanter Abwehr des römischen Glaubens im Westen und Süden manifestierten sich nun in der ideologischen und staatlichen Macht der SED. Luthers Kontrahent Thomas Müntzer als Bauernkriegs-Theologe und Permanenz-Revolutionär inkarniert in Ernst Bloch, der seine Hegelsche Devise »Freiheit und Ordnung« mit dem Bekenntnis zu »Trotz und Hoffnung« verband, bis die Moskauer Zentrale den Bannfluch gegen den Denker der individuellen Revolte verhängte. Das besiegte Bloch-Land lebt seither im seelischen Untergrund weiter.

Müntzer wurde hingerichtet, Bloch überlebte ausgetrieben.

Als 1948 George Orwells negativer Utopie-Roman *1984* erschien, bereitete sich der Philosoph Ernst Bloch im USA-Exil auf die Rückreise nach Europa vor. In die DDR brachte er sein subversives Hauptwerk *Das Prinzip Hoffnung* mit, teils geschrieben, teils im Kopf – den Gegen-Entwurf zu Orwell. 1961 folgte das nächste Exil westwärts, wo er 1977 in Tübingen verstarb. Sein Denken jedoch, das Prinzip Bloch, dementiert Diktatur, Exil und Tod, indem es ein mögliches Leben in Trotz und Hoffnung postuliert. Dieses Prinzip folgt dem Grimmschen Märchen vom Genossen Hänsel und seiner Genossin Gretel, die, im finstern Wald der Hexe anheimfallend, ins Feuer sollen. Sie aber stoßen die Hexe in den Backofen, entfliehen dem bösen Ort und werden von einer Ente gerettet: »Da hatten alle Sorgen ein Ende«, denn »endlich erblickten sie von weitem ihres Vaters Haus.«

Das ist nicht das letzte Wort der Kulturgeschichte. Denn die rettende Ente aus Grimms Märchen verkam inzwischen zur Zeitungs-Ente und denaturiert in der Postmoderne zur Entenhaftigkeit als Prinzip. Eine Justizministerin, die versehentlich gegen die verordnete Sklavensprache verstieß, wird als Gretel in den finstern Wald geschickt. Vorerst letztes Opfer im permanenten Krieg zwischen Bloch und jenem Orwell, dessen *1984* den herrschenden Ton angibt, obwohl Bloch als Antwort auf den Sog der Niederlage Kult zu werden beginnt. Weder in Leipzig noch in Tübingen hat er Schule bilden dürfen. Alternatives Denken stört die Systemherrscher. Die Macht fürchtet Subversion. Das Volk soll beten, wo aber nicht, auch ohne Kirche gehorchen. Blochs Philosophie vom »Aufrechten Gang« widerspricht der Zentralmacht, die den Menschen nicht als vom Affen abstammend akzeptieren mag, ihn jedoch zur Affenhorde hinkommandiert. Damit Ordnung herrsche im Reich der Gorillas.

Der Mord an der Philosophie

»Wir sind nach Zagreb gekommen, um ›das Blochsche Denken als eine Philosophie des aufrechten Gangs‹ zu diskutieren ... Wir ehren dieses Denken, indem wir es prüfen.
Und indem wir prüfen, untersuchen und kritisieren wir, um
selbst aus einem ›Jargon der Eigentlichkeit‹ herauszutreten
... Denn Verehrung ist nicht Erhellung und Verklären nicht
erklären«, hatte Jan Robert Bloch auf dem Zagreber Symposium im Mai 1987 anläßlich des 10. Todestages von Ernst
Bloch gesagt. Eine überarbeitete Fassung der Rede erschien
im *Bloch-Almanach*, neunte Folge 1989, und in *Sinn und Form*
Mai/Juni 1991. Der Titel »Wie können wir verstehen, daß
zum aufrechten Gang Verbeugungen gehören?« wird im
Almanach-Vorwort so erläutert: »Dennoch war Bloch gegenüber der Unterdrückung (Stichworte: Moskauer Prozesse, SED-Regime) immer realitätsblind; warum das so war,
sucht der Sohn Jan Robert Bloch in seinem ausführlichen
Aufsatz ... zu begründen.« Das Hauptaugenmerk richtet sich
auf die Verbeugungen des Aufrechten, was nicht mit dem
bequemen Verweis auf den üblichen Vater-Sohn-Konflikt
abgetan werden kann. Der Dissens reicht über das Tiefenpsychologische ins Philosophische und Politische hinein,
wo er seine intellektuelle Brisanz erhält.

Zweifellos haben wir hier ein so tief- wie weitgreifen-
des Stück Autobiographie vor uns, für das sich Jan Robert
aus gutem Grund Zeit nahm, in deren Verlauf er alles tat,
der väterlichen Instanz optimal gerüstet entgegenzutreten.
Wenn schon des Vaters Engagement für Stalin aus Gründen
des Anti-Hitler-Kampfes unabdingbar gewesen ist, weshalb
mußte diese enge Bindung an Sowjetunion und DDR nach
Kriegsende und gar nach Stalins Tod weiter bestehen bleiben? fragt der Sohn und gestattet sich, dem toten Vater und
uns allen, die wir mit E.B. sympathisieren, keine Ausflucht.
Zahlreiche Zeugen werden pro und contra aufgeführt, von
Arthur Koestler über Samjatin, Orwell, Trotzki bis Brecht,
Feuchtwanger, André Gide, Becher, Mao Tse-Tung, und sie
werden gebraucht, weil die im Westen grassierende Legendierung Blochs nicht akzeptabel ist: »Das philosophische
Problem des aufrechten Gangs aber blieb liegen und wird
es wohl auch bleiben, sofern wir Blochs Denken, das Über-

schreiten heißt, nicht aus dem Ghetto der Verehrung mit Kritik befreien.«

Der lange Aufsatz, ich nenne ihn einen autobiographischen Essay als Befreiungsschlag, vereint gekelterte Nähe mit zorniger Fernsicht, selbst wer den vorgebrachten Argumenten nicht folgen möchte, steht staunend vor der vehementen Abnabelung. Des Sohnes Rede jedoch befreit erst den Blick auf das Erbe, das vom Philosophen-Vater bleibt: »Im philosophischen Entwurf einer besseren Welt hat er vor den Träumen seiner Jugend Achtung getragen: mit hellem Ziel und dunklem Weg ...« Zu fragen ist also nach der Dunkelheit des Weges.

Dem Abdruck in *Sinn und Form* folgt ein Antwortbrief an Jan Robert von Friedrich Dieckmann, Sohn des vormaligen DDR-Volkskammerpräsidenten. Man kennt sich aus Studententagen, bis Blochs 1961 auf Westreise vom Mauerbau überrascht wurden und nicht nach Leipzig zurückkehrten.

Dazwischen liegen drei Jahrzehnte unterschiedlicher Sozialisation. Dieckmann salutiert vor der weltoffenen, kenntnisreichen Intensität des gleichaltrigen Jan Robert und verteidigt Ernst Bloch zugleich gegen dessen Sohn, der im Rückblick ahistorisch vorgehe – »aus dem Koordinatensystem des Jahres 87« –, denn »Trotzki war geschlagen – mußte man sich also nicht an Stalin halten?«

Die Argumente von Dieckmann-Sohn gegen Bloch-Sohn sind klug gesetzt, eine Spur Verteidigung des eigenen Vaters mag darin mitschwingen. Ich brauchte einige Zeit, bis mir deutlich wurde, weshalb ich auch nach wiederholter Lektüre meinte, etwas fehle im Diskurs. Wir müssen deshalb zur Klärung auf die »Konferenz über Fragen der Blochschen Philosophie« zurückblicken, die am 4./5. April 1957 in Leipzig stattfand. Prof. Rugard Otto Gropps Beitrag gab gleich eingangs die Richtung an: »Ernst Blochs Hoffnungsphilosophie – Eine antimarxistische Welterlösungslehre«.

Das Konferenzprotokoll von 352 Seiten erschien in ungewohnter Eile noch im selben Jahr im *Deutschen Verlag der Wissenschaften*, Ostberlin. Titel: »Ernst Blochs Revision des Marxismus«. Zu diesem Zeitpunkt lebte ich bereits in Westberlin, beschaffte mir das Buch aber sogleich. Fast jeden der Beiträger kannte ich. Jetzt, im Jahre 2003, also fast ein halbes Jahrhundert später und nach Lektüre der Äußerungen von Bloch-Sohn und Dieckmann-Sohn, suchte ich das vergessene Dokument heraus und las es mit zunehmender Anspannung von vorn bis hinten ein zweites Mal durch. Die einzelnen Texte differieren stark.

Drei der Professoren mußten als ehemalige junge Wehrmachtsoffiziere brav auf Linie bleiben. Zwei Assistenten waren 1956 von uns zu halben Blochianern gemacht worden und suchten sich in der Konferenz eilig von diesem »Stigma« zu befreien. Ein paar Luftnummern übten sich auf Karriere ein. Bleiben die zwei gewichtigeren Professoren Gropp und Johannes Heinz Horn. Ersterer begann den Kriegstanz, der zweite beschloß ihn – Horns Beitrag umfaßt ca. hundert Seiten. Der Genosse Professor scheute keine Mühe, sich selbst zu überzeugen. Offenbar mißlang es, und so schien ihm sein ganzes Leben mißlungen. Er brachte sich um.

1957 war ich außerstande, die deprimierenden Beiträge objektiv einzuschätzen. Jetzt läßt sich kühler urteilen. Vom Standpunkt der beiden Professoren und ihrem Auftrag her wird Bloch so logisch wie konsequent zum Revisionisten erklärt, wofür sie Belege sammelten, die sie als unabweisbar bewerteten. Für Gropp trieb Bloch »Mißbrauch mit dem Marxismus«, war »unwissenschaftlich«, gar »antiwissenschaftlich« und brachte »antisowjetische Tendenzen zum Ausdruck«, denn: »Durch ihre scheinmarxistische Einkleidung erhält die Philosophie Ernst Blochs Züge einer ideologischen Demagogie.«

Wo Gropp in dieser Verdammung Lücken läßt, springen die minderen Geister ein und beschuldigen den Denker der »Spontaneitätstheorie«, also des Luxemburgismus, des Subjektivismus und was dergleichen fürchterliche Verrätereien noch sein mögen.

Endlich liefert Horn die Rundumschau: »Schwerlich ist es ein Zufall, daß sich der Streit um die Philosophie Ernst Blochs besonders nach dem XX. Parteitag der KPdSU zuspitzte und zu einer immer grundsätzlicheren Abgrenzung marxistischer Philosophen von seinen Ideen führte. Denn dieses welthistorische Ereignis, das u. a. kühn die Fehler aufgedeckt hatte, die durch Personenkult und Dogmatismus auch auf dem Gebiet der marxistischen Philosophie entstanden waren, wurde von bestimmten Kräften auch bei uns erheblich mißverstanden und in einer Weise auszulegen gesucht, wie es schlechterdings nicht auszulegen ist.

Zusammen mit bestimmten Forderungen des VIII. Parteitags der Kommunistischen Partei Chinas, zum Beispiel der Forderung, »alle Blumen blühen zu lassen«, wurden einige Losungen des XX. Parteitags so verstanden, als brauche man das Prinzip der Parteilichkeit in der Philosophie nicht mehr allzu ernst zu nehmen, als müsse man sich vielmehr nun auch auf solche »Probleme« orientieren, die von der bürgerlichen Wissenschaft und Philosophie aufgeworfen werden. Die Schlußfolgerungen dieser Kreise – nicht nur bei uns – aus dem XX. Parteitag der KPdSU waren liberalistisch und versöhnlerisch; sie übersahen, was N. S. Chrustschow expressis verbis bereits auf dem Rechenschaftsbericht des ZK der KPdSU klar und eindeutig ausgesprochen hatte: Aus der Notwendigkeit der ökonomischen und politischen Koexistenz der beiden Weltlager dürfe keinesfalls ein friedliches *ideologisches* Nebeneinander geschlußfolgert werden. Schließlich wurde immer deutlicher, daß sich hinter der Losung des ›Kampfes gegen den Dogmatismus‹ eindeutig revisionistische Absichten verbargen. Dies hat besonders R. O. Gropp deutlich ausgesprochen.«

Auf die historische Einordnung folgen zentrale Anwürfe im Detail. Bloch ist »Verführer der Jugend«. Sein »Kardinalfehler« besteht darin, daß er »den Schwerpunkt auf den subjektiven Faktor« legt, endlich aber: »Wir wissen, wie Friedrich Engels in seiner Schrift *Die Entwicklung des Sozialismus von der Utopie zur Wissenschaft* die Grundfrage der Philosophie beantwortet hat. An dieser Konzeption kann nicht gerüttelt werden.«

Genau das tat Bloch – er rüttelte an den Grundfragen. Und wagte ganz andere Grundfragen aufzuwerfen. Mit Bloch zugleich wird Georg Lukács abgeräumt. Wobei sowohl Gropps wie Horns Deduktionen in sich schlüssig sind. Horn erlaubt sich gar Zugeständnisse an Blochs Werk, soweit es ephemere Teile betrifft, das Ganze aber wird verworfen. Sagt's über hundert Seiten hin, nimmt einen Strick und hängt sich auf.

Im Mittelpunkt der Abrechnung steht des Philosophen Hauptwerk *Das Prinzip Hoffnung*. Nehmen wir also die Verurteiler beim Wort und lesen es mit den Augen seiner Verächter, etwa Kapitel 19: »Weltveränderung oder die elf Thesen von Marx über Feuerbach«, wozu wir uns schon mehrfach äußerten. Und siehe da, Gropp wie Horn diagnostizieren mit Recht, der 1949 aus dem US-Exil in die DDR gekommene Bloch legte bereits mit dem 1954 beim *Aufbau-Verlag* erschienenen Band eins seines Hauptwerkes Partei und Staat ein veritables Kuckucksei ins Nest.

Wer arglos oder schlichten Gemüts ist, kann eine brillante Verteidigung der Sowjetunion herauslesen. Wer genauer hinschaut, findet eine wesentlich differierende Theorie, deren Abweichungen von den Wächtern als Revisionismus zu brandmarken war. Dies ist der Punkt, den Friedrich Dieckmann in seinem Brief an Jan Robert Bloch nicht sieht und den Jan Robert zwar sieht, aber im Unwillen über den Vater zu gering gewichtet. Gerade indem der Sohn die Autonomie Blochscher Philosophie bejaht, betrachtet er sie durch des Vaters Agieren in der DDR als von blinder Treue überschattet.

Tatsächlich aber war mit Blochs Einzug in die DDR ein Deal verknüpft: politisches Wohlverhalten gegen relative Gedankenfreiheit mit Prominentenstatus. Als er 1956 diesen Handel politisch und öffentlich aufkündigte, wurde sein wichtigstes Privileg, der Zugang zum Lehrstuhl, gekappt. Jetzt war die Subversivität des Hauptwerks offiziell angreifbar geworden.

Rätselhaft scheint nur, weshalb der Angegriffene sich auch noch jahrelang demütigte, gar verleugnete und unbedingt im Osten bleiben wollte. Wären er und Karola beim Mauerbau nicht zufällig auf Westreise gewesen, hätten sie dann die DDR verlassen wollen? Wohl kaum, und damit sind wir beim gravierenden Analysefehler des Philosophen, der den Roten Oktober überhöhte und sich ein Ende von Sowjetunion samt DDR einfach nicht vorzustellen vermochte. Wer aber sah das schon voraus – bis es 1989/90 binnen kürzester Zeit geschah.

Zu Blochs Konzeption der doppelten Revolte gehörte nach dem Abschied von Bürgertum und Kapitalismus auch der Abschied von der Philosophielosigkeit der Partei-Ideologen. Dabei verhielt er sich taktisch, denn nur im Moskauer Kraftfeld ließen sich seine Ideen Richtung Reformation realisieren, soweit sie überhaupt realisierbar waren. Sich heftig, hitzig, listig und hochgemut auf Marx berufend, widersprach er der Partei, die das Ende der Philosophie verkündete und das Recht auf Weltveränderung einzig ihren Politbüros zubilligte, d. h. deren jeweiligen Gottheiten.

Bloch lehnte das ab, in Sklavensprache zwar, doch entzifferbar für den, der es entziffern wollte. Seine Schriften sind von Anbeginn ein einziges Werk revolutionär engagierter Subversion. Das setzte er ab 1961 im westlichen Tübingen fort, wo die antiöstliche Subversion begierig notiert, die antiwestliche Subversion mit Fleiß nicht wahrgenommen werden sollte. Man nutzte den Philosophen gegen den Osten, wie er dort vorher gegen den Westen in Stellung gebracht worden war. Und beides ist nicht falsch, tangiert jedoch nur die äußere Hülle. Die jüngeren östlichen Philosophen sollen damit keineswegs diffamiert werden, sie hatten Beschränkungen und Maßregelungen genug durchzustehen, doch der Grundkonflikt wurde mit dem Revisionismus-Urteil gegen Bloch ein für allemal disziplinarisch entschieden, wonach freies, autarkes, autonomes Philosophieren nicht stattzufinden hatte. Partei und Staat schrieben auf Ewigkeit vor, sich an die genehmigten Axiome und Deduktionen zu halten, was den Sammelband über Blochs Revisionismus zur frühen Sterbeurkunde der DDR werden läßt. Im Schmuck ihrer verminderten, ja gefesselten Fähigkeit zu Analyse und Prognose marschierten Partei und Staat siegesgewiß ihrem Ende zu, das sie schließlich nur noch taumelnd erreichten.

Als ich im Kalten Krieg mehrfach Renegat genannt wurde, gab ich den Schimpf zurück und beschuldigte die Partei des Renegatentums, was Bloch gefiel, denn er wollte weder Renegat noch Exkommunist sein. In den orthodoxen Kommunisten sah er eine Art von bockigen Schülern, die sich weigerten, seine Lehre anzunehmen und ihr System zu modernisieren. Seine Distanz zur Kapitalgesellschaft blieb davon unbetroffen, also stabil.

Die Tübinger Zeit von 1961 bis 1977 brachte dem dreimal Exilierten viele Ehrungen sowie allerhand Unverstand und Anfeindungen ein. Wesentliche Konfrontationen mit existentieller Gefährdung blieben aus. Allerdings gingen gerade die Freunde und Rezensenten nicht aufs Ganze, was zu Konflikten vergleichbar denen im Osten hätte führen können. Insofern war der Osten ehrlicher als der Westen, wo man sich in Sticheleien einerseits und feuilletonistischer Panegyrik andererseits gefiel, von der installierten Philosophie gar nicht zu reden, die im Abendland sich schnell wechselnden Moden anbiedert und das Eingreifen in die häßlichen Realitäten mokiert ablehnt. Um auch den geringsten Ansatz hierfür zu unterbinden, halten sich die Konzerngewaltigen und Medienriesen ihre westlichen hauseigenen Gropp und Horn. Charakterstärke gilt dabei nur als rufschädigend und jobgefährdend. Der Börsenkurs regiert, und Regierung wie Opposition werden mit den mediokren Weisheiten ihrer zuliefernden Thinktanks gespeist. So entstehen un- und antiphilosophische Systeme.

Zwei Punkte sind hier nachzutragen. Als erstes muß ich meine bisherigen Auskünfte über Blochs Versuche, mich zu einer Arbeit über Sklavensprache zu animieren, differenzieren und berichtigen. Zur Komplexität von Sklavensprache äußerte ich mich mehrfach, doch ging mir Blochs Intention, mich zu veranlassen, sein eigenes Lebensabenteuer, das Einschmuggeln seiner Philosophie in eine unwillige, feindliche Umwelt zu entschlüsseln, in ihrer vollen Bedeutung erst jetzt auf. So mag Wolfram Burisch-Wieler des Philosophen Worte kurz vor seinem Tode nicht ganz falsch verstanden haben, in denen Bloch ihn und mich als »Erben« bezeichnete. Unabgegolten bleibt für mich das Kapitel Sklavensprache, auf die ich nicht eingehen wollte, weil ich eine Marotte des Meisterdenkers argwöhnte. Das tut mir verdammt leid.

Dabei hätte ich es besser wissen müssen. Es fehlte nicht an Hinweisen, zum Beispiel in *Atheismus im Christentum* (1968), Seite 30, Blick auf Sklavensprache: »Der Kuschende spricht, was man oben hören will. Auch das ist Sklavensprache, ihr Wurm krümmt sich, ihr Hund wedelt, seit je. Doch nicht diese Art, die schlechthin bloß untertänige, nichts verbergende, hat eine Form, die gerade im unterirdischen Text, dem gesuchten, zu denken gibt. Vielmehr die andere Sklavensprache fällt auf, die den Herren gefährliche und deshalb vor ihnen maskierte. Sie wurde noch nie so eigens, sozusagen formgeschichtlich, erforscht, wie sie es verdient; obwohl das auch bibelkritisch recht lehrreich wäre. Denn sie ist nicht wie Texte, die von oben her erst nachträglich verändert oder eingefügt wurden, sie maskiert vielmehr von unten her und freiwillig. Der Ausdruck Sklavensprache ist vermutlich russisch ...«

Das sind deutliche Spuren. Weshalb brauchte unsereins so lange, sie zu lesen?

Als zweites steht in Frage, was unsere kleine Leipziger Tragödie ein Halbjahrhundert danach noch bedeuten kann.

Unser Versuch, Blochs doppelte Revolte als universal gültig zu verifizieren, zählt zur Abtragung einer Dankesschuld. Bedienen wir uns etwa der von Bloch weiterentwickelten Gestaltlehre, weist die Berliner Republik nach der Einverleibung der DDR unleugbare Anzeichen lähmender Redundanz auf, die an den mindestens teilweise selbstverschuldeten Niedergang von DDR und Sowjetunion erinnern. Synchron dazu verläuft die Minimalisierung von Philosophie, soweit sie autonome Geltung besitzt. Mit Heidegger und Bloch verstarben die letzten beiden Antipoden. Adorno und Horkheimer verkörpern unterdessen nur noch das Nachkriegszugeständnis von Politik und Ökonomie an eine Situation, die auf die Niederlage von 1945 folgte. Ihr Nachfahr Habermas interpretiert den Rückfall in die Klassengesellschaft als Kommunikationskultur, obwohl die Kommunikation immer mehr Teilnehmer ausschließt und zum Herrschaftsmonolog, nein: zum Monolog von Herrschaften und erschlichener Prominenz, verdirbt. Den Rest erledigen die elektronischen Medien mit Bildern und Geplapper, mit Ausnahme einer einzigen TV-Philosophiesendung zu später Stunde.

Mag sein, was im Osten Verbote waren, ist im Westen Resultat ferngesteuerter Dramaturgie und Anarchie. So funktionieren die verschiedenen Blockaden zentriert in der Verhinderung autonomer Ideen, bis die Abwesenheit freier Reflexion im Mord an der Philosophie eskaliert, deren vakante Stelle die Adepten konservativer Unheilslehrer von gestern einnehmen.

War die DDR der unzureichende, hinkende Versuch eines linken Deutschland, und so sah es Bloch, wird die Berliner Republik zur konservativ-neoliberalen Variante mit Verzicht auf einen Führer und seine Diktatur, weil der Verlust von anderem Denken, Pluralität, Alternative und Freiheit als kommodes Ziel längst akzeptiert ist von denen, die es nicht mehr anders wissen sollen, wo nicht dürfen. Der schleichende Entzug von Philosophie führt zum selben Resultat wie ihr Verbot.

Der Blick in die Runde zeigt acht unterschiedliche theoretische Richtungen:

1. Den statischen Akademie-Marxismus der Frankfurter Schule.

2. Den unterbrochenen revolutionären Marxismus der Leipziger Bloch-Schule.

3. Die Aufklärungs-Unternehmen des Ludwigshafener Ernst-Bloch-Zentrums samt der Herausgabe des jährlichen Bloch-Almanachs.

4. Die pluralen bis dissidenten Bekundungen der Ernst-Bloch-Assoziation.

5. Die feuilletonistische Nutzung Blochscher Zitate.

6. Die verstreuten wissenschaftlichen Einzelarbeiten sowie die Biographien und Werkanalysen von Silvia Markun, Peter Zudeick, Burghart Schmidt, Hans Heinz Holz.

7. Die von Jan Robert Bloch aufgenommene »Allianztechnik«, das Blochsche Rot ins ökologische Grün ausweitend, was sich mit der Naturphilosophie des Vaters gut begründen läßt, zugleich aber am expreßhaft verlaufenden Abnutzungsprozeß grüner Politik laboriert.

8. Analog zu Hegel, Marx und Trotzki sind linke und rechte Blochianer zu unterscheiden, wobei die Linke auf Autonomie besteht und die Rechte sich verfügbar macht.

Offen bleibt die Frage nach dem philosophischen, literarischen und nicht zuletzt politischen Stellenwert. Wir meinen, Blochs nachwirkende Bedeutung und die zeitgeschichtliche Aktualität im 20./21. Jahrhundert erfordern sowohl die Einordnung Blochs in die Genealogie des revolutionären Marxismus als auch die Feststellung seiner autonomen Position. Daraus ergeben sich zwölf Bloch-Thesen:

1. Im Jahr 1956 versagte die SED-Führung, indem sie den Versuch Chruschtschows zur modernisierenden Entstalinisierung sabotierte. Daraus resultierte der spätere Zusammenbruch.

2. Die Bonner Republik versagte in der Abrechnung mit dem Dritten Reich, indem sie das Potsdamer Abkommen mit seinen Forderungen nach Entnazifizierung und Entmilitarisierung sabotierte. Daraus resultierte ein äußerst fragwürdiger Sieg.

3. Die Berliner Republik beging kollektiven Vaterverrat, indem sie das Gelöbnis nach 1945 »Nie wieder Krieg« in eine mobile Kriegsbereitschaft verfälschte, statt sich auf deutsche

Grunderfahrungen aus Krieg und Niederlage zu berufen und als Staat ohne Armee Furore zu machen.

4. Im 21. Jahrhundert wird Bloch vom Zukunftsdenker zum Gegenwartsphilosophen. Unter der zerfallenden Oberfläche historisch überholter Klassenstaaten deutet sich Blochs Neu-Land an. Es wird darauf ankommen, sich nicht, wie die Ur-Christen durch Kaiser Konstantin, in die staatliche Kriegspflicht nehmen zu lassen.

5. Die elfte Feuerbach-These von Marx lautet: »Die Philosophen haben die Welt nur verschieden interpretiert, es kommt darauf an, sie zu verändern.« Blochs Philosophie legt nahe, die These subjektbezogen zu komplettieren: »Die Philosophen haben die Welt nur verschieden interpretiert, es kommt darauf an, *sich* zu verändern.«

6. Die Ablehnung Blochs durch orthodoxe Marxisten einerseits und orthodoxe Christen andererseits liegt im pluralrevolutionären Charakter seiner Philosophie begründet, die ein permanentes Engagement für humane Erneuerung verlangt.

7. Blochs Forderung »Schach statt Mühle« ist, zeitlich ungebunden, als Adresse von unten nach oben zu verstehen: Die Regierenden verfehlen die Interessen der Regierten, solange es Herren und Knechte wie Reiche und Arme gibt.

8. Das aus kriegerischen Vergangenheiten resultierende herrschende Geschichtsbild wird von Intellektuellen nach den Tagesbedürfnissen der Politiker ausgerichtet, die wiederum der Ökonomie gehorchen. Der karrieristische Opportunismus des Amtsbetriebs in Wissenschaft und Medien bagatellisiert oder unterschlägt die freiheitlich-alternativen Anteile im Geschichtsprozeß.

9. Das Ende des Staatssozialismus leitet über den Versuch, ein globales US-Kapital-Imperium zu bilden, das Ende des Kapital-Systems ein. Die Alternative lautet: Zurück in die dunkle Welt der Troglodyten oder Transformation des Feindes in den Menschen.

10. Die Bezeichnung Blochs als Hoffnungsphilosophen verführt zum Feuilletonismus. Seine entscheidenden Kategorien heißen »Trotz und Hoffnung«.

Beides nennt Blochs doppelte Revolte als Haltung genauer beim Namen.

11. Bloch wurde zum revolutionären Philosophen eines demokratischen Sozialismus, den die SPD aus Opportunismus verabschiedet und die PDS aus Unlust und Schwäche verfehlt.

12. Die Eingangstriade in Blochs Buch *Spuren* lautet: »Ich bin. Aber ich habe mich nicht. Darum werden wir erst.« Diese kulturelle Weltformel entscheidet über die Zukunftsfähigkeit des homo sapiens. Wer Freiheit und soziale Rechte beschneidet, der existiert zwar, hat sich aber nicht als Mensch und verhindert sein Werden.

In Blochs Land

Inzwischen erleben wir weitere Rückzüge vom Sozialstaat. In der *FAZ* samt ihrer Sonntagsausgabe *FAS* häufen sich Gewerkschaftsanfeindungen und Kriegsgesänge. Natürlich ist die Gilde plural, zumindest in der Scheinheiligkeit, doch die Scharnierfunktionsfedern verstehen es, ihre Neuausgaben der Carl Schmitt und Friedrich Sieburg perfekt in Szene zu setzen. Die Übertritte ehemals Linksradikaler zur Einheitsvolkspartei der kenntlichen Gespenster häufen sich, aus der intellektuellen Diktaturreserve wachsen die Aktivisten des Verrats nach. Das Volk ist zwar sauer, doch verzagt und passiv, die Gewerkschaften denaturieren Richtung Arbeitsfront. Das Dunkel gelebter Augenblicke macht blind genug, daraus Konvention werden zu lassen, die eine Allmacht der Gewöhnung an das angeblich Unvermeidliche mit sich bringt. Mich dauern die Wälder, in Mengen abgeholzt, damit es nicht an Papier fehle, die Lügendruckmaschinen in Gang zu halten. Der Kahlschlag an den Bäumen wird begleitet vom Orgeln der elektronischen Massenmedien, die ihren Sermon dazu liefern.

Doch darf das nicht das letzte Wort der Kulturgeschichte sein, denn es wäre als ökonomische Globalisierung zugleich politische Entpluralisierung, also permanente Konterrevolution, in der die Sozialisten und Kommunisten endgültig verschwunden sind und auch kein einziger Sozialdemokrat mehr Platz hat.

Unsere 56er Revolte in der DDR greift, weitergedacht, über die engen Grenzen von Ort, Zeit und System hinaus, weshalb sie mit gutem Grund dem Vergessen zu entreißen ist. Bloch war kein Hoffnungspastor, schon sein Hauptwerk hätte er vorbeugend *Das Prinzip Trotz und Hoffnung* nennen sollen, auch wenn er selbst lediglich die Aristotelische und Lessingsche »Furcht- und Mitleid-Dramaturgie« in die von »Trotz-und-Hoffnung« verwandelt sehen wollte. Im Wort Trotz schwingt oratorisch der Name Trotzki mit, den mitzudenken Bloch wie Lukács versäumten, weil sie sich eng an die jeweilige Gang sowjetischer zentraler Obrigkeit hielten, insofern verengt und ideologisch verkürzt im analytischen Blick. Ihr Impetus, human und antibürgerlich zu sein, zwang ihnen eine innerkommunistische Disziplin und Taktik auf. Wer dem 1929 von Stalin verbannten Trotzki anhing, verspielte seine Möglichkeiten im sowjetischen Machtbereich.

Das Manko erwies sich zugleich als Stärke. Wäre der nach Moskau emigrierte Lukács auch nur in den vagen Verdacht auf Trotzkismus geraten, hätte man ihn nach der Verhaftung durch den NKWD nie mehr freigelassen, und daß es überhaupt geschah, ist sowieso ein bis heute nicht aufgeklärtes Wunder.

Bloch wiederum hätte als ein Trotzki auch nur in Ansätzen verbundener Denker nie aus dem US-Exil in die DDR übersiedeln dürfen, ein Land, das immerhin vielen Antifaschisten eine Insel der Hoffnung gewesen ist und dessen Existenz wir nicht missen möchten, auch wenn der kleine Staat der Übermacht seiner Gegner in West und Ost erlag, nicht zu vergessen die eigenen Feinde im Politbüro, die ganze Arbeit leisteten. Daß und wie aber sich dieses Experiment vier Jahrzehnte hindurch halten konnte, ist der genauen, fairen Analyse und Sympathie wert. Mindestens zwang diese DDR die Bonner Republik dazu, ihre Nazi-Hinterzimmer zu lüften, was noch zögerlich und unzureichend genug geschah.

Nach dem Ende des zweiten deutschen Staates wird der Versuch Blochs, eine freiere Gesellschaft zu begründen, zur Brücke über die schwarzen Abgründe des Nihilismus.

Unser zugleich verspätetes wie verfrühtes Buch der Erinnerung ist der bescheidene Versuch, die unterdrückte, zerschlagene und zerstreute Leipziger Schule fortzusetzen. In diesem Sinne kann es eine unfromme Botschaft der Blochianer sein, seien sie im einzelnen nun Juden, Christen oder Atheisten. Wir widerrufen die von uns eben erst verkündete Bescheidenheit und erklären freiweg den Versuch, das Erbe Blochs damit anzutreten, und sei es nur, weil andere es versäumten oder daran gehindert wurden.

Was hätte aus einer Leipziger oder Tübinger Bloch-Schule werden können, in Ergänzung der Frankfurter Kritischen Theorie Adornos und Horkheimers und ihrer Schüler, soweit sie nicht ihren Lehrern und sich untreu wurden um der Karriere willen. Blochs Überschuß an strategischer Phantasie erst vervollständigt den Schub marxistischer Reformation. Ohne ihn bleibt es bei der verhängten Dunkelheit in Wort, Schrift und Tat.

Wir halten inne bei der Vorstellung, die 56er hätten sich in der DDR mit Harich, Janka, Behrens an der Spree wie mit den Blochianern an der Pleiße frei entwickeln können. Ohne Repression, Berufsverbote und Haft wäre der Kern einer lebendigen Kommunikations-Gesellschaft DDR entstanden. Wie viele Leben wären im »Aufrechten Gang« anders verlaufen. Das sei undenkbar? Utopie? Fatalerweise führte gerade der Sieg der Partei zum bitteren Ende, weil der Verlust innerer Pluralität den Verlust der Alternative nach sich zieht. Der Absturz wird unvermeidbar, und wer die drohenden Anzeichen des Niedergangs nicht beizeiten wahrnimmt, der ist verloren, unabhängig von System, Gesellschaftsverfassung und guten Absichten der Verantwortlichen.

Mir selbst verhalf Blochs Beispiel heraus aus Depression und Menschenverachtung, die das Resultat von sechs Jahren Krieg und Gefangenschaft waren. Diese Jugendzeit mit ihren psychischen Verhärtungen ließ sich erst überwinden, als ich am Leipziger Institut mühsam lernte, wie man das Feld seiner Affekte wechselt, seine Emotionen per Erkenntnis zügelt, ohne sich aufzugeben. Bloch teilte sein Wissen in einer Form mit, die der üblichen Streitigkeiten entbehrt.

Das eben ist sein Begriff von »Front«, es geht ums Gelingen, nicht ums Niederreißen. Des Philosophen Haltung vermittelt den Eindruck des Fährtenlesers, der Spuren verfolgt und sympathisierende Spannung erzeugt, weil er andere mitzunehmen bereit ist. Leider gefallen sich viele Autoren, die über Bloch schreiben, in der lediglich referierenden Pose. Ihre belesene, wo nicht bloß angelesene Klugheit mag bei ihresgleichen im Hochschulzirkus Eindruck schinden. Die nötige Kraft, sich den eigenen Anlagen gemäß zu entwikkeln, bleibt außer Betracht.

Wenn ich Blochs Philosophem von der »Dunkelheit des gelebten Augenblicks« dessen Helligkeit entgegensetze, verdanke ich unserem Lehrer den Anstoß zu einer vordem nicht begrifflich zu erfassenden Erfahrung. Als der Neunzehnjährige im August 1944 den Entschluß gefaßt hatte, nicht mehr zu zögern, sondern endlich Schluß zu machen mit der Wehrmacht, fühlte er sich geradezu euphorisch, dunkel wurde es erst danach in der Gefangenschaft. Im Rückblick jedoch fühlte ich mich erleichtert, weil ich es riskiert hatte. Nicht anders 1956, als wir wenige waren, die ganz und gar auf Opposition setzten, was den Bruch immer wahrscheinlicher werden ließ.

Einen eigenen Weg zu gehen, Entscheidungen zu treffen, die unwiderruflich sind, hellt das Leben auf. Philosophie muß nicht einfach befolgt, sondern reflektiert werden, bis eine neue existentielle Erkenntnis daraus erwächst, die dich und deine Lebensführung bestimmt.

Literaturgeschichtlich verdanke ich Blochs Sicht auf die Todessehnsüchte der Romantik das Verständnis für seine Art der Überwindung. Schopenhauer lernte wie Friedrich Engels die »Lage der arbeitenden Klasse in England« kennen und sah nur seinen Pessimismus bestätigt. Engels war mit Marx auf den Ausweg der Revolution verfallen, während Nietzsche seinen von Schopenhauer entliehenen Griesgram mit Dionysos, dem Gott des Weines und der Ekstase zu überwinden suchte. Das imponierte Bloch, der dem Sachsen Nietzsche seinen rheinländischen Marx und beiden das eigene südlich-barocke Ich aufmontierte.

Die Distanz zwischen dem orthodoxen Marxismus und Bloch skizzierte Ingrid in ihrem Beitrag zur Rowohlt-Anthologie *Man müßte nochmal 20 sein ...*: Meine »Goldenen Zwanziger« fanden »drüben« statt und waren mehr rötlich als golden. Der neue Staat vermittelte seinen Zwanzigjährigen das Gefühl, sie würden ungeheuer gebraucht. Entsprechend angespornt und zuversichtlich gingen wir ran. Wenn sich der Professor, an dessen Philosophischem Institut in der Karl-Marx-Universität Leipzig ich studierte, ein Lied wünschte, dann klang das so: »Du hast ja ein Ziel vor den Augen, damit du in der Welt dich nicht irrst, damit du weißt, was du machen sollst, damit du einmal besser leben wirst ...« Es wurde viel und gern gesungen in der DDR, der Professor favorisierte diesen Text, besonders die erste Zeile muß Ernst Bloch wie eine ganz praktikable Kurzfassung seiner eigenen Philosophie erschienen sein. Verständlich, daß er sich aus dem Liederschatz nicht etwa auswählte: »Die Partei, die Partei, die hat immer recht ...«

Soweit eine Erinnerung Ingrids an die DDR-Gesänge.

Fragt sich, welche Lieder man in der BRD bevorzugte. Zwei Tage nach seiner Wiederwahl zum Bundespräsidenten hielt Theodor Heuss 1954 eine Gedenkrede auf die Opfer des deutschen Widerstandes – am Vorabend des 20. Juli, da waren die Kommunisten schon wieder ausgegrenzt, was die Verbindung zu 1933 schafft, als Heuss Hitlers Ermächtigungsgesetz zustimmte. Die *FAZ* erinnerte am 23. Juli 2003 daran, ohne die Kommunisten zu erwähnen. Heuss habe von »Kollektivscham« statt von »Kollektivschuld« gesprochen, Zitat: »Die Scham, in die Hitler uns Deutsche gezwungen hatte, wurde durch ihr Blut vom besudelten deutschen Namen wieder weggewischt.« So Heuss anno 1954. Mit »ihr Blut« ist das der Opfer vom 20. Juli 1944 gemeint, aus ihrer vorherigen Täterschaft als hohe Militärs stammendes vergossenes Blut bleibt unerwähnt. Die Kommunisten hätten eben ab 1933 auch für Hitler stimmen und seine Kriege führen müssen, um ehrend gewürdigt zu werden. In bürgerlichen Augen waren Kommunisten vor wie nach 1945 Terroristen, ihr Widerstand mußte aus dem kollektiven Gedächtnis getilgt werden, damit die gewünschte alte Normalität herrsche.

Die Niederlage der Sowjetunion im Kalten Krieg gab den Bonner Konservativen die Gelegenheit zur Kompensation ihrer Niederlage von 1945. Man zählte zu den Siegern im Weltbürgerkrieg, die Bahn wurde frei für Rückfälle in frühere Räuberzeiten. Das deutsche Gemüt, assistiert von rührigen alten wie neuen Rechtsintellektuellen, entlastete sich vom Holocaust, indem es die Legitimität seines liquidatorischen Antikommunismus unterstellte. Warum auch sollte der heiße Krieg von 1941-1945 ein Verbrechen gewesen sein, wenn die gewünschte Teilhabe am Kalten Krieg so erfolgreich verlaufen ist, wie alle Welt findet.

Mit dem Untergang der Sowjetunion wurde das politische Gleichgewicht der Welt etappenweise, aber nachhaltig gestört. Die alten nationalistischen, rassistischen und religiösen Konflikte verbinden sich mit den eskalierenden Konflikten der Globalisierung, so daß ein Jahrhundert globaler Kriege bevorsteht, das zu verhindern oder wenigstens zu mildern es aktivierender, humanisierender Strategien bedarf. In der Berliner Republik werden dagegen älteste deutsche Strukturen bis zur Brauchbarkeit modernisiert, denn es bedarf des Gefühls nationaler Unschuld, soll die Beteiligung an neuen Eroberungen und Besatzungen als notwendig gerechtfertigt werden.

Seit vielen Jahren gehört die FAZ-Beilage »Geisteswissenschaften«, betreut von Henning Ritter, zu den Glanzstücken der *Frankfurter Allgemeinen.* Am 9. 7. 2003 schießt der Redaktionsleiter Salut am Grabe des eben verstorbenen Rechtsintellektuellen Armin Mohler. Dessen Dienerschaft bei Ernst Jünger, die schülerhafte Nähe zu Carl Schmitt, die Hilfen der Siemens-Stiftung, alles das wird als Wanderweg des Geistes interpretiert. Einer der unschuldigen Ritter-Sätze lautet: »Nachdem der gebürtige Schweizer 1942 als Kriegsfreiwilliger über die Grenze nach Deutschland gegangen und noch im selben Jahr zurückgeschickt worden war, warteten Militärgericht und Haft auf ihn.« Einfacher ausgedrückt: Mohler wollte zu den Nazis und wurde nicht akzeptiert. So gelangte er erst nach dem Krieg zu Schmitt und Jünger und wurde zum geistigen Repräsentanten der »Konservativen Revolution«.

Henning Ritter gedenkt des Armin Mohler ganz objektiv. Fortan werde ich Ritters Artikel genauso objektiv lesen, nur denke ich dabei an die Juden, Antifaschisten, Genossen, Deserteure, die es in die Schweiz schafften, ganz im Gegensatz zur Mohlerschen Richtung, und ich erinnere mich an diejenigen, die nicht entkamen, festgenommen oder von den Schweizern »an die Grenze gestellt«, d. h. den Nazis übergeben worden sind. Ja, was denn, wäre ich wirklich auf den superben FAZ-Journalismus hereingefallen? Aber nein, der Mann zählt zur liberalen Elite des Landes genau wie der Schweizer Mohler. Stahlhelm, Sturmgewehr und Hirnriß befinden sich reglementgemäß auf Abruf im Schrank. Die Liberalität bleibt knüppelhart konservativ. Für den Antifaschismus haben die Herren nur Verachtung übrig. Kein Wunder bei den Verwandtschaften. Also spüren sie ihre neuen Helden unter den alten Stahlhelmen auf. Nur Unbelehrbare wie unsereins können die Frauen und Männer nicht vergessen, die Hitler schon vor 1933 bekämpften und dafür büßen mußten. Als ab 1933 der Terror zu wüten begann, hörte ich Arbeiterfrauen aus der Nachbarschaft in Sachsen klagen: Sie holen uns unsere Männer weg! Einige kehrten zerschlagen und krank zurück. Jetzt sagten die Frauen: Sie haben unsere Männer kaputtgemacht! Das war erst der Anfang, und so etwas erfahren zu haben und nicht zu vergessen macht immun gegen die modische Verachtung des Antifaschismus.

Gleich unter Ritters Mohler-Tedeum wird des Rainer Maria Rilke gedacht – eingangs mit einem schönen Zitat von Ernst Bloch. Wir aber stellen uns den Philosophen vor, wie er dazwischenfährt: »Seit der deutsche Redakteur die ›Verantwortung‹ dafür übernommen hat, das Gegenteil der Wahrheit zu schreiben, wird ihm die subjektive Lumperei durch Öffentlichkeit erleichtert und sozusagen objektiv gemacht. Der Schriftleiter lebt in allem diesseits der Macht und ist ein armer Hund, der kuscht. Doch nach der großen Umwertung der Werte steht die Sklavenmoral, sobald sie schreibt, auch jenseits von wahr und falsch« (*Erbschaft dieser Zeit*).

Am 26. Juli 2003 finden sich schon die nächsten Bloch-Sätze in der *FAZ*, zitiert in bester antirassistischer Absicht. Ich bin darüber genauso erstaunt wie Ingrid. Ein Links-Blochianer, der im Zentralorgan zu Worte kommen darf? Dafür wird im Feuilleton Ernst Jünger als Pariser Besatzungsoffizier gewürdigt, mit ihm der verunsicherte Militärbefehlshaber in Frankreich, General Otto von Stülpnagel, der sich als Hitlers Massenliquidator in der französischen Hauptstadt nicht besonders wohl fühlte und am 15. 2. 1942 sogar abtrat.

Kommunistische Widerständler erschossen bei ihren Aktionen eine ganze Anzahl deutscher Soldaten, besser wäre gewesen, eine Bombe auf die Hotels zu werfen, in denen höhere Besatzungsoffiziere logierten, doch die alliierten Kampfflieger fanden diese Ziele, welch Wunder, auch nicht. Jüngers aber wird ehrfurchtsvoll gedacht, weil und wie er die disziplinierte Gelassenheit schilderte, die französische Geiseln aufbrachten, als sie exekutiert wurden. Selbst so viele Jahre nach den Ereignissen kapieren Deutschlands nachgewachsene Edel-Federn nicht, daß der hochgepriesene Stil dieser Stahlgewitter-Posen nichts weiter verrät als die Hirn- und Herzlosigkeit des Verfassers.

Eine von Bloch gern genutzte Anekdote erzählt vom Rüstungsbetriebsarbeiter, dessen Freund ihn bittet, ihm schwarz einen Kinderwagen zu bauen, weil seine Frau kurz vor der Entbindung steht. Der Mann sagt zu. Nach Monaten, der Säugling ist schon lange geboren, erinnert ihn der Freund an sein Versprechen. Darauf der Arbeiter: »Ich kann machen, was ich will, es wird immer wieder ein Maschinengewehr draus!«

Die Anekdote enthält die Existenzformel der deutschen Rechtsintellektuellen, selbst wenn sie sich postmodern verkleiden. Ihre Ganglien stecken in Uniform.

Auch in der Welt des (sich selbst) berauschenden Feuilletons mangelt es nicht an Mirakeln. Am 28.7.2003 fragt die *FAZ:* »Ist der intellektuelle Waffengang gegen das weibliche Geschlecht ... also Ausdruck einer ansonsten unbefriedigten martialischen Sehnsucht der Nachkriegsgeneration?« Das bezieht sich auf einen zuvor im eigenen Blatt betriebenen Antifeminismus, könnte aber auch die changierende Lust am Krieg signalisieren. Sieburg, Ernst Jünger und Carl Schmitt stehen den Elite-Schreibern allemal näher als Adorno/Horkheimer, von Bloch zu schweigen. Natürlich gibt's unterm Strich einige Partisanen, die nicht auf ihm rumspazieren. Pluralität wird geboten, das gehört zum Geschäft, es muß liberal aussehen, die Fäden halten diejenigen in der Hand, deren unbefriedigte martialische Sehnsüchte und Aggressionen immer wieder durchbrechen.

Der essayistische Bloch arbeitet im Sprachduktus mit Verdichtung und Abschweifung bis hin zum Anekdotischen, der lässigen Gangart folgt höchste Konzentration und umgekehrt. Es hebt an mit Sätzen wie Donnerschlägen: »Man ist. Das ist zu wenig, ja das wenigste.«

Der Philosophiegeschichte bemächtigt er sich per Digitalisierung, kleinste Partikel werden transformiert in vordem unbekannte Sichtweisen, Zusammenhänge, provokatorische Verfremdungen.

Nicht wahrgenommene Möglichkeiten erscheinen als verpaßte Wirklichkeiten. Ein anderer Verlauf wäre möglich gewesen ... Eine andere Welt ist möglich ... In Blochscher Sicht ist das Retardieren auf Konservative wie Sieburg, Jünger, Schmitt Ausflucht und Rückgriff auf Nietzsches »ewige Wiederkehr des Gleichen«, auch »Wiederkehr des ewig Gleichen« genannt, ein fatalistisches Karussell der Geschichte, immer im Kreis herum, während Bloch den fatalen Kreislauf aufbricht. Er kann sich dabei irren und gefährden, wie es den Partisanen geschieht, die anderen aber, sture Mitgänger der Macht und zurückstrebend zu den ungerechten Vätern, leben in der ewigen Wiederkehr ihrer Feigheiten.

Die Karussellbewegung der Neokonservativen mit ihrer intellektuellen Rudimentierung wird soziologisch vom Klassenmilieu unterstützt. Im Umkreis von Familie, Sippe, Burschenschaft waren Führungsfunktion, Mitläufertum und Opportunismus die Regel, Widerstand die Ausnahme. Selbst das Oppositionspotential der 68er erlosch bald. So fließt der Mainstream ins Reich alter Gewohnheiten zurück, wo die Landsknechtstrommeln den Weg weisen. Vor Zeiten lernte ich einen Herrn kennen, der als Oberst der Wehrmacht, nach zehn Jahren aus sowjetischer Kriegsgefangenschaft entlassen, sofort der Bundeswehr beitrat und es bis zum General brachte. Manchmal denke ich, vernimmt man den einen oder anderen Kriegsbefürworter, der müßte für zehn Jahre ab nach Sibirien, und ich weiß doch genau, es nützte nichts, sie kehren als ewig Gleiche selbst aus der Hölle zurück.

Damit sei die Besichtigung jener Spuren abgeschlossen, die das Zentralorgan der mittleren Rechtsintellektuellen seiner angestammten Kundschaft hinterläßt. Vielleicht sollten wir »hinterließ« sagen, denn elektronische Medien wie Boulevard ziehen Werbegelder an sich und die von der Lektüre überforderte, frustrierte Leserschaft ab. *Bild* macht *FAZ* klein, wenn auch nicht bescheiden. Bloch: »Von der Straße, vom Jahrmarkt, dem Zirkus, der Kolportage dringen andere Formen vor, neue und nur aus verachteten Winkeln bekannte, und sie besetzen die Felder ...« (*Revueform in der Philosophie*). Das läßt sich auch mit dem Kollegen Walter

Benjamin sagen, der Sieburg, den Prototyp der Epigonen, mit den schönen Worten ortete: ... die Menschheit, die einst bei Homer ein Schauobjekt für die Olympischen Götter war, ist es in den heutigen Medien für sich selbst geworden. Ihre Selbstentfremdung hat im herrschenden Feuilleton jenen Grad erreicht, der die eigene Vernichtung als ästhetischen Genuß ersten Ranges erleben läßt. So steht es um die Ästhetisierung der Politik, welche das Feuilleton betreibt.

Das von uns nur hautdünn aufs gewisse Feuilleton modifizierte Benjamin-Zitat schreibt die Ästhetisierung der Politik dem Faschismus und die Politisierung der Kunst dem Kommunismus zu. Beide Parteien sind passé. Zumindest solange die Maskerade anhält.

In Leipzig versuchte ich Blochs spezielle Kategorie vom »Aufrechten Gang« etymologisch zu orten, was ich bald sein ließ und einfach als treffendes Bild nahm. Der Schüler Bloch, vom Ludwigshafener Elternhaus in die Mannheimer Schloßbibliothek pilgernd, las dort die Bücher der Philosophen in der Hoffnung, etwas über sich selbst zu erfahren, und begann damit seinen »Aufrechten Gang«.

Entgegen den akademischen Dunkelschwätzern, die der Philosophie die Weisheit mit ihrem elitär aufgezäumten Kauderwelsch austreiben wollen, ist sie Spurensuche und als Widerstand Spurenlegung. Nach unverdorbener Interessenlage würde jeder Mensch zur Weisheitslehre streben, um daran teilzuhaben. Schmerzliche Erfahrung erst macht bewußt, es drängen sich welche dazwischen, so daß wir mißtrauisch reagieren, wird unser Naturrecht geschmälert. Weil die einen sich daraufhin verweigern und die anderen zu denen überlaufen, die sie bedrängen, werden wir selbst widerständig, wie die Philosophie der Befreiung von Herrschaftszwängen lehrt.

Als es die sozialistischen Länder gab, die keine waren, aber welche hätten werden können, sahen wir diese Chance. Da sie an sich und ihren Feinden verdarben, bleibt die Frage offen, ob das Kapital sich zur Weltdiktatur aufschwingt oder der europäische Sozialstaat prioritäre Strukturen bildet. In Blochs Philosophie findet sich das Programm dafür. Das ahnen seine Feinde, und seine Genossen können es wissen. Der DDR ging es darum, das Denken als Alternativ-Projekt auszuschalten. In Westdeutschland soll es nicht wirksam werden. Bestenfalls wird Bloch als kurioses Original erinnert und sanft vergessen. Mit »Hofftrotz« ironisierten wir in Leipzig freundlich seine Richtung, sie gegen den »Diamat« und »Histmat« absetzend. Indem Bloch nach seinem Ableben immer mehr zum Stichwortlieferanten blinder Hoffnung verunstaltet wird, ist es angezeigt, auf konkrete Realisierungen zu verweisen, denn es gibt einen Gebrauchswert der Philosophie. Marx stellte den Menschen in den Mittelpunkt, Bloch war Revisionist nicht im Sinne der Parteivorwürfe, doch in revisionistisch-reformatorisch und damit revolutionärer Absicht, was ihn zur lebenslangen Wanderung durch die Länder und Systeme zwang. Mehrere seiner Kategorien sind umstritten, mindestens bestreitbar, dennoch nützlich, wenn Marxens Devise »An allem ist zu zweifeln« mitschwingt.

Der ratlose Lukács-Satz, nach dem Bloch rechts philosophiere, doch stets radikal links stehe und handle, darf genauer bedacht werden. Das betrifft Blochs Techniken und Kategorien wie die Möglichkeitsformen und die Ungleichzeitigkeit oder die Gestaltlehre, seinen abklärenden Umgang mit Mythen, Mystik, Kabbala, seine codierte Sprache, ihre exklusive Subtilität zur Verhinderung von Klischees und alle anderen exotisch wirkenden Eigenheiten bis hin zur provokativen Wissenschaftsskepsis.

Die ständige Reflektion der Philosophiegeschichte ist die Grundlage von Blochs Denken. Über die sokratische Methode des Fragens und des Dialogs gelangt er zu alternativen Erkenntnissen, indem er der schlecht verlaufenden Historie und Kulturgeschichte ganz andersartige Lösungen gegenüberstellt. Bot Marx als Ausweg die Revolution des Proletariats an, offeriert Bloch als Ausweg die Geschichte der Philosophie mit dem Resultat alternativer individueller Entscheidung: Gehorche oder revoltiere. So steht es dem einzelnen frei, andere zu unterdrücken oder widerständig zu leben. Notfalls zu sterben.

Eben weil bisher jede Art Blochscher Schule verhindert worden ist, konnte nicht genauer weitergedacht werden. Fest steht jedoch, daß unter den gegenwärtigen Philosophen und ihren Lehren Bloch derjenige ist, der die Freiheit des Denkens mit der Notwendigkeit aktiven gesellschaftlichen Eingriffs verbindet. Wir nennen das ungescheut engagierte Philosophie und pfeifen auf die gefällige Postmoderne, die als Vormoderne in die Zeit vor den Marxschen Feuerbach-

Thesen gehört, von denen aus die Grenze zwischen Kontemplation und Engagement abgesteckt wird. Abgesehen von den neuen Stahlhelmaktivisten, die gegen Feinde in aller Welt mobilisierbar sind, weil es die Hitlervergangenheit des eigenen Landes entlastet, wenn Hitler II und III in allerlei Ländern definiert werden. Faschisten sind eben die anderen. Nachdem sie immer neue Opfer unter den eigenen Vätern entdecken, werden sie ihren Adolf auch bald als Opfer darstellen und entnazifizieren.

Bloch und Adorno

Zum Streitfall um die E.B.-Biographie Arno Münsters schrieb Jan Robert Bloch am 24. 8. 2003 an die Mitglieder der Ernst-Bloch-Assoziation, sein Vater habe *Das Prinzip Hoffnung* seit dem Exil in den »USA vier- bis sechsmal geändert«, was ja nun wirklich zeigt, wie flexibel und sensibel der Philosoph auf die jeweiligen Zeit- und Machtverhältnisse reagierte. Da die Annahme opportunistischer Taktik ausscheidet, kann es sich nur um eine Strategie der Konterbande handeln. Nehmen wir als Beispiel die Stalin-Zitate. In *Subjekt – Objekt* (*Aufbau-Verlag* Berlin 1952), war ursprünglich kein Stalin-Satz zu finden, der gelangte erst auf Anregung höherer Stellen hinein, wie Bloch gern anzüglich bemerkte. Im Hauptwerk mangelte es dann in der Aufbau-Ausgabe nicht an Worten des Josef Wissarionowitsch, die sich in der späteren Suhrkamp-Edition leicht tilgen ließen. Wer jedoch die Mechanismen der Sklavensprache durchschaut, begreift die Verführungen und Zwänge verbaler Akrobatik.

Werfen wir noch einen Blick auf die Stil-Differenz zwischen *Subjekt – Objekt* und *Prinzip Hoffnung*. Ersteres ist in Hegelscher Klarsprache geschrieben. Band eins des Hauptwerkes hingegen im Blochschen Barock. Warum der seltsame Unterschied? Bloch beantwortete mir 1954 die Frage danach mit dem knappen Verweis auf jeweils andere Zielstellungen. Das Hegel-Buch »machte sich an Hegel fest«. Woran also machte sich hernach das *Prinzip Hoffnung* fest? Bloch in der DDR: An Marx. Bloch in Tübingen: An Bloch. In der DDR brauchte er einige Stalin-Zitate, die übrigens raffiniert plaziert waren. In der BRD entfiel mit dem Zwang auch die Notwendigkeit. Peter Zudeick dazu in seiner E.B.-Biographie: »Jedes Wort ist erlaubt ... Es gibt keine ›Sklavensprache‹ mehr. Versteckte Bosheiten werden nicht verstanden, weil die Studenten schon gar nicht mehr gewohnt sind, auf das Unausgesprochene zu hören.« So zitiert Zudeick den Philosophen aus der ersten Tübinger Zeit, in der die Leipziger Pressionen wohltuend entfielen und die neuen Zwänge zur neuen West-Sklavensprache noch nicht wirkten.

Am 28. 8. 2003 erschien in der *Frankfurter Rundschau* ein kenntnisreicher Artikel von Hilal Sezgin zum 100. Geburtstag Adornos, in dem dessen »Zerwürfnis mit Ernst Bloch« und mit »Thomas Mann« erwähnt wird. Ingrid und ich stellten in einem Leserbrief an die *FR* fest, daß es sich, soweit es Adorno und Bloch betrifft, nur um den Vorschein einer prinzipiellen Differenz zwischen beiden handle: »Als sich 1967/68 in der Mainmetropole die Studentenrevolte abzeichnete, stellte sich das Haupt der »Frankfurter Kritischen Schule« dagegen. Als sich 1956 in der DDR eine Reformbewegung bildete, setzte Bloch sich als Haupt der »Leipziger Revolutionären Schule« an die Spitze der Bewegung und mußte es mit Lehrstuhlverlust büßen. Das ist der wesentliche Unterschied im Verhalten der beiden Hochschullehrer.«

Tatsächlich offenbart sich hier die Quintessenz eines mehr als individuellen Konflikts, der auf seinen gemeinsamen Nenner gebracht die kontemplative Theorie von der revolutionären scheidet. Gescheitert waren beide Denker – Adorno als bürgerlicher West-Marxist, der seine Schüler enttäuschte, und Bloch als Verbündeter des revolutionären Ost-Marxismus, der den Philosophen nicht akzeptierte und lieber im Orkus versank als sich zu reformieren. Während aber die Details vom Aufstieg und Untergang der »Frankfurter Kritischen Schule« in vielen Arbeiten behandelt wurden, blieben Ereignisse, die zum Untergang der »Leipziger Revolutionären Schule« führten im beabsichtigten Dunkel der Vergangenheit. Beides erwächst aus der konterrevolutionären Feindseligkeit, die seit 1848 den Verlauf deutscher Geschichte prägt.

Der Knackpunkt liegt im Verhältnis zur elften Feuerbach-These von Marx: die Welt durch Aktivität verändern oder nicht. Kulturgeschichtlich ist die elfte These inzwischen publik geworden bis hin zur Parodie. Die Absage an den gesellschaftlichen Eingriff, drapiert als hochnäsiger Nihilismus, überantwortet den Weltlauf den neoliberalistischen Automatismen und später den aktivistischen Gangs und Führern, die vorhersehbar auftauchen werden, ist der Neoliberalismus erst global gescheitert.

Die Gefahr des im 21. Jahrhundert wiederholten kriegerischen 20. Jahrhunderts wird durch die Apathie einer Linken, die lieber verschwindet als sich geläutert zu bewähren, komplettiert.

Zur Kategorie »Dunkel des gelebten Augenblicks« erlaubte ich mir den Einwurf, meiner Erfahrung nach sei eine »Helligkeit des gelebten Augenblicks« konstatierbar, wenn das revolutionäre Subjekt sich individuell engagiert und das widerstehende »Ich« aus dem kollektiven Verhängnis heraustritt. Die Kirchen feiern ihre Toten als Märtyrer. Der Paraklet Bloch lehrte eine Weisheit, die aufs Märtyrertum verzichtet, ohne sich selbst aufzugeben.

Die Linke wird im Widerstand groß, nachdem die Opportunisten abgefallen oder zur Herrschaft übergelaufen sind. An der Macht befindlich, geht die Linke an ihren zugelaufenen Opportunisten zugrunde. Der Revolutionär Ernst Bloch sucht das durch die Reformationsenergien des »autonomen Subjekts« von innen heraus zu heilen. Spätestens als er vom Osten in den Westen wechselte, wurde der Komplex revolutionärer Reformation, zumal nach dem Untergang der Sowjetunion, zur kardinalen westlichen Systemfrage.

Die Lösung des Konflikts liegt nicht bei den vielgescholtenen »Massen« und »Völkern«, sondern bei den Intellektuellen, die sich in zwei feindliche Lager teilen, hier die Verräter, von denen Julien Benda spricht, dort die revolutionären Reformatoren.

In unserem autobiographischen Streifzug durch das letzte Halbjahrhundert Kulturgeschichte versuchten wir unser Bloch-Land dem angeordneten Vergessen zu entreißen. Denn vor den 68ern gab es die 56er. Und davor zweieinhalbtausend Jahre lebendiger Philosophiegeschichte, die digital aufzuschließen und zu nutzen eine permanente Revolte sein kann. Die DDR starb an ihrer falschen Philosophie – fehlerhafte Ökonomie einbeschlossen. Der etablierte Sozialismus litt an seinen eingebauten Irrtümern, Zwängen, tödlichen Feindseligkeiten. Die Verweigerung von Aufklärung, Revolten, Revolutionen, Reformationen, die den Gang der Geschichte begleiteten, schnitt den Gang der sozialistischen Geschichte ab und führte zum Stillstand. Die Schlacht ist verloren. Der als Friede deklarierte Klassenkrieg geht weiter.

Im *Geist der Utopie* steht geschrieben: »Es ist bei Mozart das weltliche, bei Bach das geistliche Ich, das gegenständlich wird.« Wir fügen an: Mit Bloch und seinem Werk wird das sozialistische Ich gegenständlich. Die engagierte Philosophie lehrt und betreibt, je nach Lage direkt und offen oder codiert und subversiv, den kategorialen Ausstieg nach der Devise: Alle bisherige Geschichte ist als Kriegsgeschichte lediglich Vorgeschichte. Das sozialistische Ich sagt: Die Waffenlosigkeit ist meine Stärke. In diesem Sinne ist unser Buch doch ein biographischer Roman geworden. Als Erinnerung an die unbesiegbare Revolution in den Köpfen, aus denen sie hervordrängt, wenn Tauwetter den Frühling ankündigt.

SECHSTES BUCH

Doppelblick

Der Journalismus ist Verrat am Literatentum, am Geist, am Dämon. Das Geschwätz ist seine wahre Substanz, und jedes Feuilleton stellt von neuem die Frage nach dem Kräfteverhältnis von Dummheit und von Bosheit, deren Ausdruck es ist. ... Das Literatentum ist das Dasein im Zeichen des bloßen Geistes wie die Prostitution das Dasein im Zeichen des bloßen Sexus.

Walter Benjamin, »Dämon«

Doppelblick, zurück und nach vorn

Ingrid: Da gab es 1954 ein besonderes Fest fürs Philosophische Institut im Petersteinweg, wo wir Stud. phil. in einem ehemaligen Gerichtsgebäude Vorlesungen und Seminare absolvierten, dort war in der Nachbarschaft für den Abend ein Lokal gemietet worden. Ernst Bloch, der seine Studenten mochte, wenn sie arbeiteten, wollte mit ihnen feiern und war enttäuscht, weil viele der jungen Leute sich nicht ans Programm gehalten hatten. *Kostümfest* – er hat es wahrgemacht, stülpte sich eine krause, kohlschwarze Perücke über das eisgraue, gewellte Haar und zog eine herrlich abgeschabte dunkelbraune Lederjacke an, früher nannte man so was wohl Kletterweste, heute würde man sagen, der Herr Professor trug eine phantastische Rockermontur.

In seiner Freude an der Verkleidung erscheint der fast Siebzigjährige jünger als seine um die zwanzig Jahren zählenden Studenten. Eine ganze Reihe von Kommilitonen brachte aber auch ein halbes oder ganzes Jahrzehnt mehr ein. Keiner von uns hatte sich so zutreffend und aufschlußreich kostümiert wie der Philosoph. Wer Lust hat, kann die

Theorie von Maske und Verkleidung im *Prinzip Hoffnung* nachlesen.

Gerhard: Bloch steht philosophisch zu Marx wie Trotzki politisch zu Stalin – als Revolutionär des Subjekts. Subjekt, sagte der Alte gern, das besitzt auch nicht mehr den früheren guten Klang. »Sie Subjekt, Sie!« Ohne Zweifel, eine schwere Beleidigung.

Ingrid: Ernst Bloch war durch Lehre und Leben die beste Therapie gegen »Verschulung« an der Universität. Gespräche mit Gerhard und anderen Freunden wie Freundinnen taten ein übriges. Ein Jahr später waren wir schon weit weniger starr und gehemmt. Zur Feier der Nationalpreisverleihung an den Philosophen bauten wir dem Geehrten ein ganz nettes, kabarettistisches Programm, unsere Phantasie begann zu funktionieren.

Stichwort Phantasie: Nochmal zwanzig sein? Verlockend wäre ein Zeitsprung zurück, weil dann alle noch lebten, die inzwischen gestorben sind und nach deren Tod einem viel in den Sinn gekommen ist, was man sie noch hätte fragen oder mit ihnen bereden sollen. Das Wichtigste fällt uns immer ein, wenn's zu spät ist.

Gerhard: In »Der Impuls Nietzsche« von 1913, abgedruckt in *Durch die Wüste* 1923, dann 1984 – spricht Bloch vom »suchenden Ich«, verwahrt sich gegen Zarathustras Übermenschen samt Nietzsches »endloser Wiederholung« und wendet gegen die herrschende Wissenschaft ein, sie »sei ohne Subjekt und ohne Traum.«

Aber: »Darum leuchtet hier zuerst die Ahnung eines noch nicht bewußten Wissens auf ...« Bloch nennt Nietzsche unersättlich und schöpferisch: »... hier gilt in der Tat, daß es nicht darauf ankommt, die Welt nur zu begreifen, oder doch nur zu dem Ende, daß man sie danach verändere ...« Der nachfolgende Text trägt nicht zufällig die Überschrift: »Die Landesgrenze des Nihilismus«.

Ingrid: 1954 muß auch die Studienfahrt unserer Seminargruppe nach Weimar mit der obligaten Goethehaus-Besichtigung stattgefunden haben. Beeindruckt war ich von der Treppe, das Konstruktionsprinzip mit dem harmonischen

Maß der Stufen stammte wohl aus Italien – so sanft und ausgeglichen; beim Emporgehen merkte man gar nicht, daß man stieg. Verblüffend dagegen die winzige Schlafkammer mit dem spartanisch schmalen und harten Lager – gerade beim Bett frönte der Olympier ja sonst nicht eben der Askese. Die Komfortlosigkeit dieses Raumes entsprach unseren ärmlichen Studentenbuden, aber das war nicht weiter fürchterlich – wer verlangte schon Luxus. Es lag viel Weisheit im schönen Satz des griechischen Philosophen, den Ernst Bloch gern zitierte: »Wie vieles es gibt, das ich nicht brauche.« Der Besuch beim verblichenen Goethe verlief ganz heiter – am Nachmittag stand ein Rundgang durch das Konzentrationslager Buchenwald auf dem Programm. Grundsätzlich wußten alle Bescheid, wir waren aufgewachsen mit Dokumentar- und Spielfilmen über die Realität der KZ und Vernichtungslager. Eine durchaus wichtige Erziehungs-Zutat, unsere westlichen Altersgenossen hatten nichts oder zu wenig darüber erfahren, die fielen später aus allen Wolken der Unkenntnis und Vernebelung, als ihnen per TV das geglättete Grauen des Holocaust vorgeführt wurde.

Gerhard: Der 1994 verstorbene Blochschüler Günther K. Lehmann gelangt in seinem bisher unveröffentlichten Buchmanuskript *Unio mystica* zu einer pessimistischen Weltsicht, wie sie etwa Günter Kunert literarisch vertritt. Lehmann: »Die gegenwärtige Weltkrise der Zivilisation bestätigt die Regel: Wenn ein System alt geworden ist, erstarrt es in seinen ausformulierten Realitäten ... es endet im Apparat, dem schärfsten Gegensatz zur unio mystica ... da abendländisches Wissen am Ende ist, wird nach orientalischer Weisheit gefragt, und Weisheit kommt aus mystischer Schau.« Die orientalische Weisheit findet Lehmann auch in Europa bei Meister Eckart, Schopenhauer, Kierkegaard, Marx, Nietzsche, Bloch nach dem Motto »... die Wirklichkeit möglichst hautnah und unmittelbar erfahren« zu wollen (Zitiert nach Materialien und Informationen von Eva Lehmann). Lehmanns philosophischer Ansatz bietet einen bisher unbekannt gebliebenen Gegenpol zu den orthodoxen Bloch-Kritikern der DDR. Entsprechend verlief Lehmanns Leben zwischen Anpassung und Protest. Mit dem Ende der DDR wurden seine oppositionellen Reflexionen gesellschaftlich allerdings so irrelevant wie die Dogmen seiner früheren

Behinderer, die ihrer Ämter verlustig gingen. Der Oppositionelle, der keine Sensationen feilzubieten hat, erhält auch beim Systemwechsel keine zweite Chance. Die Frage, wie die Differenzen zwischen Utopie und Realität, Idee und Apparat, Revolution und Konterrevolution zu lösen seien, bleibt unreflektiert. Der nachdenkende Fragesteller wird vergessen (gemacht) und höchstens als skurrile Figur am Rande eingeordnet.

Ingrid: Und dennoch wurden auch wir am Ort des Schreckens vom Schrecken fast überwältigt. Längst trug Buchenwald den Charakter der Gedenkstätte, ein Museum des Mordens war es nicht, zu unmittelbar blieben die Spuren der Verbrechen. Vorgenommen wurde die Führung durch einen ehemaligen Häftling, der als Kommunist eingesperrt gewesen war; wir fragten ihn, wie er das aushalte. Seine eigenen Erfahrungen weiterzugeben erschien dem weißhaarigen Fünfzigjährigen erstrebenswerter als eine zumindest räumliche Entfernung zwischen sich und das KZ zu legen.

Vergessen konnten er und seine Leidensgenossen die Lagerjahre ohnehin nicht. Zum Abschluß dann noch der Blick ins Krematorium, vor dessen Eingang Ernst Thälmann durch Genickschuß von der SS 1944 ermordet worden war. Als wir dort standen, lag das gerade erst ein Jahrzehnt zurück.

Noch 1986 beschäftigte dieser Vorgang die Juristen in der Bundesrepublik. Dazwischen hatte man viel Zeit verstreichen lassen. Nur der Hartnäckigkeit von Thälmanns Tochter Irma Gabel war es zu danken, daß die Akten über den Fall des ermordeten KPD-Führers nicht einfach geschlossen wurden. Schweigend und tief in Gedanken trotteten wir über die langen, ordentlich geharkten Lagerstraßen und durchs Tor mit der Inschrift JEDEM DAS SEINE hinaus.

Unsere Bedrückung und Wortlosigkeit hielten an, bis wir wieder in Weimar waren. Eines ernsten Tages Reise in den Abend vollzog sich langsam, aber dann mit einem verblüffenden Gefühlsumschwung: wir wurden albern, zeitgemäß formuliert: Wir flippten aus.

Gerhard: Im Jahr 1956 kulminierte die objektiv-reale Möglichkeit der sozialistischen Reformation. In Moskau der

Veränderungsversuch Chruschtschows, in Polen und Ungarn oppositionelle Arbeiter, Bauern, Intellektuelle, in der DDR erste Anzeichen eines Aufbruchs. Nach der Niederschlagung des Budapester Aufstands spielten Moskau und Ostberlin wieder Vatikan, und Bloch sah sich als besiegter Luther, obwohl er sich mehr als Thomas Müntzer verstand. Die Reformation mißglückte. Jan Hus hatten die Römischen anno 1425 zu Konstanz noch verbrannt, Thomas Müntzer 1525 bei Frankenhausen hingerichtet. Bloch zu erledigen genügte die administrative Entfernung von der Karl-Marx-Universität. Luthers Rolle zu spielen fehlten ihm die geneigten Fürsten. Müntzer zu werden mangelte es an aufständischen Bauern. Die fürstliche Herrschaft der Parteiarbeiter duldete durchaus keine sozialistische Reformation. So wurde er klammheimlich zum Trotzki der Philosophie. Mit dem aber beschäftigte er sich lieber nicht näher, der »parteilose Bolschewik« Ernst Bloch.

Ingrid: 1954 dann noch ein ziemlich exotisches Ereignis. Studenten aus Westdeutschland besuchten uns. Für den gemeinsamen Abend war mir das Referat aufgetragen über ein philosophisches Thema – Sokrates. Gestützt auf Blochs Vorlesungen und eigene Lektüre ging das in Ordnung, nur stellte sich in der anschließenden Diskussion heraus, daß ich nicht wußte, was der New Deal ist. Große Verwunderung bei den »Westmenschen«. Da mir von unserer Seite her in meinem Bildungsnotstand keiner beisprang, nehme ich an, die anderen kannten sich damit auch nicht aus. Sonst aber hielten wir uns ganz ordentlich, wer hatte schon einen Dialektiker wie Ernst Bloch zum Lehrer. Unvergeßlich machten sich die Besucher, als sie später einen Band Sartre-Dramen und Hemingways *Wem die Stunde schlägt* schickten. In der DDR unschätzbare Schätze. Die Bücher haben wir heute noch.

Nach Abreise der Gäste wurde mir kolportiert, sie hätten gesagt »Das Fräulein Hoffmann hat so gute Augen, das kann doch keine Stalinistin sein ...« Eigenwillige Ableitung einer politischen Frage. Indessen zählte der Generalissimus wirklich nicht zu meinen Favoriten, anders als Marx, Engels, selbst noch Lenin. Von allem anderen abgesehen, was waren das für Stilisten! Schon in der Schule hatte mich der didaktisch-drohende und zugleich etwas dämliche Duktus von Stalins Schriften gepeinigt. Sein Wortschatz schien mir dem von Adenauer zu gleichen, der in der Politik ja mit knapp 320 Vokabeln auskam – hier endet jedoch die Parallele.

Gerhard: Eine Anekdote macht die Runde. Der ganz junge Bloch bietet dem Verleger Paul Cassirer ein philosophisches Manuskript an.

Cassirer, entsetzt: »Philosophie? Ja, wenn Sie Nietzsche wären!«

Darauf Bloch: »Was ist Nietzsche gegen mich?«

Es dauerte vom Jahrhundert-Beginn fast bis zum Ende, ehe ein paar unangepaßte Eierköpfe merkten, was gemeint war. Blochs lapidare Replik entsprach in Ton und Gestus exakt Nietzsches Ton und Gestus in *Ecce Homo* – Nur die Lumpe sind bescheiden – so bei Goethe. Nietzsche: »Wie man wird, was man ist.« Und: »Warum ich ein Schicksal bin.« Frage: Was ist Schicksal? Laut Nietzsche das Echo auf einen Charakter. Besitzt einer Charakter, kriegt er das Schicksal dazu. Erst die Charakterlosigkeit verurteilt zur Anonymität.

Ingrid: Oberschule in Dahme/Mark: Ausgezeichnet wurden hervorragende fachliche Leistungen, als Prämie erhielt ich drei Bände aus dem Werk des »weisesten Lehrers der Menschheit«. Bei der kleinen Laudatio verstieg sich der Direktor, sonst ein recht normaler Mensch und Lehrer, wir hatten Geschichte bei ihm, zu der Formulierung: »Fürchtet euch nicht, Stalin ist bei euch!« Das ging über meine Kraft. Ich erlitt einen Lachanfall. Eben noch bei der Feier gelobt, wurden mir sofort danach wegen ungebührlicher Heiterkeit die Leviten gelesen. Es war schwer, sich da rauszuwinden. Ich stammelte irgendwas – die Paraphrasierung des Bibelworts sei mir befremdend und komisch vorgekommen, meine fatale Fröhlichkeit blieb unverzeihlich, im Zusammenhang mit Stalin hatte man nicht zu lachen, höchstens vor Freude darüber, daß es ihn gab. Keineswegs will ich mich hier zur frühen Dissidentin aufputzen, noch durchschaute ich gar, welcher Grund zum Fürchten vorlag, wenn Stalin bei einem war, die schreckeinflößenden Seiten und Taten des Diktators enthüllte Chruschtschow erst eine ganze Zeit später.

Im Frühjahr 1986 saßen Gerhard und ich in Oldenburg mit Lew Kopelew und seiner Frau Raissa beisammen, da gab ich meine kleine Stalin-Story zum besten. Kopelew darauf mit Kopfschütteln: »Diese DDR – das haben sie ja nicht mal bei uns gemacht!« – nämlich Bücher von Stalin in der Schule zur Belohnung verteilt.

Gerhard: Am 9.3. 1991 zitierte Joachim Fest in der *FAZ* Ernst Bloch, der habe »1980 versichert: ›Über Mangel an revolutionärer Unruhe brauchen wir keine falschen Sorgen zu haben.‹«

Ingrid Zwerenz fragte daraufhin bei der Zeitung an, wie der gewiß eloquente Ernst Bloch 1980 etwas versichert haben könne, wo er doch nachweislich 1977 verstorben war.

Diese Erkundigung vom 10.3. 1991, das Totenreich betreffend, blieb leider unbeantwortet.

Ingrid: Auch als Deutschland streng geteilt war, hatte es doch vieles gemeinsam, besonders an Unverstand, rasanten Dummheiten, offenen und verdeckten Aggressionen.

1957 warf die SED in der DDR Ernst Bloch vor, mit seinen Lehren die Jugend zu verführen. Genau ein Jahrzehnt später erlebte er durch Volkes Stimme in der BRD das Gleiche. 1967 hatte er den Friedenspreis des deutschen Buchhandels erhalten, was ihm viele offene und anonyme Zuschriften eintrug. Ein absenderloser Brief lautete: »Sie sind ein Verderber der Jugend wie Sokrates und ein Ausbund jüdisch-zersetzenden Intellekts. Findet sich denn niemand, der Sie Stinktier endlich umbringt?« Es gab auch eigenwillig adressierte Post: »An Ernst Bloch – Philosoph«, in Klammern dahinter gesetzt war das Wort »Spinner«. Der so beschriftete Umschlag enthielt aus verschiedenen Zeitungen herausgeschnittene Anzeigen von Beerdigungsinstituten. Die unflätigen Beschimpfungen und Bedrohungen ließen immerhin darauf schließen, daß einige den Preis und seinen Träger kannten.

Anders im schönen und wegen seines hervorragenden Schul-Bildungsstandards hochgelobten Bayernland. Dort besuchte Catharina ein Gymnasium in der Nähe von München. Quiz in der Sexta, Standardfragen: Wie alt ist das Oktoberfest, wann wurde es zum ersten Mal begangen? Wieviel Sorten Bier braut man in Bayern? Was sind die hiesigen

Landesfarben? Zusammen mit anderen, denen wegen der beschränkten Themenauswahl ebenfalls der Kragen platzte, macht unsere Tochter einen Test: Wer hat 1967 den Friedenspreis des deutschen Buchhandels erhalten? Das Ergebnis war erschütternd. Catharina mittags beim Heimkommen: »Stellt euch vor, die wußten nicht nur nicht, daß es Ernst Bloch war, sie hatten auch keine Ahnung, daß es einen Friedenspreis des deutschen Buchhandels überhaupt gibt.«

Gerhard: Ingrid berichtete, wie Karola Bloch, nach dem Tod des Philosophen bei uns im Taunus zu Besuch, wissen will, ob und wie Ernst sich im Leipziger Hörsaal 40 oppositionell äußerte. Ingrid zeigt ihre Mitschriften zur Hegel-Vorlesung vom 30. 4. 1956, wo der Satz steht: »Hegel brachte einem revolutionären Studenten Literatur und Wurst ins Gefängnis.« An der Seite Ingrids skeptische Bemerkung »Eben!« Karola fragt: ›Warum hast du da »Eben« mit Ausrufezeichen hingeschrieben?‹« Ich sitze dabei und denke: Ja, warum wohl. Loest und Winfried Schröder bezahlten ihre »Rote Hilfe« für den verhafteten Ralf Schröder mit Gefängnis. Die DDR hier also illiberaler als das alte Preußen. Keine Literatur und Wurst in die Zelle.

Ingrid: Der sonst stets pünktliche Professor bleibt aus. Auf dem Stundenplan: Seminar im kleinen Kreis und Raum, dicht bei seinem Direktorenzimmer am Ende des langen Flurs im Philosophischen Institut. Endlich kommt Bloch, an seiner Seite wie stets die geschäftige Rektorats-Sekretärin. Der Philosoph nimmt Platz, nun sehen wir ihn en face und staunen. Ihn ziert ein etwa daumenkuppengroßes Hörnchen links an der Unterlippe. Bei der Mittagsmahlzeit mit Frau Franke hatte er – in Gedanken mit Wichtigerem beschäftigt – Tomatensalat gegessen, der trug ihm die heftige allergische Reaktion ein. »Wäre ich«, hob der Professor an, »eine eitle Dame, hätte ich diese Veranstaltung hier abgesagt, doch da ich das nicht bin, müssen Sie sich mit meinem Anblick abfinden ...«

Bloch, alles andere als ein Frauenfeind, konnte sich solche kleinen Spitzen hin und wieder nicht versagen. Auch vergaß er ungefähr bei jeder vierten/fünften Vorlesung, den weiblichen Teil der Zuhörerschaft anzureden, und begann mit: »Meine Herren ...«, obwohl doch seine Studentinnen, einem ungeschriebenen Ritual folgend, selbst für den kurzsichtigen Weisen deutlich erkennbar, die ersten zwei Reihen besetzt hielten. Wir waren nahe dran und hörten deshalb auch besonders gut, so entging meiner Freundin Erika und mir nicht, daß Bloch in aparter Umkehrung sagte: »Die Schiffe verlassen die sinkende Ratte«, woraufhin wir beide, uns diese Konstellation bildhaft vorstellend, laut auflachten. Die anderen hatten den Versprecher wohl so wenig bemerkt wie der Philosoph selbst, der uns wegen einer für ihn unziemlicher Heiterkeit ärgerlich anblickte. Das hat man nun davon, wenn man besonders aufmerksam lauscht.

Mehrmals entzückte er seine Zuhörer und Zuhörerinnen mit der kategorialen Definition: »Frauen sind entweder Geschlechts- oder Intelligenzbestien«, was uns in gewaltige Unsicherheit stürzte, am liebsten wollten wir natürlich beides sein, zweifelsohne eine Überforderung.

Gerhard: Die Idee ist auch nicht mehr, was sie mal war, merkte der Philosoph ärgerlich an. In Antike und Klassik waren es Ideen, die die Welt bewegten. Heute lebt die Idee in der Konserve.

Sagt der Feldwebel vor angetretener Truppe zum Soldaten rechtsaußen: »Sie da, nehmen Sie doch Ihr Gewehr 'ne Idee zur Seite!« Der Soldat gehorcht sofort. Er weiß genau, was eine Idee ist. Mit seinem Wissen kann er sogar General werden.

Ingrid: Eine Frauenorganisation reizte den Philosophen zum ungefilterten Zorn, ging es um die *DAR*, die *Daughters of the American Revolution*, verlor er die Contenance. »Ratten der Amerikanischen Revolution sollten sie heißen«, grollte er vom Katheder im Hörsaal 40 herunter. In der Tat hat dieser Zusammenschluß streitbarer Damen, nach dem Ersten Weltkrieg gegründet zur Abwehr der »roten Gefahr«, Milde und Verständnis nicht verdient. Zu diesen kämpferischen Überpatriotinnen schreibt Kurt Singer, ein 1911 in Wien geborener und wegen Hitler in die USA emigrierter deutschjüdischer Autor und Literaturagent, der heute in Kalifornien lebt: »DAR is an extreme rightwing Southern organization. If possible right off the Ku Klux Klan, they are Wasps. White American Southern Protestants.« Schlimmer kann man es sich nicht ausdenken, rechts vom Ku Klux Klan ist eine unübertreffliche Position. Blochs scharfes Urteil ist durch die Wirklichkeit und seine bitteren Erfahrungen mit solchen Vereinen in den USA gedeckt.

Allerdings brachte er auch freundlichere Erinnerungen ans amerikanische Exil mit zurück. Faszinierend fand er eine sprachliche Genauigkeit im Englischen, an der es in Deutschland mangelt. Für uns gibt es nur den Himmel. Dort unterscheidet man exakt zwischen Sky und Heaven. Sky bezieht sich auf den technischen Aspekt, der von Flugzeugen und neuerdings der Raumfahrt bestimmt wird. Heaven umfaßt den gleichsam metaphysischen Teil, eine Konstellation, auf die der Philosoph immer wieder verwies, weil sie seinem Denken fruchtbare Ansätze bot.

Ein englischsprachiges weibliches Wesen, an dem er sich – in Büchern – rückhaltlos freute, war Agatha Christie. Von seinem Faible für ihre Romane hörte man in der DDR nichts, sie paßten auch nicht so recht in den dortigen Literaturkanon, zumindest erinnere ich mich nicht, daß er die auch heute noch erfolgreichste Krimiautorin der Welt je öffentlich erwähnte.

Gerhard: Der 25. Todestag Ernst Blochs am 4. August 2002 hinterläßt eine unerwartet plurale Medien-Ernte. Die westdeutsche Sicht auf den Philosophen kulminierte in »Bauplatz der Utopie – Zur Aktualität von Ernst Blochs Dialektik«, einer Sendung des HR 2-Abendstudios mit einem kenntnisreichen Überblick der Urteile von Arno Münster, Gerd Ueding, Burghart Schmidt, Jan Robert Bloch bis Pierre Bourdieu. Ostdeutsch geprägt ist dagegen die Perspektive der Rosa-Luxemburg-Stiftung Sachsen mit den Beiträgen eines Kolloquiums vom Dezember 1997, Titel: »Ernst Blochs Leipziger Jahre«.

Als sich im Jahre 1957 ein Dutzend Bloch-Gegner abmühten, den aus der Universität Verbannten als Revisionisten des Marxismus zu entlarven, strengten sie sich fürchterlich an, ihre Vorwürfe zu untermauern, wie die Lektüre zeigt. Sie ahnten nicht, daß der Angeklagte neben Marx auch Nietzsche revidierte, auf daß am Ende ein revolutionäres Klassiker-Gestirn Marx-Nietzsche-Bloch am Firmament der Philosophie aufschiene. Hätten sie es geahnt, wären sie wohl dialektisch-materialistisch explodiert. So aber sind sie drei Jahrzehnte später nur implodiert. Friede ihrer Asche?

Als Bloch im Verlauf der Vorlesungen zum dritten Mal den Satz des Epikur zitierte: »Ich kam nach Athen, und niemand merkte es«, ersetzte ich Athen durch Leipzig und Epikur durch ihn. Dieser Bloch kam anno 1949. Sie merkten es erst 1956. Im Jahr 1957 erschien der Sammelband *Ernst Blochs Revision des Marxismus – Kritische Auseinandersetzung marxistischer Wissenschaftler mit der Blochschen Philosophie.* Daß Ernst Bloch nicht nur ein Revisionist von Marx, sondern auch von Nietzsche war, entging ihnen, doch auf ihre Weise hatten sie recht.

Am vertrackten Rechthaben krankte ihre Partei, und drei Jahrzehnte später starb sie daran. Fragt sich, ob der so überaus siegreiche Westen überlebt.

Der Band beginnt mit folgender Passage von Rugard Otto Gropp: »In der Einleitung zu seinem *Prinzip Hoffnung* erklärt Ernst Bloch, er werde sich so oft wiederholen, bis man ihn verstanden habe. In der Tat kommt er in seinen Schriften immer wieder auf die gleichen Grundthesen seiner Weltlehre zurück. Aber zugleich spricht er in einer Sprache, die sich keineswegs um Klarheit und Verständlichkeit bemüht, die vielmehr in ihrer Geschraubtheit und künstlichen Zurechtgemachtheit das Gemeinte ebenso aussagt wie auch verbirgt.«

Gropps Unverständnis gegenüber der Mischung von Hermetik und Sklavensprache bei Bloch grassierte nicht nur im Osten. Wurden dem Philosophen dort von der obersten Zentralmonade Grenzen gesetzt, verharrte der Westen freiwillig innerhalb seiner typischen Beschränkungen. Der Tübinger Bloch-Schüler Beat Dietschy dazu: »An Paraphrase und streckenweise apologetischer Wiederholung krankt – von den an Verständnis gar nicht interessierten polemischen Attacken einmal abgesehen – in der Tat ein Großteil des bis heute über Bloch Geschriebenen. Obwohl er selber doch der Ansicht war, einen Denker verstehen hieße: Über ihn hinausgehen.«

Ingrid: Wir sind nachmittags in Tübingen zu Besuch bei Ernst und Karola. Bloch kommt vom Telefon und rekapituliert den Anruf einer jungen Frau: »Herr Professor, ich möchte mich bei Ihnen zur Abtreibung anmelden!« – Karola und ich wie aus einem Mund: »Was hast du denn da geantwortet?«

Der Philosoph: »Ich lehne zwar den § 218 ab und habe verschiedene Appelle dagegen unterschrieben, doch nehme ich keine Schwangerschaftsabbrüche vor.«

Zum Ausgleich meldete sich einige Wochen darauf ein junges Paar, das von Bloch getraut werden wollte. Als Karola mir das am Telefon erzählte, war ich einen Moment lang versucht, beide Geschichten für erfunden zu halten, doch waren wir bei der ersten ja fast Ohrenzeugen gewesen, und so wird die zweite als ebenso real wie fantastisch einzuordnen sein.

Gerhard: Ich komme auf dem Leipziger Hauptbahnhof an. Unter den Gleisanlagen zwei Stockwerke der Konkurrenz. Ein Konsumtempel in Marmor und Transportbändern direkt ins Herz der Postmoderne. Kauf dir hundert Paar Schuhe, Hinkefuß als Tausendfüßler, zweiundzwanzig Kaffeetränken, Würste, Schinken, Klamottenparadiese. Ein Rentner mit Dackel, der apportiert und Ernst heißt. In der strahlend ausgeleuchteten Buchhandlung verhökert Dieter Bohlen scheibchenweise Naddel und Verona Feldbusch. *Leipzig liest.*

Ingrid: Karola ist, ebenso wie ich, eine passionierte Marcel-Proust-Leserin, ein Genuß, der mir erst im Westen zugänglich wurde, die DDR mochte den Autor zunächst nicht. In Erich Loests Stasi-Akte findet sich der in unverkennbarem Sächsisch notierte Anwurf, er habe vorgeschlagen, »sich mit *Broust* und *Gaffka*« zu beschäftigen, beides offenbar fürchterliche Vergehen. *A la recherche du temps perdu* kennt die vielseitig gebildete Karola selbstverständlich seit langer Zeit. Bei einem ihrer Besuche nach dem Tode von Ernst kommen wir auf eine Figur aus dem weiträumigen Roman zu sprechen, die »Bloch« heißt. Das ist ein junger, hochbegabter jüdischer Intellektueller, der die feine französische Gesellschaft gern durch rasante philosophische und literarische Thesen provoziert. Besondere Würze erhält die Gestalt, wenn man bedenkt, daß Marcel Proust sie selbstironisch mit einigen autobiographischen Details ausstattete, sich also in ihr spiegelte. Erheiternd die Schwierigkeiten des genialen Franzosen beim Erlernen der englischen Sprache. Bloch/ Proust sagt immer »Leiftboy« statt Liftboy und konsequent »Veneice« statt Venice, weil er annimmt, das i müsse stets wie ei artikuliert werden. Eine schöne Parallele zu Ernst Bloch, der selbst im amerikanischen Exil nur das Minimum der Landessprache sich anzueignen gewillt war.

Unvergeßlich ist auch eine Szene aus *Die Welt der Guermantes*. Bloch stößt eine kostbare Blumenvase um, die zerbricht, das Wasser ergießt sich auf den teuren Teppich. Statt sich für sein Ungeschick zu entschuldigen, geht der physisch und psychisch ungestüme Gast der Marquise de Villeparisis in die Offensive und murrt: »Wenn man keine guterzogenen Leute hat, die eine Vase so hinstellen können, daß die Besucher nicht Gefahr laufen, sich zu durchnässen oder sogar zu verletzen, sollte man lieber auf all diesen Luxus von vornherein verzichten.« Die Attitüde des enfant terrible, der sarkastisch auf den Pomp und Komfort der Hautevolee reagiert, begegnet sich mit Ernst Blochs Haltung aus seiner Heidelberger Zeit, von der er Gerhard noch in den Leipziger Jahren voller Stolz und Genugtuung berichtete. Es ist nicht anzunehmen, daß Proust vom jungen Ernst Bloch gehört hatte, obwohl sich der Franzose auch mit deutschen Philosophen beschäftigte. So aufschlußreich wie verblüffend ist die mentale Übereinstimmung dieser zwei Blochs, ihr Intellekt, das Temperament, eine Nähe, gültig über Ländergrenzen hinweg.

Immer wenn es ringsum ungeheuer vornehm zuging, veranlaßte das Ernst Bloch zu ironischen Kommentaren. Nach einem Kölner Vortrag in den sechziger Jahren versammelt man sich hinterher im kleinen Kreis im exquisiten Hotel am Dom. Kamin, Ölgemälde, edle Teppiche, Lüster, Ernst faßt seine Eindrücke zusammen: »Ich komme mir hier vor wie in einer Romanszene, so à la: ›Sie saßen in der Villa des reichen Fabrikanten Soundso ...‹« Dem prunkvollen Ambiente angepaßt ist auch das Personal. Gerhard möchte ein Eis. Der ungeheuer elegante Oberkellner offeriert verschiedene hochkomplizierte Kreationen, darunter *Dame blanche*. Gerhard, ins Gespräch mit Ernst vertieft, sagt beiläufig zum Ober: »Na, dann bringen Sie mir mal so ein Blabla!«, eine Verkürzung, die den Philosophen hoch entzückte, gern hätte der das Gleiche genommen, hatte aber keinen Appetit auf Eis und bestellte ein Kännchen Tee.

Gerhard: Pünktlich am 7. November 2002 druckte das *Neue Deutschland* zum »85. Jahrestag des Aufstands der Bolschewiki« eine Abrechnung mit ihnen. Unter dem Titel »Als Lenin nur noch Gemüse züchten wollte« wurden Marx und Lenin demontiert: Marx ein von Illusionen verführter Blinder, Lenin »ein verarmter Adliger« und lediglich durch das Schicksal seines gehenkten Bruders »auf den Pfad der Revolution getrieben«. Nichts von diesen Behauptungen ist neu, nur Autor und Ort der Drucklegung sind es – im *Neuen Deutschland* las man so was noch nicht, und der Autor Wolfgang Ruge ist ein in Potsdam lebender Historiker, Mitglied der PDS, in deren Ältestenrat tätig. Was erleben wir da? Einen Aufstand der »Altkader«? Eine verspätete und nachholende Destruktion idealisierter Heroen? Die Aufregung ist vorprogrammiert, kollektive Proteste sind absehbar, denn es geht ans Eingemachte.

Nachdem die PDS gewaltig ins Schlingern geraten ist, findet der Denkmalssturz statt. Die Frage bleibt, was mit den Antagonisten von Marx und Lenin wird. Vom deutschen Kaiserreich bis zum Zarismus, von Hindenburg, Ludendorff über die weißrussischen Generäle bis zu Hitler und seinen Helfern beim Vernichtungskrieg gegen den »jüdischen Bolschewismus« – sind das nun die ebenso alten wie neuen himmlischen Heerscharen? Wenn Marx blind und Lenin bloß der Rächer seines Bruders gewesen sein sollte, was sind dann die mordsmächtigen Gegenspieler, die die Staats- und Kriegsmaschinen im 19. und 20. Jahrhundert kommandierten?

Professor Ruges Sicht ist mir nicht fremd. Vieles sagte ich schon zu Zeiten, als es nicht ungefährlich war. Ich weiß nicht, wie der Historiker es früher gesehen hat. Strittig bleiben wohl die Konsequenzen. Sind Marx wie Lenin das, was Ruge von ihnen übrig läßt, schrumpft der Marxismus auf das Schreckensbild ein, das Kaiser, Zar, Noske, Mussolini, Franco und Hitler in ihm sahen und das es mit und unter Stalin tendenziell geworden ist – ein nichts als barbarisches System, in dessen Schatten Adolf Hitler zum Europa verteidigenden Helden mutiert. Genau dies ist das Resultat jener jetzt publizierten geschichtsliquidatorischen Demontage.

Ich fürchte, die von den Sowjets betriebene Dogmatisierung des Marxismus führt damit lediglich zur Auswechslung der Vorzeichen. Aus plus wird minus. Und umgekehrt. Die Dogmatiker kennen kein Maß und handeln mit ideologischen Minen. Was sie nicht sehen wollen oder können, ist die Haltung. Da sie selbst darüber nicht verfügen, begreifen sie nicht, daß von Spartacus über Thomas Müntzer, Marx, Lenin, Trotzki, Rosa Luxemburg, Karl Liebknecht eben diese aufrechte Haltung das Wesentliche und Bleibende ist. Als die SED anno 1956/57 Ernst Bloch aus der Karl-Marx-Universität Leipzig vertrieb, gingen ihr brave Parteisoldaten flugs zur Hand und bezichtigten Bloch der »Revision des Marxismus«, ohne zu ahnen, daß sie ihm eben damit ein zeitloses Lob spendeten. Die Revision war bitter notwendig. Sie zu verdammen der Anfang vom Ende.

Wolfgang Ruge: »Geschichte ist brutal.« Nun mal langsam, Herr Professor. Sie ist nur brutal, wenn die Menschen sich ihr brutal entgegenstellen. Der Versuch, 1945 ein anderes, nicht dem Kapital unterworfenes Deutschland aufzubauen, ist an der Uneinsichtigkeit und ideologischen Erstarrung der Sowjetunion gescheitert. Der Versuch selbst bleibt ehrenwert. Damit zu scheitern war unser Risiko. Ich habe nicht vor, mein Gedächtnis an der Frankfurter Börse zu verkaufen.

Wer das Projekt eines alternativen Deutschland vom Tisch fegt und Marx wie Lenin, Marxisten wie Leninisten ins Schattenreich verbannen möchte, der verkennt völlig den Wert von Haltungen, Handlungen und Charakteren. Spartacus wurde besiegt, sechstausend gefangene Aufständische schlugen die siegestrunkenen Römer beidseits der Via Appia ans Kreuz. Mag sein, von den Besiegten kriechen nach der Schlacht immer welche freiwillig zu Kreuze. Wenn das ein aufrechter Gang sein sollte, haben die Schnecken Hochkonjunktur.

Wie ich nun lese, zählt Wolfgang Ruge zu den von der Sowjetunion repressierten Kommunisten. In der DDR verschwieg er seine Haft- und Lagererfahrungen und brachte es zum angesehenen Historiker. Der Zwang, um der Karriere willen nicht über leidvolle Jahre zu sprechen, gehört zu den Folterwerkzeugen von Diktaturen.

Das Verschweigen bringt ideologischen Masochismus mit sich und die Lüge im Mantel akademischer Weihen. Es tut mir verdammt leid um die Schmerzen der Betroffenen, die erst aufzustehen wagen, wenn die Tragödie zum eisigen Witz erstarrt ist. Diese Herren Genossen ignorierten Bloch und kauten den Stalinschen Marx solange wider, bis sie ihn erbrachen.

Ingrid: »Why did Bloch defend this intellectual mediocrity?«
Diese Frage stellt Prof. Peter Carl Caldwell von der Rice
Universität in den USA. Der von Bloch verteidigte mediokre
Intellektuelle oder die intellektuelle Mediokrität ist Rugard
Otto Gropp, mit dem sich der amerikanische Wissenschaftler in seinem 2003 bei Cambridge University Press erschienenen Buch *Dictatorship, State Planing, and Social Theory in
the German Democratic Republik* dediziert beschäftigt. Darin
ist ein ausführliches Kapitel über Ernst Blochs Zeit am Philosophischen Institut in Leipzig sowie seinen Gegenspieler
Gropp enthalten. Hörer, die dessen Vorlesungen über sich
ergehen lassen mußten, werden dem überseeischen Fragesteller voller Überzeugung zustimmen. Gerhard beurteilt
Gropp weniger schroff und hält dem Professor für Dialektischen Materialismus das schwere und gefährliche Leben
der frühen Jahre zugute, außerdem eine damals entstande-
ne Tuberkulose-Erkrankung, die Gropp auch später sehr
zu schaffen machte (*Schach statt Mühle im Experiment*, Seiten
290/291).
  Mir fällt es schwer, hier objektiv zu bleiben. Selbst die
Höllenzeit in KZ und Strafbataillon Dirlewanger berechtigt
einen Mann nicht, später ganze Scharen von Studenten mit
seinem sturen Dogmatismus vom Katheder herunter anzu-
öden. Außerdem – argumentiere ich und erreiche damit den
Gipfel der Unsachlichkeit, was mir aber in meinem noch
nach Jahrzehnten vorhandenen Grimm auf Gropp ganz egal
ist – mußte Gerhard ja diese Stunden nicht regelmäßig ab-
sitzen, weil es ihm frei stand, Veranstaltungen auszulassen.
Jedenfalls war nicht nur mir dieser bar jeden Elans hölzern
dozierende Professor unerträglich. Womit wir wieder bei
Caldwells Eingangsfrage wären, weshalb Bloch diesen Kollegen anfangs verteidigte. Gleich Gerhard imponierte ihm
der antifaschistische Kampf Gropps, der Theoretiker sah
in ihm den Mann der Tat, zeigte sich »overwhelmed by the
appearance of resolute practice«, wie der US-Professor plastisch formuliert. Dann outete der resolute Praktiker seinen
früheren Förderer als gefährlichen Feind und suchte den
einst von Gropps Biographie überwältigten Bloch mundtot zu machen, wobei andere Kollegen gleich mit erledigt
werden sollten. Etwa Professor Robert Schulz, bei dem wir
mit einigem Erkenntnisgewinn Historischen Materialismus
hörten, er wurde »for his continued attachment to Bloch«

von Gropp scharf attackiert, was Caldwell detailliert nachweist.

Gerhard: Die anhaltende Reduktion des Sozialstaates in der Berliner Republik läuft parallel mit dem früheren Abstieg der DDR von der Marxschen Revolutionstheorie zum »real existierenden Sozialismus«, der immer irrealer und weniger wurde, was er einst hatte sein wollen. Die Ost-West-Feindschaft ließ diese Entwicklung nicht zu. Das ist mit der heutigen Globalisierung zu vergleichen, die den Sozialstaat sabotiert. Man steht ja in Konkurrenz mit aller Welt, was bedeutet, Tarife und Renten müssen runter bis aufs Tagelöhnerniveau.

Bloch hätte die Rettung Richtung Reform sein können, wäre die DDR kommunikativ gewesen. Ulbricht bewahrte den Philosophen vor der Verhaftung, stellte ihn jedoch kalt, denn Hegel und Engels lehrten, Freiheit sei Einsicht in die Notwendigkeit. Genauso handelt anno 2003 die amtierende Regierungskoalition samt Opposition in der Berliner Republik. Für die DDR verkörperte die Sowjetunion das Reich der Notwendigkeit, für die heutigen deutschen Politiker sind es die Zwänge des Globalkapitals. Freiheit ist Gehorsam. Das könnte vom alten Fritz oder Orwell stammen. Einen Systemwechsel bedeutet es allemal. Höchste Zeit also, eine Bloch-Linie zu bilden. Eckpunkte: Neues Testament, Georg Büchners *Hessischer Landbote*, dazu *Kommunistisches Manifest* samt Grundgesetz in seiner Urform, der ganze Viererblock kommentiert von Ernst Bloch.

Natürlich scheitert unser Stoßtruppunternehmen an der permanenten Verblödung der Mediokratie. Soweit sie sich als Verkindlichung herausstellen sollte, wäre noch nicht aller Tage Abend. Kinder können nicht dauerhaft konterrevolutionär sein, weil es unnatürlich und langweilig wäre. Sogar die Bonner Republik brachte ihre 68er, die DDR ihre 53er und 56er hervor. Leuchtend wie blitzblanke Sternschnuppen. Und schnell verglüht.

Stalins Vorstoß bis an die Elbe gleicht Napoleons Griff nach Moskau. Beide überdehnten ihre Macht und wurden zurückgeschlagen. Sinnvoll für die Deutschen wäre es gewesen, sich mit Napoleon zu vertragen. Mit Lenin und Trotzki zu gehen versäumte die Sozialdemokratie im Jahre 1918. Liebknechts und Luxemburgs Ermordung war der erste Schritt auf dem Weg zu Hitler. Die SPD hat allen Grund, Wiederholungszwänge zu vermeiden. Die DDR hatte allen Grund, auf Bloch zu hören. In Frankfurt/Main wurde am 11. 9. 2003 Adornos 100. Geburtstag voluminös abgefeiert. Bloch hat keinen Ort, der ihn lebendig hält. Das Bloch-Zentrum in Ludwigshafen ist ehrenwert und so arm wie ungewiß. Leipzig aber hat keine Ahnung und keine Traute. Bloch lebt scheintot im Feuilleton fort als vornehmster Unheiliger im Revolutionskalender der heimatlosen Linken.

Ingrid: Der 1959 in Unna geborene Hubertus Knabe wünscht sich selbst für die gefährlichsten Zeiten des Kalten Krieges eine auf radikale Ost-West-Konfrontation getrimmte Politik, wie seinem 2001 im *Propyläen Verlag* erschienenen Buch *Der diskrete Charme der DDR – Stasi und die Westmedien* zu entnehmen ist. Jeder Schritt zur Verständigung wird von ihm rigoros als »Appeasement-Journalismus« diskreditiert. Egon Bahr und Günter Gaus haben alles falsch gemacht, ebenso *Die Zeit*, der *Stern* und die gesamte linksliberale Presse. Gaus wirft er »ein im hohen Maße affirmatives Verhältnis zur SED-Diktatur« vor.

Hocherfreut ist Knabe über eine »vertrauliche Äußerung« Helmut Schmidts, weil sie sich gegen Gaus richtet. Der hatte in einem nichtautorisierten *Spiegel*-Interview gesagt, die Bundesrepublik solle der DDR in der »Staatsbürgerschaftsfrage mehr entgegenkommen«. In kleiner Journalistenrunde zog Schmidt eine Parallele zwischen Computern und Botschafteraufgaben. Beim PC wie beim Menschen müsse man »... oben das Richtige eingeben, damit unten etwas Richtiges herauskomme. Auf den Zuruf: ›Gilt das auch für Gaus?‹ habe Schmidt lachend erklärt: ›Der ist defekt. Bei einem Defekten kommt nie was Richtiges raus.‹«

Egon Bahr wird seine Formel vom »Wandel durch Annäherung« – Tutzinger Rede vom Juli 1963 – übel angekreidet. Sobald dieser *unholde Knabe* über kritische westliche Journalisten berichtet oder von nicht nach rechts tendierenden führenden SPD-Genossen, beweist er denunziatorisches Talent. Ihnen werden gern Unwahrheiten unterstellt: »Egon Bahr hat behauptet, erst nach der Wende erfahren zu haben, daß von Berg für das MfS tätig war.« Den Beweis dafür, daß Bahr früher davon wußte, bleibt der Wissenschaftler schuldig.

1968 erklärte Klaus Schütz, damals Regierender Bürgermeister, in einer Senatssitzung »... daß er die Westberliner Polizei mit Stahlhelmen und Maschinengewehren ausrüsten wolle und bei der Konfrontation mit linksradikalen Studenten auch vor Blutvergießen nicht zurückschrecken werde.«

Bei diesem Zitat spielt Knabe den Objektiven und enthält sich jeder Wertung, an der er es sonst selten fehlen läßt. Bemerkenswert scheint ihm nur, daß » diese Angelegenheit nun groß im *Spiegel* herausgebracht werden soll«.

Aber der Autor vermag sich mit folgender Formulierung noch zu steigern: »In den sowjetischen Geheimarchiven fand Bukowski (sowjetischer Dissident *I.Z.*) auch die Hintergründe der Ausbürgerung des Literaturnobelpreisträgers und Dissidenten Alexander Solschenizyn heraus, die unter Mithilfe von Bahr und Brandt zustande kam.« Nach diesem Satz bleibt einem erst mal die Luft weg. Die beiden SPD-Politiker als Büttel totalitärer Maßnahmen der Sowjetunion? Schließlich eine lapidare Information: die »Mithilfe« bestand darin, daß die Bundesrepublik den Schriftsteller aufnehmen würde.

Besondere Zuwendung erfährt der *Stern*-Kolumnist Sebastian Haffner, er wird vom Verfassungschef Günther Nollau 1964 als »östlicher Einflußagent« bezeichnet. Knabe versucht dieses Verdikt durch die Mitteilung zu untermauern, daß Haffner »im Juli 1966 erstmals massiv gegen Lübke zu Felde zog.«

Wie leichtfüßig der Wissenschaftler mit Tatsachen umspringt, wird deutlich, kennt man die von ihm behandelten Personen aus eigener Anschauung. Zunächst wird der vielbeschäftigte Stasi-Top-Agent Hans-Joachim Seidowsky korrekt und ausführlich beschrieben. Ein überaus umtriebiger Genosse, der als »IM Gerhard« seit Ende der fünfziger Jahre zwischen Ost und West in unzähligen geheimen Missionen tätig war. Dann jedoch liest man: »1963 gelang es ihm zudem, sich in einen von der Stasi verfolgten evangelischen Hauskreis einzuschleichen, indem er sich als geschasster SED-Reformer und Bloch-Schüler ausgab.« Niemand muß Seidowsky mögen, doch bei Ernst Bloch studiert hat er in der Tat, der Kommilitone Hans saß mit uns in den Vorlesungen, welchen Weg er nachher auch einschlug, dieses Stück seiner Biographie kann ihm keiner wegnehmen.

Möglich ist eine zweite Lesart: Knabe meint gar nicht, was er schreibt. Dann könnte »sich ausgeben« nur auf »geschasst« und »SED-Reformer« zu beziehen sein, während Seidowsky der »Bloch-Schüler« nicht abgesprochen werden soll. In diesem Fall hat der Leser einzukalkulieren, daß ihm vom Autor Sätze hingeworfen werden, deren wahren Sinn zu entschlüsseln ihm als Rätsel überlassen bleibt.

Gerhard: Ingrid will noch heute nicht meine damalige emotionale Nähe zu Gropp verstehen und findet Prof. Schulz ganz ersprießlich, dessen Vorlesungen und Gesellschaft ich mied, weil ich in dem flotten Akademiker den früheren Wehrmachtsoffizier erspürte, ein Gefühl, wie es mich später gegenüber Ex-Oberleutnant Helmut Schmidt befiel. Trotz alledem warnte ich Bloch mehrmals vor Gropp. Das geschah zur Selbstverteidigung und berührte nicht die emotionale Ebene. In Gropp sah ich den schon dreimal gestorbenen Verfolgten, der zum Verfolger mißriet. Als Bloch mich später als »schon dreimal verbrannt« charakterisierte, war das Feuer komplett. Dies das Bezugssystem, in dem ich auch Walter Ulbricht begriff, desto heftiger mußte seiner Diktatur damals widerstanden werden.

Was wir hier vorlegen, bleibt Torso. Nein, Auswahl zur Vergewisserung. Es soll ein wenig so sein, als wäre Bloch nicht 1977 verstorben, sondern lebte und stünde der Denkfabrik eines Instituts wie in Leipzig vor, das man 1956 demontierte und das zwei Jahrzehnte später in Tübingen gezielt nicht fortgeführt wurde. Beglaubigte der 100. Geburtstag Adornos am 11. 9. 2003 die starke Heimathaftung des Geehrten zu Frankfurt am Main, hatte der 25. Todestag Blochs am 4. 8. 2002 dessen Heimatlosigkeit erwiesen. Betonte ich, daß Ludwigshafen seinen Philosophen mit dem kleinen, aber rührigen Ernst-Bloch-Zentrum zu ehren weiß, so hebt sich die desinteressierte, lasche Haltung der Sachsen um so stärker davon ab. Was dort zur Erinnerung an Blochs Leipziger Zeit geschieht, ist ein schwacher Notbehelf, ähnlich verschämt und verlegen, wie sich heute die Berliner Republik am Philosophen der Revolution vorbeizuschmuggeln versucht. Der Sieg über die Sowjetunion erscheint so manchem als Korrektur der Niederlage von 1945. Der Sieg über die DDR verengt unter vielen Stirnen den freien Blick auf die allgemeine Malaise: Kriege kommen und gehen, die Ursachen der Kriege sind geblieben. Ein Freigeist, der auf Begriff brachte, was verschwiegen werden soll, weil die politische Klasse – welcher Couleur auch immer – in Angst vor der Freiheit des Wortes vegetiert, dieser philosophische Trotzkopf soll zum bloßen Hoffnungspfaffen degradiert versauern. Ein toter Hund beißt nicht.

Das könnte den historischen Umwertern so gefallen. Die DDR ist vergangen? Laut Baring wird sich in wenigen Jahren keiner daran erinnern. Das könnte dem so passen. Mindestens bleibt der Beginn eines Bloch-Landes, in dem wir auffinden können, was uns verband – die Spuren auf dem Weg zu einer anderen Gesellschaft.

Ingrid: Über Jahrzehnte hin war der Philosoph fasziniert von Jean Paul und E. T. A. Hoffmann, aus deren weiträumigen Romanen er immer wieder Texte heranzog, von Jean Paul zum Beispiel den Satz über die lebenslange Arbeit in der »Essigfabrik der Satire«, bei E. T. A. Hoffmann verwies er auf die behenden Verwandlungen, mit denen der phantasievolle Autor so leichthändig hantierte, die »Türklinke wird das Apfelweib«, zitierte Bloch beschwörend, und man meinte, die verblüffende Metamorphose direkt vor Augen zu sehen. Die Passion für beide Dichter kann ich nachvollziehen, die Lektüre stattet mit unvergleichlichen Erkenntnissen aus, unvergeßlich ist mir Jean Pauls Definition: »Der Papst ist die Waschmaschine für die Seelen der Welt.« Waschmaschine! Ein wahrhaft zukunftsweisender Begriff bei diesem 1825 geborenen Autor.

Wenn sich der Philosoph im Reich der Epiker erging, folgte bald der Hinweis, auch er habe in seiner Jugend versucht, einen Roman zu schreiben, und die ersten Worte schwungvoll zu Papier gebracht: »Indessen saß Kilian vor seiner Hütte.« Das klang zwar vielversprechend, doch haperte es mit der Fortsetzung. Er zog den Schluß, zum Romancier nicht geboren zu sein.

Die Beschäftigung mit den zwei anspruchsvollen deutschen Klassikern hinderte nicht an Ausflügen in Gefilde der Unterhaltung. Bloch besuchte gelegentlich eine Kinovorstellung im Leipziger *Capitol.* Da die DDR zu Frankreich und Italien und deren damals sehr aktiven kommunistischen Parteien freundschaftliche Beziehungen pflegte, gab es einen regen Kulturaustausch. Gérard Philip, Star des *Theatre*

National Populaire, Anfang der fünfziger Jahre mit dem Ensemble zu Besuch in Leipzig, war uns von der Leinwand her vertraut, ebenso die vielfältigen Arbeiten von Vittorio de Sica und andere Werke des Neo-Realismus. Ein früher Film mit der jungen Gina Lollobrigida ist mir im Gedächtnis geblieben, Titel: *Untreue*. – Relevante Produktionen, nicht zu vergleichen mit der heute weitverbreiteten, belanglosen Massenware. Die Sekretärin Frau Franke besorgte Kinokarten für die guten hinteren Plätze. Von dort aus erkannte Bloch die Bilder nur schemenhaft. Also tappte er nach vorn und tauschte sein teures Billett gegen einen billigen »Rasiersitz«. Wer ihn begleitete, hatte ein besonderes Vergnügen. Filme, ganz aus der Nähe betrachtet, wirken kolossal.

Gerhard: Lebte Bloch noch, setzte er der Berliner Republik so zu, wie er es mit der Weimarer Republik tat, in seinem Buch *Erbschaft dieser Zeit* nachzulesen. Das fatale Ende von Weimar kennen wir, das Ende von Berlin ist, so hoffen wir, noch offen. Die Republik bedarf der Energien ihrer Verteidiger gegen die virulenten Gefahren der Entpluralisierung und Entsozialisierung. Bloch und die 56er Reformer in der DDR scheiterten, weil das sowjetische Modell als östliches Modernisierungsdogma keine Veränderungen zuließ. Der damaligen Bewegung in der DDR wird mit verlegener Unwissenheit, wo nicht pauschaler Feindschaft begegnet. Die Welt soll weiter zum ewigen Kreislauf von Krisen und Kriegen verurteilt sein. Wer das nicht will, muß Revolutionen wagen. Sie können intellektuell und politisch die Köpfe und Herzen bewegen oder die Form mörderischer Bürgerkriege annehmen. Jede Alternative besteht nur aus zwei Angeboten. Tertium non datur.

Bei einer turbulenten Veranstaltung in Berlin kurze Zeit nach der sogenannten Vereinigung bekannte eine evaluierte Genossin Professorin, sie tröste sich über das Ende ihrer DDR hinweg mit der Lektüre von Lenins *Staat und Revolution* und empfahl mir, das Buch ebenfalls zu lesen. Ich kannte es aber schon.

Gleichwohl erwog ich seither den Titel *Bloch und Revolution* und dachte nach über einen Staat, den Marx letztlich abschaffen wollte, den laut Lenin schließlich jede Köchin regieren können sollte, einen Staat, den Stalin zum Überstaat machte, einen Staat, der heute im Zuge der Globalisierung zu verschwinden droht, weil Monopolgruppen die Staatsmacht perforieren und an sich ziehen, diesen Staat stellte ich mir durch das Prinzip Bloch ersetzt vor, das die Revolutionen des Kapitals steuert, damit Arbeit nicht zu einem unerreichbaren Gut entfremde.

Dies ist der Blochsche Weg, der ihn trotz Widerspruchs zum Russischen Oktober von 1917 führte, was sich im Nachhinein als historisch überholt zu erweisen scheint. Der Philosoph bedauerte das, ohne sich vom Roten Oktober zu distanzieren. Wer Lenin und Trotzki verwirft, stelle sich ein von den konterrevolutionären Weißen verlängertes Zarentum bis hin zum antisemitisch-faschistischen Rußland vor, um die Weiterungen abzuschätzen. Blochs Bündnis mit der Sowjetunion entsprach der Konsequenz seiner revolutionären Philosophie und ermöglichte ihm, auf einige Entwicklungen einzuwirken. Der beliebte Einwand, Auschwitz spiele in seinen wichtigsten Werken keine Rolle, verkennt Bloch und unser aller Verfassung in den ersten Nachkriegsjahren. Wir waren im Osten umgeben von antifaschistischen Widerständlern und Opfern, die sich schworen, nie mehr Opfer zu sein. Bloch wäre im Dritten Reich als Jude und Linksintellektueller ermordet worden. Gropp, um auf dieses Beispiel zurückzukommen, entging dem Tod mit knapper Not. Die führenden Genossen verwandelten sich von Verfolgten zu verteidigenden Verfolgern wie unsere Juden, die sich nach Israel hatten retten können. So entstanden Gewaltverhältnisse, wie wir sie vom Alten Testament her kennen. Weil ich das so nicht akzeptieren wollte, geriet ich mit der Partei, zu der ich gern gehörte, in jene Konflikte, die Bloch lieber vermeiden wollte, obwohl er sich ihnen in der Folge nicht entziehen konnte. Im Jahr 1961 schrieb ich für den *Stern* eine Serie »Des Kremls Kreatur«. Nach einigen Fortsetzungen brach ich die Arbeit daran ab und zog meinen Namen zurück. Fünf Jahre später erschien in der Reihe *Archiv der Zeitgeschichte* des *Scherz-Verlages* meine Studie *Walter Ulbricht*, in der ich sein Leben und seine Politik so objektiv skizzierte, wie die Quellen es zuließen. Er war immer noch dem Kreml untertan, doch fragte sich, wie es dazu hatte kommen können. Die Ursachen dafür lagen nicht in Rußland, sondern in Deutschland.

Im September 1966 veröffentlichte die Zeitschrift *Konkret* eine Lobpreisung Sebastian Haffners auf meinen Ulbricht-

Text. Abgefedert war das Abenteuer durch einen Leitartikel von Ulrike Marie Meinhof, was wohl dem von der DDR nicht eben unabhängigen Kurs der Zeitschrift geschuldet war, auch wurden Böll und ich bei den Buchrezensionen wie üblich ausgepfiffen, doch ab Seite 46 ließ Haffner es nicht an klaren Worten fehlen: »Ich könnte mir vorstellen, daß man später die deutsche Ulbricht-Literatur in eine Vorzwerenz- und eine Nachzwerenzperiode einteilt. Denn soviel ist sicher, daß diese 56 Spalten schwerer wiegen als alles, was vorher in West- und Ostdeutschland über Ulbricht geschrieben worden ist.«

Am Ende heißt es bei Haffner: »Ich kann das, was hier zu sagen ist, nicht besser ausdrücken, als indem ich Zwerenz zum Abschluß selbst sprechen lasse: ›Die Deutschen, die aus ihrem Kampf gegen andere Völker eine mörderische Volkstums- und Rassenideologie entwickelt haben, sehen sich nun innerhalb ihres eigenen Volkes als Deutsche gegen Deutsche stehen und spielen diesmal das Spiel Feindschaft selbst mit verteilten Rollen. Womit die Teilung zur letzten Probe auf den Nationalcharakter der Deutschen wird, zur Prüfung, ob die Deutschen ihre Aggressionstriebe zu zügeln und sich selbst zu ertragen vermögen. Sie müßten dabei dem herkömmlichen Weg kriegerischer Auseinandersetzungen entsagen, mit dem Gegner leben, Feindschaft in zäher Kleinarbeit zu Partnerschaft verwandeln, die Kunst des Kompromisses und Friedensschlusses erlernen, kurz, alles das tun, was ihnen unendlich fern liegt, weil sie ihre Gegner jeweils zu verteufeln und sich selbst samt ihren Prinzipien zu vergotten pflegen.‹«

Wenn ich Haffners Eloge, die unter Schreibenden so ungewöhnlich wie nachfühlbar aufrichtig ist, hier anführe, so nicht nur aus naturgemäßer, wenn auch bedauerlicher Eitelkeit, sondern weil die aus meinem schmalen Buch zitierten Sätze dem Unterstrom nach reiner Bloch sind. Ihm zu danken stehen sie hier.

Ingrid: Wir reißen uns beinahe Arme und Beine aus, ein paar Sätze von Blochs Philosophie als Überlebenshilfe unter die Leute zu bringen. Gleichzeitig ist ein Großteil der Welt fasziniert vom dunkel drohenden Unheilspropheten Nostradamus und seinen wolkigen, verquasten Sprüchen: Der Irrationalismus marschiert. Im *Stern* vom 4. 11. 2003 sucht der Reporter Frank Ochmann, ein promovierter Physiker und früherer Priester, dem Wahn mit fundierter Kenntnis und Kritik zu begegnen.

Georg Lukács, Fachmann für die Verteidigung der Ratio, erwähnt in seinem Buch *Die Zerstörung der Vernunft* den vor fünfhundert Jahren geborenen Provencalen mit keinem Wort. Im Personenregister sehe ich hingegen den Namen Marcel Proust, bei früherer Lektüre von mir dick unterstrichen und mit Fragezeichen markiert. Lukács zeigt sich hier nicht auf der Höhe seiner Reflexionsfähigkeit. Mit Proust zugleich nimmt er Bergson scharf ran, dessen »Intuition richtet sich nach außen als Tendenz, die Objektivität und Wahrheit der naturwissenschaftlichen Erkenntnis zu zerstören; sie richtet sich nach innen als Introspektion des vereinsamten, vom gesellschaftlichen Leben abgetrennten parasitischen Individuums der imperialistischen Periode.« Für Proust bleibt dann nur noch eine harsche Klammerbemerkung übrig: »Es ist kein Zufall, daß die größte literarische Nachwirkung Bergsons bei Proust erscheint.«

Und es ist kein Zufall, sage ich mir, daß es zwischen Lukács und Bloch in späteren Jahren erhebliche Differenzen gab. Derart abqualifizierende Sätze über den Verfasser des epochalen Romanwerkes *Auf der Suche nach der verlorenen Zeit* hätten weder Ernst noch Karola Bloch akzeptiert, ebensowenig das vernichtende Urteil über Bergson, den Proust als seinen hochgeschätzten Lehrer bezeichnete. Später heiratete Bergson eine Verwandte von Proust und wurde dessen Vetter. Dennoch äußerte sich der 1941 verstorbene Philosoph gegen Ende seines Lebens verblüffend kritisch über den Romancier. André Maurois zitiert in seiner Proust-Biographie diese Bergson-Sätze: »... jedes wahrhaft große Kunstwerk rühre die Seele an und bringe sie zum Klingen.« Das Romanwerk *Auf der Suche nach der verlorenen Zeit* übe, laut Bergson, »diese Wirkung nicht aus«.

Lukács wiederum versieht sowohl Bergson wie Proust mit dem dogmatisch-klassenkämpferischen Etikett »parasitische Individuen«. Wieso das? Der Literatur-Nobelpreisträger Bergson war zunächst Gymnasiallehrer und ab 1900 Philosophie-Professor am Collège de France, verdiente also damit sein Geld. Proust erbte zwar Vermögen, doch das hatte sich der Vater als Mediziner erarbeitet. Der ständig kränkelnde und seinen eigenen schriftstellerischen Fähigkeiten gegenüber außerordentlich skeptische Sohn Marcel brauchte einige Jahre, bis er seine Lebensaufgabe fand und die dreizehn Bände *A la recherche du temps perdu* schrieb. Lukács mag weder Bergsons Lebensphilosophie noch Prousts Romanwerk, was nicht ausreicht, die beiden Autoren als Parasiten zu verketzern.

Gerhard: 1992 erschien im *Verlag Anton Hain*, Frankfurt/ Main der Band *Hoffnung kann enttäuscht werden – Ernst Bloch in Leipzig,* darin enthalten ein Essay von Elke Uhl: »Der undiskutierbare Krieg. Exkurs zur Genese der Blochschen Ungleichzeitigkeitstheorie«. Bereits am Beginn des aufregenden, leider nicht konsequent zu Ende geführten Textes wird Blochs Werk »als in vielen Aspekten noch unerschlossen« charakterisiert. Der Hauptgrund dafür ist schon auf der ersten Seite verzeichnet, und wir zitieren diese Zeilen voller Respekt: »Aber so sehr sich Blochs Ungleichzeitigkeitstheorie in der Deutung des ›Phänomens‹ Faschismus bewährte, ihre Entstehung verdankt sie einem anderen historisch-theoretischen Kontext. Die Analyse von Blochs frühen Texten aus der Zeit des Ersten Weltkrieges vermag ihn zu erhellen: Blochs Ungleichzeitigkeitstheorie entspringt der Problematik der Schuldeinsicht als Kernfrage einer möglichen Überwindung jener deutschen Katastrophe, die sich im Krieg von 1914 manifestierte, jedoch nicht unwiederholt bleiben sollte. Für Bloch blieb, auch angesichts des ›für einen Christen undiskutierbaren‹ Krieges, das mit der Schuldfrage verbundene moralische Theorem unabweisbar.«
Wie aber ist Blochs Pazifismus mit seiner späteren Parteinahme für die Sowjetunion inklusive Stalin vereinbar? Elke Uhl: »Unfähig, revolutionäre Handlungsimpulse aus der erlittenen Summe von Gewalt und Profanität zu gewinnen, verharrten die Deutschen im Dunkel des gelebten Augenblicks.«
Das gilt für alle Zeiten nach der Urkatastrophe bis zum heutigen Tag und erklärt, weshalb der revolutionäre Pazifismus des Philosophen soviel Feindschaft und Haß auf sich zieht. Aber auch die Verniedlichung zum handlichen Sentenzen-Lieferanten ist nichts anderes als Flucht vor den Konsequenzen der Alternative pazifistische Revolte oder Krieg.
Die Aufforderung »Schach statt Mühle« zu spielen, 1956 von Bloch an die DDR-Führung gerichtet, ist politisch,

geographisch, zeitlich unbegrenzt und basiert auf Blochs Grundüberzeugung aus der Periode des Ersten Weltkriegs. Das Christentum versucht seit zweitausend Jahren vergeblich, die pazifistische Lehre seines Begründers zu realisieren. Marx komplettierte seine Kapitalanalyse durch eine Revolutionstheorie, die der Wirklichkeit nicht standhielt. Blochs Hoffnung, im Gefolge der russischen Oktoberrevolution einen intellektuellen, kultivierten Status zu erreichen, der mit den Klassen zugleich die Kriege abschafft, erfüllte sich nicht. Noch aber ist nicht aller Tage Abend. Unter Mimikry und Sklavensprache verborgen, aber dennoch entschlüsselbar, bleibt die Botschaft einer strategischen Philosophie erhalten, deren Paßwort lautet: »Kampf, nicht Krieg«. Die pazifistische Revolte hatte mit der Kriegsverweigerung von Karl Liebknecht und Rosa Luxemburg begonnen. Ernst Bloch ist ihre Konsequenz.

Allerdings schloß Blochs Losung »Kampf, nicht Krieg« ursprünglich den Sieg der Entente über das deutsche Kaiserreich mit ein. Der Triumph über das deutsche Militär war Voraussetzung revolutionärer Handlungsimpulse. Blochs Energieleistung von über hundert Artikeln und Broschüren im Schweizer Exil von 1917 – 1919 ist dem Ziel der deutschen Niederlage gewidmet, die beiden Bücher *Geist der Utopie* (1919) und *Thomas Müntzer* (1921) sollten den poetisch-philosophischen und den revolutionierenden Weg aufzeigen. Der dritte Titel *Durch die Wüste* von 1923 gibt schon den Ton des deprimierenden Resultats an: Die deutsche Niederlage mündete per halber Revolution sowie ausbleibender Ursachen- und Schuldbewältigung direkt in Hitlers Drittes Reich und den Zweiten Weltkrieg als Fortsetzung der Urkatastrophe. Dies der Grund dafür, daß Blochs Devise nun den Krieg gegen Nazideutschland ebenso einbezog wie vordem den Krieg von 1914 – 1918. Spätestens seit Martin Korol 1985 die vorher kaum bekannten Antikriegs-Texte Blochs unter dem Titel *Kampf, nicht Krieg – Politische Schriften 1917 – 1919* als Resultat einer meisterlichen Detektivarbeit vorlegte, ist diese frühe Periode nachprüfbar geworden. So seltsam es klingen mag, erst die mißlungene Novemberrevolution mit ihren furchtbaren Folgen ließ den antimilitaristischen Bloch zum Philosophen der deutschen und europäischen Linken werden. Der daraus folgende Anspruch auf eine materialistisch gefaßte moderne Interpretation der Saulus-Paulus-Legende ist die letzte Botschaft, deren so rationale wie mystisch-religiöse Intension den wirklichen Skandal ausmacht. Da will tatsächlich einer dem Krieg an den Kragen. Also muß er verhindert werden. So die Devise der Krieger.

Bloch in *Vademecum für heutige Demokraten*: »Über den Krieg und sein Ende – Niemand lehnt ihn stärker ab als wir.« Und: »... nur in dieser vollkommensten Erhebung kann Deutschland das Licht auf dem Heimweg der Menschheit wieder erblicken.«

Ingrid: »Übergenug fehlt ja nun in der Buchfassung der Leipziger Vorlesungen ohnehin, es fällt auf diesem kurzen Raum auch bewußt zu viel an Denken aus.« So Ernst Bloch im Vorwort zum Band 12 der Suhrkamp-Gesamtausgabe, 1977 unter dem Titel *Zwischenwelten der Philosophiegeschichte* erschienen. In der Tat fehlt »übergenug«, auch wenn man konzediert, daß eine Schreibe keine Spreche ist. Wer des Philosophen Rede je vom Leipziger Katheder herunter hören konnte, fühlt sich, mit Verlaub, ein bißchen auf den Rollmops geladen, bekommt er vor Augen, was Bloch in Tübingen von 1972 – 1976 »durchgesehen und überarbeitet«, also zum Druck eingerichtet hat. Schmerzlich vermißt werden eine ganze Anzahl würziger Invektiven, die der Professor großzügig verstreute, mitunter hart an der Grenze zur Verbalinjurie.

Nehmen wir die Schelling-Vorlesungen zum Exempel, dazu habe ich dreizehn Seiten der Buch-Edition und meine handschriftlichen Notizen von Ende April 1956 vor mir liegen. Nachlesen kann ich da bei mir zum einen ausführliche, sozusagen seriöse Erläuterungen, vermerkt ist in meinen Mitschriften aber auch hinterfotzig Beiläufiges, das die akademische Veranstaltung erst unverwechselbar machte.

Am 30. 4. 56 sagte Bloch zu den Nachwirkungen Schellings: »Deutschland trat in den Kapitalismus ein, hatte sich auf der Erde zurechtgefunden. Dazu außerordentliches Sinken des geistigen Niveaus, was Schelling beklagt. Kapitalismus nicht nur kunstfeindlich, sondern gedankenfeindlich. Drückte sich auch aus im relativ niedrigen Niveau der Philosophie (England – Lockes)«

Nicht eine Spur dieser Analyse ist in der Suhrkamp-Edition von 1977 zu finden. Der Begriff Kapitalismus wird nicht einmal genannt, so als wäre er anstößig wie die früher verpönten four-letter-words. Offensichtlich basiert die gedruckte Variante auf völlig anderen Ausführungen als sie 1956 in Leipzig zu vernehmen waren. Im *Bloch-Almanach* von 1990 berichtet Ruth Römer, daß der Professor sie 1957 bat, seine Vorlesungen »in ein satzfertiges Manuskript umzugießen«.

Bei diesem Vorgang müssen ganze Hektoliter von Worten danebengeschüttet worden sein. Ohne Ironie: Niemand bestreitet Frau Römer, daß sie viel Mühe aufwandte bei der Umwandlung des nach lückenhaften Tonbändern entstandenen Typoskripts in eine akzeptable Druckfassung. Die dreizehn Buch-Seiten über Schelling vermitteln durchaus den Schwung und Furor Blochscher Rede, dennoch: Ich sehe vieles, was nicht da ist.

Unter anderem der Seitenhieb auf den Staatsphilosophen John Lockes und das gesunkene philosophische Niveau. Genauso ermangelt es der kritischen Bemerkung über die (damalige) Gegenwart aus dem Jahr 1956: »Im Sozialismus gibt es ein Verhalten zur Philosophie wie das des Kommerzienrats, wenn sein Sohn Lyriker werden wollte. Das alles ist im schlechtesten Sinne amerikanisch. Jaspers stellt Schelling als ganz gefährlichen Bolschewiken dar.« Diese Sätze sind in der Suhrkamp-Ausgabe unauffindbar. Für Bloch war in Leipzig unverzeihlich, wie Jaspers mit Friedrich Wilhelm Joseph Schelling umsprang. Ein paar Monate später, in den umfänglichen Erläuterungen zu Hegel, nimmt er sich am 22. 10. 56 neben Karl Jaspers einen zweiten West-Philosophen vor: »Jaspers ist ein Schwätzer, allerdings ein subjektiv anständiger Mann. Heidegger nicht, er ist ein Grübler, ein bösartiger, dennoch riecht es stellenweise nach Philosophie.«

Dann griff Bloch zu einem gern genutzten Satz von Thomas Mann, der sonst nicht gerade zu seinen Favoriten zählte, und nannte die vier Mann-Worte: »Der leider begabte Brecht.« Ganz automatisch ergänzte hier seine gewiefte, erfahrene Zuhörerschaft: Der leider begabte Heidegger ...

Nun wäre es naiv, wollten Blochianer erwarten, daß all die labenden Ironien und Sarkasmen, in Leipzig ad hoc ausgesprochen, bei einem älter und milder gewordenen Tübinger Philosophen die Schranke gebotener kühler Taktik hätten überwinden können.

Wie viel war seiner westlichen Leserschaft Schwarz auf

Weiß zuzumuten? Das Resultat ist ein *Doppel-Bloch*, der in der DDR und der in der BRD.

Schlichter Selbstschutz erforderte Selbstzensur. Niemand sollte vom Denker des Möglichen verlangen, daß er sich durch den Abdruck vormaliger spontaner Sottisen gegen die Philosophen-Kollegen in der Bundesrepublik unmöglich machte. Die Entfernung vom gesprochenen zum gedruckten Wort ist so weit, daß unterwegs vieles verloren gegangen ist. Wie aber heißt es bei Franz Kafka? »Wege entstehen dadurch, daß man sie geht.«

Siebtes Buch

Nach fünfzig Jahren

Und an geistigen Holzhammertechnikern mangelt es auch im westlichen Deutschland nicht, wie erst kürzlich ein Essay des FAZ-Herausgebers Joachim Fest gezeigt hat, in dem der bekannte Hitler-Kenner Ernst Bloch in Bausch und Bogen als Vordenker des Totalitarismus erledigen wollte.

Lang ist es her, daß der Philosoph des »aufrechten Gangs«, dem noch die Vorkämpfer der ostdeutschen Wende ein revolutionäres Stichwort verdankten, als einer der herausragenden Köpfe des Jahrhunderts 1967 mit dem Friedenspreis des Deutschen Buchhandels geehrt wurde. Und wer erinnert sich, daß ein marxistischer Sympathien gewiß unverdächtiger Bundeskanzler Kohl in seiner Regierungserklärung des Jahres 1982 respektvoll den Ludwigshafener Landsmann Bloch zitierte? Inzwischen hat ein Lautsprecher des Zeitgeistes wie Marcel Reich-Ranicki sogar den Begriff »Utopie« an einem Talkshow-Stammtisch für tabu und zum »dirty word« erklärt.

»Der Spiegel« Nr. 17/1991

Vor den 68ern die 56er

Im Januar 2003 wurde so fleißig wie inkonsequent der sechzig Jahre zurückliegenden Schlacht von Stalingrad gedacht. Im Juni wurde der fünfzig Jahre zurückliegende 17. Juni 1953 abgefeiert. Ideologisch verbogen und unverfroren verlogen, wie es dem Zustand moderner medialer Kakophonie entspricht. Worum ging es? Am 17. 6. 53 zeigten die Streik-Demonstranten in Ostberlin und verschiedenen DDR-Städten die ganze Aussichtslosigkeit einer Machtprobe auf der Straße an. Erst 1989, ganze 36 Jahre später, wagten sich die

Leute wieder in Massen hervor zum Protest. Inzwischen war die Sowjetarmee nicht mehr auf einen entschlossenen Eingriff aus. Binnen Jahresfrist führten die Demos zum Ende der DDR. Blicken wir von heute aus zurück, erkennen wir, die Erfahrungen der DDR-Arbeiterschaft von 1953 hatte der Budapester Aufstand vom Oktober 1956 im vergrößerten Maßstab erneut bestätigt. Das klassische Aufstandsmodell bis hin zum bewaffneten Widerstand in Budapest erwies sich als untauglich gegenüber einer intakten Armee. Genau wie 1968 in Prag. Allerdings war zwischendurch im Jahr 1956 eine friedliche Reform-Variante in der DDR versucht worden, die sich Chruschtschows Antistalinkurs des XX. Parteitags der KPdSU zum Vorbild nahm und erst scheiterte, als der Ungarische Oktoberaufstand zu Straßenkämpfen mit Mord und Totschlag eskalierte und Walter Ulbricht sein aufgeschrecktes Politbüro disziplinierte, indem er Fotos von gelynchten Geheimpolizisten vorzeigte und fragte, ob die Genossen ein solches Ende riskieren wollten. Das wollten sie nicht.

Die westdeutsche Apo und ihre Gruppierungen, vereinfacht die 68er genannt, reagierten nur atmosphärisch auf die Ereignisse im Osten. Paris lag näher, und Daniel Cohn-Bendit verband in Person französische und deutsche Studenten, die sich ihre Rebellions-Vorbilder aus aller Welt holten. Der Osten war abgeschrieben. Nach Aufspaltungsprozessen bis hin zur RAF landeten die 68er in der Apathie, bei den Sozialdemokraten oder als Grüne im selben bürgerlichen Lager, gegen dessen väterliche Erscheinungsform sie einst auftraten.

Im Übergang vom zweiten zum dritten Jahrtausend besitzen die 68er nichts mehr als ihre Vergangenheit, die von weiblichen und männlichen Karrieristen zahlreich dementiert wird. Die 68er, angetreten, ihre unterschiedlich kriegsgeschädigten Altvorderen Mores zu lehren, kurbelten die linke Kulturrevolte solange an, bis sie sich auf die leergeräumten Sessel der verlästerten Väter setzen konnten. So stiegen sie tüchtig auf und um, zum Ärger des restlichen Establishments, das deshalb neidisch, aber nicht grün wurde. Der grüne Spitzen-Joschka gar erklomm Spitzen-Umfragewerte. Als vom marxlesenden Taxifahrer mit steinharter Street-Erfahrung zum Weltdiplomaten gewendeter genialer Autodidakt vereint er nun Metternich und Napoleon in einer Person, wo nicht Bismarck und Lassalle, während Schröder heute Wilhelm Zwo und morgen Friedrich Ebert mimt.

Vor den 68ern gab es mit den 56ern so eine Art 68er in der DDR, zwölf Jahre früher aufgewacht und nur etwa gut sechs Monate geduldet. Dann zerschlagen, eingesperrt, verjagt, vergessen gemacht. Es sollte sie schlichtweg nie gegeben haben. Einige hundert Gerichtsurteile zwischen zwei und zehn Jahren wurden gefällt, Genossen verteufelt, Existenzen vernichtet, unorthodoxe Gedanken und Worte zu Verbrechen erklärt.

Noch hatten die östlichen Akteure ihre Strafen abzusitzen, da avancierte Rudolf Augstein mit einigen Monaten U-Haft zum Helden der westlichen Welt. Als Ausgleich machten die Bonner den 17. Juni im Nachhinein zum alljährlichen Feiertag mit Picknick im Grünen. Das galt den 53ern der DDR, die damals auf die Straße gegangen waren, während die Kopfarbeiter staunend beiseite standen. Als 1956 endlich DDR-Intellektuelle aufmüpfige Gedanken riskierten, blieben die 53er Werktätigen unsichtbar, erst ihre Kinder versammelten sich 1989 wieder zu Massen-Demonstrationen. Und wußten von nichts, denn die 56er sind in der DDR amtlich aus dem Gedächtnis getilgt worden.

Die 89er nannten sich nun Bürgerrechtler und erstarrten ein Jahrzehnt später zu Salzsäulen. Nur die 68er rumoren durch die Ämter und Medien. Ein paar Lebenslängliche, die das deutsche Kapital per Waffe zu besiegen versuchten, verrotten in Sondertrakten. Die Spitzen der Behörden wurden von anderen erobert, die jetzt nie so richtig umstürzlerisch dabeigewesen sein wollen. Ab und an ist irgendwo in freier Wildbahn noch ein uralter bemooster 56er anzutreffen, der, seine Unschuld beteuernd, behauptet, sie hätten damals dem Reformer Chruschtschow geglaubt und in der DDR einen erneuerten Sozialismus angestrebt. Die 68er beginnen dann gleich von ihrer eigenen großen Vergangenheit zu schwärmen, und im *Spiegel* wird an Augsteins leidvolle Kerkermonate erinnert. Alle gemeinsam geben sie den verdammten Kommunisten die Schuld an der deutschen Misere, weil die so dumm gewesen sind, gegen Hitler und für Stalin zu optieren, und zu Tausenden und Abertausenden von Hitler und Stalin verfolgt, eingesperrt, umgebracht worden sind.

Begonnen hatte alles mit dem Gulag, sagt Nolte, sagt die *FAZ*, sagen der *Spiegel* und das Fernsehen. Daß die bürgerlichen Helden ohne Stalin mit Hitler in Stalingrad als 42er und 43er gesiegt hätten, sagen sie nicht. Und da ist auch noch dieses Auschwitz, an das schon so lange erinnert wird, daß man es einfach nicht mehr ertragen will. Die letzten 56er hören davon und verschwinden schweigend in verschiedenen Altersheimen. Denn sie wollten damals etwas ganz anderes. Das gilt inzwischen allgemein als falsch, unanständig und überholt. Es hat sich eben nicht gehört. Die 56er denken still bei sich: Das wurde uns damals von oben her auch vorgeworfen. Als die DDR im Ozean vereinigender Dämlichkeit versank, erlangten die 56er Harich und Janka vorübergehend öffentliche Aufmerksamkeit, weil sie zwischendurch für Jahre in Bautzen verstaut worden waren, Janka gar in einer Zelle, in der er schon zu Hitlers Zeiten einsitzen mußte. Tut nichts, der anklagende DDR-Generalstaatsanwalt Ernst Melsheimer war zwar nicht, wie oft behauptet, blutbefleckter Nazi-Richter, hatte sich aber 1933 vom Sozialdemokraten zum gehorsam funktionierenden Juristen im Dritten Reich gewandelt, so wie er gewendet 1956/57 funktionierte, wenn es galt, aufmüpfige SED-Genossen zu bestrafen. Insgesamt aber siegten die 33er in Westdeutschland, wo sie ab 1951 nach dem 131er Gesetz der Bonner Demokratie im gleichen Rang mit gleichen Rechten wie im Dritten Reich dienen durften. So betrachtet haben nur zwei mit historischen Zahlen belegte Jahrgänge dauerhaften Erfolg errungen: die 68er, wenn sie sich verleugnen – und die 33er, die sich als 51er nie zu verleugnen brauchten, was ihren direkten Nachkommen das gute Gewissen verschafft. Wir stellen uns allerdings vor, die Blochsche revolutionäre Schule hätte sich in Leipzig an der Pleiße so halten können wie die Kritische Theorie von Adorno/Horkheimer in Frankfurt am Main. Wir wissen, es mißlang. Bei den hier gesammelten Materialien erweist sich, es mißlang nicht gänzlich. Die vielverfolgte, scharf kritisierte und verleumdete Oppositionsphilosophie und Revolutionsstrategie ist nicht ungeschehen zu machen. Worum es bei den vorliegenden Dokumentationen auch gehen mag, stets ist eine Spur Blochs dabei.

Einer nüchternen, also objektiven Einschätzung der 56er Bewegung stehen mehrere Hindernisse im Wege. Die

SED feierte einerseits ihren Sieg über die Abweichler und machte sie zugleich klein und vergessen. Im Westen galten die DDR-Oppositionellen zwar als Widerständler, doch wenn sie von ihren sozialistischen Ideen nicht abließen, war der Ofen bald aus. Die 56er selbst sahen sich zu taktischen Manipulationen gezwungen. In den Vernehmungen versuchte jeder Angeklagte die für ihn günstigste, mit Aussicht auf eine möglichste geringe Strafe belegte Position zu finden. Walter Jankas Haltung, der sich als Kommunist nichts vergab und jede Unterwerfung strikt verweigerte, war die Ausnahme und stand im schroffen Gegensatz zu Wolfgang Harichs Schuldbekenntnissen. Günter Zehm wiederum vermied offenbar jede Beschuldigung anderer, gab aber derart akribische Auskünfte, daß sich daraus Anklagen gegen seine Freunde konstruieren ließen, wie ich aus meinen eigenen Vernehmungen weiß. Zehm ist das nicht vorzuwerfen, er war der Situation nicht gewachsen und Opfer seiner eigenen Impulsivität, wo nicht Hysterie, also von Anbeginn unserer ideologischen Diskussionen ein Sicherheitsrisiko. Bleibt die Frage der Selbsteinschätzung. Zwar sprach sich die Mär von Chruschtschows Antistalin-Rede auf dem Moskauer XX. Parteitag nur sehr zögernd herum, doch dann mit der Wirkung eines Gerüchts, dessen Unglaubhaftigkeit das Unglaubliche immer glaubhafter werden ließ. Der Moskauer Parteitag vom Frühjahr rief bis in den Herbst hinein ein stetig anwachsendes Bedürfnis nach Katharsis hervor. Das individuelle Reinigungsbestreben der Genossen verlangte nach ideologischer Klärung und politischen Korrekturen. Zuvörderst sollte Ulbricht weg, die Verkörperung des stalinistischen Funktionärs. Doch der Oktober brachte mit dem ungarischen Aufstand und dem Sieg der sowjetischen Panzer eine gewaltige Zäsur, die das Ende unserer 56er Bewegung einleitete. Von jetzt an waren wir chancenlos. Man suchte sein Heil in der Flucht oder der Aufgabe eigener oppositioneller Positionen. Oft wußten die Angeklagten selbst nicht mehr, was sie gedacht und gesagt, sich erträumt und gewünscht hatten. Lese ich die mehr als hundert Seiten meiner Gespräche und Vernehmungen bei Partei und Staatssicherheit, befinde ich mich in einem wuchernden Gestrüpp der Ausreden, Bagatellisierungen, Finten, von denen ich mich auch heute nicht distanziere, weil sie zum Schutz und zur Verteidigung unerläßlich waren.

So räumte ich im Schlagabtausch viele mögliche Fehler ein, wenn auch in wolkigen Wendungen und Undeutlichkeiten. In der Hauptsache aber, wenn es gegen Bloch ging, blieb ich eisern widerständig. Was meinem guten Freund Hans Pfeiffer später als Distanzierung vom einst bewunderten Lehrer und Philosophen unterlief, war mit mir nicht zu machen, und es ist einzuräumen, daß ich noch heute, ein Halbjahrhundert später, unziemlich stolz darauf bin. Sehe ich die Gesprächsnachschriften vor mir, in denen ich damals den Obergenossen und vernehmenden Geheimoffizieren konfrontiert war, finden sich viele Stellen mit unanständigen Offerten des Verrats am Lehrer. Das war eine Brücke, die zu betreten ich mich weigerte. Zwei Desertionen hatte ich hinter mich gebracht, die erste im August 1944 von der Wehrmacht, die zweite jetzt im Jahre 1956 vom Stalinismus. Ich war bereit zur taktischen Verteidigung, nicht zum strategischen Rückzug. In Chruschtschows Stalin-Kritik sah ich nach wie vor die Möglichkeit zur Kurskorrektur in der DDR. Blochs Forderung, Schach statt Mühle zu spielen, signalisierte die Richtung der Reformen. Daß der Meisterdenker sich selbst bald rigoros, wenn auch nur vorübergehend, von den eigenen Ansichten distanzierte, war nicht vorauszusehen und für mich inakzeptabel. Was immer die klugscheißenden heutigen Historiker von uns halten mögen, es bleibt der Einspruch vor der Geschichte: Der DDR bot sich eine Chance. Sie wurde von zu wenigen Genossen wahrgenommen.

Wie es vor einem Halbjahrhundert begann

Die *Deutsche Zeitschrift für Philosophie* erschien vierteljährlich im *Aufbau-Verlag*. Zum Jahreswechsel 1953/54 lagen die ersten vier Hefte des ersten Jahrgangs vor. Im kleinen Kreis äußerte Bloch sich unzufrieden wegen ausbleibender Reaktionen. Er korrigierte gerade die Druckfahnen von Band eins seines Hauptwerkes, in der Philosophie-Zeitschrift waren Kapitel daraus vorabgedruckt, doch wollte sie offenbar niemand so recht zur Kenntnis nehmen. Ich erbot mich, für *Die Weltbühne* darüber zu schreiben, fühlte mich aber unsicher und las Bloch in seinem Direktorenzimmer meinen Sermon vor, während Frau Franke die Tür bewachte und niemanden einließ. Der Philosoph korrigierte knurrig drei Worte und schlug einen etwas »friedlicheren« Ton vor. Heute würde ich es die gezielte Höflichkeit der Sklavensprache nennen. Ich verhöflichte und devotisierte den langen Artikel, der am 24. 2. 54 in der *Weltbühne* erschien und mir den unkorrigierbaren Ruf eines tüchtigen Bloch-Assistenten einbrachte, so oft ich diese Position auch dementierte. Um keinen Preis der Welt wollte ich die wissenschaftliche Laufbahn einschlagen. Dozent an der Ingenieurschule in Zwickau war ich schließlich schon gewesen, als braver Assistent mit dem Ziel Professor wollte ich nicht enden. Vielmehr hatte ich vor, unabhängiger, freier Schriftsteller mit Wohnort Leipzig zu bleiben, einige humoristische Romane zu schreiben, dazu hin und wieder in der *Weltbühne* zu publizieren, das hätte mir genügt. Man brauchte in der DDR keine großen Einnahmen, um sozial(istisch) über die Runden zu kommen. Immerhin brach meine Rezension das allgemeine Schweigen über Bloch, Lukács und die *Deutsche Zeitschrift für Philosophie*. Es hatte sich zuvor aus Unsicherheit keiner getraut, diese neuen Gedanken und Phänomene einzuschätzen. Unsere große Mama Partei gestattete die Veröffentlichung, enthielt sich jedoch jeder Beihilfe zur Bewertung, die ich nun geliefert hatte, ganz ungeplant und von keiner Instanz »angeleitet«. Blochs Unzufriedenheit über das mangelnde Echo teilte ich, die Nichtbeachtung des Philosophen ging auch mir gegen den Strich. Das war's denn auch schon. Und kein Schimmer von den möglichen Folgen. Eine Parteirüge, wegen des 17. Juni 1953 zugezogen, war ausgestanden, die nötigen taktischen Hofknickse hatte ich geliefert. Daß der gewiß nicht radikale *Weltbühnen*-Artikel der erste Schritt zum großen Konflikt sein könnte, war mir als Gedanke so fremd wie die Absicht zum Weggang von der Pleiße. Mitunter fühlen wir uns auch heute noch als exilierte Leipziger.

Der Anfang ist gemacht
*Bemerkungen aus dem Jahre 1954 zum einjährigen Erscheinen
der Deutschen Zeitschrift für Philosophie
(Gerhard Zwerenz)*

Einem Neugeborenen wünscht man eine gute Zukunft, bei manchem Jubilar wäre auch der Wunsch nach einer guten Vergangenheit so angebracht wie unerfüllbar. Um so erfreulicher, wenn wir unserem Jubilar, der seit einem Jahr erscheinenden *Deutschen Zeitschrift für Philosophie*, bezeugen können, daß die bis jetzt vorliegenden vier Hefte einen sehr guten Anfang bilden. Der Glückwunsch schließt deshalb auch den Dank ein.

Leider fand dieser gute Anfang in unserer Presse bisher kaum Widerhall, gerade unserer Presse aber könnte ein Blick in diese Hefte keineswegs schaden.

Ein beträchtlicher Teil der Leser (und Schreiber) versteht unter Philosophie in erster Linie etwas für ihn Unverständliches – wenn nicht noch Schlimmeres – und meidet sie. Jedoch, wer die Wissenschaft meidet, ertrinkt im Aberglauben (es gibt auch naturwissenschaftlich-empiristischen Aberglauben), wer die Philosophie fürchtet, kriecht der Afterphilosophie auf den imperialistischen Leim.

Zwar ist die Philosophiezeitschrift ein Fachorgan, und mancher Artikel ist schwer zugänglich weil forschend, abtastend, für den Fachwissenschaftler bestimmt, doch gibt es auch Beiträge, die allgemeinverständlich und allgemeininteressierend sind. Vorliegende Betrachtungen können nur einen sehr fragmentarischen Einblick in die Zeitschrift geben. Sie sollen zum Selbstlesen anregen.

Da wendet sich Wolfgang Harich in dem Beitrag »Die Lehre von Marx und die philosophische Bildung der deutschen Intelligenz« (2/53) an Marxisten und Nichtmarxisten. Harich konstatiert, daß in Vergangenheit und Gegenwart breite Kreise der deutschen Intelligenz keine, beziehungsweise verzerrte Vorstellungen von der marxistischen Philosophie hatten und haben. Er fragt: »Kann man die Philosophie der deutschen Aufklärung und Klassik überhaupt verstehen ... ohne daß die Tatsache der Entstehung des Marxismus in Deutschland den Blickpunkt bestimmt, von dem aus die vorhergehende Tradition betrachtet wird?«

W. Harich zeigt, wie sich durch die Ignorierung des Marxismus die deutsche Intelligenz selbst schädigte, wie leicht sie das Opfer mystizistischer Demagogie wurde, wie die Reaktion sie zu täuschen und auszunutzen verstand. Zur Illustration dienen Beispiele wie Hegel – Historische Rechtsschule, Nationale Frage, Erkenntnistheorie u. a.

Für ältere Weltbühnenfreunde sei bemerkt, daß auf Seite 276 der Philosophiezeitschrift auch der antifaschistische Kampf der Weltbühne kritische Würdigung findet.

Harichs weitere Ausführungen wenden sich kraftvoll gegen jene schändliche Verfälschung unseres kulturellen Erbes, wie sie etwa hinsichtlich Heines philosophischer Bedeutung begangen wurde, gegen die Darstellung des deutschen Geisteslebens als Misere, gegen nationalen Nihilismus und gegen chauvinistische Überheblichkeit, gegen »linke« Phrasen und sonstige reaktionäre Tendenzen. Demokratischer Patriotismus schließt nationale Selbstkritik ein, sagt W. Harich und macht deutlich, daß Karl Marx auch als Patriot unser Vorbild sein kann: »Er (Marx – G. Z.) sei es deswegen, weil er auch in diesem Punkt, wie allenthalben, ein Maximum an Illusionslosigkeit mit einem Maximum an Optimismus vereinigte.«

Ein Maximum an Illusionslosigkeit, die kalte, real-nüchterne Einschätzung der gegebenen Lage, in Gemeinschaft mit einem Maximum an Optimismus als Voraussetzung einer konsequenten, genau zielenden Aktivität, das macht hier den Marxisten aus. Optimismus nicht als dunkles, ungefähres Hoffenwollen, sondern als wissenschaftliche Einsicht in das Weltgeschehen, als das Wissen, daß es nicht nur Wirklichkeit, sondern auch Möglichkeit gibt, daß wir die im Heute liegenden Möglichkeiten zur Wirklichkeit des Morgen machen können, daß dies in einem starken Maße von unserem Wirken abhängt. Wenn Wolfgang Harich diesen Optimismus bei Karl Marx zeigt, so weist er gleichzeitig auf das Problem der Kategorie Möglichkeit hin, mit dem sich Professor Bloch in Heft 1/53 beschäftigt.

In seiner Arbeit »Über die Kategorie Möglichkeit« betritt Professor Bloch ein von Marxisten noch ziemlich unbestelltes Feld. Ansonst vorhandene Versuche lassen wenig Auswertung zu. Die Schwerverständlichkeit dieses Artikels wurzelt also nicht zuletzt in der Schwierigkeit des Gegenstandes selbst.

Ernst Bloch bezeichnet den Unterschied zwischen der formalen Möglichkeit und der sachlich-objektiven Möglichkeit. Mit letzterer gibt er diejenige Sphäre an, in der die Möglichkeit eine erkenntnis-theoretische Frage ist, wenn nämlich die Bedingungen eines Vorganges noch nicht hinreichend bekannt sind. Vollständig neu in der marxistischen Literatur sind Blochs weitere Ausführungen über das sachhaft-objektgemäß Mögliche und die objektiv-reale Möglichkeit. Letztere bedeutet hiernach eine in der betreffenden Realität selbst vorhandene Entwicklungsmöglichkeit, während die sachhaft-objektgemäße Möglichkeit sich innerhalb der objektiv-realen Möglichkeit bewegt, je nach Maßgabe der im jeweils gegebenen Zeitpunkt vorhandenen Reife der entsprechenden inneren und äußeren Bedingungen.

Im Kapitalismus selbst ist zum Beispiel seine eigene Aufhebung, und damit die Anlage, die objektiv-reale Möglichkeit zum Sozialismus, gegeben. Mitgegeben war die Möglichkeit zum Aufbau des Sozialismus in einem Lande, aber nur unter der Diktatur des Proletariats, des wirtschaftlichen Aufbaus usw., was abhängig war von der Einsicht in diese Zusammenhänge, wobei Lenins entsprechende Erkenntnis den Übergang vom sachlich-objektiv Möglichen zum sachhaft-objektgemäß Möglichen bezeichnet. Nun mußten die bestimmten nötigen Bedingungen geschaffen werden, der subjektive Faktor (Agitation, Bündnispolitik, kurz: Vorbereitung und dann Sicherung der Revolution auch im engeren Sinne) gelangte noch mehr in den Vordergrund. Unter Ausnutzung der äußeren und inneren Bedingungen (subjektiver Faktor) gelangten die Bolschewiki so zur größtmöglichen Angleichung des sachhaft-objektgemäß Möglichen an die objektiv-reale Möglichkeit, zur Einmündung dieser in die Wirklichkeit, zum Sozialismus.

Denken wir daran, wie oft auch unter Marxisten noch mechanistische Ansichten in Umlauf sind. Viele glauben noch, es sei Unsinn, in der Geschichte von »hätten« zu sprechen (hätten die deutschen Linken zur Zeit mit den Opportunisten gebrochen ... wäre vor 1933 die Aktionseinheit der deutschen Arbeiterklasse ...), gewiß, mit verpaßten Gelegenheiten lockt man keinen Hund hinter dem Ofen vor, aber man braucht ihn doch gar nicht erst dahin gelangen zu lassen. Unsere Geschichte ist reich an großen Taten, aber auch reich an verpaßten Gelegenheiten, will heißen Möglichkeiten. Wer von der Geschichte lernt, weiß, daß sie kein Fatum ist, daß sie uns viel mehr zu vielem die Hand reicht, daß zum Beispiel wir, die Menschen, bestimmen können, ob Krieg oder Frieden wird.

Die Aspekte der Möglichkeit und der Hoffnung kommen auch in Ernst Blochs »Keim und Grundlinie« (2/53) in den Bereich der Untersuchung. Wem »Über die Kategorie Möglichkeit« zu schwerverständlich ist oder wer glaubt, die berühmten elf Thesen von Karl Marx über Feuerbach zu kennen, dem sei »Keim und Grundlinie« empfohlen. Er sei noch so philosophisch bewandert, hier lernt er hinzu.

Gleiches gilt von Professor Blochs Artikel »Die antizipierende Funktion«, einem Vorabdruck aus einem dieses Jahr erscheinenden dreibändigen Werke. »Die antizipierende Funktion« gibt, wie alle Werke Blochs, immenses Faktenwissen in tiefer, oft neuer Beleuchtung. Hieraus erklärt sich auch der zum ständigen Weiterdenken anregende Charakter dieser Schriften.

Georg Lukács ist auch in jeder der bisher erschienenen Nummern der Zeitschrift vertreten. Als Vorabdruck aus einem in Vorbereitung befindlichen Werk »Zerstörung der Vernunft« ist in Heft 2/53 der Artikel »Kierkegaard« enthalten. Besonders treffend ist hierin die Charakteristik Kierkegaards (und Schopenhauers) als Vermittler eines irrationalen Scheinradikalismus für jene Schichten, die am Mahle der Bourgeoisie teilnehmen, moralisch aber – wenigstens solange es ungefährlich ist – den Snob spielen, in Opposition zur ordinären Moral der Bourgeoisie »machen«.

Im gleichen Heft ist eine Arbeit Professor Arthur Baumgartens, betitelt »Zur Methodologie der Rechtswissenschaft« enthalten, die nicht nur für Juristen geschrieben ist. Man wünscht sich, häufiger solch ausgezeichnete rechtswissenschaftliche Abhandlungen zu Gesicht zu bekommen.

In Heft 3/4/53 schreibt Professor Werner Krauss über »Karl Marx im Vormärz«. Zwei weitere Arbeiten des gleichen Verfassers, die mit diesem Beitrag in Zusammenhang stehen, erscheinen in den folgenden Heften.

Daß die Philosophiezeitschrift auch einige Übersetzungen bringt, ist sehr zu begrüßen; neben solchen aus der Sowjetunion, die uns glücklicherweise jetzt auch oft in anderen Publikationen zugänglich sind, auch Arbeiten fortschrittlicher französischer Autoren.

Nichts kann zum Beispiel die Scheu vor philosophischer Lektüre mehr beseitigen, als die spritzige, polemische Erledigung der »Geschichtsphilosophie« des englischen Dunkelmanns Arnold J. Toynbee (Studie zur Weltgeschichte) durch Jean Poperen (3/4/53). Hier wird ein elendes Machwerk mit Elan zerfetzt, und die umherfliegenden Teile werden mit göttlichem Gelächter beigesetzt. Poperen bewegt nur den kleinen Finger – und unter der betont weißen Weste des »Gentleman« Toynbee wird der faschistische Schmutz sichtbar ... aber das muß man selbst gelesen haben. Da ist weder Holzhammer noch Zimperlichkeit, da gibt es nie Langeweile, da ist Brisanz und Kraft verbunden mit Eleganz und Florett, da arbeitet leidenschaftliche Parteilichkeit mit den Mitteln des beißenden Spotts und der lässigen Erledigung durch bloßes Anpusten, da gewinnt die Wahrheit auch noch durch ihre Form – den dankbaren Leser. Solche Polemiken sind leider in unserer Presse noch sehr selten.

Das bisher Gesagte zeigt hinreichend, wie in unserer Republik auch die Philosophie sich entwickelt. Da phantasieren westliche Schreiberlinge von Stagnation, ein Blick in unsere philosophischen Institute, ein Blick in unsere Zeitschrift straft sie der Lüge. Gewiß, Nihilismus, Demagogie und Kriegshetze stagnieren, mehr, sie verhungern. Nur gut, wir brauchen keine Gescheittuer oder Karikaturen (siehe Erich Weinerts »Philosophenkongreß«).

Wie erfreulich fruchtbringend eine solche reine Atmosphäre ist, wird ersichtlich, wenn man die in den Spalten der Zeitschrift geführten Diskussionen über Fragen der Logik und der modernen Physik betrachtet. Marxisten und Nichtmarxisten diskutieren mit größter Offenheit und sachlicher Schärfe ihre Probleme. Stalins Worte über die Notwendigkeit des Meinungsstreites in der Wissenschaft finden hier beredten Ausdruck. Es geht um die Wissenschaft, nicht um Monopolinteressen.

Natürlich sind wir auch nicht wunschlos glücklich. Wie schon gesagt, fehlen weitere echte Polemiken. Es fehlen konkrete Auseinandersetzungen mit imperialistischen Windmachern, es fehlen kritisch abgrenzende und zugleich Hilfestellung gebende Arbeiten gegenüber ehrlich bemühten Wissenschaftlern des Westens. Der Mangel des angeführten Artikels von Wolfgang Harich, daß er sich nur an eine bestimmte Schicht der Intelligenz wendet, ist auch ein allgemeiner Mangel. Eine bei uns in der DDR und auch im Westen vorhandene breite Schicht von Naturwissenschaftlern und Technikern bleibt fast völlig unbeachtet, obwohl sie infolge ihrer Arbeitsbedingungen spontan zu uns neigen.

Schließlich fehlen noch Arbeiten unseres philosophischen Nachwuchses, es fehlt die Behandlung von Fragen der Geschichte der Philosophie, was in Anbetracht der ständig wachsenden Anzahl der Philosophiestudenten, der Problematik ihrer Studienpläne und der zur Verfügung stehenden bürgerlichen Philosophiegeschichten sich hemmend auswirken muß.

Zu wünschen wäre auch, daß die Zeitschrift Hinweise auf neu erschienene philosophische Literatur bringt und mehr Rezensionen veröffentlicht.

Erfreulich ist die Preisreduzierung von 5 auf 3,50 DM, ebenso erfreulich ist, daß die Zeitschrift fortan in einer besseren Ausstattung erscheinen soll.

Führen wir noch wahllos von ihren weiteren Autoren einige an: Georg Mende, Karl Schröter, Bela Fagarasi, Kurt Hager, M. M. Rosental, A. W. Wostrikow, Paul Laberenne, Klaus Zweiling, Eduard Erkes. Schon dieser bei weitem nicht vollständige Querschnitt zeigt, daß die *Deutsche Zeitschrift für Philosophie* ein Organ ist, das in Deutschland seinesgleichen sucht. Unsere philosophische Zeitschrift ist ein begrüßenswerter Wegweiser echt humanistischer Wahrheitslehre. Wir freuen uns auf das Erscheinen der ersten Nummer des neuen Jahres.

Börsenblatt für den Deutschen Buchhandel

Als Ernst Bloch 1967 den Friedenspreis des Deutschen Buchhandels erhielt, bat man mich um den Würdigungsartikel im Zentralorgan der deutschen Buchhändler. Animiert legte ich los und versuchte meine in fünfzehn Jahren angesammelten Erfahrungen über Mann und Werk unter die Leser zu bringen. Pustekuchen. Der erste Artikel in der *Weltbühne* zum Thema Bloch hatte immerhin noch ein alarmierendes Zeichen setzen können. Das Angebot von 1967 im mainischen Frankfurt blieb jetzt in West wie Ost so gut wie folgenlos. Im Feuilleton dominierten Weihrauch und Unverstand. Bei erneuter Lektüre nach 36 Jahren sehe ich, die Interpretationen zu Werk wie Person bedürfen keiner Korrektur. Hier die Publikation vom 7. 9. 1967:

ERNST BLOCH – FRIEDENSPREISTRÄGRER 1967
von Gerhard Zwerenz

1

Philosophie als die Wissenschaft und Kunst der Reflexion kommt uns immer mehr abhanden, was sowohl der fortschreitenden Arbeitsteilung und Spezialisierung in den Wissenschaften als auch den allgemeinen Tendenzen der Entpersönlichung entspricht. Rückblickend erscheinen uns selbst kleinere Philosophen noch in der Größenordnung geistiger Renaissancemenschen. Verblüfft fragen wir uns, wie die Denker der Vergangenheit es denn wohl fertiggebracht haben können, sich so zu Persönlichkeiten zu bilden. Die Kraft ihrer Urteile, das freie Spiel ihrer Fantasie, die uns ganz ungeheuerlich anmutende Schärfe ihrer Logik und Dialektik bestürzen uns ebenso wie die Erkenntnis, daß derlei Denkkraft heute immer weniger gewürdigt wird. Es hat, so scheint es wenigstens, eine Verengung des Horizonts stattgefunden, die dazu führte, daß die Verengung selbst nicht einmal mehr empfunden werden kann. So wenig ist man sich der Lage bewußt. Wobei die Verkümmerung der Philosophie wohl nicht einfach und direkt auf die Untauglichkeit des Personals zurückgeführt werden kann, wenngleich eine gewisse Verarmung des philosophischen Sinns konstatierbar ist. Im Wechsel der Mode, der zur Moderne gehört, hat die dialektische Vermittlung an Sympathie eingebüßt und den Ruch des Altmodischen angenommen. Man ignoriert Tiefenprozesse und beschreibt stattdessen das Sichtbare von Oberflächen. Analyse beruft sich lieber auf empirische Bestandsaufnahme statt auf Durchdringung. Der Scharfsinn aber, der mit dem Mißtrauen gegen ideologische Spekulationen auch ein Mißtrauen gegenüber der Intuition und der rationalen Konstruktion verbindet, hat sich selbst schon demobilisiert.

So ist der Gedanke von vornherein im Nachteil gegenüber den Gegebenheiten. Andererseits sind die Gegebenheiten so undurchschaubar und kompliziert, daß es auch von dieser Seite aus immer hoffnungsloser scheinen muß, die Wirklichkeit auf ihr Wesen hin durchzureflektieren. Das Ende der Philosophie spielt sich ab als Kapitulation vor der Übermacht einer Welt, die dem geistigen Prinzip keinen archimedischen Punkt mehr bietet. Indem die philosophische Erkenntnis sich auf Detailuntersuchungen beschränkt, statt sich ihrer zu bedienen, wird sie selbst Detailwissenschaft und unterliegt der Arbeitsteilung. Die Denker entwerfen nun keine Modelle mehr, die Philosophen philosophieren nicht mehr, sondern lehren Philosophie, und das heißt Philosophiegeschichte. An die Stelle der Vernunftwissenschaft tritt ihre Historie, also die bloße Vergangenheitsbetrachtung.

2

Ernst Bloch zählt, neben ganz wenigen anderen, zu den Denkern, die, noch in unsere Zeit hineinragend, Philosophie verkörpern in jenem Verständnis, das zu unterscheiden weiß zwischen einem Professor für Philosophie und einem Philosophen. Hier wird Philosophie nicht nur in ihrer Geschichte gelehrt, sondern als Denkvorgang, indem sie das Denken selbst betreibt. Die Konflikte Blochs mit verschiedenen deutschen Obrigkeiten haben darin ihre Wurzeln.

3

Vier politische Ereignisse prägten Blochs Leben in besonderer Weise. Am nachdrücklichsten und dauerhaftesten die russische Oktoberrevolution, deren Pathos der Menschheitsbefreiung in Blochs Werk vielfach facettiert, mit dem 1918 erschienenen *Geist der Utopie* aber auch das durchgehende Motiv setzte. Geschichte ist demnach »harte, gefährdete Fahrt, ein Leiden, Wandern, Irren, Suchen nach der verborgenen Heimat«, wie es in der Biographie *Thomas Münzer* heißt, mit der Bloch 1921 das Schicksal eines zu früh gekommenen und also untergegangenen Revolutionärs exemplifizierte.

Was vorher *Geist der Utopie* hieß und später *Das Prinzip Hoffnung* heißen sollte: Hohes Lied der Revolution, Revolution als Befreiung aus unwürdigen Zuständen, wird hier als bitterer, doch keineswegs sinnloser Opfergang demonstriert. Am Ende ist Münt   zer so geschlagen und verketzert, daß seine Nachkommen »ihren Namen, aus Furcht vor

Bürgerschande und Verfolgung, in das bettelarme Diminutiv Münzel abgeändert haben«. Freilich: »Einen ganzen Tag soll sich Luther eingeschlossen haben, als er Müntzers Ende erfuhr ... der Schatten lebt, der Leichnam blutet, die Faust wächst drohend aus dem Grab ...«

Der Vorspruch des Ketzerbuchs endet mit der revolutionär-romantischen Konfession: »So erscheine uns ... mache uns hell und befestige uns der Rebell in Christo Thomas Müntzer.«

Nach der bolschewistischen Revolution von 1917 war es die deutsche Konterrevolution von 1933, die in Blochs Leben eingriff und ihn zur Emigration zwang. Die Mitarbeit bei den im Reich erscheinenden Zeitungen mußte aufhören. Da in Amerika die Ehefrau für den Lebensunterhalt sorgen konnte, entstand das philosophische Hauptwerk *Das Prinzip Hoffnung*, eine seltsame Frucht erzwungener Untätigkeit: Trachtete der Faschismus dem Juden und Kommunisten Bloch nach dem Leben und schnitt er ihn ab von allen Erwerbsquellen, zog dieser sich zurück und antwortete mit der totalen Verfluchung des Konterrevolutionären vom Gegenbild Utopia aus: »... die Hoffnungsbilder gegen den Tod sind versammelt ... Es kommt darauf an, das Hoffen zu lernen ... Die Welt ist vielmehr voll Anlage zu etwas, Tendenz auf etwas, Latenz von etwas, und das so intendierte Etwas heißt Erfüllung des Intendierenden. Heißt eine uns adäquate Welt, ohne unwürdige Schmerzen, Angst, Selbstentfremdung ... Marxistisches Wissen bedeutet: die schweren Vorgänge des Heraufkommenden treten in Begriff und Praxis. ..das Wesen der Welt liegt selber an der Front« (Vorwort zu *Das Prinzip Hoffnung*, Band 1, *Aufbau-Verlag Berlin*, 1954).

Das Wesen dieser Hoffnungsphilosophie besteht im neugefaßten, variabel gehaltenen Begriff der Entwicklung, die weder starr mechanisch und notwendig noch willkürlich manipulierbar verstanden wird. Der Marxismus hatte jeweils nur eine seinen praktischen Erfordernissen entsprechende Interpretation gegeben, was schon bei Marx und Engels begann und zu einem der Hauptstreitpunkte zwischen Bolschewiki und Menschewiki, zwischen Lenin und der II. Internationale geworden war.

In der herkömmlichen Sozialdemokratie sah man die Entwicklung vorab als Entwicklung der Produktivkräfte, der objektiven Bedingungen also, während Lenin den subjektiven Faktor höher schätzte und Rußland als reif für die Revolution erklärte; wenn nur eine streng disziplinierte Kaderpartei vorhanden sei.

Der Dialektik zwischen Subjekt und Objekt galt Blochs Interesse, wobei die im Marxismus auf einen kargen Rest Diamat reduzierte Philosophie, der Lehrmeinung Friedrich Engels' entgegen, wieder in ihre alten Rechte eingesetzt werden mußte; eine marxistische Anthropologie und Ontologie entstand in Ansätzen, die Gesellschaftstheorie der sozialen Revolution wurde in einigen Teilen neureflektiert, das Instrumentarium einer marxistischen Immanenzkritik bildete sich heraus oder wurde, obgleich verboten, benutzt.

In welchem Maße diese Hoffnungsphilosophie wirksam werden konnte, zeigt sich nach Blochs Berufung auf einen Lehrstuhl der Universität Leipzig, und dies war das dritte Mal, daß ein politisches Ereignis formend in sein Leben eingriff:

Der Versuch, die Philosophie praktisch werden zu lassen, wie es Platon einst in Syrakus wünschte, schlug nach anfänglichen Erfolgen fehl. Das »Problem einer mehrschichtigen Dialektik« (*Erbschaft dieser Zeit*) erwies sich als unlösbar, weil nur eine einschichtige Dialektik zugelassen war.

Die achtjährige Lehrtätigkeit endete 1957 mit dem Lehrverbot, und nach dem behördlich erzwungenen Ruhestand, dem vierten politischen Ereignis, das rigoros und folgenreich verändernd wirkte in diesem Leben und Denken, folgte Tübingen, wo, im kapitalistischen Westen Deutschlands, Bloch seither lehrt, das Werk vervollständigend, wie die Suhrkamp-Gesamtausgabe zeigt und noch zeigen wird, aber mit einer Vielzahl von Korrekturen, die, wenn nicht den inneren Kern der philosophischen, so doch den der politischen Substanz treffen.

4

Bloch liebt es, mit einem kategorischen Ich zu beginnen. *Der Geist der Utopie* hebt an mit dem höchst befremdlichen Satz: »Ich bin an mir.« Im Hauptwerk, *Das Prinzip Hoffnung*, lautet, unter der Überschrift »Wir fangen leer an«, der Anfang: »Ich rege mich. Von früh auf sucht man. Ist ganz und gar begehrlich, schreit. Hat nicht, was man will.«

Auch die *Spuren* setzen so ein: »Zu wenig – Ich bin. Aber ich habe mich nicht. Darum werden wir erst.«

Dieser Anfang gibt immer zugleich das Hauptmotiv. Der Mensch ist nicht, was er sein kann. Der Gründe, die ihn von sich selbst abhalten, abbringen, sind viele. Im *Geist der Utopie* wird die Seltsamkeit des »Ich bin an mir« mit dem Beispiel der Krüge erläutert. »Ein alter Krug« lautet die Kapitelüberschrift. Das Ich also als Krug oder Glas, als Trinkgefäß und Höhlung: »Es ist schwer zu ergründen, wie es im dunklen, weiträumigen Bauch dieser Krüge aussieht. Das möchte man wohl gerne inne haben. Die dauernde, neugierige Kinderfrage geht wieder auf.«

Die Kinderfrage, die zugleich schlechthin philosophisch ist: Was bin ich? Was ist das: Ich? Welch ein Gefäß bin ich, und wofür?

Blochs »Ich« beginnt psychologisch und als Erkenntnisprozeß. Aber es handelt sich nicht um das individuelle Ich, dem Bloch eigenartig fremd blieb. Zwar stehen ihm im mündlichen Gespräch persönliche Erlebnisse reichhaltig zur Verfügung. Doch in der Niederschrift verflüchtigen sie sich, denn es handelt sich um das Gegenteil autobiografischer Schreibweise, und sie vermag auch die reine Erzählhaltung nicht zu bewerkstelligen. Mit einem Sarkasmus, der die fast wehmütige Verwunderung nicht verbergen kann, berichtet Bloch von seinem Jugendirrtum, dem Versuch, einen Roman zu schreiben. »Indessen saß Kilian vor seiner Hütte« hieß der erste Satz des Romans, bei dem es auch blieb, möglicherweise mangels erzählerischer Fantasie, möglicherweise auch aus einem grundsätzlichen Desinteresse am rein Psychologischen und lediglich Individuellen. Dieser Autor ist, wie auch Brecht oft, zu schnell aufs Exempel, die Lehre aus, als daß er es lange genug bei der Abhandlung individueller Fälle bewenden ließe. Der unbedingte und ungestüme Erkenntnisdrang hält es im begrenzten Erzähl-Ich nicht aus. Wenn schon erzählt wird, wie in den *Spuren*, so enthebt der Autor sich der Mühe des Erfindens und gibt stattdessen die raffende Nacherzählung. Die Weltgeschichte, die so reichlich zur Verfügung steht, wird in ihren literarischen Exempeln skizzenhaft vorgeführt, doch nicht um ihrer selbst willen zur Kenntnisnahme, sondern, wohlgemerkt, zur belehrenden Besichtigung.

Die jeweilige Fabel hat mehr zu demonstrieren als nur sich selbst; sie dient als philosophisches Exempel, denn »der Denkende ... hebt etwas ab von dem, was ist, indem er es schreibt. Er sucht einige Dinge heller zu machen, indem er zeigt, wohin es mit ihnen geht.«

Zeigen, wohin es geht – mit den Menschen, den Sachen und Verhältnissen, ist ein Hauptmotiv. Das Ich, mit dem Bloch anhebt, ist psychologisch, anthropologisch und gesellschaftlich. Die Ketzerbiographie *Thomas Münzer* setzt ein mit der Versicherung, hier werde keineswegs zurückgeblickt, was, angesichts des Vorgangs, der Jahrhunderte zurückliegt, verblüffen mag. Doch eben, auch das längst Vergangene zählt nur insofern, als es gegenwärtig und also zukunftsträchtig ist. Geschichte wird nie museal betrachtet.

Obzwar das einsetzende Ich nicht das persönliche Ich des Autors ist, kommuniziert es doch mit ihm. Das wird deutlich bei der Betrachtung von zwei wichtigen Fällen, die nicht mit dem Ich, sondern mit dem Wir anheben.

Thomas Münzer beginnt mit dem Satz: »Wir wollen immer nur bei uns sein.« Hieße es hier: »Ich will immer nur bei mir sein«, wäre das Motiv mißverständlich, weil schon im Ton zu individuell.

Nicht der Autor und auch nicht ein das Allgemeine vertretendes Ich postuliert seine Meinung, sondern das revolutionäre Programm dieses Buches, und nicht nur dieses Buches, soll verkündet werden. Der Satz umreißt die gestellte Aufgabe, Vergangenes nicht wie üblich als Vergangenes zu sehen:

Ebenfalls mit einem Wir und doch gänzlich anders, nämlich polemisch, beginnt *Erbschaft dieser Zeit*, die Abrechnung mit Hitler-Deutschland. Unter der Überschrift »Halb« heißt es: »Wir sind noch. Aber es gelingt nur halb. Der kleine Mann hält zu vieles zurück. Er meint noch, für sich selber.«

Der zweite Abschnitt, »Muff« überschrieben, verdeutlicht: »Mehr als je lebt man mit ihm. Kinder werden dem Muff nicht entzogen. Sie nehmen ihn weiter auf oder leiden solange, bis sie selber wie der Vater sind ... Auch wer nicht mitatmet, den grüßt die enge, verbrauchte Luft. Sie dringt zum jungen Mann nach unten, zu den schönen Leuten nach oben. Hält hier gut still, dort gut taub.«

Verständlich, daß das Wir des Anfangs ironisch-polemisch gehalten ist. Der Autor kann nicht mit »Ich« einsetzen, und auch das »Wir« ist nur in der Verfremdung möglich. Der außerhalb des Reichs sitzende Emigrant benutzt das scheinbar solidarisierende Wir zum Angriff.

5

Der Platz Blochs im geistig-politischen Gefüge Deutschlands ist schwer zu bestimmen. So klar wie selbstverständlich ist allein die Ablehnung von Seiten der äußersten Rechten, zu der auch Schlamm mit seiner *Welt-am-Sonntag*-Kolumne zu zählen ist.

In der DDR wurde einige Zeit nach Blochs Weggang heftig gegen seine Philosophie polemisiert. Nach dieser Periode, die von Selbstkritiken seiner drüben verbliebenen Schüler und Anhänger begleitet war, begann die Zeit des Verschweigens. Die Bücher des Philosophen sind nicht mehr verfügbar. Bloch selbst wurde zur »Unperson«, was immer noch die bequemste Art der Auseinandersetzung ist.

In der Bundesrepublik war Bloch einige Zeit bei linken Gruppierungen im Gespräch; dies und einige andere Geschehnisse, eine Ehrung etwa wie die Verleihung des DGB-Kulturpreises, können allerdings nicht darüber hinwegtäuschen, daß das Interesse recht äußerlich blieb. Die Subtilitäten dialektischen Denkens, das sich vieler Vermittlungsglieder bedient, sind zur Zeit wenig gefragt. Der Jugend sind direkte Auskünfte lieber; die den Expressionismus nie verleugnende sprachliche Fülle Blochs mutet sie barock an.

Überdies macht sich das Fehlen größerer linker Bewegungen sehr nachteilig bemerkbar. Wir haben kaum noch eine lebendige Linkstradition. Verglichen mit Frankreich, Italien oder auch England befinden wir uns in einem, was die Geschichte und Wirkungen linker Bewegungen angeht, Entwicklungsland, wobei die Entwicklung gänzlich neu einsetzen müßte, da selbst das Problembewußtsein weithin verschwunden ist. Wer hier mit Vergleichen bestimmter Vorgänge in der Arbeiterbewegung oder mancher geistiger Auseinandersetzung der Vergangenheit arbeiten wollte, sähe sich breitem Unverständnis ausgesetzt. Das allgemeine Bewußtsein fiel soweit zurück, daß, enge Zirkel an Universitäten ausgenommen, kaum von einem »bewußten Sein« gesprochen werden kann. Allenfalls traten Stimmungen an die Stelle des seines Gegenstands mächtigen, d. h. reflektierenden Geistes. So nimmt es denn nicht wunder, wenn Bloch dort zum Anlaß diffiziler Gespräche und Überlegungen wurde, wo die geistige Tradition noch vorhanden ist und außerdem, im Zuge vordringender Aufklärung, so erstaunliche wie gewiß auch schmerzhafte Erneuerungsbestrebungen festzustellen sind: bei den Theologen. Hier erscheint Bloch einmal als Exponent einer Linken, die von den Kirchen in der Zeit ihres staatskonformen Untertanentums ignoriert oder bekämpft worden war, und zum anderen ist das Blochsche Zukunftsdenken wegen seiner nach vorn gerichteten Heilserwartung und des qualitativen Materiebegriffs interessant.

In der Tat enthält dieses Philosophieren, von den reichlich eingefügten theologischen und religionsgeschichtlichen Vergleichen einmal ganz abgesehen, eine ausgesprochen religiöse Dimension. Wenn Bloch dabei die Transzendenz ausschließt und ein aktives, aktivierendes Prinzip, ein Agens, das der Materie selbst einwohne, annimmt, so mag damit wie in der Entgegensetzung zu herkömmlichen Kirchentraditionen die Parallelität mit neueren, innerkirchlichen Entmythologisierungs-Tendenzen gegeben sein. Nachdem Bloch zum Ketzer des Sozialismus geworden war und einige Zeit darüber verging, verwandelt er sich nun zurück in das ursprünglich namengebende Ketzertum gegenüber den christlichen Kirchen.

Auf solche Differenzen sollte es, meine ich, ankommen, jedenfalls sollten sie nicht im Zuge allgemeiner Feierlichkeiten eskamotiert werden. Ehrungen, die eine Person nicht wirklich in ihrem Werk betreffen, verwandeln sich in Manipulationen. Zumindest in versuchte.

6

Gleichen die Denkweisen bürgerlicher Kulturkritiker den Reisen durch die versammelten Ängste der Welt, wobei die Untergangsängste nicht ohne Lust dargestellt und der Untergang masochistisch, zumindest aber quietistisch betrieben wird, so tritt Bloch eine andere Reise durch die Vielfalt menschlicher Sehnsüchte, Träume und Hoffnungen an. Sein Ausgangspunkt ist immer das erkennende Subjekt, aber nicht im aristokratischen Sinne elitärer Kulturkritiker, die den Ersatzcharakter der Phänomene nur konstatieren, um die Masse abqualifizieren zu können, sondern, ganz im Gegenteil, indem die jeweiligen kulturellen Äußerungen wie Film, Schlager, Kolportageroman etc. zwar in ihrem Ersatzcharakter dargestellt werden, zugleich aber auch zu untersuchen ist, warum etwas denn zum Surrogat wird und welche über den schönen Schein hinausweisenden Intentionen vorhanden sind.

Die lebenslange Verteidigung, die Bloch dem Wildwest-Sachsen Karl May angedeihen ließ, ist ein Exempel. Es wäre nur zu einfach und billig, sich auf die kritische Distanz zu beschränken. Viel schwerer ist es, in diesem Volksschrift-steller, der Übereinkunft aller hochfahrenden Bildungsbür-ger entgegen, einen der besten deutschen Erzähler zu sehen: »... und er wäre vielleicht der beste schlechthin, wäre er kein armer, verwirrter Prolet gewesen. ... Beispiellos, wie dieser Zuchthäusler zum Schriftsteller wurde ... er schreibt keine blumigen Träume, sondern Wildträume, gleichsam reißen-de Märchen. Die Knaben lesen über sein Schlechtes leicht hinaus, weil die Spannung hilft ... die Handlung ist wie ein Angsttraum, aus dem man sich herausfindet, oder wie eine Rettung, die man nicht müde wird, hundertmal zu hören ...« (»Die Bilderbüchse Winnetous« in *Erbschaft dieser Zeit*).

Diese Art, eine Sache durch scharfe Analyse auf eine Höhe zu führen, von der die empirische Oberflächenbe-sichtigung nichts ahnen läßt und der bildungsbürgerliche Beurteiler nichts ahnen will, hat Methode. Es ist dies der Blick auf die Phänomene nicht von oben herab, aber von un-ten hinauf. Dieser ungewohnte, enthüllende Blick bringt die »beunruhigend scharfen Bilder« ein, die Bloch bei Brecht so rühmt.

Da Erkenntnis jeweils Neu-Erkenntnis ist, gilt es, sich schon im Erkenntnisprozeß selbst von den vorgeformten und also wertgeminderten Wahrheiten zu distanzieren. Diese unkonventionelle, zutiefst revolutionäre Methode Blochs umfaßt Subjekt und Objekt mit ihren Wechselbezie-hungen samt deren Artikulation. Blochs Sprache ist vom Drang nach Erneuerung gezeichnet wie der Expressionis-mus, dem die *Spuren* in ihrer erzählend-raffenden Art auch literarisch zuzuzählen sind. Diese Kurzprosa des jüngeren Bloch wird später nicht mehr aufgenommen, wenngleich sich einige Anklänge in biographischen Streifzügen wie »Avicenna und die aristotelische Linke« noch finden mö-gen. Ebenso verlor sich die rasierklingenscharfe Kritik, wie sie das Bändchen *Durch die Wüste* noch auszeichnet. Kulminierend im Hauptwerk *Das Prinzip Hoffnung* entstand eine philosophische Sprache, deren Termini technici sich mit expressiver Sinnlichkeit und kritischem Sarkasmus verbinden. Nichts ist diesem Ausdruck fremder als das Schwelgen in blassen Konstruktionen. Die Philosophie bleibt selbst in den gewagtesten Konstruktionen noch faßbar, farbig und poetisch-erzählend. »Ich rege mich...« hebt *Das Prinzip Hoffnung* an, den Menschen bei seiner Wurzel fassend, bei sich selbst also, und nun wird der Mensch vorgeführt als einer, der sich eben zu regen beginnt, was heißt: lebend zu erkennen und erkennend zu leben.

Wie eng Bloch Gesellschaftsanalyse und existentielle Erhellung zu verbinden weiß, zeigen schon die Kapitelüberschriften: »Vieles schmeckt nach mehr«, »Täglich ins Blaue hinein«, »Was im Alter zu wünschen übrigbleibt«, »Heraufbeschworene Jugend«, »Der Mensch als ziemlich umfängliches Triebwesen«, »Wunschbilder im Spiegel«, »Sich schöner machen als man ist«, »Reiz der Reise«, »Wunschbild im Tanz«, »Traumfabrik im verrotteten und im transparenten Sinn«.

Der Reiz des Poetischen und zugleich Alltäglichen, den diese Überschriften und Motive enthalten, mag dem befremdlich sein, der für Fantasie und Alltag keinen Platz in der Philosophie lassen will, was freilich in Konsequenz hinter Nietzsche und Schopenhauer zurückführte. Das Hoffnungsprinzip aber ist eine Reise nach vorn und durch alles, was menschenmöglich ist, ja selbst, was menschenunmöglich, also Utopie-Niemandsland ist. Schließlich war dem Steinzeit-Menschen auch Elektrizität ein unerreichbares »Utopia«.

7

Die Verleihung des Friedenspreis an Ernst Bloch hat etwas Verblüffendes an sich, das über jenes Überraschungsmoment hinausreicht, welches eine jede Preisverleihung begleitet oder doch begleiten sollte; hier geschieht nicht nur das Überraschende, sondern auch das gänzlich Unerwartete. Man war auf diesen Preisträger nicht gefaßt, welche Bemerkung ganz ohne Arg formuliert ist und nur meint, daß wir uns schon zur Gänze an einen Zustand gewöhnt haben, der die schärfsten Denker entschärft und wirkungslos macht. Wahrscheinlich ändern auch öffentliche Ehrungen und Preisverleihungen daran wenig (ebenso wenig wie hohe Auflagen), weil die Gesellschaft in sich abgeschlossen ist und dem der Analyse folgenden Willen keinen Ansatzpunkt für Veränderung mehr gibt. Dennoch ist die Preisverleihung zu begrüßen, weil sie möglicherweise ein Bedürfnis signalisiert oder jedenfalls erste Ansätze dazu.

Vor zwei Gefahren freilich wäre zu warnen: Davor, daß der Fall politisch ausgenutzt wird und, weil Bloch Leipzig verließ, antikommunistische Töne oder Untertöne erhielte. Die zweite Gefahr hinge mit der ersten unmittelbar zusammen, wenn nämlich die Ehrung in Mißachtung dessen geschähe, was Leben und Werk des Geehrten ausmacht. Keiner kann sagen: Er war unser. Dem Fortgang aus Leipzig ist der Fortgang von den bürgerlichen Stätten vorausgewesen; und so betrachtet, ist Tübingen ein Ort der Emigration und nicht etwa der Rückkehr ins längst Verlassene. Der Friedenspreis, der da verliehen wird, kann seinen eigentlichen Sinn nur darin finden, wenn in der schmerzlichen Distanz, die unsere Welt zum Frieden hält, auch die Distanz schmerzlich deutlich wird, die Deutschland, seine beiden Staaten, von diesem Denker, aber nicht nur von diesem, trennt. Kein Land nämlich, Rußland vielleicht ausgenommen, behandelt seine Dichter und Denker durch Generationen hindurch so schäbig, jagt sie in die Fremde und läßt auch die heimgekehrten Emigranten nicht heimisch werden; kein Land hält so niederträchtig in der Entwicklung zurück, sich aufs längst Überlebte versteifend, wodurch die Verhältnisse drückend werden und die Denker mutlos und einsam, daß gut ein halbes Jahrhundert später noch auf den Buchstaben stimmt, was Bloch 1910 sagte und womit er den 1923 bei Paul Cassirer erschienenen Band *Durch die Wüste* einsetzen ließ: »Es war so von je ... Durch die Wüste geht der dunkle und kanaanitische Weg ... und gar langsam will er enden.«

Gar langsam will er enden – wie langsam will er enden? Der zweite Abschnitt des Bändchens beginnt mit: »Noch will nichts anders werden.«

Dem ist kaum zu widersprechen. Die Deutschen sind nie reif genug, ihre Denker zu ertragen; so müssen sie ihre Nicht-Denker ertragen und geraten in die damit selbstverschuldeten Niedergänge. Dieses Land, dem nichts so zuwider ist wie das, was es unbedingt braucht – die Kraft zu ständigen Reformen, zu gewollten, geplanten Veränderungen von innen her, damit die sonst drohende Verhärtung der Verhältnisse zu Krieg und faschistoiden Zuständen vermieden werde –, dieses Land muß sich als erstes abgewöhnen, seinen Denkern hysterisch zu begegnen.

Zweifellos war die Maßnahme, Bloch von seinem Leipziger Lehrstuhl auszusperren, eine Hysterie. Bis in den dort institutionierten Marxismus hinein pflanzt sich in solchen Administrationen deutsche Intoleranz fort. Wer anders denkt als die Obrigkeit wird relegiert und emeritiert. Vom Standpunkt einer jeweiligen Behörde aus mag dies das einfachste Mittel sein. Genau und auf die weiteren Wirkungen hin betrachtet, handelt es sich aber um kapitale Fehler. Bloch selbst hat sich zwar in seiner Leipziger Zeit in allerhand Sarkasmen und auch Ketzereien ergangen, doch die Differenzen nie ins Grundsätzliche wachsen lassen. Gerade dies kam dem Marxismus zugute, weil es ihn nicht als verordnete, uniforme Ideologie erscheinen ließ, sondern im Prozeß befindlich, mithin lebendig.

Nach dem Weggang und von Tübingen aus sah Bloch sich freilich mehrfach zu Konsequenzen veranlaßt. Obwohl es sich nicht und selbstverständlich nicht um die bei Exkommunisten üblichen und von ihnen erwarteten Abtrünnigkeiten handelt, ist doch der Ton tiefgehender Enttäuschung nicht zu verkennen. Wie weit Bloch dabei geht, zeigte ein Gespräch mit Jürgen Rühle im Fernsehen, wo Bloch sagte:

»Ziel ist: Sprung aus dem Reich der Notwendigkeit in das Reich der Freiheit: Hier haben Sie mit dem Pathos der Freiheit zugleich wieder den Atem der Französischen Revolution – aller Revolutionen von Spartacus bis zur Französischen Revolution und dem Deutschen Bauernkrieg. Und es liegt auf der Hand, daß diejenigen, die jetzt über die Mauer springen von Ost- nach West-Berlin, tatsächlich einen Sprung aus dem Reich der Notwendigkeit in das Reich der Freiheit vollziehen. In etwas anderem Sinne ist das gekommen, als Marx sich das vorgestellt hat.

Kein Zweifel, es muß untersucht werden, was hier geschehen ist. Daß man so ganz woanders ankam als man wollte, und daß die Gegend, in der man sich befindet, mit den Intentionen, von denen man ausgegangen ist, sich gewiß nicht deckt. Die Frage muß nicht nur einfach gestellt werden, wie weit die wissenschaftlichen Prognosen einzelner Art veraltet sind, sondern es kann scharf und schonungslos formuliert werden: Hat sich der Marxismus oder vieles oder das meiste oder einiges – das muß immer untersucht werden – im Sozialismus bis zur Kenntlichkeit oder nur bis zur Unkenntlichkeit verändert?

Wenn sich's bis zur Unkenntlichkeit verändert hat, läßt sich die Sache klarstellen nach kurzer Zeit. Wenn sich's bis zur Kenntlichkeit verändert hat, liegen im Marxismus bereits Prämissen, die hier Konsequenzen gefunden haben, dann ist es nicht nur eine Abirrung vom Wege.

Und diese Prämissen müßten untersucht und eliminiert werden, soweit es möglich ist. Zum Beispiel eine Hauptfrage: Diktatur. Diktatur war ursprünglich gemeint als vorübergehender Zustand, solange noch Feinde da sind im Land. Diktatur des Proletariats – aber sehr vorübergehend, denn es ist Freiheit die Parole und nicht Diktatur –, das ist ein technisches Mittel. Ist das mit der Diktatur genügend überdacht, ist das, was da mit der Kunst passiert: diese geschmacklose Tyrannei – oder Tyrannei der Geschmacklosigkeit – ist das schon vorgebildet gewesen oder nicht, mindestens dadurch vorgebildet, indem diese schrecklichen Dinge nicht bei Marx verriegelt worden sind ab ovo, von Anfang an.«

Solchen Äußerungen kommt Gewicht zu, weil sie nicht als äußere Feindschaft, sondern als Immanenzkritik gelten müssen, als Urteil aus naher, betroffener Kenntnis und als, wie in diesem Falle, keineswegs schmerzlose Selbstkorrektur. Wobei kein Zweifel daran bleiben sollte, daß diese Kritik von den kommunistischen Staaten nicht akzeptiert werden kann, weil sie deren Herrschaftsgrundsatz, die genannte Diktatur des Proletariats, in Frage stellt, und eben, was den Fall verschärft, nicht von antikommunistischen Positionen aus, sondern von sozialistischen und marxistischen.

Allerdings haftet der Blochschen Kritik eine konstitutionelle Schwäche an insofern, als mit der »Diktatur des Proletariats« die gegenwärtig gültige Herrschaftsform und Herrschaftsformel der kommunistischen Länder zwar in Frage gestellt wird, die Reflexion aber dann aufhört und sich nicht auf praktisch gangbare Wege einläßt. Die orthodoxen Verteidiger der kommunistischen Legitimitäten haben es somit verhältnismäßig leicht, die kommunistische Herrschafts- und Regierungsform zu behaupten, indem sie deren Kontinuität und immerhin erwiesene Funktionsfähigkeit herausarbeiten. Angesichts weltweiter Bürgerkriege können sich die kommunistischen Staatsdenker auch kaum zu schwerwiegenden Eingriffen in das ideologische Gefüge entschließen, ohne die Loyalität gegenüber den kommunistischen Machtapparaten zu verletzen, weshalb Reformen und Transformationen dieser Art zumindest momentan, wahrscheinlich aber auf längere Zeit, blockiert sind. Um so wichtiger allerdings werden dann die vom Zwang zur Staats- und Parteiräson freien Denker, die von außen her wirken können und über einige Zeit, möglicherweise auch über lange Zeiten hin, die Ursprünglichkeit der Revolution bewahren und mit ihr die Ungeduld, die notwendig ist, damit sich erreichte Teilziele nicht verselbständigen. Wenn es ein Gebot methodischer Ehrlichkeit ist, die Differenzen zwischen dem Denken einschließlich der Entwicklung, die es in den Tübinger Jahren nahm, einerseits und den marxistischen Staatstheorien, wie sie in den kommunistischen Ländern gelten, andererseits mit hinreichender Schärfe zu beleuchten, so ist es zugleich ein Gebot moralischer Vernunft und vernünftiger Moral, in diesen Differenzen nicht einfach die Fortsetzung des Kalten Krieges zu sehen, sondern die Chance, dogmatisierte Meinungen beider Seiten wieder diskutierbar zu machen. Nicht an Subversion soll gedacht werden, aber an eine Koexistenz, die das Streitgespräch nicht ausschließt.

Nichts wäre deshalb unrichtiger als die flinke propagandistische Ausmünzung, der jeder Fall gelegen kommt. Schließlich trennt Bloch vom Westen mindestens ebensoviel wie vom Osten, so daß beiden staatlichen Wirklichkeiten Deutschlands ihm gegenüber ein gerüttelt Maß von Toleranz abgefordert wird. Es stünde deshalb denen, die in Versuchung geraten, nur die Kluft zwischen der DDR und dem ehemaligen DDR-Bürger Bloch zu sehen, wohl an, auch an die Kluft zu denken, die Bloch vom Westen trennt und die er auch von Tübingen aus nicht zu verschweigen gedenkt, so, wenn es in der Suhrkamp-Ausgabe von *Erbschaft dieser Zeit* unter »Nachschrift 1962« heißt: »Der Kapitalismus mit dem Produkt zweier Weltkriege und dem Faschismus hat es nicht nötig, sich wichtig zu machen ...«; so wenn es in der Tübinger Eröffnungsvorlesung von 1961 »Kann Hoffnung enttäuscht werden« (*Verfremdungen I, Suhrkamp Verlag* 1962) in Aufnahme von Karl Marx akzentuiert heißt: »Doch genau in diesen Analysen des Woher muß ebenso unabdinglich ... das utopische Totum des Wozu anwesend sein. Und dieses ist genau in dem ältesten Wachtraum der Menschheit bedeutet: in der Umwerfung (statt hypokritischer Neuinstallierung) aller Verhältnisse, worin der Mensch ein erniedrigtes, geknechtetes, verlassenes Wesen ist.«

Verständlicherweise lassen sich mit diesem Denker restaurative Verhältnisse nicht rechtfertigen, geschweige denn reaktionäre. Auch kann ihm, unter obwaltenden Umständen, kaum obrigkeitlicher Applaus zukommen. Was ihm aber gebührte, ist die Kenntnisnahme, daß es mit Ernst Bloch in unserer geistigen Landschaft doch nicht so öde aussieht, wie es oft den Anschein haben mag. Eine Synopsis zukünftigen Bewußtseins ist gegeben, nur scheuen viele vor dem Wagnis, sie wahrzunehmen, zurück, weil das Denken auch im Nachvollzug noch Unsicherheit bewirkt und die wohlgefällige Selbstsicherheit erschüttert, mit der bei uns neuerlich gedankenlose Einheitsfronten entstehen.

Wenn solch ein Friedenspreis mehr als nur dekorativen Sinn haben soll, so darf er nicht bestätigen, sondern in Frage stellen; so darf er es uns nicht leicht, sondern schwer machen; so muß er den Umsatz und die Zirkulation der Gedanken fördern, zum Aufmerken bringen und jedem ein gehöriges, um nicht zu sagen: ungehöriges Maß von Anstrengung und Toleranz abfordern zur schweren und schwierigen Einübung in jene todumdrohte Dimension Zukunft, die in Ernst Bloch ihren ersten Philosophen gefunden hat.

Diese Preisvergabe ehrt einen Mann und sein Werk, und die diesen Preis vergaben, ehrten darin sich selbst, indem sie das Ungewöhnlichste wagten.

Philosophie und politischen Realität: Der Artikel im Börsenblatt war 1967 eine dezidierte Kurzfassung Blochscher Philosophie. Wie stand es aber um die Politik in Sowjetunion und DDR? – Man konnte sich die Finger wundschreiben, die sozialistische Staatsmacht blieb ein hinkender Leviathan.

Die Goldenen Leipziger Jahre

Der Wunsch nach Heimat ist der nach einer naiven Idylle,
einem Ort Nirgendwo. Heimat wird dir genommen, selbst
wenn du im Hause deiner Geburt bleibst. Der Verfasser erinnerte sich seiner frühen Lektüre, der Kurzgeschichte »Vor
dem Gesetz« von Kafka, welcher Dichter damals im Ostland
umstritten war, nein gebrandmarkt und bekämpft wurde.
Er dachte an einen Besuch in der Klause des Romanisten
Werner Krauss, eines Schülers des von den vorvergangenen
Herrschern vertriebenen Erich Auerbach. Krauss nun, der
in der Schulze-Boysen-Gruppe Widerstand geleistet hatte und 1943 zum Tode verurteilt worden war, befand sich
1953 in einem deutlich krankhaften, leidenden und zugleich
energiegeladenen Zustand, auf ein Sofa gelagert, und um
ihn herum sieben junge Männer, die seiner Vorlesung hin-
gerissen lauschten und zu begreifen suchten, wie ein zum
Tode Verurteilter zugleich zum gesteigerten Leben verurteilt sein kann, allen Krankheiten zum Trotz.

Was keiner von ihnen wußte, der vom Zuchthaus ge-
zeichnete Krauss war 1947/48 auf die verrückte Idee verfallen, die im US-Exil lebenden Herbert Marcuse und Ernst
Bloch nach Leipzig zu berufen. Marcuse hatte abgelehnt,
Bloch zugesagt, sogar vorzeitig und emphatisch, wie Bio-
graph Hans-Uwe Feige herausfand. Der ins Exil verbannte
Kopf-Revolutionär hatte es eilig, seinen »Willen zur Macht«
des Kopfes praktisch werden zu lassen.

Zur Erinnerung an Werner Krauss tritt die Erinnerung
an einen anderen Aufrechten, den Historiker Walter Markov, vor dem in den fünfziger Jahren gewarnt wurde, galt
er doch als Titoist. Welch ein rotes Leben: Anfang des Dritten Reichs Kommunist geworden, 1935 verhaftet und zu
zwölf Jahren Zuchthaus verurteilt, 1951 Parteiausschluß,
nach dem Ende der DDR wieder Parteieintritt. Kein Grund
für die PDS, sich zu schämen, solcher Genossen schon gar
nicht. Welche andere Partei hat schon lebenslange Widerständler aufzuweisen. Sie haben Gewicht. Im Dritten Reich
Kommunist zu werden und Widerstand zu wagen war le-
bensgefährlich. Nach dem Untergang eines Systems einer
geschlagenen Partei beizutreten und den hochmütigen Siegern nicht wohlfeil zum Munde zu reden, beweist charak-

terliche Konstanz. Bleibt zu fragen, wann Leipzig, wann Sachsen sich seiner besten Köpfe erinnere.

Das führt zurück zu Kafkas Tür-Parabel »Vor dem Gesetz«, wovon der Berichterstatter erstmals im Jahre 1953 hörte, und zwar aus dem Munde Ernst Blochs bei einem Treffen in Leipzigs Traditionslokal *Caffebaum*. Daraufhin wurde das Fischer-Taschenbuch beschafft, inoffiziell, weil im Lande verpönt, die Erzählung erwies sich als anderthalbseitige Short-Story. Nach der Lektüre schrumpfte die Kurzgeschichte erneut in die Blochsche Kürzestfassung ein: »Ein Mann vom Lande will durch eine Tür gehen, wird vom Türsteher daran gehindert und verwartet in erzwungenem Gehorsam sein Leben. Alt geworden fragt er den Türsteher, wie es zu erklären sei, daß er allein vor der Tür stehe, da doch viele hindurchwollten. Die Antwort lautet: Diese Tür ist nur für dich da.«

Spätere Lektüre ergab, die Kurzgeschichte, einer der wenigen Texte, die Kafka bei Lebzeiten veröffentlichte, erlaubt mehrfache Deutungen. Endlich finden sich die anderthalb Seiten wieder in dem von Max Brod herausgegebenen Kafka-Roman *Der Prozeß*, wo aus anderthalb Seiten im neunten Kapitel siebeneinhalb Seiten wurden.

Das Geheimnis dieser Vermehrung liegt in den Reflexionen, die zwei Personen, »Herr K.« und »der Geistliche« über den Sinn der Kurzgeschichte anstellen, woraus sich mehr als hundert Deutungsmöglichkeiten ergeben. »Mehr als hundert« heißt: Der Berichterstatter gab die Auszählung der Exegese-Varianten sowohl entnervt wie frohgemut auf und beantwortet die ausschweifende Genauigkeit Kafkas mit den notwendigen Verkürzungen seiner Generation, indem er fünf mögliche Exegesen formuliert:

1. Vor der Tür gehorsam und ohne Freiheit warten bis zum Tode

Mit an Sicherheit grenzender Wahrscheinlichkeit war das Kafkas Grundstimmung beim Schreiben der anderthalbseitigen Short-Story, die als seine »Urszene« gelten kann. Kafkas Unzufriedenheit damit belegen seine angeschlossenen Exegesen in der Fassung des *Prozeß*-Romans, der allerdings von ihm zur Vernichtung bestimmt worden war und von Max Brod gegen den Willen des Verfassers veröffentlicht wurde.

2. Der bedenkenlose, gewaltsame Durchgang

Die Tür wird gedankenlos, auch gewissenlos durchschritten. Beispiel: Laut Kafka entstand der Erste Weltkrieg aus einem »Mangel an Phantasie«. Nehmen wir die Generalstäbler, die den Übergang vom Bewegungskrieg 1914/15 zu den Materialschlachten 1916/18 planten und befahlen und nicht ahnten, daß sie damit das Tor zur industriellen massenhaften Menschenvernichtung des 20. Jahrhunderts öffneten. Uns bleibt zu fragen, ob nicht die forsche Art und Weise, wie wir die Welt von Jalta, also Ordnung und Grenzen der zweiten Jahrhunderthälfte vernichteten, folgerichtig Krisen, Kriege, Massaker nach sich zieht.

War nicht die versprochene Einführung der Marktwirtschaft von vornherein eine propagandistische Illusion, die wie der vorher versprochene Sozialismus unrealisiert bleiben und stattdessen zu Mord und Massenmord führen muß?

3. Vor der falschen Tür warten oder sie sich öffnen

Zur Leipziger Intellektuellengruppe gehörte anfangs der Nationalökonom Fritz Behrens, der danach in Berlin aufstieg und mehrfach in Konflikte geriet. Mitte der siebziger Jahre bat der wieder einmal in Ungnade gefallene Ökonom den im Westen lebenden Berichterstatter, für die Veröffentlichung einiger Manuskripte zu sorgen, die nichts Geringeres enthielten als eine schonungslose Analyse des wirtschaftlichen Zustandes der DDR und die Prognose ihres sicheren Zusammenbruchs, werde nicht ein radikal anderer Weg eingeschlagen.

In Kafkas Sprache ausgedrückt: Fritz Behrens, kein »Mann vom Lande«, aber einer aus dem inneren Kreis der Wissenden, konstatierte etwa 1975, der sozialistische Staat, zu dem er sich bekannte, sei durch die falsche Tür gegangen und stehe vor dem Abgrund.

4. Durch die falsche Tür gehen und sich einrichten im Falschen

Am 18. Juni 1960 schrieb eine Person, deren Namen ich freundlich schütze, in Leipzig vollkommen freiwillig folgenden Bericht an ihre Partei:

»Am 15. 6. 1960 abends brachte Prof. Hans Mayer die Genossin Anna Seghers zu uns, weil für ihren Fahrer kein Zimmer in Leipzig aufzutreiben war. (Am folgenden Morgen hatte Anna Seghers eine Lesung im Germanistischen Institut bei Mayer).

Die beiden unterhielten sich zunächst über Literatur, und im Zuge der Unterhaltung erzählte Prof. Mayer von den großen Erfolgen Ernst Blochs in Westdeutschland. Wenn Bloch drüben Vorträge hält, habe er immer überfüllte Säle; er gelte als der führende Philosoph Deutschlands, und aus diesem Grunde sei er von mehreren westdeutschen Universitäten für den Nobelpreis vorgeschlagen.

Ich griff in das Gespräch ein und sagte: ›Damit hätten wir die Parallele zum Fall Pasternak. Bloch würde natürlich nur benützt als Geschoß im kalten Krieg. Weder sei er ein großer Schriftsteller noch ein ernst zu nehmender Philosoph.‹

Mayer meinte: ›Es sei die Krönung in Blochs Leben, und er würde den Preis wohl annehmen. Er hätte im übrigen große Chancen, denn seit 1929 hat kein Deutscher einen Nobelpreis für Literatur bekommen.‹«

Dieser Bericht an eine Parteileitung, nicht als Denunziation denunziert, ist die üblich gewesene, wahrgenommene Berichtspflicht, inbegriffen vorbeugender Gehorsam, damit der Schreibende selbst nicht durch Unterlassung in Verdacht gerate. In Kafkas Deutung: Im Kollektiv durch die falsche Tür.

5. *Die Frage ist, ob der »Mann vom Lande« der Weisung des Türstehers folgen müsse*

K. und der Geistliche bezweifeln die Legitimation des Türstehers, der einerseits »Amtsperson« andererseits von Mitleidsregungen nicht frei sei, was zu seinem Beamtenstatus nicht recht passe. Überdies sei er als Vollzugsperson weniger frei als der »Mann vom Lande«, der ihm insofern »übergeordnet« sei, von seiner Freiheit aber keinen Gebrauch mache, sondern gehorsam, wenn auch damit unzufrieden, vor der Tür verharre.

K. und der Geistliche disqualifizieren den Torhüter vollends, indem sie fünf Sätze von ihm zitieren, die er an K. richtet: »Wenn es dich so lockt, versuche es doch, trotz meines Verbotes hineinzugehen. Merke aber: Ich bin mächtig. Und ich bin nur der unterste Türhüter. Von Saal zu Saal stehen aber Türhüter, einer mächtiger als der andere. Schon den Anblick des dritten kann nicht einmal ich mehr ertragen.«

Manifestiert der Gehorsam des »Mannes vom Lande« seinen Freiheitsverlust, so gehorcht der Türsteher als ein Untergebener, dessen Gehorsam derart verinnerlicht ist, daß er selbst den Anblick seines drittnächsten übergeordneten Vorgesetzten nicht aushielte. Die Dechiffrierung der Hierarchie könnte nicht deutlicher sein.

Wenn die anderthalb Seiten Kafkas und seine siebeneinhalb Seiten Exegese stimmig sind, führt der Durchbruch durch verbotene Tore zum Gegenteil des Gewünschten. Kafka also als Kassandra des 20. Jahrhunderts? Als gewagte Hypothese wäre entgegenzusetzen:

Tür und Türsteher sind durch Akte individueller Revolten versuchsweise zu überwinden

Kafkas existenzphilosophische Fabel »Vor dem Gesetz« seziert die individuelle Situation Freiheit und Zwang. Ausgerüstet mit diesen kafkaesken Erkenntnissen einer ansonst nicht ausgeübten Kulturphilosophie erlaubt sich der Berichterstatter die Rückkehr zu den goldenen fünfziger Jahren der Leipziger Schule.

Der Romanist Werner Krauss, der das Heil im Kommunismus suchte, hatte sich den Zugang im Widerstand gegen das Dritte Reich erkämpft. Er war an schwerttragenden Türstehern vorbeigegangen und hatte sich nicht zurückhalten lassen. Das Todesurteil legitimierte ihn. Warum sollte er fortan dem Kapital dienen?

Wie für Werner Krauss hält das Paradigma Kafkas Legitimationen bereit für jeden der Genannten. Von den Ungenannten abgesehen. Der Berichterstatter verneint damit die übliche Verurteilung der Besiegten durch die Besieger.

Einem Menschen gerecht zu begegnen heißt, ihm zumindest soviel Erörterung und Exegese zu widmen wie der Dichter dem »Mann vom Lande«, der um »Eintritt in das Gesetz« bat, was auch heißen könnte: in die Gerechtigkeit.

Es ist aber noch keineswegs ausgemacht, ob die jeweiligen Sieger der Geschichte dem Gesetz näher gekommen sind als die Besiegten. Jene Militärs, die im Ersten Weltkrieg die Materialschlacht erfanden, öffneten das Tor zur industriellen Massenvernichtung, die im Zweiten Weltkrieg zu Auschwitz führte. Und zu Hiroshima. Die Revolutionäre von 1917/18, die den Sozialismus erstrebten, erreichten Gulag, Katyn, Tschernobyl und zum schlechten Ende einen schandbaren Übergang in überwunden geglaubte Nationalismen und Nöte.

Ob die heute exerzierte Überwindung der Welt von Jalta das ersehnte Glück bringt oder ein eskalierendes Unglück – wir wissen es nicht. Die Zeichen der Zeit lassen befürchten, es wurde im Kollektiv ein falsches Tor gestürmt. Der Weg der Sieger stellt sich als Holzweg heraus. Die Siegesstraße ist bereits mit zu vielen Totenköpfen gepflastert.

Die revolutionäre Kunst, durch verbotene Türen zu gehen oder nicht zu gehen, sei endlich zusammenfassend am Fall Ernst Bloch demonstriert, wozu es eines unkonventionellen Blickes auf den Philosophen bedarf:

Erste These:

Unter dem Eindruck des Ersten Weltkrieges wurde Bloch militanter Pazifist und in seiner Kritik an Lenins Bolschewismus ein Sozialist von Rosa-Luxemburgischer Prägung, der Deutschland die Niederlage wünschte, weil sonst ein zweiter Weltkrieg drohte.

Dem Deutschen Reich des 20. Jahrhunderts die Niederlage zu wünschen war der einzig legitime Patriotismus. Das bleibt auch so.

Zweite These:

Unter dem Eindruck des aufkommenden Nazismus gab Bloch den Pazifismus auf und wurde politischer Stalinist mit philosophischen Reservationen. Die Dekonstruktion ergibt einen Bloch, der Stalin als notwendiges Instrument des linken, revolutionären Willens zur Macht begreift, weil Deutschland, d. h. Hitler und die »deutsche Mentalität« anders nicht zu besiegen seien. Das heißt: Hitler legitimierte den deutschen Stalinismus als optimalen Widerstand.

Dritte These:

Der XX. Parteitag der KPdSU im Jahre 1956 setzte für Bloch das Signal zur Entstalinisierung, d. h. zur erneuten Demokratisierung des revolutionären Willens zur Macht. Die Partei, die ab Oktober 1956 mit Repression antwortete, delegitimierte sich als neostalinistisch und reformunwillig.

Vierte These:

Vor der einsetzenden Repression zu Beginn des Jahres 1957 zog Bloch sich aus taktischen Gründen der Verteidigung auf alte stalinistische Positionen zurück, was sich bis zur völligen Selbstverleugnung am 12. 12. 1957 steigerte.

Von Kurt Hager und anderen Stalinisten in die Enge getrieben, gefiel Bloch sich in beschämender Rückgratlosigkeit. Ich zitiere nur das Beispiel vom »menschlichen Sozialismus«, wozu er 1957 heuchlerisch anmerkte: »Menschlicher Sozialismus – was das ist, habe ich erst vor kurzem gehört ... Ich habe es bis heute nicht ganz verstanden. Es soll wohl heißen Liberalisierung oder Aufweichung ...«

Elf Jahre später, Mai 1968, im Trierer Vortrag zum 150. Geburtstag von Karl Marx erinnert sich der große Marxist Bloch wieder an den vor Politbürothronen verleugneten »menschlichen Sozialismus«. In der Marx-Lobrede mit dem Titel »Aufrechter Gang« heißt es: »Orthopädie des aufrechten Ganges ist eine seiner vordringlichsten Aufgaben ... menschlicher Sozialismus enthält ihn als höchstes Menschenrecht.«

Der Satz wäre, elf Jahre früher dem Kurt Hager und Genossen ins Gesicht gesprochen, ein geschichtsbedeutender Widerstandsakt gewesen. Danach, in Trier, schrumpfte er zur bloßen, leeren Behauptung.

Das Versagensbekenntnis blieb aus. Der Kriechgang bleibt uneingestanden. Der Philosoph, der sich als Stalinist gerierte, bis dessen Adepten ihn mundtot machten, begriff nie seine Chance.

Fünfte These:

Die zweite Emigrationszeit ab Mauerbau 1961 im Westen brachte die Trennung von Werk und Person. Das Werk wurde zu Ende geführt und setzt weiter auf die sozialistische Revolution. Die Kritik am Moskauer Modell erreichte nie wieder die Stringenz der Schweizer Periode. In direkten Aussagen hingegen gab Bloch dem Moskauer Sozialismus keine Chance mehr. Aus der Fülle sei das Gespräch mit Fritz Vilmar aus dem Jahre 1965 zitiert: »Bloch: ›Evolution reicht nicht aus, ein Umbruch müßte stattfinden, ein theoretischer zunächst ... durch den das Diktatorische institutionell verhindert wird ... Es hat sich also gezeigt, daß die Prämissen vom aufrechten Gang im Marxismus nicht genügend angedacht worden sind ... Wie rette ich den einzelnen Menschen vor dem Staat? Also das Subjektive ... als der zweite Akt ... damit es nicht zwei Arten von Menschen gibt, Herren und Knechte ...‹«

Das Wort vom »zweiten Akt« meint den zweiten Akt der Revolution. Zu fragen bleibt uns vereinsamt Überlebenden, wie ein zweiter revolutionärer Akt geschehen könne, wenn der erste schon in die Irre führte. Was also bleibt denen zu tun, die sich nicht widerstandslos zu Objekten der Geschichte machen lassen wollen, die auf ihrem Recht bestehen, als individuelle Subjekte ihr Leben selbst zu bestimmen und zu verantworten? Die Frage stellen und sie nicht beantworten können, bezeugt immerhin ehrliche Selbstanalyse.

In ihren lesenswerten *Erinnerungen an Ernst Bloch* vermerkt Ruth Römer verwundert, fast verärgert die Weltfremdheit des Philosophen. Unleugbar war derlei schon beim jungen Bloch systematisch vorausgesetzt, etwa im *Gedenkbuch für Else Bloch von Stritzky*, wo es unter dem 15. 3. 1921 heißt: »Auch war und ist mir meine Philosophie stets wie ein Palast, in dem ich wohne ...« Im selben Atemzug spricht er vom Feld »meines Denkens«, das ein »Land, ein unentdecktes Land ist, in dem noch kein Mensch war ...«

Am 10. 3. 1921 heißt es im Gedenken an die verstorbene Frau: »Und Else gab mir jetzt vielleicht das Größte, das man einem Menschen geben kann: das Drüben zu erhellen, sie gab mir ein Organ für den Tod, daß ich ihn fassen kann ...« Über seinen eigenen Tod sagt der Sechsunddreißigjährige: »Freude ist, ich komme zu ihr.« Erst sechsundfünfzig Jahre später wird das geschehen.

Am Ende wird er gern von einer Exkursion sprechen. Über das Lebensende heißt es, er, Bloch werde vorausgehen

wie in einen Schacht, mit erhellender Fackel, um nachzuse-
hen, was es auf sich habe mit dem Tod.

Da lacht unser aufgeklärter Alltags-Unverstand, der
derlei für Religion hält, bestenfalls, oder für Märchen, wie
wir Kafkas Philosophie für pure Literatur halten.

Was aber, wenn wir Blochs Werke als Palimpseste lesen würden, mit der zweiten tieferen Bedeutung systematischer »Grenzüberschreitung«? Ergo mit systematischer Tür-
Durchschreitung, allen Türwächtern, über Kafka hinaus,
zum Trotz? Und war nicht unser sozialistisches Experiment
ab 1945 eine versuchte Annäherung an »das Gesetz«? Ein
Risiko des Türdurchschreitens? Aber wurde sie wirklich
durchschritten?

Nebenbei bemerkt taucht das Tür-Motiv bei Bloch und
Kafka mehrfach auf, etwa in Blochs *Atheismus im Christentum* unter dem Titel »Rufen vor der Tür«, als Bild des Blochschen Existentialismus, und bei Kafka in den Tagebüchern,
etwa vom November 1911, wo sich möglicherweise das
empirische Erfahrungsmaterial für die Türszene »Vor dem
Gesetz« ansammelte.

Tiefenpsychologische Deutungen liegen bei Bloch und
Kafka gleichermaßen nahe. Kafka litt an ödipalen Zwängen,
Blochs Komplexe waren philosophisch verarbeitet. Wo Kafka den Vater umschlang und von ihm umschlungen wurde,
daß alle Frauenlieben scheiterten, konstatierte Bloch seinen
»revolutionären Willen« – Grenzüberschreitung als Kette
von Geburtsvorgängen: Jede Geburt (Revolution) als Übergang in eine nächste Welt.

Wir, die traumatisierten Jüngeren der Nachkriegszeit,
empfanden die DDR als revolutionäre Frucht der Geschichte, und in den »goldenen fünfziger Jahren Leipzigs« fanden
wir eben hier am Ort Gelehrte wie Werner Krauss, Fritz
Behrens, Walter Markov, Hans Mayer, Ernst Bloch, Lehrer
also, deren Lehre und Leben uns imponierte, wovon wir
zu lernen hofften. Mehr als vom Leben und den Lehren der
Adenauer, Globke, Gehlen, Filbinger und jener ihnen erge-
benen westlichen Professoren, die in ihrer Vergangenheit
alles aufzuweisen hatten oder gar nichts, jedenfalls keine
antifaschistische Widerstandshandlung. Über all dies äußerte sich der inzwischen verstorbene Historiker Manfred
Kossok, einer der vielen Schüler unserer großen Leipziger
Lehrer, in bedenkenswert nachdenklich-widerständigen

Worten, wonach wir uns »Im Gehäuse selbstverschuldeter Unmündigkeit« befunden haben, nachzulesen im *Neuen Deutschland* vom 20./21. März 1993, gleichwohl der »Besinnung auf die eigene Würde« bedürften.

Unsere Lehrer und wir, ihre Schüler, machten uns eines Vergehens schuldig, indem wir unsere Zweifel unterdrückten und gegen das Prinzip der Skepsis verstießen. Ein jeder glich damit Kafkas »Mann vom Lande«, der einem neuen Türsteher gehorcht, unwillig, vielleicht wider besseres Wissen. Wir verhielten bald wieder vor der Tür als Geblendete. Denn Kafkas Story enthält die Urszene der individuellen Revolte: Wer vor der Tür hocken bleibt, unterläßt den Aufstand. Wer hindurchgeht, riskiert auf der Suche nach Freiheit Irrtum und Untergang.

Wenn, wie heute üblich, von Blochs Stalinismus die Rede ist, muß hinzugefügt werden, dem jungen jüdischdeutschen Linksintellektuellen, der die bolschewistisch-leninistische Oktoberrevolution ursprünglich nicht wollte, blieb später in der Konfrontation mit dem Dritten Reich nur der Notausgang zu Stalin. Das gilt für die anderen Genannten ebenso, wenn auch in unterschiedlicher Deutlichkeit.

Nach dem XX. Parteitag 1956 in Moskau wollte Bloch den Weg zurückgehen und die richtige Tür aufsuchen. Eine nazistische Führungsgruppe der Partei erzwang 1957 erneute Selbstverleugnung. Das harte Wort von der »nazistischen Führungsgruppe« bedarf der Erläuterung.

Für Leipzig personifizierte sich das Nazitum in Paul Fröhlich, einem unüberwundenen Feldwebel der Wehrmacht, der nachweisbar auch so dachte und sprach. Sein Kulturwart Siegfried Wagner übertrug das Führerprinzip auf die ihm unterstellte Kultur. Bloch und die anderen Leipziger Alt-Intellektuellen sowie manche von uns Jüngeren wußten bald Bescheid.

Wir kannten uns auch in Polen aus, was mich zum Beispiel bewog, die furchtbare Wahrheit über Katyn auszusprechen, wo nicht die Nazis, sondern die Sowjets Tausende polnische Offiziere und Beamte ermordet hatten, was mir 1957 den Vorwurf des Antisowjetismus einbrachte und mit zu meinem Parteiausschluß führte.

Im Frühherbst 1956 wohnte Georg Lukács einige Tage bei Blochs. Seine Informationen über Ungarn bewogen Bloch, vom Ersten Mann der ungarischen KP als dem »Verbrecher und roten Faschisten Rákosi« zu sprechen, was ihm bald, ab Jahresbeginn 1957, vorgehalten worden ist und wovon er wider besseres Wissen abrückte. Man könnte das eine Tragödie nennen, was Bloch aber, 1962 in Köln darauf angesprochen, entrüstet ablehnte.

Aus Gründen der Freundlichkeit spreche ich deshalb lieber von einer Tragikomödie und begründe es mit einer Anekdote, die von Ruth Römer berichtet wird, wonach Werner Krauss, der als »orthodoxer Genosse galt«, privat die regierenden Kommunisten als »Nazis« beschimpfte. »Als Bloch, Krauss und Markov einmal zu dritt zusammengesessen hatten und sich trennen wollten, fragte Markov: ›Und worüber haben wir geredet?‹ Bloch, ahnungslos in Konspiration, verstand die Frage nicht. Es ging darum, daß Markov und Krauss es für nötig hielten, sich für den Fall polizeilicher Verhöre auf ein Thema festzulegen.«

Um ein letztes Mal auf Kafka anzuspielen, sie wußten, hinter welcher falschen Tür sie sich, ausweglos im Kollektiv gefangen, befanden und verhielten sich taktisch, weil sie von ihren heroischen Revolutionsidealen oder -illusionen nicht lassen wollten oder konnten. Das war ihre achtenswerte Entscheidung.

Dem sei nur hinzugefügt: Keiner von denen, die vor der Tür im Gehorsam verharrten oder gar noch im elendigsten deutschen Kollektiv 1933 mit Brandfackeln durch das Brandenburger Tor marschiert waren oder zu deren unbewältigter Nachkommenschaft zählen, ist zur Verdammung unserer Revolutionäre und Widerständler berechtigt, die es immerhin versucht haben.

Die DDR bestand aus zwei Republiken. Die Macht lag in Moskau, von wo den deutschen Vertrauten das untaugliche Modell vorgeschrieben wurde. In der Gesellschaft aber bildeten sich die Konturen eines anderen Entwurfs heraus.

Dies alles unterdrückt zu haben, ist die Schuld der Machthaber, die sich und den sozialistischen Versuch damit zur Untauglichkeit verurteilten.

Ganz anders das Beispiel des Fritz Behrens, der, zu keinen Zugeständnissen mehr bereit, von allen Wirkungsmöglichkeiten ausgeschlossen, am Schreibtisch daheim seine Analysen und Warnungen zu Papier brachte. Sein Verzicht auf Sklavensprache war ein Verzicht auf jede öffentliche Einflußnahme. Seine Bitte an mich, für die Publikation im

Westen zu sorgen, scheiterte an der Borniertheit unserer BRD-Verlage und auch an meinem gebremsten Engagement, hatte doch Frau Behrens mich unter vier Augen gebeten, dem Wunsch ihres Mannes nicht zu entsprechen, denn neuerliche Aufregung, hervorgerufen durch eine Veröffentlichung im Westen und die darauf wieder einsetzende Repression durch SED und DDR könnten das Leben von Fritz gefährden, der sich eben erst von seinem zweiten Herzinfarkt erholte.

Ich sehe in Menschen wie Behrens mit ihrer nicht zu unterdrückenden Wahrheitsliebe und dem unkorrumpierbaren Scharfblick die wahren Zeitzeugen. Statt es sich opportunistisch, mit verlegener List, in der Sonne der Macht wohl sein zu lassen, gehen sie, ohne Trauer, jedoch mit dem Zorn der Gerechten, den schweren Gang in die Anonymität. Wenn es denn Helden gibt, hier sind sie, wenn auch von keinem Nietzsche zum Übermenschen geadelt.

Sozialismus als Barbarei?
Die zwölf Merkwürdigkeiten des Schwarzbuches

Vorbemerkung

Alle Gesellschaft beginnt barbarisch. Die Mythen verraten es. Eva läßt sich von der Schlange animieren, diesem giftigen Phallus-Symbol, wie wir seit Freud wissen. Eva reicht Adam den Apfel, als heiße sie Monica Lewinsky, Bill Adam beißt rein, Gott reagiert sauer und vertreibt das Paar aus dem Paradies, wie Mister Starr den Präsidenten aus dem Weißen Haus vertreiben wollte, diesem Clintonschen Paradies.

Die Mythen sind, wie die Mörder, unter uns. Old Hegel lehrte, die Eule der Minerva beginne erst bei Dämmerung ihren Flug; Kultur kommt spät, Philosophie noch später. Ganz am Ende, fünf Minuten vor zwölf, kommt das deutsche Fernsehen mit Krimi-Toten ohne Zahl, Volksmusik sowie Sex-Geschwätz und Bett-Szenen – welch eminenter Fortschritt seit des antiken Roms Leidenschaft für Brot und Spiele. Jedenfalls wird die sozialistische Utopie ersetzt durch den Kampf um Einschaltquoten und die Jagd des Volkes nach dem Jackpot.

Als berüchtigter Altlinker frage ich mich: Muß denn das sein, daß unser Land so verlottert lotteriehaft ist, wie es ist? Und muß eine Gesellschaft, die spät beginnt, auch barbarisch beginnen? Muß sie wie die Sowjetunion in verteidigender Gegenwehr, um zu siegen oder nur um unter Wölfen zu überleben, noch barbarischer sein als ihre Feinde? Mutierte Rosa Luxemburgs These »Sozialismus oder Barbarei« zum barbarischen Sozialismus als reales Ingredienz einer Zivilisation und Kultur, die regredieren, weil die Weltgesellschaft einem barbarischen Endzustand von Chaos und Zerfall entgegensteuert?

Eine Legion von Milliardären lebt heute im Sozialismus, diesem kapitalen Paradies, die Masse der Menschen droht auf den sozialen Status von Pyramidenerbauern abzusinken zur höheren Ehr globalisierender Pharaonen. Die Eule der Minerva hat sich offenbar in der Nacht verflogen. Vielleicht ist sie im *Schwarzbuch* gelandet.

Sehen wir dort also nach.

Erster Eindruck

Das Buch steckt voller Seltsamkeiten. Manches ist einfach schräg übersetzt. Auf Seite 275 wird der stellvertretende sowjetische Außenminister Iwan Maiski als Molotows »rechter Arm« bezeichnet. Gemeint ist natürlich »rechte Hand«. Auf Seite 273 erscheint der Untersuchungsrichter Lew Scheinin als Wyschinskis »rechter Arm«.

Schwerwiegender als die schräge Anatomie sind die schwankenden Opferzahlen. Auf Seite 27 haben »die kommunistischen Regime rund hundert Millionen Menschen umgebracht ... während es im Nationalsozialismus rund fünfundzwanzig Millionen waren.« Auf Seite 22 werden die Opfer des Kommunismus recht fragwürdig abgezählt. Auf dem Buchumschlag schrumpfen die hundert Millionen ein zu »über achtzig Millionen Toten«.

In Teil eins, zehntes Kapitel von Nicolas Werth wird der »Große Terror« verläßlicher dargestellt. Zwar differieren immer noch viele Zahlen und Fakten, doch die Lehre, die zu ziehen ist, führt unweigerlich zu dem Schluß, daß diese Barbarei zwar ergründet, aber nicht entschuldigt werden kann. Der Block dieser sechs Kapitel ist der rationale Kern, der das Buch für Sozialisten zur Pflichtlektüre machen sollte. Soviel zu uns.

Welche Wirkung das Buch bei Gegnern hervorruft, zeigt ein typisches Argument, das Heiner Geißler am 30. 4. 98 im Gespräch mit Gregor Gysi (*Hessisches Fernsehen*, »Zwischen Jesus und Marx«) auftischte: »... Wenn Sie das Kommunistische Manifest lesen, nicht wahr, es ist der Klassenkampf, Kampf der Klassen gegen die Klassen. »Vernichten« war eines der Lieblingsworte von Karl Marx ... das ist der Historische Materialismus, und der Mensch spielt darin eine ganz bestimmte Rolle ...«

Man prüfe im Manifest nach, das Wort Vernichten kommt dort nur zweimal, noch dazu in ganz anderen Zusammenhängen vor. Der belesene Geißler verwechselte auch nicht das Kommunistische Manifest mit der Bibel, in der ja allerhand Vernichtungen beschrieben, wo nicht gerechtfertigt werden, nein, Geißler hatte das *Schwarzbuch* studiert und dessen Furchtbarkeiten auf Marx zurückprojiziert. Unbewußt natürlich, denn bewußt geschieht das nur bei völlig verbohrten ideologischen Antikommunisten und der nazistischen Kerntruppe. Die Linke aber ist erneut mit der Blochschen Grundfrage konfrontiert, ob der Marxismus im Moskauer Modell kenntlich oder unkenntlich geworden sei. Was uns zu der weiteren Überlegung berechtigt, ob das Christentum in den Kreuzzügen und der Inquisition und der Kapitalismus im Nazismus/Faschismus kenntlich oder unkenntlich wurde.

Soviel als Vorbemerkung. Nun zu den zwölf Merkwürdigkeiten:

Erstens: Die Falle des Pessimismus

Das *Schwarzbuch des Kommunismus* beginnt mit einem Satz von Raymond Queneau: »Die Geschichte ist die Wissenschaft vom Unglück des Menschen.« Der Satz entstammt Queneaus Buch *Une histoire modele*, 1966 in Paris erschienen, laut Anmerkungen zum *Schwarzbuch* 1985 deutsch in München.

Merkwürdig für mich: In meinem Buch *Kopf und Bauch*, 1971 bei *S. Fischer* in Frankfurt erschienen, steht der Satz:

»Geschichte verstehe ich als Entwicklung zu Tod und Untergang.« Die Parallelität beider Sätze ist evident. Ich werde darauf zurückkommen.

Zweitens: Der Teufel ist ein Linker

Der zitierte erste Satz im *Schwarzbuch* ist zugleich der erste Satz des tonangebenden Vorworts von Stéphane Courtois mit dem Titel »Die Verbrechen des Kommunismus«, dessen ganze erste Seite geschichtliche Klitterungen aneinanderreiht und dann erklärt: »Als politische Philosophie existiert der Kommunismus seit ... Jahrtausenden.«

Folgerichtig wird nun auf Platon verwiesen, womit »der Kommunismus« kurzschlüssig mit der Geschichte philosophischer Sozialutopien und ihrer Realisationsversuche gleichgesetzt wird, was in der Konsequenz dazu führt, alle revolutionären Ideen, Entwürfe und Aufstände der Weltgeschichte als kommunistisch abzuqualifizieren. So wurzelt der Zweck des Buches als pure Absicht gleich in der ersten Seite, wonach im Hegelschen Sinne vernünftig ist, was ist, und wer es anders will, landet zwangsläufig in Kriminalität und Verbrechen.

Ob Spartacus, Thomas Müntzer, Marx oder Rosa Luxemburg, sie sind aufrührerische Kriminelle und müssen gekreuzigt, gehängt, enthauptet, erschossen, erschlagen werden, wie es das Herrenrecht seit jeher will. In der Konsequenz des *Schwarzbuches* führen die Verbrechen des Kommunismus zwingend zu dem Schluß, daß der Kommunismus selbst ein, wo nicht *das* Verbrechen sei. Anders gesagt, zum Kapitalismus gibt es keine Alternative. Zugleich schrumpft der Nazismus zur sekundären Kriminalität ein, und das ist es, was zur deutschen rechten Mentalität paßt wie der Fußlappen in den Soldatenstiefel.

Drittens: Die Legitimation der Teufelsaustreiber

Die massive Leidenschaftlichkeit der angehäuften antikommunistischen Vorwürfe, die sich oft vom nazistischen Antikommunismus nicht unterscheiden lassen, führt zur Frage nach der Legitimation. Wer sind die Autoren des *Schwarzbuchs*? Wie seriös sind die vorgelegten Beweise, Zahlen, Schlußfolgerungen?

Was legitimiert den Dauerton der Anklage?

Auf Seite 34 ringt Courtois sich zwei Sätze verschämter Selbstkritik ab. Auf neue revolutionäre Erscheinungsformen verweisend, heißt es: »Diese revolutionäre Leidenschaft ist uns nicht ganz fremd. Autoren dieses Buches haben einmal selbst der kommunistischen Propaganda geglaubt.« So kurz und bündig stellen sich ehemalige Maoisten und marxistisch-leninistisch-stalinistische Fundis schuldfrei: Sie haben geglaubt. Nun glauben sie das Gegenteil. Daß sie dabei Gefahr laufen, ebenso fanatisch, intolerant und ideologisch zu sein wie vordem, nur mit ausgewechselten Vorzeichen, die Fahne des vormaligen Klassen-Feindes schwenkend, entgeht ihrer Selbstsicherheit. weil es zu deren Konstitution gehört. Zweifel ist lästig. Marxens Devise, an allem sei zu zweifeln, ist ihnen im Contra so fremd wie vordem im Pro. Sie benötigen aus mentalen Gründen den Kampf, die Existenz von Feinden und die Gewißheit, im Recht zu sein, wo sie auch stehen mögen. Als Kommunisten sahen sie sich im Recht. Das Recht mitnehmend, wandeln sie sich in Anti-Kommunisten. Dies das Grundgesetz der zweiten Generation von Renegaten. Sie wechselten ihre Fahne, aber ihr Fanatismus blieb derselbe.

Viertens: Die zweite Generation parodiert die erste

Der Unterschied zur ersten Renegatengeneration ist evident. Von Arthur Koestler, dem Klassiker des renegatischen Antikommunismus, bis zu Heinz Brandt, El Campesino, Isaak Deutscher, Milovan Djilas, Andre Gide, Julius Hay, Theodor Plivier, Gustav Regler, Manès Sperber, Ignazio Silone reicht die erste Reihe derer, die sich von Kommunisten in Gegner wandelten, oft unter großen Schmerzen, aber doch zu jenen Zeiten, da die Partei noch mächtig, der Ausgang des Kampfes unentschieden, die Zukunft unsicher gewesen ist. Renegat zu sein wurde von der Partei mit Verachtung, Feindschaft, Verfolgung, mit dem Tode bestraft. Dieser renegatische Antikommunismus unterscheidet sich kategorisch von dem der zweiten Generation, der mindestens in Gefahr der konjunkturellen Einvernahme steht. Nach dem Untergang der Sowjets wandelte sich das nachgeholte Renegatentum aus einer Entscheidung auf Leben und Tod in eine bloße Konjunkturfrage.

Besonders in Deutschland ist die Zeit linker Karrieren vorbei. Rechtstendenzen prosperieren, die Mitte wird geheiligt, umgepolte ehemalige Linke taugen bestens als Kronzeugen. Keine Rede von Drittreichsnachfolgern bleibt ohne anklagende Schwarzbuchsentenzen, die Hitlers Kindern wie ihren Vätern ein gutes Gewissen verschaffen. Mein Vater war kein Verbrecher, sagt im Bundestag einer, dessen Vater als Wehrmachtsoffizier in Stalingrad umkam. Wie und weshalb er nach Stalingrad vorgedrungen ist, fragt der Sohn nicht. Oder hält es für legitim.

Ein letztes Wort zur ersten Renegatengeneration: Wer es genauer wissen will, lese nach bei Hermann Kuhn, *Bruch mit dem Kommunismus, Verlag Westfälisches Dampfboot* 1977, und bei Michael Rohrwasser, *Der Stalinismus und die Renegaten, Metzler* Studienausgabe 1991.

Fünftens: Von der Gleichheit im Verhungern

Die Geschichte des Kommunismus als Kriminalgeschichte zu bewerten, ist genauso legitim wie die Kriminalgeschichte des Christentums, etwa von Deschner, der auch Idee und Praxis, also Glaube und Realität aneinander mißt. Während Religionskritiker aber die Praxis meist verwerfen, dem Glauben jedoch eine Chance lassen, wird der Kommunismus in allen Formen verworfen, weil schon die Idee schlecht sei und zur kriminellen Praxis führen müsse, womit der Kommunismus nicht mit dem Nazismus verglichen, sondern ihm gleichgestellt wird.

Die Frage Blochs, ob der Marxismus im sowjetischen System kenntlich oder unkenntlich werde, wird mit Kenntlichkeit beantwortet. Courtois schlußfolgert nach seiner Opferaufzählung: »Hier sind sich ›Rassen-Genozid‹ und ›Klassen-Genozid‹ sehr ähnlich.« Während er dabei noch die Gleichsetzung scheut, fährt er forscher fort: »Der Tod eines ukrainischen Kulakenkindes, das das stalinistische Regime gezielt der Hungersnot auslieferte, wiegt genauso schwer wie der Tod eines jüdischen Kindes im Warschauer Ghetto, das dem vom NS-Regime herbeigeführten Hunger zum Opfer fiel.«

Das klingt in einer Welt mit tagtäglichen vierzigtausend hungertoten Kindern reichlich unverfroren. Außerdem werden dabei zwei Faktoren manipuliert. Erstens sind die ukrainischen Hungersnöte nicht mit Sicherheit so zu bewerten, wie er es tut, und der »systematische Einsatz des Hungers als Waffe« ist keineswegs eine Besonderheit der Kommunisten. Zweitens sind Rassenmord und Klassenmord sich in einem entscheidenden Punkte eben nicht ähnlich. Das jüdische Kind, das im Warschauer Ghetto *nicht* verhungerte, wäre kurze Zeit später erschossen oder vergast worden, denn es war auf Grund seines Judentums zum Tode verurteilt. Das ukrainische Kind, das den Hunger überstand, entkam damit auch dem Tode.

Judentum bedeutete Tod wegen Rassenzugehörigkeit.

Klassenzugehörigkeit ist dagegen eine soziale Kategorie. Ihr kann entgangen werden.

Sechstens: Ein Eingeständnis ohne Einsicht

Allerdings muß hier linke Selbstkritik einsetzen. Wer es bisher noch nicht wissen wollte, kann es in Teil eins des *Schwarzbuchs*, Autor Nicolas Werth, im Übermaß erfahren. Die Brutalisierung der russischen Bürgerkriege ließ bald keine Unterschiede mehr zu. Die Roten vernichteten die Weißen, die Weißen töteten die Kommunisten und Juden, es gab ungezählte Massaker und Vernichtungen ganzer Ortschaften. Nicolas Werth macht ehrlicherweise auf Seite 96 ein bezeichnendes Eingeständnis, wenn er schreibt: »Wie bei jedem Bürgerkrieg ist es schwierig, eine Bilanz der verschiedenen Repressions- und Terrorformen der einen oder anderen Partei aufzustellen. Den bolschewistischen Terror ... kann man auf verschiedene Weisen beschreiben.«

Dieser Satz ist von mir verkürzt worden, im Originaltext steht nach den ersten drei Worten »Den bolschewistischen Terror« ein Gedankenstrich, und es heißt: »... er allein ist hier Gegenstand unserer Betrachtung ...«

Damit ist der Charakter des ganzen Buches bewertet.

Die Kommunisten erscheinen als einzigartige Kriminelle, weil ihre Gegner bzw. Feinde fehlen oder kein Betrachtungsgegenstand sind, wie Werth es ausdrückt. Jedenfalls fehlen die Eskalationsgründe der Brutalitäten.

Es kann für diese Einseitigkeiten akzeptable Gründe geben, wenn es sich um Korrekturen früherer Blindheiten handelt, und das wird ja im *Schwarzbuch* behauptet, trifft jedoch gerade für Deutschland nicht zu, denn hier herrschten

Antikommunismus, Antibolschewismus und Antisemitismus von 1933 an vor. Die DDR als versuchte korrigierende Gegenbewegung blieb geschichtlich gesehen bloße Episode.

Siebtens: Schuld, Rache und keine Sühne

Wir zählen fünf Gründe für die Brutalitätseskalation des roten Terrors nach der Oktoberrevolution in Rußland:

1. Bürgerkriege neigen durchweg zur Grausamkeitssteigerung.

2. Die Soldaten von landwirtschaftlich strukturierten Staaten neigen zu individuellen Untaten und Schlächtereien. Das Menschenschlachten wird wie Tierschlachtung gehandhabt.

3. Der rote Terror geht auf die Revolutionstheorie von Marx zurück.

4. Die Leninsche Revolutionstheorie verband sich mit der traditionellen zaristisch-russisch-asiatischen Praxis der Gnadenlosigkeit.

5. Aus den kalkulierten Abnutzungsschlachten des Ersten Weltkriegs mit seinen industriellen Vernichtungsorgien wurde im Bürgerkrieg die befohlene Vernichtung per »Handarbeit«. Wo Artillerie, Panzer, Flugzeuge fehlten, sprachen die Kleinwaffen. Ziel blieb und wurde immer mehr der Tod des Feindes samt Anhang.

Hier kann nur der dritte Faktor reflektiert werden, die Revolutionstheorie von Marx, der die Geschehnisse der Pariser Kommune von 1871 analysierte. Eine Zusammenfassung marxistischer Sichtweisen bietet das sowjetische Lehrbuch *Geschichte der Neuzeit von 1870-1918* von W. M. Chwostow und L. I. Subok, das 1949 beim *Volk und Wissen Verlag* für den Schulunterricht in der DDR erschien. Ich zitiere einige Passagen daraus, die zeigen, wie die Sowjets im geschichtlichen Rückblick die eigene Härte mit der Härte ihrer bourgeoisen Feinde in der Vergangenheit legitimierten:

»Am 27. Mai eroberten die Versailler das Arbeiterviertel Belleville. Auf dem Friedhof Père Lachaise hatten sich 200 Kommunekämpfer festgesetzt. Die Versailler zertrümmerten mittels Geschützfeuer die Tore des Friedhofs und drangen in ihn ein ... Am Abend waren die paar heldenmütigen

Verteidiger der Kommune umzingelt; sie wurden an der Friedhofsmauer erschossen ... Dreißigtausend Kommunarden wurden erschossen, über vierzigtausend in den Kerker geworfen und in entfernte Kolonien zur Zwangsarbeit geschickt ... Auch die ›Petroleusen‹, die man der Brandstiftung verdächtigte, wurden ermordet und ebenso ihre ›Brut‹, wie die Henker der Bourgeoisie die Arbeiterkinder nannten ... Es kam vor, daß die Versailler in die Krankenhäuser eindrangen, die Amputierten auf ihre Bajonette spießten und zum Fenster hinauswarfen. Paris verwandelte sich in ein ungeheures Schlachthaus ... Die Leiter der Kommune versäumten es, den Weg des revolutionären Terrors zu beschreiten, und unterdrückten die Gegenrevolution nicht mit hinreichender Entschlossenheit. ›Es hätte seine Feinde vernichten müssen‹, sagt Lenin ... Die Kommune bereicherte die revolutionäre Kampferfahrung des Proletariats. Sie zeigte, daß es notwendig ist, den alten Staatsapparat niederzureißen, und bewies praktisch die Notwendigkeit der Diktatur des Proletariats ... Die von Lenin und Stalin geführte Partei der Bolschewiki hat die Lehren der Pariser Kommune im Kampf um den Sieg der sozialistischen Revolution ausgewertet.«

Die Lehre der Bolschewiki lautete dementsprechend: Wir müssen stärker sein als unsere Feinde. Wir heute wissen, was daraus wurde. Im Blick zurück ist von uns ein Optimum an Gerechtigkeit verlangt. Sie ist nur in der Solidarität mit den betroffenen Opfern erreichbar. Das *Schwarzbuch* versagt dabei mindestens partiell.

Achtens: Die Rechenkünstler-Ideologie

In der ellenlangen Aufzählung bolschewistischer Untaten während des Bürgerkriegs von 1917/18 setzt Werth den geschätzten zehn- bis fünfzehntausend Opfern der Tscheka die Zahlen der Zarenzeit entgegen, wonach es von 1825 bis 1917 lediglich 6 231 Todesurteile zaristischer Gerichte gegeben habe. Soll heißen, soviel Menschen, wie im Zarismus in neunzig Jahren hingerichtet wurden, erledigten die Kommunisten in wenigen Monaten.

Es ist fraglich, ob sich das zaristische Gerichtswesen so naiv mit dem Revolutionsgeschehen vergleichen läßt. Werth bagatellisiert hier mit der Beschränkung auf Gerichtsurteile. Wie viele Opfer gab es ohne Gerichtsurteile? Nehmen wir nur den Petersburger Blutsonntag vom 22. Januar 1905, so kommen wir auf andere Zahlen. Ich zitiere der Neutralität halber aus *Warten aufs letzte Gefecht*, ein Spiegel-Buch von 1961: »Der Polizeiagent und Pope Gapon entschloß sich plötzlich, seine sozialistische Gesinnung ernster zu nehmen, als ihm seine Polizeichefs aufgetragen hatten. Auf Polizeibefehl hatte er immer wieder den Zaren als Beschützer der Armen und Elenden propagiert. Nun, im Januar 1905, wollte er den Zaren an sein Amt als Beschützer der Ausgebeuteten und Unterdrückten erinnern ...

Er formulierte eine Petition an den Zaren, ließ sie zirkulieren (135 000 Personen unterschrieben) und forderte den Zaren auf, am Sonntag, dem 22. Januar 1905, vor seinem Volke zu erscheinen ... Am 22. Januar zog Gapon, wie er angekündigt hatte, an der Spitze einer riesigen Menschenmenge vor den Sitz des Zaren, das Winterpalais. Über der Menge schwankten Ikonen und Kirchenfahnen, auf ihrem Marsch sang sie Kirchenlieder: Als sich Gapon und die schätzungsweise 150 000 Menschen dem Palais näherten, begann plötzlich das Militär zu schießen. Die Wirkung war unbeschreiblich: Die Masse stürzte bei den ersten Schüssen zurück. Zahllose Menschen wurden niedergerissen und zu Tode getrampelt, andere erlagen den Salven und Säbeln der Kosaken. Über 1 000 Tote und mehr als 2 000 Verletzte waren die Ernte des ›blutigen Sonntags‹.«

Wo registriert das *Schwarzbuch* die Toten des Blutsonntags? Stehen sie auf dem Schuldkonto der Kommunisten? Tausende von Morden und Massakern zeichnen den blutigen Weg der Weltgeschichte. Alles Schuld von Kommunisten? Zu Beginn des Ersten Weltkriegs 1914 gab es noch gar keine kommunistische Parteien, sind sie dennoch daran schuldig? Nur ein einziges kleines Beispiel: Am Karfreitag 1919 wurden in Offenbach am Main bei einer Demonstration von mehreren Tausend Menschen siebzehn Menschen erschossen. Der Vorgang ist wie vieles andere vergessen und wird höchstens von Heimatforschern registriert. Die Frage ist: Sind die Toten von Offenbach nun Opfer von Kommunisten, obwohl sie selbst welche waren oder ihnen zugerechnet werden? Wo aber nicht, wer zählt sie dann wozu? Sind sie Opfer des Kapitalismus? Oder der Mehrheitssozialisten? Wo werden die dreißigtausend Menschen gezählt, die 1940 beim Luftangriff auf Rotterdam starben? Wozu rechnen die

300 000 Chinesen in Nanking, die zwischen Dezember 1937 und Februar 1938 von den Japanern umgebracht wurden? China und Japan differieren in der Zahl der insgesamt von Japanern umgebrachten Chinesen, es sind zwischen zwanzig und vierzig Millionen.

Auf welches Konto gehen sie?

Neuntens: Sozialismus als Barbarei – Antisemitismus als Bagatelle

Nach der beliebten Zählweise, alles links von den Rechten ist kommunistisch, stecken die siebzehn erschossenen Offenbacher Demonstranten doch ebenso wie die Millionen Chinesen wohl in den hundert Millionen Opfern des Kommunismus. Genauso wie Luxemburg/Liebknecht, die von der Soldateska erschlagen wurden, wie es Kommunisten eben ergeht, solange sie nicht an der Macht sind. Dann drehen sie den Spieß um, weil sie nicht ewig Märtyrer sein mögen.

Damit kommen wir zu den unbezweifelbaren Verbrechen nicht »der Kommunisten«, sondern der sowjetischen Bolschewiki in der Zeit des sich herausbildenden Stalinschen Massenterrors. Der im *Schwarzbuch* von Nicolas Werth beschriebene Große Terror von 1936 bis 1938 ist in den Opferzahlen ungenau, als kollektiver Staatsterror jedoch hinreichend erforscht und nur in der Motivation noch umstritten. Als Deutscher zögere ich bei der Bewertung, schließlich besiegte Stalins Sowjetunion Hitlers Drittes Reich. Als Sozialist aber stehe ich zu der schmerzhaften Erkenntnis aus der Geheimrede Chruschtschows auf dem Parteitag der KPdSU am 25. Februar 1956: Dieser Sowjetsozialismus besiegte zwar Hitler, vorher aber hatte er schon den Marxismus und Sozialismus in sich selbst besiegt.

Wie war das möglich? Was ist geschehen? Die Völkerschaften der Sowjetunion hatten in tausend Jahren Leibeigenschaft und Unterdrückung zu einer passiven, masochistischen Lebenshaltung finden müssen, der ein bis zwei Jahrzehnte revolutionärer Umstürze wenig anzuhaben vermochten. Unterhalb der neuen Ideologie blieben die alten Psychostrukturen erhalten. Stalin selbst nahm, dies nur als Beispiel, Japans Niederlage von 1945 als Revanche für Japans Sieg von 1905 über das zaristische Rußland. Seine

Bewunderung für Peter den Großen, der Stolz auf Rußlands Sieg über Napoleon ließ ihn den Kampf gegen Hitler zum »Großen Vaterländischen Krieg« stilisieren, und Marx war vergessen.

Der Große Terror ab 1936 dementierte Rosa Luxemburgs Alternative »Sozialismus oder Barbarei« und bestätigte ihre Kritik an Lenin. Der Sozialismus wurde selbst Barbarei.

Stalin war zwar Sieger, doch enthauptete er zuvor die Rote Armee, indem er 62 761 Offiziere umbringen ließ, was die Armee für den Krieg schwächte und ihre anfänglichen Niederlagen erklärt. Die Zahl entstammt übrigens einem Geheimpapier von Woroschilow. Ich entnahm sie dem *Neuen Deutschland* vom 23. Februar 1998. Laut *FAZ* vom 30. August 1997 wurden von 1936 bis 1940 überdies 21 000 NKWD-Offiziere erschossen. Hitlers Kommissar-Mordbefehl schloß also direkt an Stalins Kommissar-Mordbefehle an. Um die Tragödie zu vervollständigen, sei aus gleicher Quelle mitgeteilt, daß im April 1938 über siebzig Prozent aller in die Sowjetunion geflüchteten KPD-Mitglieder verhaftet waren. Die Mehrzahl überlebte es nicht.

Während das *Schwarzbuch* in den vorgenannten Fällen nachvollziehbar argumentiert, bleibt es in Fragen des Antisemitismus merkwürdig zurückhaltend. So wird zwar oft vom Antisemitismus des Zarenreiches gesprochen, in Details auch von der Todfeindschaft der Weißen im Bürgerkrieg, die sich vor allem gegen Juden und Bolschewiki richtete. Gefangengenommene Kommunisten wurden ermordet, Juden galten sowieso als Kommunisten und mußten sterben, doch die Schlußfolgerungen der *Schwarzbuch*-Autoren bleiben seltsam vage.

In welch hohem Maße die weißen Konterrevolutionäre das rassistische Modell für Hitlers späteren Überfall auf die Sowjetunion lieferten, als es ganz offiziell und programmatisch um die »Vernichtung des jüdischen Bolschewismus« ging, bleibt unberücksichtigt. Immerhin wird auf Seite 269 mitgeteilt, daß die »alte antisemitische Grundhaltung des Zarentums« von den Bolschewiki bekämpft worden ist. Um so erschreckender freilich, daß Stalin nach dem Zweiten Weltkrieg selbst die Judenverfolgung betrieb und damit kurz vor seinem Tode den letzten Rest von Marxismus ablegte, wo nicht widerrief.

Zehntens: Die Schwarzbuch-Ideologie – eine verspätete Polemik

Das *Schwarzbuch* als Abrechnung bekam für die französische Linke eine spezifische Dringlichkeit, weil die KPF lange Zeit stalinistisch geblieben war und Pol Pot dem Pariser Intellektuellenmilieu entstammte. Sein Mordregime in Kambodscha wurde zwar von orthodoxen Marxisten stets abgelehnt, Maoisten und ähnliche Gruppierungen verhielten sich aber unentschlossen oder zustimmend, weshalb sie heute Grund genug für nachgeholte Distanzierung haben mögen. Ihr Problem ist die frühere terroristische Nähe, die heute durch um so heftigere Distanz dementiert, wo nicht vergessen gemacht werden soll.

Das *Schwarzbuch* ist eine polemische Abrechnung, in der eine Neuverteilung von Schuld betrieben wird. Vormals engagierte Revolutionäre suchen persönlichen Freispruch durch Fremd- und Kollektivbeschuldigungen.

Ähnliche Selbstentlastungen finden sich auch bei uns im nationalen und rechtsextremistischen Kampf gegen die Wehrmachtausstellung. Oder nehmen wir, als pars pro toto, den Buchtitel *Verlorene Siege* des Generals Erich von Manstein, der Hitler die Schuld am verlorenen Krieg zuordnet und sich zugleich von aller Verbrechensteilhabe freispricht. Analoge Selbstexkulpierung liegt vor, wenn das *Schwarzbuch des Kommunismus* hundert Millionen Opfer des Kommunismus mit fünfundzwanzig Millionen Naziopfern kontrastiert.

Erstens sind die genannten Zahlen ungesichert.

Zweitens wird unter Kommunismus eine vielfältige internationale Bewegung verstanden, der eine national begrenzte faschistische und nationalsozialistische Bewegung gegenübergestellt wird.

Drittens bleiben nationalistische und faschistoide Erscheinungen wie in Indonesien, wo 1966 an die 600 000 Menschen als Kommunisten verdächtigt und gekillt worden sind, oder das Pinochet-Regime Chiles, der argentinische Peronismus, die türkischen oder griechischen Militärputschisten oder das südafrikanische Apartheid-Regime außer Betracht.

Viertens werden die Militärtoten nicht einbezogen, und die Massaker einer zweitausendjährigen christlichen Kultur des weißen Abendlandes bleiben ebenfalls vollkommen unreflektiert.

Das *Schwarzbuch* rechnet mit den Kommunisten als Täter ab und unterschlägt die Kommunisten als Opfer. Statt Reflexion wird Ideologie und Demagogie geliefert. Wie Opfer sich in Täter verwandeln, bleibt unbegriffen. Weshalb Stalin noch als Kommunist gilt, obwohl er alle Leninschen Kampfgefährten umbringen ließ und als Kommunistenmörder noch den Antikommunisten Hitler übertraf, bleibt unerörtert.

Elftens: Der deutsche Schwanz, der mit dem Hund
zu wedeln versucht

In der deutschen Ausgabe schließen zwei Artikel von deutschen Beiträgern an. Der frühere DDR-Bürgerrechtler Ehrhart Neubert, inzwischen CDU-Politiker, schreibt über »Politische Verbrechen in der DDR«. Seine Methode ist der umgepolte Marxismus, an die Stelle kommunistischer antikapitalistischer Anklagen setzt er die unendliche antikommunistische Suada. Aus dem ideologisch geschlossenen kommunistischen System wird ein ideologisch geschlossenes antikommunistisches System. Es ist die gleiche Krankheit. Mit fanatischen Vertretern geschlossener Systeme logisch zu argumentieren ist unlogisch.

Der zweite deutsche Beiträger, Joachim Gauck, überrascht durch andeutende Eingeständnisse eigener Schwächen. Dies ein beinahe neuer Ton bei einer Gruppe, die sonst durch den Fanatismus der Vera Lengsfeld charakterisiert wird, die nichts über ihre SED-Mutter, den Stasi-Vater, die eigene SED- und FDJ-Karriere erwähnt, statt dessen Marx zum Hauptfeind der Menschheit erklärt, so wie es die deutsche Rechte immer hielt.

Hitler erklärte im Herbst 1943 seinem Außenminister Ribbentrop, der angesichts der Niederlagen an der Ostfront über Verhandlungen mit Stalin nachdachte, offenherzig: »... wenn ich mich heute mit Rußland einige, packe ich es morgen wieder an – ich kann halt nicht anders.«

Nicht anders kann halt auch die CDU-Abgeordnete Vera Lengsfeld, die am 27. Mai 1998 in der Bundestagsdebatte zum 150. Jahrestag der Verfassunggebenden Nationalversammlung in der Frankfurter Paulskirche das *Kommunisti-*

sche Manifest, Marx, Engels und die Diktatur des Proletariats mit dem Scheitern der 1848er Revolution zusammenstoppelte und die gängige Totalitarismuslehre auf ihren urgeschichtlichen Nenner zurückführte: »Mit dem Scheitern des demokratischen Nationalstaates hängt das Erstarken der Radikalen von rechts und links zusammen.« – Aber gewiß doch, ohne Marx kein Stalin, ohne Christus keine Kreuzzüge, ohne Freie Deutsche Jugend keine FDJ-begeisterte V. L., ohne Adenauer/Kohl kein CDU-MdB Lengsfeld.

Nun ist Frau Lengsfeld von ihrem damaligen Ehemann-IM ausgespäht worden, was ihren Anti-Marxismus biographisch verständlich macht. Wer das Hitler-Porträt von John Keegan liest, begreift allerdings auch die biographische Fundierung der Hitlerschen Seele, wie sie sich in *Mein Kampf* ungescheut äußerte: »Die jüdische Lehre des Marxismus bestreitet die Bedeutung von Volkstum und Rasse und entzieht der Menschheit damit die Voraussetzung ihres Bestehens und ihrer Kultur.« Hitler sah sich schon früh als »Zerbrecher des Marxismus«, wie Tucholsky zitierte.

Frau Lengsfeld ist, gewiß guten Glaubens, schön gleichmäßig verteilt gegen Marx und Hitler und beruft sich dabei ausgerechnet auf Theodor Heuss, der 1933 die Nazidiktatur so feinsinnig wie tüchtig durch Zustimmung zu den Ermächtigungsgesetzen mit realisieren half. So läuft das eben in der Mussolini-Kurve: Links unten angefangen und rechts oben rausgetragen. Die ehrverletzte Ex-Genossin V.L. hat gewiß noch eine große Zukunft vor sich. Schade drum.

Was sie nicht weiß oder in umgepolter erneuerter Parteitreue brav vergessen hat: Der Widerstand im Dritten Reich war zu drei Prozent christlich-bürgerlich, zu zehn Prozent sozialdemokratisch und zu fünfundsiebzig Prozent kommunistisch. Es gehört eine tüchtige Portion anti-kommunistischer Verlogenheit dazu, dies in die Verschweigespirale zu verbannen. Die Wessis wissen es nicht besser. Im Osten aber wußten mindestens Engagierte wie die Genossin Vera Bescheid. Vom Pastor Gauck nicht zu reden, dem immerhin einiges zu dämmern beginnt.

Zwölftens: Die Nachhut will Vorhut sein

Die zwei nachgeschobenen deutschen Kapitel entwerten das *Schwarzbuch* mehr als seine sonstigen Schwächen, die die

Bedeutung des Buches für Frankreich selbst nur wenig mindern, denn die französische Linke hat in der Selbstanalyse einen beträchtlichen Nachholbedarf. Die deutsche Linke hat in gewissen unaufgeklärten Gruppen und Sekten ebenfalls einiges aufzuarbeiten. Hauptsächlich aber bedienen sich des *Schwarzbuchs* rechte Einzelkämpfer und Parteien, die in den alten Mustern des deutschnationalen, völkischen und rechtsextremistischen Antikommunismus befangen bleiben. Sie befeindeten die aufklärende Wehrmachtausstellung, reagierten wutschäumend auf Goldhagens Buch *Hitlers willige Vollstrecker* und transportieren ihre angestammten Feindschaften und Charakterdefizite aus dem zweiten ins dritte Jahrtausend. Sie sind die Nachhut der nationaldeutschen Ideologie und müssen ertragen werden wie Heuschreckenplagen in Ägypten. Wo sie allerdings überhandnehmen und als neonazistische Vorhut die Pluralität Deutschlands und Europas bedrohen, sind sie entschieden abzuwehren.

Das *Schwarzbuch* ist polit-ideologische Hilfe für die Rechte, was die Linke sehen muß, ohne sich dazu verleiten zu lassen, den Wahrheitskern zu leugnen. Er bedeutet, daß der revolutionäre Marxismus auf dem Weg über Lenin beim liquidatorischen Stalinismus anlangte. Der Bruch mit dieser Tradition ist unumgänglich. Wenn, wie Pierre Bourdieu sagte, die Zukunft Europas von den Deutschen abhängt, ist die Neuformation einer sozialistischen deutschen Linken unumgänglich, denn ohne sie wäre Deutschland und damit in Zukunft ein Stück Europas nicht pluralistisch.

Die kritische Aufarbeitung der SED-Vergangenheit mit der Stigmatisierung von Marxisten, Sozialisten und Kommunisten zu verbinden, wird von uns abgelehnt, denn das benutzen die Rechten als politisches Kampfmittel zur Lähmung der Linken.

Die Neuformation der deutschen Linken ist Europäisierung und insofern Entdeutschung, Abschied also von Nationalismus, Rassismus und antieuropäischen Traditionen, wozu das Eingeständnis gehört, daß Deutschland im 20. Jahrhundert zweifach versagte, indem die deutsche Rechte Lenins Revolution finanziell unterstützte und die sozialdemokratische Linke nach der opportunistisch-nationalistischen Burgfriedenspolitik des Ersten Weltkriegs mit des Kaisers Generälen paktierte, die Revolution auf halbem Wege erstickte und damit den Nazis den Weg an die Macht vorbereitete. Es brauchte nur fünfzehn Jahre vom Waffenstillstand 1918 bis zum Januar 1933.

Das Verlangen nach dem Bruch der Linken mit dem sowjetischen Sozialismusmodell bleibt ungerecht und unvollständig ohne den Bruch mit jener sozialdemokratischen Tradition, die zum Machtantritt der Nationalsozialisten beitrug. Was immer gegen Lenin eingewendet werden kann und von Rosa Luxemburg und Ernst Bloch eingewendet wurde, unbezweifelbar ist Lenins Internationalismus, demzufolge die Bolschewiki auf die Revolution in Deutschland setzten. Nicht daß sie ausblieb, ist entscheidend, sondern wie die Sozialdemokratie sie im Bündnis mit den Generälen und Nationalisten niederschießen ließ. Für die Sowjets blieb nur der Weg zum »Sozialismus in einem Land«, was Stalin zugleich zum Nachfolger Lenins wie zum Liquidator des revolutionären Marxismus, inklusive des Leninismus werden ließ. Diese weltpolitisch entscheidende Zäsur entwertete die sozialistische Revolution, die zum Sozialfeudalismus verkam, die Sowjetunion jedoch zugleich soweit stabilisierte, daß sie ab 1941 Hitlers Wehrmacht widerstand und sie 1945 besiegte.

Wer also den deutschen Kommunisten Schuld am Stalinismus zumißt, ohne zugleich die Schuld derer einzugestehen, die entweder als deutsche Soldaten Krieg führten oder vordem als Sozialdemokraten die Revolution niederschlugen, so daß die deutsche Konterrevolution erstarkte, der ist unaufrichtig und böswillig.

Zum notwendigen Bruch mit der SED-Vergangenheit gehört die gewiß schmerzende Einsicht, wonach die Marxsche Revolutionslehre einschließlich der Theorie von der Diktatur des Proletariats von der Geschichte widerlegt worden ist. Wer jetzt noch den traditionellen Revolutionsbegriff des 18. und 19. Jahrhunderts beibehält, gleicht den Generälen, die sich auf den nächsten Krieg nach dem Muster der vergangenen Kriege vorbereiten.

Die Sowjets waren gegen äußere Angriffe und innere Subversionen gerüstet, den inneren Zerfall aber haben sie nicht einmal wahrgenommen. Die DDR konnte Militär, Polizei, Geheimpolizei, bewaffnete Betriebskampfgruppen aufbieten, ganz wie die Lehrbücher vorsahen, was dann jedoch scheinbar urplötzlich geschah, überraschte alle. Die Staatsmacht war auf bekannte konterrevolutionäre Modelle vorbereitet, nicht auf das reale Geschehen. Die Führung war von gestern, nicht von morgen.

Wie die Kriege des ausgehenden 20. Jahrhunderts keine »klassischen« Kriege mehr sind, so sind Revolutionen nicht mehr die von Marx analysierten. Was sich in Straßen und auf Barrikaden abspielt, ist Bürgerkrieg, Religionsstreit, Palastrevolte, Stellvertretermord, ethnische Vernichtung und Vertreibung, nicht aber Revolution. Wer dies nicht sieht, sondern auf die »klassische« Variante setzt, gleichgültig, ob als Revolutionär oder als Konterrevolutionär, der gleicht jenen polnischen Militärs, die 1939 die Panzer der Wehrmacht mit Kavallerie attackieren ließen. Die Position zu dieser prinzipiellen Differenz unterteilt uns nicht in Linke und Rechte, aber einerseits in linke wie rechte geschichtsblinde Dogmatiker und andererseits in jene Spurensucher, die ihren unverdrossenen Utopieglauben durch empirisch abgesicherte Handlungen legitimieren.

Nachbemerkung

Als letztes ist das Versprechen einzuhalten, das zu Beginn gegeben wurde – die Reflexion des Satzes von Raymond Queneau, der lautet: »Die Geschichte ist die Wissenschaft vom Unglück der Menschen« und in Parallele mein Satz »Geschichte verstehe ich als Entwicklung zu Tod und Untergang«.

Mein eigener Satz von 1971 leitet im Kontext zu der Hoffnung über, die mir das Zukunftsdenken Ernst Blochs vermittelte. Zur Debatte stand der Ausgang aus selbstverschuldeter Misere. Der Satz von Queneau hingegen, mit dem Courtois das *Schwarzbuch* beginnt, eskaliert vom schwarzen Humor des zitierten Autors zum verschlüsselten Eingeständnis des zitierenden Autors, mit dem der vom linksextremen Maoisten zum ebenso fanatischen Antimarxisten gewandelte Dogmatiker seinen Schmerz und seine Niederlage indirekt signalisiert. Da ihm Mut und Charakter fehlen, die Fehler und Irrtümer bei sich selbst zu konstatieren, projiziert er sie auf die Weltgeschichte, die zu Tod und Untergang führe, was den einst geliebten Glauben an den Kommunismus als Teil der Geschichte mit einbezieht und zur geschichtlichen Normalität einschrumpft, weshalb er mit eskalierender Feindschaft wieder erhöht werden muß, auf daß man ihn zum Hauptfeind der Menschheit erklären könne: Seht her, die Kommunisten mordeten hundert oder wenigstens achtzig Millionen Menschen, die Nazis brachten es nur auf fünfundzwanzig Millionen. Die Nazis sind also die Minimörder, die Kommunisten die Maximörder.

Das kollektive Ohr der Nachfolgekameraden des Dritten Reichs vernimmt die Botschaft des bekehrten Genossen wie Orgelmusik: Hört hört, unsere bestiefelten Väter der Eroberungsfeldzüge haben recht getan, die blutbesudelten Bolschewiken daheim und in Rußland zu bekämpfen und zu vernichten.

Das ist das Resultat der Botschaft eines Mannes, der einen zur Wissenschaft umdefinierten Glauben fanatisch verfocht und sich nun mit doppeltem Fanatismus gegen die Träume seiner Jugend wendet. Im Christentum wandelte sich einst der Verfolger und Mörder Saulus zum Apostel Paulus, der die Liebe predigt. Die humane Energie, die in diesem konsequenten Bruch mit der eigenen Vergangenheit liegt, ging uns in den zweitausend Jahren christlicher Geschichte offenbar gänzlich verloren.

Vier Tage nach Hitlers Machtantritt am 30. Januar 1933 hielt der neue Reichskanzler in der Berliner Dienstwohnung des General von Hammerstein vor versammelten Reichswehrgenerälen eine geheime Rede, in der er seine Pläne offenbarte: Aufrüstung zum Krieg gegen Sowjetrußland in einer Frist von sechs bis acht Jahren, Ausmerzung von Pazifismus und Marxismus als krebsartigen Geschwüren, Germanisierung der eroberten Ländereien. Dieses Programm wurde zeitlich exakt befolgt: 1939 Krieg mit Polen, 1941 Überfall auf die Sowjetunion, das entspricht den sechs und acht Jahren Frist.

Durch eine insgeheim mitschreibende Tochter Hammersteins gelangte Hitlers Rede zu Stalin, der damit genau über den drohenden Krieg informiert war. Seine Gegenmaßnahmen sollten ihm Zeitgewinn verschaffen. Innenpolitisch setzte er auf verschärften Terror, gipfelnd in der Großen Säuberung 1936-38, außenpolitisch auf verzögernde und verwirrende Bündnisse, militärisch auf den T 34 und die sogenannte Stalin-Orgel, beides in Massenproduktion, die erst Ende 1941 richtig anlief. Die Ausmordung des Offizierskorps der Roten Armee und des NKWD sollte innere Putschversuche verhindern, schwächte jedoch erheblich die eigenen Streitkräfte. Es dauerte lange, bis die quasi enthauptete Armee unter unendlichen Verlusten ihr Kampfpotential wiedererlangen und die Wehrmacht besiegen konnte.

Böhmische Dörfer

Als ich August 1944 von der Wehrmachts-Fahne ging, standen mir die Bilder des Warschauer Aufstands vor Augen, ich war überzeugt, die falsche Seite zu verlassen, und verspürte nicht das geringste Schuldbewußtsein. Anders zwölf Jahre später bei der Abnabelung von der Partei, denn, sagt Tolstoi, es ist schwer, einen Feind zu bekämpfen, der einem Kopf und Herz umfangen hält. Das war auf Napoleon und die Französische Revolution gemünzt.

Nach dem Ausschluß aus der Partei war mir freier zumute. Ich hatte einen roten Kümmerling kennenlernen müssen. Heiner Müller bagatellisierte diesen Siegfried Wagner, als er ihn einen *ehemaligen SA-Mann* nannte. Wagner hatte ihm das Stück *Die Umsiedlerin* und viel Leben verdorben. Wie kam SA ins ZK und wurde Kulturministerstellvertreter?

Erich Loest, der dem Genossen S.W. sieben Jahre Zuchthaus verdankt, meint, sein Verfolger sei einen schweren Tod gestorben. Doch der tüchtige Mann lebt. Vielleicht besuche ich ihn, um ihm zu danken, denn mich lehrte er beizeiten den vollkommenen Parteiabschied. Dreieinhalb Jahrzehnte danach, als ich in den Akten las, lehrte er mich das Lachen, denn ich erfuhr, dieser verbohrte Parteifunktionär versteht sich als Oppositioneller und Opfer, weil er im Zentralkomitee irgendwann über irgendeine gewiß hochnotwichtige Kulturfrage stolperte. Deutschland, deine Revolutionäre!

Als ich 1959 und 1961 in meinen bei *Kiepenheuer und Witsch* erscheinenden Büchern an die in Bautzen einsitzenden Freunde und Genossen Harich, Janka, Just, Zöger, Loest erinnerte – hier ist dann noch der entführte Heinz Brandt zu nennen – wollte das im Westen niemand wissen.

Ich war damit dreißig Jahre zu früh dran. Deutsche Intellektuelle sind auf Verspätung und Aufarbeitung abonniert. Der neuen SPD-Ostpolitik hatte ich von Beginn an zugearbeitet, ab Anfang der achtziger Jahre hielt ich sie für korrekturbedürftig, weil die östlichen Oppositionsbewegungen unberücksichtigt blieben. Der Konflikt entzweite Freunde. Unsere Differenz auszufechten mißlang. So mancher von uns verließ den Schriftstellerverband im Zorn.

Ich wollte die anderen, darunter Bernt Engelmann, mit dem ich Jahrzehnte hindurch in vielen Fragen übereinstimmte, nicht zum Feind auf Ewigkeit erklärt sehen. Politische Meinungsverschiedenheiten trennten uns für einige Zeit. Sind die ausgeräumt, ist der andere kein Gegner mehr.

Viele der späten Dissidenten, die so hart mit ehemaligen Freunden und Genossen abrechnen, liefen noch mit Parteibuch oder im Blauhemd herum, als wir, die Oppositionellen der fünfziger Jahre, verfolgt wurden. Soll man ewig die Bitternis darüber herausschreien?

Soll ich sagen, wie schwer es Alfred Kantorowicz, mir und Ingrid Zwerenz geworden ist, 1957 in eine Bundesrepublik flüchten zu müssen, die Adenauer rechtskonservativ und autoritär regierte, eine zensierte Presse anstrebend und alles denunzierend, was linksliberal oder gar links war, in einem Staat, in dem Gehlen und Globke wichtige Positionen innehatten? Wenn ich jedoch Hermlins hämische Worte gegen Kantorowicz nachlese, fällt es mir verdammt schwer, mich zu entfeinden. In meinen Stasi-Akten blätternd, kann ich mich nur durch schwarzen Humor retten und mir befehlen, laß die bleierne Vergangenheit nicht über die offene Gegenwart herrschen. Denn so fehlerfrei, wie wir gern sein möchten, ist keiner von uns.

Am Vorabend des 21. August 1968 sprach ich in München auf einer Kundgebung gegen den amerikanischen Krieg in Vietnam. Da hatte das Moskauer Politbüro den Prager Einmarsch längst entschieden.

Wieder standen wir, die westdeutsche Linke, zwischen zwei Feuern. Aus Ostberliner Sicht setzte der Prager Frühling nur die Reihe feindlicher Provokationen fort: 17. Juni 1953 in der DDR, Oktober 1956 in Warschau und Budapest. Deutsche Kommunisten mit Verfolgungserfahrungen im Dritten Reich sahen sich daran erinnert. Die eingreifende Sowjetarmee erschien ihnen als Retter. Diese Reaktionen konnte man nachvollziehen. Mein Verhältnis zum Prager Frühling war gespalten. 1956 war es in Prag vielsagend ruhig geblieben, als wir uns in Leipzig und Ostberlin dem von Ilja Ehrenburg ausgerufenen Tauwetter anzuschließen suchten. Unsere Verbindungen reichten nach Warschau und Budapest, nicht ins kühl abweisende Prag. Jetzt, 1968, versuchten die Tschechen mit zwölfjähriger Verspätung reform-politisch aufzuholen und erlitten das Schicksal Budapests. Führende Prager Reformkommunisten wurden vom Moskauer Einmarsch so überrascht, daß sie beim Anblick anrollender Panzer glaubten, es werde ein Spielfilm über den Zweiten Weltkrieg gedreht.

Die westdeutsche Wut richtete sich heftig gegen die Teilnahme der DDR-Armee am Einmarsch. Die Zeitungen veröffentlichten Fotos von einem nicht existenten Vorgang, der heute noch kolportiert wird, denn Presse-Enten leben ewig. Tatsächlich rückten ein, zwei Dutzend Stabs-Verbindungsleute der NVA mit den Sowjets ein. Zwei Divisionen blieben in Grenznähe auf DDR-Gebiet im Alarmzustand zurück.

Innenpolitisch wurde das Ende des Prager Frühlings für die DDR zum Desaster. In den Biographien späterer Dissidenten war Prag 1968 der Wendepunkt. Auch den Russen brachte Prag nur Ärger. Das tschechische Volk, lange Zeit extrem sowjetfreundlich, reagierte feindlich, wenn auch schwejkhaft abgemildert. Da herrschte in Ungarn schon der Gulaschkommunismus, in Polen brodelte die ewige Unruhe, in der DDR bereitete sie sich gemächlich vor. Wer die Fakten zu lesen verstand, erkannte die Unfähigkeit der Sowjets zur notwendigen inneren Reformation. Ihr demonstrierter Panzerkommunismus war nur die Außenseite inneren Versagens.

Da sie aber die Niederschlagung der Aufstände als sozialistische Siege werteten, setzten sie noch eins drauf, spielten den revolutionären Weltpolizisten und äfften die USA nach. Waren die aus Vietnam hinausgeworfen worden, wollten die Moskauer zeigen, wie viel besser sie in Afghanistan die Lage zu meistern verstünden. So führte ein Fehler zum nächstgrößeren. Gorbatschow, der gutwillige, glücklose, naive Vollender des sowjetischen Untergangs, nannte später dafür drei Ursachen: 1. Die Hochrüstung des Westens. 2. Tschernobyl. 3. Afghanistan.

Die Niederschlagung des Prager Experiments war ein Meilenstein auf dem Weg in den endgültigen Bankrott.

Der Prager Frühling zeigte die historisch letzte Stunde reformkommunistischer Erneuerung an, denn das Moskauer Modell trug schon lange nicht mehr. Der Militärschlag diskreditierte die sowjetische Führung und enthüllte die Ratlosigkeit im Kreml. Ende 68 (oder Anfang 69) stand ein bekannter tschechischer Dissident in der Menschenmenge neben mir auf dem Frankfurter Römerberg und applaudierte heftig den Polizisten, die Cohn-Bendit festnahmen. Ihr seid mir schöne Revolutionäre, dachte ich.

Andere Prager Reformer standen mir näher. Eduard Goldstücker etwa, Dauerverfolgter, der 1963 das konsequenzenreiche Prager Kafka-Symposium riskierte. 1953 war er als Westemigrant zu lebenslangem Zuchthaus verurteilt, 1955 rehabilitiert worden. 1968 erneute Emigration nach England. Danach wieder in Prag lebend, beklagte der ehemalige Diplomat und weltweit respektierte Literaturwissenschaftler, zuletzt Rentner, seine unterbewertete Lebensleistung in der postkommunistischen Marktwirtschaft Tschechiens. Fern liegen die Heldentaten der Reformer, deren mißglücktes Experiment selbst die großen Namen vergessen macht. Dubček endete per Autounfall. Havel präsidierte wortkarg nur noch der Landeshälfte. Goldstücker starb verblaßt zum Unbekannten.

Mitunter jedoch tut sich Großes. Herr Czaja, Präsident des Bundes der Vertriebenen, entdeckte im August des Jahres 1993 urplötzlich »Untaten von Deutschen an den Tschechen«, begangen im Zweiten Weltkrieg. Dem guten Manne, der bisher stets andersrum argumentierte, ward wohl Erleuchtung zuteil. Deutsche Arbeitnehmer allerdings reagieren angesichts der wirtschaftlichen Verhältnisse säuerlich, recht viele Aufträge gehen über die Grenze ins Billiglohnland Tschechien. Dort drüben arbeitet alles preiswerter. Selbst tschechische Mädchen unterbieten die Tarife, die Straßen und Bordelle von Chemnitz bis Frankfurt und Budapest sind mit böhmischen Huren reich beschickt. Denn die Not der freien und sozialen Marktwirtschaft macht erfinderisch.

Zugestanden, unsere Freunde und Genossen vom Prager Frühling hatten sich das etwas anders vorgestellt. Die Revolution entläßt ihre Kinder? Die sowohl verratene wie besiegte Revolution schickt sie aus ihren böhmischen Dörfern hinaus auf den weltweiten Strich. Zwar sagte Milan

Kundera: »Körperliche Liebe ist undenkbar ohne Gewalt.«
Auf dem freien Markt ist sie undenkbar ohne Geld, es regelt
Sex, Wirtschaft, Arbeit, Rüstung, Macht. Im Konflikt um die
ungarische Minderheit in der Slowakei kauften Ungarn und
die Slowakei zusammengenommen erst einmal in Moskau
für eine runde Milliarde Dollar moderne Waffen ein. Da
entgleisen Befreiungen unwillkürlich schon am zweiten
Tag. So aber haben wir nicht gewettet. Die politischen Klassen wechseln, die Kriege bleiben. Die Macht der Heuchler
erweist sich in der Funktion unserer Medien, die von den
alten Parteien deren Ideologie-Aufsicht übernehmen.

Als ich in den wilden Westen kam, saßen Nazijuristen
auf demokratisierten Stühlen und sperrten weiter Kommunisten ein, die sie vorher schonmal eingesperrt hatten, als
die Stühle noch nicht demokratisiert waren. Das ist ja wie
bei uns im Osten, dachte ich, nur daß dort Kommunisten
von Kommunisten eingesperrt werden, so daß die Genossen in Bautzen jetzt mit denen zusammensitzen, die die Genossen und neuen Zellennachbarn schon zwischen 33 und
45 nach Bautzen geschickt hatten. In Frankfurt am Main
traf ich Martin Niemöller, den tapfren kaiserlichen U-Boot-
Kommandanten. Mir die zarte Hand reichend, sagte er: Ich
brauchte zwei Weltkriege und einen Aufenthalt in Dachau,
um endlich Pazifist zu werden! Mir genügte ein Krieg samt
Nachkrieg, entgegnete ich unverdrossen, und so hetzten
wir Ostern 1967 vor dem RÖMER und drei- bis viertausend
Friedensmenschen gegen die Atombombe, nichtahnend,
daß sechsunddreißig Jahre später der Zyklop Bush jun. damit wieder herumjonglieren und drohen würde, umgeben
von geölten US-Blitzen, russischen Zwergen und chinesischen Schlitzohren.

Außerdem gibt's noch Sozialdemokraten. Sie wollten
schon 1914 keinen Krieg und führten ihn. Von 1918 bis
1933 wollten sie auch keinen und ließen ihn dann von Hitler führen. Inzwischen führen sie diesen und jenen Krieg
ein bißchen mit und stehen Wache aufm Balkan wie in Afghanistan. Im Irak machten sie den Krieg nicht richtig mit.
Stattdessen wollen die Christdemokratsozialen mit Panzern
und Bomben einspringen.

Derweil rotiert Niemöller im Grabe, und der brave
Heinemann zählt die Runden. Seine tüchtige Tochter Ute
schwebt zwischen katholischen und protestantischen Kir-

chen herum, ein atheismusbedrohter Engel. Der Papst reiht sich neuerdings als »rationaler Pazifist« ein, so daß ich erwäge, mich zum ungläubigen Katholen umtaufen zu lassen. Schorlemmer und Ullmann überlegen auch, dem militanten Luther zu entsagen. Nur der stählerne Ratzinger stört wegen der Inquisition, die Giordano Bruno verbrannte, genau wie Hus, den Frau Steinbach nochmal verbrennen will, mit sudetendeutscher Holzkopfkohle.

Ich flüchte ein wenig ins randalierende Gedächtnis. Anno 1988 durfte Walter Janka zu einer Veranstaltung in der Frankfurter Paulskirche ausreisen. Ich hatte da was arrangieren können. Wir sahen uns erstmals seit 1956 wieder, und er überbrachte quasi Melsheimers Grüße, die der damals dem Untersuchungshäftling Janka verlautbart hatte: Zehn Jahre sollte ich bekommen, kriegten sie mich. Die Nachricht, nicht neu, aber nun spät beglaubigt, stürzte mich in Zweifel: Sollte ich verärgert sein oder laut lachen. Ich entschloß mich zur Dankbarkeit des Entflohenen. Ach ja, dieser Melzheimer, bei den Nazis Jurist und in der DDR Generalstaatsanwalt. Welch ein Fortschritt. Brachte die Genossen hinter Schloß und Riegel. Ein Kamerad eben. Walter Janka war zweimal in Bautzen gelandet – 1933 von den Nazis, 1956 von Genossen verhaftet. Ich war 1944 den Nazis entwischt und 1957 den Sozialisten durch die Lappen gegangen. So stand ich verfroren zwischen Janka und Harich, die sich seit ihrer Haft befeindeten, blieb jedoch ungerührt mit beiden befreundet. Ein Friedens-Idiot zwischen allen Fronten, umgeben von Grabenkämpfern und ideologischen Messerstechern. Niemöller hatte zwei Kriege gebraucht, zur Vernunft zu kommen. Was ist aus der Niemöllerschen Vernunft geworden?

Wir leben nun im dritten Jahrtausend. Ein wenig ist mir zumute wie 1957, als ich aus dem sozialfeudalen Osten in den kapitalwilden Westen wechselte. Die unbewältigten Kriege, nicht lange hinter uns liegend, setzen sich fort. Das Gesetz des Krieges lebt von den unterlassenen Revolutionen und Reformationen und geht so: In der Angst vor dem Bolschewismus Lenins und Trotzkis verbündete sich die deutsche Sozialdemokratie 1918 mit den bürgerlichen Nationalen. Das Quartett Hindenburg-Ludendorff-Ebert-Noske verknappte sich in anderthalb Jahrzehnten zum Duo Hindenburg-Hitler. Die laut Sebastian Haffner von der Sozialdemokratie 1918 verratene sozialdemokratische Revolution führte auf Umwegen zur unterlassenen Revolution gegen Hitler. Es gab zwei nennenswerte Widerstandsbewegungen: die der Kommunisten und die der Offiziere. Kommunisten brachten von 1933 bis 1945 unzählbare Opfer. Hohe Offiziere fanden erst am 20. Juli 1944 zur Tat. Mündete der Erste Weltkrieg in einer verratenen Revolution, führte der Zweite Weltkrieg zu gar keiner. Stattdessen wurden die revolutionären Marxisten von den siegenden Sowjets vereinnahmt, was ihre geographisch beschränkte Siegesteilhabe wie den späteren absoluten Untergang verursachte. Bürgertum und Sozialdemokratie wiederum siegten im westlichen Deutschland. Es folgten Wirtschaftsaufstieg, Demokratisierung mit sukzessivem Ausschluß der Linken, endlich Vereinigung und schneller Übergang zu neuen Krisen und Kriegsbeteiligungen. Die unterlassene Revolution von 1945 zeitigt Folgen wie die verratene Novemberrevolution von 1918. Das Land läuft zeitverschoben hinter seinen Möglichkeiten her und gerät mit seinen sich verschnellernden Prozessen in strukturelle Notstände. Indem alle Staatsformen seit 1914 die analytischen und prognostizierenden Bewußtseinspotentiale ausschieden, einbegriffen die temporär existierende feudalsozialistische DDR, ist Deutschland jeweils in mentaler wie organisatorischer Linkenlosigkeit vereint, was die linken Restbestände zum bizarren und starrsinnigen Sektierertum verurteilt. So ist ein ständiger Zustand der Perspektivlosigkeit garantiert. 1914: Burgfriedenspolitik. 1918: Revolutionsverrat. 1933: autoritäre Einheit für erneuten Kriegskurs. 1945: unterlassene Revolution und Beginn der Teilung. 1989/90: Einheit mit einprogrammiertem Bedeutungsverlust aller Opponenten. Aussichten ab 2000: Die selbstverschuldete Alternativlosigkeit führt in krisenhafte innere und äußere Konflikte, für deren friedliche und demokratische Lösung jede Voraussetzung fehlt. Feigheit und autoritäre Vorlieben sind Mentalität geworden. Prägungen der Vergangenheit gerinnen zum künftigen Schicksal ewiger Wiederholungsprozesse, als führten alle deutschen Wege nach Stalingrad. Denn die unterlassene Revolution mündet im Krieg. Und Krieg ist Konterrevolution. Wenn aber erst entgegen aller Verhinderungsanstrengungen Krieg herrscht, dann gilt: »Nur Messer kann Geschwüre vertreiben ... nicht das unbewaffnete Herz ... ohne die der Gewalt homogenen Hilfsmittel ...« So Ernst Bloch in *Kampf, nicht Krieg* (1918). Das Messer heißt hier Revolution.

Die Internationale der Traumatisierten

Als Ende September 2002 unweit Moskaus im russischen Rhschev ein deutscher Soldatenfriedhof feierlich eingeweiht wurde, protestierten kleinere Gruppen von Kriegsveteranen der Roten Armee dagegen, was in der deutschen Presse kein Verständnis fand, für die es sich offensichtlich nicht gehört, Tote in den Haß der Lebenden einzubeziehen. Unsere Medien meldeten deshalb ganz objektiv und so kopf- wie herzlos, in der damaligen Schlacht bei Rhschev seien einhunderttausend deutsche Soldaten und eine Million Rotarmisten getötet worden. Eine Differenz der »im Krieg Gefallenen«, die den überlebenden Sowjetveteranen beim Anblick eines einzigen deutschen Soldatengrabes denken läßt, dem entsprächen zehn Gräber seiner eigenen Kameraden. Weder Presse, Fernsehen noch angereiste Trauergäste vollziehen den naheliegenden Gedanken, sondern finden die randständigen Proteste schlichtweg unanständig. Von Deutschland aus gesehen, ist bei einhunderttausend toten Wehrmachtsoldaten, auf die eine Million toter Russen kommen, jedes Nachdenken überflüssig. Die Rechnung eins zu zehn sei, meinen sie, legitim. Bei Vergeltung für Partisanenangriffe war eins zu fünfzig oder eins zu hundert befohlen, da stellt eins zu zehn eine geradezu normale und humane Relation dar.

Nun wissen wir, Überlebende der Roten Armee, die so viele deutsche Heldengräber in ihrer Heimaterde nicht lieben wollen, sind von längst vergangenen Schlachten noch traumatisiert, also seelisch verwundet. Sehen wir es unter diesem Aspekt, begreifen wir den Unwillen der Protestierenden, die nicht vom Vergleich ein Toter zu zehn Toten lassen mögen. Nebenbei bemerkt spricht das nicht für die Effizienz der damaligen Roten Armee, die sich einbildete, einen Großen Vaterländischen Krieg zu führen, während der brave deutsche Soldat doch nur dem Befehl gehorchte, sein Vaterland Richtung Ural zu verteidigen.

Die Deutschen können ihre eigenen Traumata vorweisen. Vergessen wir einmal alle Bescheidenheit, die uns bisher daran hinderte, so dürfen wir vorbringen, daß unsere vaterländische Geschichte zwei siegreich verlorene Weltkriege aufweist. Den ersten verloren wir infolge Dolchstoßes in den Rücken, den zweiten wegen der jüdischen Bolschewisten. Beide Male nahmen uns die Sieger Land und Leute. So lebten wir nach 1945 dreigeteilt, dann zweigeteilt, bis die Vereinigung uns den Platz an der Wirtschaftssonne kostete. Ein halbes Jahrhundert hindurch galten wir weltweit als Aggressoren und Judenmörder, erst zu Beginn des dritten Jahrtausends konnten wir wieder wagen, deutsche Soldaten legal wie illegal in fremde Länder zu schicken. Die lange Zurückhaltung und erzwungene Friedlichkeit frustriert natürlich, und Frust schafft neue Traumata, obwohl die alten noch virulent sind. Eine tüchtige Frankfurter Bundestagsabgeordnete, deren Vater als deutscher Besatzungsoffizier infolge des verlorenen Krieges Polen verlassen mußte, was seine Tochter im zarten Kindesalter demselben unmenschlichen Terror aussetzte, therapiert ihre tiefe seelische Verletzung als Sprecherin sudetendeutscher Vertriebener, die schon vor Benesch unter den grausamen Hussiten zu leiden hatten, bevor sie endlich Heim ins Reich durften.

Frustriert und traumatisiert sind wir alle. Die Sozialdemokraten, weil ihr Kaiser Wilhelm Zwo 1918 nach Holland verduftete. Weil die Spartakisten gleich Revolution machten und Hitler nicht nur, wie Noske vor ihm, die Kommune liquidierte, sondern per Ermächtigungsgesetz die SPD gleich mit. Frustriert sind die Kommunisten. Siehe Thälmanns Zelle im Zuchthaus Bautzen: Eingesperrt, nach Buchenwald verbracht, vorm Krematorium erschossen. Wie viele Tote haben sie zu zählen unter Ebert, Noske, Hindenburg, Hitler. Dazu der große Wissarionowitsch: Zwischen 1945 und 1989 herrschten er und seine Nachfolger im kleinen deutschen Land. Ergebnis: etwa dreitausend sowjetische Todesurteile, exakt 277 in DDR-Verantwortung, etwa zwölftausend Verhungerte in sowjetischen Lagern, ungefähr tausend Grenztote, an die 1100 ungehorsame Kommunisten und Sozialdemokraten, die als Feinde abgeurteilt werden mußten zur Verteidigung des Sozialismus. Wer zählt die Traumata der Täter und Opfer, der Opfer, die Täter wurden, der Täter, die als Opfer büßten?

Endlich die Judenfrage. Juden als jüdische Bolschewiki
in der Sowjetunion und der DDR. Als Auschwitz-Überle-
bende. Als Kommunisten, Antikommunisten und Israelis,
die ihre Palästinenser zum Juden machen. Oder darfst du
das so nicht sagen? Unsere eigenen deutschen Opfer anglo-
amerikanischer Terrorangriffe sollten zumindest genannt
werden beim Krieg gegen den Terrorismus. Dresden: 30 000
oder 300 000? Hamburg, Köln, Berlin, Frankfurt?

Blieben da nicht auch seelische Wunden? Und Stalingrad – von einer Armee mit ca. 250 000 Soldaten kehrten ca.
sechstausend zurück. Trauern die Angehörigen zu Recht?
Etwa 30 000 Deserteure wurden nach Gesetz erschossen
oder gehenkt. Erlitten die Scharfrichter nicht auch psychische Verletzungen? Selbst die Soldaten der Einsatzkom-
mandos und massenmordenden Polizeibataillone blieben
nicht ganz unberührt bei ihrer Arbeit, auch wenn Komman-
deur Ohlendorf sich ums seelische Wohl seiner Schützen
und sogar Opfer kümmerte, wie er im Nürnberger Prozeß
glaubhaft versicherte. Oder Martin Walsers arme Mama,
die Gastwirtin vom Bodensee, leidend unterm Vertrag von
Versailles und deshalb früh der Hitlerpartei beitretend, wie
Sohn Martin dem Kanzler Schröder samt angeschlossenem
Volk nicht ganz erfolglos erklärte?

Endlich Hitler selbst, versetzen wir uns in seine miß-
liche Lage, infolge feindlichen Gaskrieges vorübergehend
erblindet ins Pasewalker Lazarett eingeliefert, mußte er die
schmähliche Niederlage Deutschlands durch Dolchstoß in
den Rücken erleiden – ohne Hoffnung, ein Frontsoldat im
tiefsten Elend!

Und der US-Präsident, ist er etwa nicht traumatisiert
von den 2 800 Toten des 11. September 2001, die von anderthalb Dutzend Selbstmord-Mördern verursacht wurden
– auch sie als Islamisten traumatisiert wegen des kolonialen
Status ihrer Glaubensbrüder?

Die Trauma-Fundis aber sind und bleiben wir Deutschen. Gerade trauerfeierten wir das exakt sechzig Jahre zurückliegende Stalingrad ab: ca. 200 000 tote Wehrmachtshelden. ARD und ZDF quollen davon über, soweit die Talkrun-
den dafür Platz lassen. Die eine Million toter sowjetischer
Stalingradkämpfer sollen die Russen selbst betrauern. Grass
lehrte uns, die Gustloff-Toten endlich zu rehabilitieren. Jörg
Friedrich entlarvt die Sieger des Zweiten Weltkrieges als

Mentalitäts-Kriminelle im Luftterror gegen die deutsche Zivilbevölkerung. Wir erwarten mit Lust-Angst die Fortsetzung der Kriege, ein wenig frustriert, weil nicht ganz dabei und etwas heilfroh, denn es könnte uns sonst die schönen Trauerspiele auf dem Fernsehschirm vermasseln.

Wie wird es im Irak weitergehen?

Werden die Bushies siegen, nachdem sie doch schon siegten? Vor einem Jahrzehnt hörten sie bei ca. 150 000 bis 200 000 irakischen Leichen auf. Seitdem wurden nur Zivilisten ausgehungert und pro Monat ungefähr fünftausend Kinder abgeschafft. Dürfen wir jetzt auf größere Erfolge hoffen? Egal wie die Bilanz der freiheitlichen Demokratisierung aussehen wird, wir wenden uns weiter unseren geliebten Traumata zu. Was haben wir nicht alles erleiden müssen: Katyn, Warschau, Hiroshima-Nagasaki, Große Säuberung, Workuta, Auschwitz, die Flüchtlingstrecks, Vergewaltigungen, Todeslager Gulag, Phönix-Programm – so leiden wir an der ganzen Welt, wer auch nur davon zu sprechen beginnt, bekommt den Herbert-Wehner-Blick: mißtrauend, zornig, klagend, anklagend, abwehrend, wer trägt Schuld an alldem? Ich nicht.

Und Willy Brandt, jahrzehntelang beschimpft als uneheliches Kind, Emigrant wie Bloch und Vaterlandsverräter.

Joseph Fischer, der die Toten von Srebrenica immer vor Augen hat und seither in Kriegen Tote zu produzieren mithilft, wohin ist dein Palästinenser-Halstuch, Joschka.

Vergessen können wir alle nicht, den 17. Juni 1953, Warschauer Aufstand 1943 und 44, Budapester Aufstand 1956, friedliche Revolution 1989, Bautzen I und II, Karl Marx und die 30 000 ermordeten Kommunarden 1871 zu Paris, Lenins vom Zarismus gehenkten Bruder, das Ende der DDR.

Der Hitlerjunge Helmut Kohl leidet an seiner Wehrmachtsbotengängerei von 1944, traumatisiert holte er den entflohenen Häftling Honecker aus Moskau zurück, einen armseligen Gorbatschow erpressend, den Quartalssäufer Jelzin bezwingend – zurück also mit dem abgelaufenen Honi in die Berliner Zelle zur legitimen Fortsetzung der zehn Jahre Gestapohaft, die das Kriegsende 1945 einst ärgerlich unterbrach.

Anno 2002 fleddern Focus-Propagandhis zwei in Berlin hinterlassene Erich-Koffer. Ich konnte Honecker nie ausstehen, dann erregte er in mir fast eine Art von Sympathie.

»Trauma, s. (gr.) Wunde, Verletzung; i.d. Psychopathologie u. -analyse seelische Erschütterung.« So steht's im Lexikon. Da frage ich mich nur, weshalb wir immerzu wegen
weltweiter Verbrechen traumatisiert und frustriert sind,
jedoch nicht unseren eigenen Anteil daran einbeziehen,
weil wir zu feige sind, laut und deutlich zu sagen: Du sollst
nicht töten – und ich auch nicht. Das führt uns zur Frage der
Schuld, die von Bloch auf ganz eigene Weise beantwortet
wird. Ein typisches Beispiel für den ideologischen Dschungel bietet ein Günter-Zehm-Artikel in *Die Welt* (16. 12. 1987),
der Ralph Giordano zu folgendem Schreiben veranlaßte:

»Herr Dr. Zehm, in dem obigen Artikel schreiben Sie mit
eindeutiger Bezugnahme auf mein Buch *Die zweite Schuld
oder Von der Last Deutscher zu sein*: ›Soeben wurde ein Buch
in Bestsellerhöhen gepuscht, das ganz ungeniert und gleichsam *wissenschaftlich* die These von der Kollektivschuld aller
Deutschen propagiert, und zwar nicht nur aller vor 1945
erwachsenen und selbstverantwortlich handelnden Deutschen, sondern prinzipiell *aller*, besonders der *zukünftigen*
Deutschen, die zudem bereits die *zweite Schuld* in ihren Ge-
nen trügen, da die Verbrechen inzwischen verdrängt und
verleugnet seien‹.
    Das ist eine Lüge. Sie ergibt sich schon aus der Wid-
mung meines Buches, die lautet: ›Den *schuldlos beladenen*
Söhnen, Töchtern und Enkeln.‹ Zur Sache selbst heißt es
in meinem Buch unter dem Kapitel ›Kollektivschuld? Kollektivunschuld? Kollektivgewissen? – Von der Verantwortung des nationalen Kollektivs ehemaliger Hitleranhänger‹:
›Ohne die Hingabe einer übergroßen Mehrheit wären die
Energien, die im Kriege dann fast sechs Jahre eine ganze
Welt in Atem hielten, nicht mobilisierbar gewesen. Darin
in dem, was das nationale Gesamtgeschehen, Auschwitz
eingeschlossen, möglich machte, was zwischen der staatlichen Institutionalisierung des Nationalsozialismus und
der Mehrheit der damaligen Nation korrespondierte, darin
ist das Wesen, die eigentliche Natur der Kollektivschuld zu
suchen und zu finden: begrenzt auf bestimmte Generationen und einen bestimmten Abschnitt der Geschichte der
Deutschen und nicht als nationale Erbsünde und unter Ein-
schluß des Embryos im Mutterleib, wie die Demagogen der
Kollektivunschuld der Öffentlichkeit weismachen wollen,

um die Verfechter der Kollektivschuldthese zu diskriminieren und eine Dimension von Absurdität zu konstruieren.‹

Damit ist Ihre Lüge klar widerlegt – durch die Widmung, durch den klaren Untertitel des betreffenden Kapitels, durch meine zitierten Sätze zur Sache selbst und durch den Grundtenor meines gesamten Buches, das Sie nicht gelesen, aber dennoch kommentiert haben.«

Wir sehen, Zehm unterstellte Giordano den Vorwurf einer fortwirkenden Kollektivschuld, der sich eben nicht in dessen Buch findet. Allerdings wird die Kollektivschuld oft ersetzt durch eine Floskel: Wegen ihrer Jugend nicht schuldige Deutsche trügen Verantwortung. Das ist staatspolitisches Blabla. Verantwortung hat, so abstrakt formuliert, jeder, also keiner. Zehms blind schäumende Publizistik ist das Resultat seines Abschieds vom früheren Lehrer. Ein gescheiterter Meisterschüler landete bei den dumpfen Rechtsdeutschen. Verantwortung hat mit Freiheit zu tun. Im Vortrag zum Leipziger Kolloquium 1997 versuchte ich es mit diesem Beispiel zu demonstrieren: »Die Wochenzeitung *Das Parlament* (24./31.Oktober 1997) behandelte in einem luziden Artikel über Gustav Gründgens dessen Aufführung von Jean-Paul Sartres Drama *Die Fliegen*. Sartre habe 1943 bei der Uraufführung in Paris ›Die Franzosen aus der Lethargie der Schuldgefühle über die Niederlage von 1940 herausreißen‹ wollen. Anläßlich der deutschen Aufführungen 1947 und 1948 habe Sartre die Kernaussage noch erweitert: Jetzt zog er selbst aus den *Fliegen* die Lehre, Verantwortung in der Gegenwart und für die Zukunft zu übernehmen, statt sich wegen der Vergangenheit so lange zu quälen, bis vielleicht sogar ein Genuß am Reuegefühl eintreten würde.

Das ist ein Stück Nietzsche in Sartre. Ist es unstatthaft, den ostdeutschen Theatern, vielleicht den Berliner und Leipziger Bühnen, analoge Kühnheiten zu empfehlen, Motto: Schluß mit der Lethargie, Schluß mit der Zuschauerdemokratie ...«

Freiheitsaufmunterungen können nicht beim Kulturerbe stehen bleiben. Es geht nicht nur ums Theater. Kommen wir zur Sache.

Nach anderthalb Jahrzehnten verfälschender Einheit ist von keinem Ostdeutschen noch Entschuldigung, Selbstverleugnung, Unterwerfung zu erwarten. Die Entscheidung, nach 1945 ein anderes Deutschland zu schaffen, beruhte auf unserer Kriegserfahrung. Wir haben uns 1945 die sowjetischen Sieger ebenso wenig ausgesucht wie die Westdeutschen ihre Amerikaner, Engländer und Franzosen. Unser Sozialismusversuch stand zwar unter einem unglücklichen Stern, war jedoch legal und legitim, so wie jedes Engagement für den neuen deutschen Staat legal und legitim war. Die Existenz der DDR ist auch geschichtlich zu rechtfertigen, schließlich garantierte die Bonner Regierung erst 1989/90 unter Kohl und gezwungenermaßen die deutsch-polnische Nachkriegsgrenze. Vorher wäre die Bundeswehr an Oder/Neiße unter der kriegerischen Parole »Deutschland dreigeteilt – niemals!« ein reales Schießkriegsrisiko gewesen.

Die Friedensverpflichtung der DDR wirkte auch im Sinne eines pädagogisch erfolgreichen Antifaschismus, der sich weiterwirkend in einer verstärkten ostdeutschen Ablehnung neuer deutscher Kriegsbeteiligungen ausdrückt. So verfehlt das SED-Politbüro oft handelte, so erklärlich sind zugleich alle Hoffnungen gewesen, dieser Staat werde sich doch noch versozialisieren. Zumal Kohl dies öffentlich-scheinheilig unterstützte, Strauß es egozentrisch finanzierte und die SPD mit der SED friedlichst kommunizierte. Sollten da etwa SED-Genossen Widerstand leisten und das Volk aufstehen? Das geschah erst, als der Große Bruder in Moskau sichtbar pleite ging. Die DDR jedenfalls war in vier Jahrzehnten sozialistischer und effizienter geworden als die siegreiche Sowjetunion in sieben Jahrzehnten, und der Anteil deutscher Kriegshelden am Unglück der Sowjetunion lastete uns Ostdeutschen auch noch auf der Seele wie die Reparationsleistungen auf dem Geldbeutel.

Ich kann meine ostdeutschen Landsleute nur bewundern für ihre Lebensleistung, die ihnen nicht anerkannt werden soll von selbstgewissen Karrieristen, die sich als Sieger aufführen wie ihre Väter in früher eroberten Ländern. So aber haben wir nicht gewettet. Noch ist keineswegs entschieden, wo die Berliner Republik landen wird. Von wegen als Friedensengel starten und als Tornado Raketen spucken. Wenn das die neue deutsche Politik sein soll, was war dann die alte unter Kaiser Wilhelm, dessen Berliner Schloßgartenlaube unsere Neo-Demokraten mit goldigen Herzen und gedankenleeren Hirnen wieder aufrichten möchten, nachdem Kaiser und Könige schon fürstlich abgefunden sind, auf daß die Renten gekürzt und die Benzinpreise drastisch erhöht werden. Der gewesene Law-And-Order-Schwarzkassen-Minister Manfred Kanther benötigt 14 000 Euro Monatspension zum Leben, während ausgewiesene Antifaschisten vom letzten Pfennig noch die Hälfte gestrichen kriegen.

Da ist es in der gloriosen Wüstenlandschaft der Medien Brauch geworden, unsere alten Genossen, früher SED, jetzt PDS, als Betonköpfe zu definieren. Ich bin mir nicht sicher, ob die Zahl der ostdeutschen Betonköpfe pro Quadratkilometer die der westdeutschen übersteigt. Meine Erfahrungen aus den Gesprächen weisen eher ins Gegenteil. Bei allen Differenzen, die sich ergeben, lernte ich gerade die tüchtigen roten Panther der PDS zu schätzen. Von den fast zweieinhalb Millionen SED-Mitgliedern landete ein Vierundzwanzigstel in der PDS, ich wünschte, es wären mehr. Dabei nehme ich keinen früheren NVAler oder Stasi aus, wenn er ein engagierter Sozialist wurde und nicht klagend und lahmend ins Jammertal der Resignation flüchtet. Da staffierte, soviel nur als Exempel, ein *FAZ*-Herausgeber den Führer-Liebling Albert Speer jahrzehntelang als demokratischen Medienstar aus, obwohl die Lügen, die den Star-Architekten vor dem Nürnberger Galgen bewahrten, zum Himmel stanken, heute gesteht der vormalige Panegyriker kleinlaut Selbsttäuschung ein, und die Medienmeute wedelt dazu mit dem Schwanz.

So was soll die Ostdeutschen erziehen und belehren? Höchste Zeit für diese Vertreter westdeutscher Hybris, in sich zu gehen und um Entschuldigung zu bitten. Nach vielen Jahren falscher oder mangelhafter Vereinigung sind weitreichende Korrekturen bitter notwendig. Vorausgesetzt ist das Eingeständnis derer, die diese Politik und Fehlwirtschaft zu verantworten haben, daß die ganze Misere nun nicht mehr als ewige Last den Schwestern und Brüdern im Osten aufzubürden ist.

Auf meinen Lesereisen durch ein Land, das mir von den Politbürokraten jahrzehntelang verschlossen und verboten gewesen ist, traf ich auf so viele interessierte, wißbegierige, aufrechte Menschen, daß ich bald begriff, an ihnen war die DDR nicht zugrundegegangen. Im Gegenteil, ihre Kultur- und Literaturleistungen sind ebenso staunens- und erinnernswert wie ihre LPGen und Polikliniken, die sich in den Provinzen der Arbeitslosigkeit so mancher zurückwünscht, weil die Berliner Republik des Kapitals segmentiert Menschen, Kultur und Landschaft verkommen läßt. Gefiltert durch die Freiheitserfahrungen von 1989/90, als die Politbürokratie verdampfte und der monopolisierte Kapitalismusschwindel noch nicht total herrschte, ist eine Ahnung entstanden, daß es nicht ewig Herren und Knechte geben muß, ganz wie 1945 in der Republik Schwarzenberg, als die Wehrmachtshelden geflohen, Amerikaner und Russen aber noch nicht eingerückt waren. Das sind so Zeitmomente, die zu erinnern sich lohnt gerade in den uns bedrängenden Erfahrungswelten, da gestrige Pazifisten laut zu Kriegen aufrufen, Linke zu Rechten mutieren und der Antifaschismus von Staat, Parteien und Nachfolgekameraden zielstrebig derart diffamiert wird, daß von allen guten Geistern verlassene Jugendliche grölend in den Sumpf des Nazismus marschieren. Wenn das Abstechen einer Lehrerin mit einer lachhaften Strafe geahndet wird, begreifen die Pädagogen den Unwert, den ihnen die westliche Wertegemeinschaft beilegt. Da haben wir, die wir von der vielgeschmähten östlichen Sozialisation geprägt wurden, andere Politik- und Moralvorstellungen, für die einzustehen vielleicht eine Last, sicher aber auch eine Lust ist. Lassen wir also die Traumata derer, die sich schuldig gemacht haben sowie derer, die sich Schuld einreden ließen, obwohl es sie nicht betrifft, hinter uns und probieren eine vernünftige, abgesicherte Politik. Es war bitter notwendig, die Diktatur einer Partei zu bekämpfen, doch wer daraus eine Verfolgung pluraler Sozialisten und Kommunisten macht, ähnelt den zuvor Bekämpften, wenn er sich ihnen nicht gar völlig angleicht.

Daß Günter Zehm in Kaltkriegszeiten das Feuilleton der *Welt* dazu nutzte und sich vom *Rheinischen Merkur* bis zur *Jungen Freiheit* in Kriegsverlängerungen gefiel, erscheint mir weniger blamabel als die Abwendung vom Fundus der Rationalität. Zehm sah die Russen in Berlin, Bonn und Paris, da waren sie in der Tat schon dabei, im Krieg gegen Hitlerdeutschland besetzte Gebiete zu räumen, als wären sie die Geschlagenen. In eben jenem Blatt, bei dem Zehm den seriösen Rechtspopulisten darzustellen sich bemüht, glaubte eben erst Vera Lengsfeld (Wollenberger) ihren schwafelchristlichen CDU-Kameraden Hohmann gegen die eigene Vorsitzende verteidigen zu müssen. So leicht kann der Weg vom blauen FDJ-Hemd über die Grünen zum neuen, auch

Antisemitismus verharmlosenden Tiefstand sein. Und es ist kein Ende abzusehen.

Die Politkommandeure der Massenvernichtungswaffen haben diese Kurve längst hinter sich. Ob eine Atommacht wie die USA die Bombe bereits einsetzte oder wie andere in Bereitschaft stapelt, ändert nichts an der höllenhaften Bedenkenlosigkeit. Wer diese Waffen zu verantworten hat, zählt sich zu den vor Gott und der Welt Unverantwortlichen. Das Unmaß des realisierbaren Genozids transzendiert jede menschliche Moral. Noch nicht einmal die Todesstrafe taugte zur Erwiderung, es sei denn, sie ließe sich vor dem Armageddon vorbeugend verhängen. Die Herren Massenhenker aber halten vor fanatischer Religiosität triefende Reden, ihre Wasserstoffbomben kommen im Talar daher, und General Teufel säuft sich mit Weihwasser Mut an für die letzte Stunde.

Es ist an der Zeit, ein Kerngesetz gegen die Willkür der Postmoderne zu formulieren. Hegels Triade These-Antithese-Synthese erscheint bei Bloch transformiert als die Triade Philosophie-Sklavensprache-Revolte. Am Anfang stehen Information und Analyse. Sie unter die Leute zu bringen, müssen Widerstände überwunden werden, was zur List der Sklavensprache führt. Danach kann, je nach Möglichkeit, die Revolte als Schritt in die öffentliche Praxis folgen. Unter den Naturwissenschaftlern verweigern sich vielleicht nur die etablierten Honoratioren. Anders bei den Gesellschafts- und Geisteswissenschaften, wo sich politische bis existentielle Feindseligkeiten formieren mögen. Kann sein, der Revolteur unterliegt. Er ist dann *verbrannt*, wie die Geheimdienste es nennen. Aber lieber verbrannt sein, denn als lebender Leichnam weiter zu vegetieren.

Mentaler Klassenkampf

Blochs Kategorie des Noch-Nicht verkehrt sich bei den Nihilisten im postmodernen Kultur-WC zum submodernen Nicht-Mehr, was das Leben auf die konsumierte kleine Ebene von Gegenwart einschrumpfen läßt. Höhlenbewohner, die nichts mehr wissen und wollen außer der täglichen Bedürfnisbefriedigung, sinken auf den glücklichen Stand von Pflanzen ab. Das Vegetieren als Grundhaltung. Abgegrenzt obendrein in ihren mehrfach gesicherten Villenschlössern die Sippschaft der Milliardäre, daß sie nicht einmal mehr ungesichert scheißen können.

Die Gesellschaft ist antipodal. Diktaturen von Führern wechseln mit Diktaturen des Kapitals. Ohne freiheitliche Sozialisten diktieren die einen oder anderen. Beide degradieren die Menschen zu Mameluckenmassen, deren Disziplin barbarisch mit Konsum oder Terror oder durch beides erzwungen wird. Sieger ist immer, wer den anderen an konsequenter Barbarei übertrifft.

Mag sein, ich täusche mich, wenn ich in Blochs Werk nichts über Intentionssprache finde. In den Vorlesungen erregte das Thema den Vortragenden, der ja selbst intendiert, also zweckbestimmt und zielorientiert spricht, was beim Lehrenden zur ersten Aufspaltung der Person führt, die einmal der Wahrheit dessen, was gelehrt wird, verpflichtet bleibt und zum anderen dem Erfolg der Lehre. Beim Philosophen spitzt sich der Dualismus noch mehr zu – als Philosoph erweist sich seine Identität im laufenden Prozeß der Wahrheitsfindung, als Lehrer hat er zwar seine Erkenntnisse zu verbreiten, muß den Vortrag aber derart artikulieren und notfalls abtarnen, daß er sich nicht in Gefahr bringt. Diesem Sonderfall von Sklavensprache ordnete sich der heutige Intentions-Jargon des Westens zu, dessen politische Sprache gegen Ende des 20. Jahrhunderts zum Argot der Profitmaximierung verkam. Keiner sagt mehr, was ist, jeder nur, was ihm hilft, sein Ziel zu erreichen. So lügt jeder dem anderen in die Tasche.

Das intentionale Sprachwerk ist Verfälschung von Analyse zum Betrug und von Theorie zur Ideologie. Die momentane Weltsprache der neoliberalen Globalisierung wurde zum Esperanto der Machtinhaber. Werden sie beim zweckbestimmten Verzerren und Fälschen ertappt, wechseln sie die Argumente wie die maßgeschneiderten Hemden, denn die Argumente sind nur noch bloße Trippelschritte zum universalen Potential. So ihre Intention und so ihre Herrschaftsdienste.

Unterteilen wir Sklavensprache grob in die zwei Formen des ängstlich verdeckten, also gehorsamen Ausdrucks und andererseits der subversiv vorbereitenden Revolte, so haben wir im submodernen Globalspeech ein Spitzenprodukt intellektueller Zuhälterdialektik vor uns: Vom Börsenkauderwelsch über das Werbegequassel bis zum machtfetten Leitartikel, die Intentionslüge herrscht als Hydra mit Millionen von Sprachkunstköpfen, die abzuschlagen soviel nützt wie der Löffel beim Ausschöpfen der Ozeane.

Die Bibel, Büchners *Hessischer Landbote* und das *Kommunistische Manifest* von Marx/Engels sind Literatur und Lebensphilosophie zugleich. Bloch zählt zu dieser Reihe. Büchner sprach zu den Bauern, Marx zu den Proletariern, Bloch spricht zu den universellen Intellektuellen. Sein Werk vervollständigt als vierter Band *Das Kapital*. Nach dem Ende der Sowjetperiode besteht die soziale Klassenspaltung global weiter, verschiebt sich jedoch zu mentalen Schichtbildungen, Medienmacht produziert geistige und seelische Haltungen von Knechthaftigkeit und Übermenschentum. Dem Verschwinden der Kommunisten folgt das Verschwinden der Sozialisten, Sozialdemokraten, freiheitlichen Liberalen. Egomanische Neoliberale, die Macht und Kapital an sich reißen, schaffen sich eine Klasse von intellektuellen Ratgebern und Kammerdienern, mit denen sich das entfremdete Lumpenproletariat als verfremdete Lumpenintelligenz fortsetzt. Besser bezahlt natürlich, weil der Abfall von *Bibel* und *Kommunistischem Manifest* so hoch gelohnt werden muß wie der Fall in die Jauchegruben der *Macht*wirtschaft tief ist. Die unbeugsame Treue im Verrat am Nächsten hat ihren Preis, Erfolg auf Dauer nur der emsige Diener seiner Herren.

Hier fällt auf: die Bolschewiki hinterließen nach Lenin kein klassisches marxistisches Werk. Ihre Revolution mündete allein in den Sieg über Hitlerdeutschland. Wir wollten das in der DDR aus lauter Hingabe zur Idee nur nicht glauben.

Das Philosophische Institut der Karl-Marx-Universität Leipzig entwickelte sich Mitte der fünfziger Jahre unter Blochs Einfluß tendenziell und hoffnungsfroh zu einer sozialistischen Denkwerkstatt mit dem Angebot von Erneuerungsenergien für Staat und Partei, was freilich die diktatorische Alleinherrschaft des jeweiligen Mannes an der Spitze in Ostberlin unterminieren mußte. Mit der Entfernung Blochs endete der Freiraum, der laut herrschender Doktrin sowieso illegitim und illegal gewesen ist. Die verkörperte Parteidoktrin und ihr Leipziger Statthalter stellten das Philosophieverbot vor Ort als Disziplinarstrafe wieder her. Der Rest des verordneten Stillstands reichte für die zweiunddreißig Jahre von 1957 bis 1989, als schließlich der Ofen ganz aus war.

Kurt Tucholsky zu lesen verschafft ein Bild von Weimar, die Lektüre der *Weltbühne* erweitert das Bild zum Panorama. Ernst Bloch zu erfassen spiegelt das ganze 20. Jahrhundert, ergänzt durch verhinderte Alternativen, die im 21. Jahrhundert zum Zuge kommen können, wenn wir die Feldzüge und Niederlagen der Vergangenheit nicht wiederholen wollen als sei Blut nur zum Vergießen und Vergiften da. Willy Brandts Kniefall vorm Denkmal zum Warschauer Ghetto war nicht Folge individueller Schuld. Blochs Werk ist ein einziger unverschuldeter Kniefall mit der Bitte um Vergebung für die deutschen Kriege ab 1914, gegen die er von Anbeginn kämpfte. Der Lehrstuhl, den die Universität in Leipzig an Bloch vergab, ehrt sie, daß sie ihn zurücknahm, ist ihre Verunehrung. Der *Suhrkamp Verlag*, der Bloch herausbrachte, nahm, wie im Falle Brecht, seine einmalige Chance wahr. Im Verlauf erscheint das glanzvolle Haus eher wie ein Mausoleum, in dem die Sarkophage mit intellektuellen Pharaonen präsentiert werden, ein deutscher Museumstempel zum Bestaunen derer, die am Schlaf der Welt rührten, vergeblich, denn auf sie folgte die Epoche der Glotzen-Derwische.

Aber ja doch, Bloch stört bei der Profitmaximierung, bei der Anbetung des Goldenen Kalbes. Da hat der antipodale Heidegger eine andere Aura vorzuweisen. Selbst dem links ausschwingenden Adorno war Bloch zu revolutionär. Als ich vor einem Halbjahrhundert in Leipzig Gelegenheit erhielt, Bloch mit den guten Traditionen unserer sächsisch-thüringischen Gegend bekannt zu machen, hier hatte ja die Reichswehr einst unter SPD-Befehl linkssozialistische Regierungen abgesetzt, und hier hatten trotzdem basisstarke Arbeiterbewegungen fortbestehen können, war mir erstmals der Gedanke gekommen, daß es der Blochschen Ideenstärke bedurfte, Arbeiterbewegung und Philosophie wieder, wie zu Marxens Zeiten beabsichtigt, zu vereinen.

Heute mangelt es am Sozialismus-Glauben. Was fehlt, sind Sozialisten, die – mit Bloch gesprochen – wissen, was sie wollen und wollen, was sie wissen. Es gibt weder Pluralität noch Solidarität unter Sozialisten. Weil die Partei in Leipzig die Blochsche Schule verhinderte und verfolgte und die BRD sich danach in Tübingen nur temporäre Zugeständnisse abringen ließ, sahen wir uns gefordert, wenigstens die Erinnerung daran ein wenig knistern zu lassen, zumal neben den ewig frigiden Sozis immer mehr von den früheren Stalin-Brüdern zu ebenso fanatischen Antimarxisten umsatteln.

Die alten Prediger hofften auf Erlösung durch Wiederkehr desjenigen, auf den es ankäme. Ein gewisser Jesus verlegte das Reich Gottes glatt in den Himmel, weshalb ein gewisser Marx im Bunde mit Heinrich Heine den Himmel auf die Erde zurückholen wollte. Stattdessen gab es tausend Jahre Krieg und Bürgerkrieg. Die einen hofften immer noch auf Gott im Himmel und auf Erden, die anderen riefen: Fahrt zur Hölle! Und besorgten die Fahrkarten. Den einen ging's gut, sie wollen alles lassen wie es ist, die anderen suchten alles zu ändern, damit es ihnen gut ginge wie jenen, denen es schon so lange gut ging. Wählt uns! riefen die Mächtigen, damit es uns nicht etwa so schlecht wie euch geht. Außerdem habt ihr sowieso keine Alternative. Und so geschah es wie geheißen. Die Götter sind Attrappen, Politiker genannt. Wird dran gezogen, bewegen sie sich wie Marionetten.

Die zweiten zwölf Bloch-Thesen

1. Vom Verrat der Jünger. Es gibt hundert ungeschriebene Geschichten über Blochianer. Im Osten machten die einen als Feinde Karriere, andere suchten im Abseits zu überleben. Einige wenige gefielen sich drei Jahrzehnte danach in zaghaften Rehabilitierungsversuchen. Im Westen zerstreuten sich die Tübinger Blochianer in alle Welt, von denen in Leipzig sind viele bereits verstorben, die überlebenden mißtrauen einander. Ihre damaligen Aussagen vor Partei- und Staatsorganen säten anhaltende Zerwürfnisse. Die Kommunikation bleibt gestört. Im Westen bot sich die akademisch verbrämte Postmoderne als lässiger Ausweg an. Blochs Botschaft wird als antiquiert abgelehnt, das Engagement

in Klar- oder Sklavensprache könnte ein Aufstiegshindernis sein und Ansehensverlust mit sich bringen. Was geht Bloch uns heute an? Gar nichts, ganz wie 1918, als die Weichen für neue Kriege gestellt wurden.

2. Blochs Antritt in Leipzig anno 1949 setzte die Akzeptanz der Machtformel von der Diktatur des Proletariats voraus, was die indirekte Absage an sein eigenes Frühwerk bedeutete. Mochte das Thomas-Müntzer-Buch noch durchgehen, war der *Geist der Utopie* schon nicht mehr tolerabel. Gern gesehen waren die Zeugnisse antifaschistischer Publizistik. Bis 1956 trifft das auch auf die ersten beiden *Prinzip-Hoffnung*-Bände zu, während der dritte Band schon der Ablehnung verfiel. Bei genauer Lektüre wären bereits Band eins und zwei unerträglich gewesen. Diese Verdammung holten einige übereifrige Genossen 1957 nach. Freie Philosophie hatte nicht stattzufinden. Sie sabotierte die Diktatur.

3. Nehmen wir den Marxismus als so modernisiertes wie materialisiertes Juden- und Christentum, erscheint Bloch als deren Erneuerer, der beides zugleich auf ihre Basis zurückführt. Diente der Pazifismus den Christen als Verkündigung, für die selbst Kriege geführt werden können, wo nicht müssen, nahm bei Bloch die Sowjetmacht den Charakter einer garantierten Basis an. War sie installiert, würden Kriege unnötig sein, ausgenommen als Gegenwehr wie beim deutschen Überfall von 1941. Für Bloch war die Sowjetordnung unabdingbar. Nur von ihrer Sicherheit aus ließ sich seine ketzerische Philosophie in Konsequenz verkünden.

4. Nach dem Weggang aus der DDR dementierte und verlor der Exilant seine bisherige Basis, auf die sich das Hauptwerk gründete. Eingriffe von außen Richtung Osten lehnte er ab, schloß jedoch ans Frühwerk an, etwa mit *Experimentum Mundi*, das, ausdrücklich »Dem Andenken Rosa Luxemburgs« gewidmet, ins Gedächtnis rief, wie die tapfre Frau zusammen mit Karl Liebknecht gegen den Krieg gekämpft hatte. Die verratene Revolution trieb beide zur militanten Revolte, die mißlang. Liebknecht und Luxemburg wurden ermordet. War Hitlerdeutschland die Folge der verratenen 1918er Revolution, erwies Stalin sich als Folge des »Sozia-

lismus in einem Land«, wie der isolierte nationalrussische Sozialismusversuch wiederum die Folge deutscher Burgfriedenspolitik gewesen ist. Unter dem verfälschenden Etikett ging der schändliche Pakt zwischen Kaiserreich und Sozialdemokratie in die Geschichte ein.

5. Mit der halben, weil verratenen Novemberrevolution verlängerte Deutschland den Ersten in den Zweiten Weltkrieg hinein, nach dessen Ende der Pazifismus im Kalten Krieg wiederum chancenlos blieb. Im 21. Jahrhundert stellt sich die Frage erneut. Wer aber sollte abrüstend vorangehen, wenn nicht Deutschland, gestützt auf einen Denker wie Bloch, der diesen Weg schon zu Zeiten des Ersten Krieges versucht hatte, aber nicht genügend Verbündete im politischen Kampf für radikale Umkehr fand.

6. Der Marxismus-Leninismus war als entfremdeter Marxismus eine diktatorische Hierarchie-Theorie. Seine Kommandostruktur minimierte die Freiheit der Person und begründete den Verlust mit historischen Notwendigkeiten. Blochs Korrektur rückte den jungen Marx ins Blickfeld. Im Gegenzug behandelten die Politbüros den jungen Marx als Klassenfeind, ohne es offen zuzugeben, was ihren intellektuellen Selbstmord kaschieren sollte.

7. Die DDR-Stalinisten leugneten den Stalinismus noch nach Chruschtschows Anti-Stalin-Rede von 1956. Einige betrachten ihn noch heute als richtig. Andere wandelten und wandeln sich in extreme Antikommunisten, bewerten die Russische Oktoberrevolution als konterrevolutionären Putsch und sehen »im Bolschewismus Rußlands den Archetypus des europäischen Faschismus«. So jüngst Alexander Jakowlew samt seinem Freund und Übersetzer Friedrich Hitzer. Auf dem Weg vom Linksextremisten zum Duce.

8. 1918 wagte das besiegte Deutschland nur die halbe Revolution, was zur ganzen Konterrevolution von 1933 führte. Die revolutionäre Arbeiterbewegung geriet ins Abseits. Im Gefolge der Sowjetunion kam im sowjetisch besetzten Gebiet, der späteren DDR, wo der Pazifismus ebenso wenig wie im Westen wurzeln konnte, eine deformierte, entstellte Funktionärsgruppe an die Macht. Blochs Schrift *Kampf,*

nicht Krieg, ließ sich zwar formal in die Weltfriedens-Kampagnen einordnen, widersprach jedoch der realen Kriegsbereitschaft. Wirklicher Pazifismus wurde bekämpft. Das war nichts Neues.

Als Bloch aus dem Schweizer Exil zurückkehrte und 1920 am Heidelberger Soziologenkongreß teilnahm, entstand bei seinem Auftritt Unruhe im Saal, den Alfred Weber ostentativ mit dem Ausruf »Vaterlandsverräter« verließ. So vollzogen die Intellektuellen gleichsam die Morde an Luxemburg und Liebknecht nach. Es fehlte an der Blochschen Konsequenz.

9. Seit der deutschen Vereinigung von 1989/90 geht es mit der Berliner Republik kontinuierlich bergab. Der modernisierten Infrastruktur samt Konsumtion in den Neuen Ländern korrespondiert ein brutal praktizierter Ausverkauf und Produktionsverlust, das läßt auch den Westen zum dauernden Krisenherd verkommen.

Historisch gesehen folgt Deutschland seinem mentalen Drang von der Pluralität zur Eintönigkeit. Kaiserreich, Weimarer Republik, BRD wie DDR begannen mit einer gewissen Vielfalt und endeten im Gegenteil von Pluralismus. Innerhalb eines Jahrzehnts stellt sich der Bundestag als Parlament ohne Opposition mit zwei konservativen Volksparteien und ihren zwei Satelliten heraus.

Es gibt keine Parteien mehr, nur noch Reformer beim Wettlauf in die Entsolidarisierung der Gesellschaft. Schon sägen die Nutznießer am Grundgesetz. Aus dem Prinzip militärischer Verteidigung wird Intervention, d. h. Angriff. Selbst der erste Satz von der unantastbaren Würde des Menschen soll fallen. So wird Blochs Buch aus dem Jahr 1961 *Naturrecht und menschliche Würde* in einer sich selbst dementierenden Berliner Republik bald zur Widerstandsliteratur gerechnet werden müssen.

10. Ernst Bloch war die letzte Chance der DDR. In seiner Sprache gesagt, die letzte objektiv-reale Möglichkeit, sozialistisch zu werden und zu überleben.

Neben Bloch sind Wolfgang Harich und Walter Janka zu nennen. Harich als vorantreibende Energiequelle, Janka als Absicherung und Halt für die beiden Philosophen. Ein Dreigestirn.

471

Wie steht es mit Robert Havemann und Rudolf Bahro? Mit dem Ökonomen Fritz Behrens? Diese drei und andere zählen zur unvergessenen Geschichte der DDR-Opposition. Bloch aber verkörpert in Person und Werk die permanente Kulturrevolte des 20. Jahrhunderts. Er begann zu veröffentlichen, als Lenin und Luxemburg mit der Russischen Revolution von 1905 konfrontiert waren, und ist nach dem Ende der Sowjetunion das provozierend bleibende kulturelle Signal und Programm.

11. Wir gehen vom unwiderruflichen Scheitern des sowjetischen Modells aus. Sein Staatsfeudalismus war entwicklungsfeindlich, die Diktatur des Proletariats eine mindestens im 20. Jahrhundert falsche Orientierung, in der Sowjetunion herrschten weder Arbeiter noch Bauern. Die sich etablierende Neue Klasse war schon von Lenin befürchtet, von Trotzki bekämpft, von Djilas definiert worden. Stalin, der mit seinem inländischen Terror beinahe die Niederlage der Roten Armee gegen die Wehrmacht organisiert hatte, ist dennoch der Sieg über Hitler zuzuschreiben und zugleich die Schuld am Niedergang des Sozialismus. Der Grundfehler war die falsche Theorie der Revolution.

Blochs Werk gründet auf einem Potential der Reflexion von Philosophie-Geschichte. Seine besondere Reflexionstechnik schafft eine Dialektik, die jede obrigkeitliche Einmischung ablehnt und den Aufrechten Gang unter widrigen Verhältnissen notfalls solange mit Verbeugungen verbindet, wie ein zu frühes Aufrichten zum Selbstopfer führte. Aufrecht gehen heißt nicht mit dem Kopf gegen die Decke stoßen, sondern die Decke höher zu ziehen.

12. Für orthodoxe Marxisten ist die Revolution samt Eigentumsfrage primär. Sie wollen immer sozialisieren, die Neoliberalen hingegen privatisieren. Bloch beteiligte sich nicht am Streit und hielt ihn durch die Existenz der Sowjetunion für erledigt.

Der Irrtum führt zu einer Leerstelle in seinem Denken. Tatsächlich wiederholte sich das Marxsche Modell der Pariser Kommune von 1871 nur mit der Oktoberrevolution von 1917. Der Sozialismus ereignete sich beide Male als Kriegsfolge. Sollte dies der Geschichts-Logik entsprechen, erhielten sozialistische Versuche erst als Folge des nächsten

Weltkrieges zwischen den Kontinenten USA – Asien eine (geringe) Chance. Für die große Zahl direkt bevorstehender begrenzter Kolonial- und Bürgerkriege gilt das nicht, weil es die USA mit diversen Konterrevolutionsmodellen zu verhindern wissen. Noch aber ist nicht aller Tage Abend. Eine Ideologie, die der Eigentumsfrage alles andere unterordnete, erweist sich als zu wenig differenziert. Tatsächlich ist der Komplex variabel und verglichen mit dem Kulturbereich sekundär. Wenn es darum geht, »alle Verhältnisse umzuwerfen, in denen der Mensch ein erniedrigtes, geknechtetes, verlassenes, verächtliches Wesen ist«, erhält dieser Marx-Satz den Rang von Kants Kategorischem Imperativ. Eine Revolution, die nicht in den Köpfen ist, erweist sich als bloßer Fetisch. Blochs Rückgriff auf Rosa Luxemburg problematisiert die Nahtstelle von Krieg und Frieden. Die Kriegsgegnerin bleibt modern und gegenwärtig. Als Revolutionärin ist sie mit Karl Liebknecht zugleich die Symbolgestalt der Niederlage. Lenins und Trotzkis Sieg in Rußland schob die Niederlage des revolutionären Marxismus (Leninismus) nur um siebzig Jahre hinaus. Hätten Luxemburg und Liebknecht überlebt, wären sie ähnlich wie Trotzki der roten Diktatur zum Opfer gefallen. Aus falscher Philosophie ergeben sich falsche Siege. Also Niederlagen. Es fehlt die Revolution in Kopf und Herz.

Ernst Bloch im *Gedenkbuch für Else Bloch von Stritzky*: »1918/19: Exil in der Schweiz, Armut und Elend (ich sagte damals, die russische Revolution hat mich viele Millionen gekostet, soviel ist sie mir aber auch wert) jämmerlich gewohnt, oft gehungert ... ist mir meine Philosophie stets wie ein Palast, in dem ich wohne, in dessen Gemächern, Gärten ich mich ergehe ... daß das Feld meines Denkens ... ein unentdecktes Land ist, in dem noch kein Mensch war.«

Von Harich und Seneca

In seinem Buch *Keine Schwierigkeiten mit der Wahrheit*, erschienen 1993, schreibt Wolfgang Harich zum deutschen Vereinigungsprozeß von 1989/90: »Ich halte es für ein Unglück, daß die friedfertigen Rebellen vom Herbst 1989, die

Helden der Wendeforen und mit ihnen auch die SED-PDS, unter der neuen Führung Gregor Gysis nicht schon von Dezember desselben Jahres an erklärt haben, daß nunmehr auf die Wiedervereinigung Deutschlands Kurs zu nehmen sei. An die alte kommunistische und sozialdemokratische Tradition des ersten Nachkriegsjahrzehnts hätte erneut angeknüpft werden müssen. Damit hätte sich eine Politik offensiver Verteidigung des ökonomischen Besitzstandes und der sozialen Vorzüge der DDR-Gesellschaft verbinden lassen. Das hätte unsere Mitgift für das zu einende Deutschland sein können, möglichst noch mit ansteckender Wirkung auf die Volksmassen in der alten Bundesrepublik. Und wahrscheinlich hätte schon Honecker im September 1987, bei seinem triumphalen Besuch in der BRD, gut daran getan, in diskreten Aussprachen die gesamtdeutsche Karte zu zücken, begleitet von knallharten Bedingungen, günstig für die Bevölkerung der DDR, vertrauenerweckend, wenn nicht sogar mobilisierend in Westdeutschland. Spätestens die Kräfte, die ihn und sein Politbüro gestürzt haben, hätten aber zwei Jahre später unverzüglich sich an die Spitze eines großen nationalen Aufbruchs setzen müssen ... Wenn man doch wenigstens gesagt hätte, die Ladenketten der HO und des Konsums müßten, unantastbar für Tengelmann und Hertie, fest in unserer Hand bleiben, unter der Kontrolle von Räten ihrer Angestellten, damit weiterhin die Hälfte, mindestens ein Drittel der Verkaufsflächen für Produkte aus der DDR zur Verfügung stünde. Stattdessen ist DDR-Produktion im Frühjahr und Sommer 1990 verschleudert worden, um die Regale vollständig für Westwaren freizumachen. Eine Taktik der Linken, zugeschnitten auf politische Wiedervereinigung unter Wahrung unserer sozialen und ökonomische Interessen, hat 1989/90 gefehlt.«

Soweit Harich. Als ich ihn in einem Telefonat darauf ansprach, antwortete er sibyllinisch, er sei von mir dazu angeregt worden. Jahre später, Harich war inzwischen verstorben, las ich in meinem Büchlein *Wider die deutschen Tabus* (München 1962): »Da die Regierungen keinen Ausweg wissen und die Parteien nicht wagen, einen vorzuschlagen, müssen die einzelnen aufstehen ... Was ist zu tun? Exakt: Es sind vernünftige Pläne zu entwerfen. Die Bundesrepublik muß laut und glaubhaft verzichten auf Reprivatisierung der verstaatlichten Betriebe in Mitteldeutschland. Das Land hat grundsätzlich denjenigen zu gehören, die es bearbeiten. Soziale Bestimmungen, die eine Mehrheit der Bevölkerung beizubehalten wünscht, sollen bestehen bleiben. Es kommt darauf an, glaubhaft und effektiv den Willen zu bekunden, ein sozialistisches mitteldeutsches Staatsgebilde in einen gewissen sicheren und abgesicherten Konnex mit der Bundesrepublik zu bringen.«

Als Harich mich 1993 darauf verwies, waren mir meine Vorschläge von 1962 nicht mehr gegenwärtig. Er hatte nach seiner Haftentlassung davon Kenntnis genommen und war anläßlich der Vereinigung darauf zurückgekommen. Nur reichten meine 1962er Ideen sehr viel weiter. Von heute, aus dem Jahre 2004, zurückgeblickt, scheinen Harichs wie meine Überlegungen bloße Phantasmen zu sein. Das ist so, weil sich zur rechten Zeit niemand fand, auf Realisierung zu drängen: »Es ist nicht wenig Zeit, die wir haben, es ist aber viel, was wir nicht nutzen« (Seneca). Tatsächlich blieben in den vier Jahrzehnten der DDR viele Möglichkeiten unausgeschöpft, während Harich von 1945 bis 1956 mehr Chancen zu ergreifen suchte, als es wirklich gab. So entstehen Mysterien. Was auch immer von verschiedenen Seiten gegen Harich eingewendet wird, und das ist nicht auf die leichte Schulter zu nehmen, in dem einen Punkt ist er vor der Geschichte vollkommen gerechtfertigt: Im Herbst 1956 durchbrach er die geltende und herrschende Sklavensprache wie Erich Loest nach dem 17. Juni 1953 mit seinem Artikel »Elfenbeinturm und rote Fahne«. Beide mußten für den Tabuverstoß mit schwerer Haft büßen. Den Schaden hatte die rote Fahne, die fortan nur noch Rückzug signalisierte. Und selbst dieses Kommando scheute die klare, direkte Artikulation. Der Moskauer Sozialismus errang noch im Untergang einen zweifelhaften Erfolg, war er doch die pure Irrealität und stärkste Quelle des Antikommunismus geworden. Analog zu Prousts *Auf der Suche nach der verlorenen Zeit* begaben sich die Ost-Genossen auf die Suche nach ihren verlorenen großen Ideen. Sie hatten den Fehler begangen, die Zeit anzuhalten. Nichts sollte mehr geschehen, es sei denn ein Herr Genosse an der Spitze der Pyramide würde es gestatten. So lebten sie dahin unter den Partei-Pharaonen in ihrem alten Ägypten, statt des Sonnengottes Ra den lebendig einbalsamierten, zur Mumie gemachten Marx anbetend.

War Berija nur ein schlimmer Finger?

Im *Neuen Deutschland* vom 27./28. 12. 03 äußerte sich Wladislaw Hedeler über Lawrenti Berija, der fünfzig Jahre zuvor, am 23. 12. 1953 erschossen worden ist und den seitdem eine »Legende von Reform« umgibt, an der besonders sein Sohn Sergo Berija arbeitet. Hedeler beschreibt kenntnisreich den Stand der Dinge, will aber nicht vom bisherigen Bild lassen, das Berija als einen der schlimmsten Finger in der Stalin-Gang zeigt. Vielleicht trifft das zu. Allerdings stehen allerlei Fakten dagegen. Gefragt, ob Berija ein Reformer gewesen sei, sagt Hedeler schroff: »Mitnichten.« Dann ein Nachsatz: »Berija setzt jetzt lediglich andere Prioritäten in der Außenpolitik als die anderen, wollte sich dem Westen zuwenden.« Hedeler bestätigt damit, Berija wünschte Stalins Außenpolitik konsequenter fortzuführen als die Kontrahenten Chruschtschow und Malenkow. Wäre also die deutsche Vereinigung mit Berija erreichbar gewesen? Das ist ein wunder Punkt. Wie wund, zeigt Arnulf Baring in der *FAZ* vom 8. 1. 04 unter der Überschrift »Berija wollte ein kleines Stück weitergehen – Die sowjetische Deutschlandpolitik vor und nach Stalins Tod«. Baring referiert die Vorgänge um Berija, wie sie seit kurzem erscheinen, bagatellisiert die Folgerungen jedoch, weil sie ihm mißfallen. Falls mit Berija schon 1953 eine deutsche Annäherung oder Einigung hätte erzielt werden können, steht Adenauer mit seiner konstanten Weigerung als ewiger Sezessionist da, die typische Bonner Schuldzuweisung Richtung Moskau und Ostberlin verlöre die letzte Glaubwürdigkeit.

Es gibt zwei Interessenlagen, Berijas Deutschlandpolitik zu bagatellisieren. Ist das Verhalten des konservativen Baring plausibel, vertritt Hedeler eine Sicht, die Berija als mörderischen Stalin-Spießgesellen einordnet, der nach des Diktators Tod dessen Position einnehmen wollte. So wissen wir es von Chruschtschow, der uns näher steht als Berija. Was aber, wenn dessen Sohn Sergo den Vater genauer kennzeichnet? Von Baring ist da aus ideologischen Gründen und mangelnder Quellenkenntnis nichts zu erwarten. Hedeler aber könnte sich des Falles noch einmal annehmen. Deutlich gefragt: Trifft es zu, daß Berijas Brief an Stalin (5. 3. 1940), in dem um Erlaubnis zur Erschießung von 25 700 polnischen

Offizieren und Zivilbeamten ersucht wird, auf Betreiben des Politbüros und gegen die Stimme Berijas geschrieben worden ist? Falls ja, müßten auch andere Einwände des Sohnes Sergo neu bedacht und die Geschichte der deutschen Spaltung anders gewichtet werden.

Wolfgang Harich sah es so. Möglicherweise wußte er mehr, als sich bisher beweisen ließ. Zu Blochs 90. Geburtstag schickte Harich aus Ostberlin einen euphorischen Glückwunsch. Die von ihm während der Haft erhobenen Anwürfe waren in Tübingen nur gerüchteweise bekannt.

Harich ist uns ein Rätsel, tat Karola die Meinung von Ernst kund, der wortlos nickte. Seither wissen wir viel mehr. Siegfried Prokop hellte die Verbindungen nach Hamburg und Westberlin auf. Unerklärlich bleibt, wie Harich sich von der SPD zu deren Ostbüro in Westberlin, das von DDR-Agenten wimmelte, schicken lassen konnte. War er so naiv oder vertraute er auf seine internen sowjetischen Kontakte? Die Frage, obwohl erneut dringlich geworden, bleibt vorerst offen. Von Berija bis Harich, die Unergründlichkeiten sozialistischer Strategie und Taktik treiben den Historiker von der Wissenschaft zur schieren Spekulation.

Klassenkampf im Glashaus

Ab 1994 erlebte ich als parteiloser Abgeordneter der PDS die permanenten Haßorgien der Mehrheit im Bonner Bundestag. Angeblich ging es gegen die zweite deutsche Diktatur, in Wahrheit gegen links, was besonders Stefan Heym und Gregor Gysi zu spüren bekamen.

Unter dem Titel *Ich stehe zu Gregor Gysi* gelang es mir am 22. 6. 1995, das Parlament mit einer Presseerklärung in den Naturzustand eines sich angegriffen fühlenden wütenden Wespenschwarms zu versetzen. Meine Erklärung ging so:

»Frau Bohley und eine Handvoll gutbedienter DDR-Spätdissidenten richten den Frust ihrer selbstverschuldeten Niederlagen gegen Gregor Gysi, dem die Rufmordkollektive Mandantenverrat vorwerfen.

Beweise, die fehlen, werden im Dutzend behauptet. Obwohl Gysis Mandanten durchweg gut wegkamen. Rudolf

Bahro sagt das und wird ignoriert. Daß Frau Bohleys luxuriöses Exil in Großbritannien mit der Bitte an ihren Anwalt Gysi endete, er möge sie vom Prager Flughafen abholen und in die DDR zurückbegleiten, was die Stasi verhindern wollte – es ist vergessen.

Die unwahrhaftige Haltung zu Gysi hat Gründe:

1. Was gegen Stolpe mißlang, soll gegen Gysi nachgeholt werden. Den Hoffnungsträger Modrow hat man auch schon kleinzukriegen versucht.

2. Mit Gysi soll die Erneuerungsfähigkeit der PDS getroffen werden. Darüber hinaus geht es gegen alle DDR-Bürger, denen Minderwertigkeitsgefühle und Scham eingeredet werden.

Soweit Gysi als Anwalt innerhalb der DDR-Rechtsordnung blieb, wird ihm mangelnde Opposition vorgeworfen. Soweit Gysi seinen Mandanten optimal half, werden daraus Verratsvorwürfe konstruiert.

3. Hitlers Kinder rächen sich an Hitlers Opfern. Der Delinquent entstammt einer kommunistisch-jüdischen Familie, die 18 Verwandte im Dritten Reich verlor. Der Kampf geht weiter. Das intrigante Zusammenspiel von Gauck, Bohley und rechten Bundestagsausschußmitgliedern weist, wie Stefan Heym bereits anmerkte, Parallelen zur Affäre Dreyfus auf. Wir werden die Umtriebe protokollieren für die nächste Wende. Sie kommt gewiß in diesem wendereichen Zeitalter.

4. Ein persönliches Nachwort: Über 30 Jahre hin bis 1989 solidarisierte ich mich ungezählte Male mit den Opfern der Diktaturen. Meine Stasi-Akte ist 33 Jahre lang. Heute, nach dieser unfairen Wende, solidarisiere ich mich mit den jetzt Benachteiligten im Osten und besonders mit der PDS.

Es waren Kommunisten, die unter Hitler und Stalin die meisten Opfer bringen mußten. Auch unter Ulbricht und Honecker. Leo Bauer wurde noch zum Tode verurteilt, Harich zu 10 Jahren, Janka zu 5 Jahren Haft. Diese Genossen besitzen das Erstgeburtsrecht der Opposition. Nicht jene paranoiden Revolutionsparodisten, die erst auf Gospodin Gorbatschows Genehmigung warteten, um sich unterm Kirchendach hervorzuwagen. Ihr Rachegeschrei ist bloße Anmaßung. Was wiegt Bohleys britisches Exil gegen die Verfolgung unseres Genossen Paul Merker. Die jetzt von staatstreuen BRD-Medien als lebenslange Bürgerrechtler gehandelten Spätlinge widerrufen mit ihren Anklagen nur noch den letzten Rest ihrer guten, wenn auch kleinen Vergangenheit. Ich stehe zu Gregor Gysi und hoffe, er hält durch gegen die zur Büchse der Pandora gewordene Gauck-Behörde. Entweder wir verschließen sie oder öffnen die westlichen Geheimakten. Der jetzige Zustand verstößt gegen die grundgesetzliche Gleichheit aller Bürger.«

Was daraufhin am 30. 6. 95 im Bonner Bundestag geschah, steht im Protokoll verzeichnet:

Zurückweisung von Äußerungen
des Abgeordneten Gerhard Zwerenz
Erklärung nach § 32 GO
48. Sitzung des Deutschen Bundestages am 30. Juni 1995
– Auszug aus dem stenographischen Bericht –

Bundestagspräsidentin Dr. Rita Süssmuth: Noch ein zweites: Der Ältestenrat hat sich gestern mit Äußerungen des PDS-Abgeordneten Gerhard Zwerenz
(Wolfgang Schäuble [CDU/CSU]: Pfui Teufel!)
befassen müssen. Herr Zwerenz hat in einer Pressemitteilung vom 22. Juni 1995 Mitgliedern des Bundestages ein »intrigantes Zusammenspiel« mit dem Bundesbeauftragten Joachim Gauck und Bärbel Bohley vorgeworfen.
Durch den wörtlichen Bezug auf die Affäre Dreyfus werden sie in die Nähe von Rassisten und Antisemiten gerückt. Diese Äußerungen setzen Bürgerrechtler, die gegen das SED-Unrechtsregime gekämpft haben, in unerträglicher Weise herab.
Die Ankündigung »Wir werden die Umtriebe protokollieren für die nächste Wende«
(Zurufe von der CDU/CSU: Unglaublich! Pfui! –
Christian Schmidt [Fürth, CDU/CSU]: Kommunisten lernen
nicht dazu!)
kann nur verstanden werden als Versuch, die Mitglieder des Deutschen Bundestages massiv unter Druck zu setzen.
Der Deutsche Bundestag läßt dies nicht zu.
(Beifall bei der CDU/CSU, der SPD,
dem Bündnis 90/Die Grünen und der F.D.P.)
Die Fraktionen CDU/CSU, SPD, Bündnis 90/Die Grünen und F.D.P. haben die Äußerung des Abgeordneten Gerhard

Zwerenz im Ältestenrat scharf verurteilt. Als Präsidentin habe ich das Ansehen des Deutschen Bundestages zu wahren. Die Äußerungen des Abgeordneten Zwerenz sind nicht hinnehmbar. Ich weise sie strikt zurück.

(Beifall bei der CDU/CSU, der SPD,
dem Bündnis 90/Die Grünen und der F.D.P. –
Einige Abgeordnete der PDS betreten wieder den Saal
in der gleichen Kleidung wie zu Beginn –
Zurufe von der CDU/CSU und der F.D.P.: Raus!)

Es wird gebeten, eine Erklärung nach § 32 unserer Geschäftsordnung abzugeben. Das kann außerhalb der Tagesordnung geschehen. – Bitte.

Gerhard Zwerenz (PDS) (mit Beifall von der PDS begrüßt): Frau Präsidentin! Sehr geehrte Damen und Herren! Ich möchte mich bei der Bundestagspräsidentin für die Ermöglichung eines kurzen Gesprächs gestern Abend und für die zwei Minuten Redezeit, die mir zugestanden worden sind, bedanken.

Ich kann meinen Dank leider nicht auf den Ältestenausschuß ausweiten, weil da keine Anhörung stattgefunden hat. Ich hätte gern mit dem Ältestenausschuß gesprochen.

(Siegfried Scheffler [SPD]: Zur Sache!)

Dies hat sich als nicht möglich erwiesen.

(Zuruf von der SPD: Nicht nur da!)

Mir ist mitgeteilt worden, daß man sich im Ältestenausschuß beleidigt fühlt. Mein Rat ist, eine gerichtliche Klärung herbeizuführen. Dann ist wenigstens gewährleistet, daß man angehört wird und seine Belege vorweisen kann.

(Freimut Duve [SPD] Das sagt ein Mitglied des Schriftsteller-
verbandes?! Gerhard!)

– Herr Duve, wir kennen uns –

(Zurufe von der CDU/CSU und der SPD)

Ich bin auch bereit, mich zu entschuldigen, wenn sich die beleidigte Gegenseite bereit erklärt, die PDS-Abgeordneten dieses Parlaments fernerhin nicht mehr als MdBs zweiter Klasse zu behandeln.

(Zurufe von der CDU/CSU, der SPD,
dem Bündnis 90/Die Grünen und der F.D.P.)

Das begann bekanntlich mit der Mißachtung des Alterspräsidenten zu Beginn im Berliner Reichstag, das führt über viele Stationen bis zu neuesten Beleidigungen und auch Lügen. Die CDU/CSU-MdBs Erika Steinbach und Norbert

Geis tun dies – durch den Ältestenrat ungerügt – auch jetzt noch. Erst gestern nannte Herr Geis mich einen treuen Gefolgsmann des SED-Regimes.

(Beifall bei der CDU/CSU.
Dr. Wolfgang Schäuble [CDU/CSU]:
Protokoll für die nächste Wende!)

Wahr ist: Ich wurde von 1956 bis 1989 vom Staatssicherheitsdienst verfolgt und zum Schluß auch im Westen noch observiert. Das kann man bei der Gauck-Behörde abfragen. Ich bin jederzeit bereit, alles zu tun, damit Ihnen das möglich ist. Aber Sie wollen das ja nicht wissen.

Ebenso hatte ich 32 Jahre lang das Verbot, die DDR überhaupt zu betreten. Ich hatte jahrelang sogar ein Transitverbot, während die großen Demokraten, die sich jetzt so aufregen, ihre führenden Politiker jederzeit zu Treffen mit den Herren Honecker und Schalck-Golodkowski geschickt haben, die ich nicht kennen lernen durfte, denn ich durfte die DDR überhaupt nicht betreten. Das soll man wenigstens wissen, wenn man mich fortwährend beschuldigt, Dienstmann des Honecker-Regimes gewesen zu sein. Ich verzichtete gern auf das Privileg, mit diesen Politikern zu verkehren.

Ich erkläre hiermit: Ich bin gern bereit, mit jedem, der sich beleidigt fühlt, zu sprechen. Ich bin aber erst dann bereit, wenn wir weder kollektiv noch individuell beleidigt werden. Wir werden fortwährend beleidigt.

(Siegfried Hornung [CDU/CSU]: Unerhört ist das!)

Das andere ist jetzt Ihr Problem, meines ist es nicht mehr.

(Beifall bei der PDS)

Die sich aus meiner Presse-Erklärung ergebenden Aufgeregtheiten der Medien entsprachen dem Krankheitsbefund im Bundestag. Der Satz: *Wir werden die Umtriebe protokollieren für die nächste Wende* wurde von den nicht grundlos Attackierten als Drohung interpretiert, was meine Wirkungsmöglichkeiten hoch überschätzte.

Tucholsky kam mir in den Sinn, er hatte zunehmend schärfer vor der Hitlerei gewarnt bis hin zu seinem radikalen Satz *Soldaten sind Mörder* – wurden sie es ab 1939 etwa nicht? Und Bloch, der 1914-1918 auf die Niederlage und eine daraus sich ergebende Schuldeinsicht der Deutschen gesetzt hatte? Da sie verweigert wurde, entwickelte er seine revolu-

tionäre Philosophie. Saß jetzt im Hohen Haus zu Bonn nicht
wenigstens einer unter dieser fuchsteufelswilden brodeln-
den Masse, der sich fragte, wohin die angestammte deutsche Linkswut führen mußte, wenn nicht zum Verlust von
Pluralität und sozialer Gerechtigkeit?

Träte Bloch hier vor die schäumenden Abgeordneten,
würde er wie 1920 Vaterlandsverräter genannt. Man sollte
sein Buch *Erbschaft dieser Zeit* zur MdB-Pflichtlektüre erklären, die protokollierte Geschichte der Weimarer Republik.
Allerdings lesen die meisten Parlamentarier sie nichtmal
bei Tucholsky nach, höchstens erinnern sie sich seiner Frage, wo die Löcher im Käse herkommen. Was ist mit den
Löchern in der deutschen Demokratie?

Als Schuljunge schrieb ich auf, was in Familie, Straße,
Schule passierte. Als junger Soldat in Sizilien und Monte
Cassino notierte ich den erlebten Krieg auf den Rändern
italienischer Zeitungen.

In der DDR bis zur Flucht 1957 und danach in der BRD
nutzte ich in hundert Büchern, tausend Artikeln und Rund-
funksendungen meine verschiedenen Notizen. Die Aufzeichnungen aus den MdB-Jahren finden sich in meinem
Buch *Krieg im Glashaus oder Der Bundestag als Windmühle*
(Berlin 2000) Ein Leben lang protokollierte ich Umtriebe,
und es kam auch immer eine nächste Wende mit Freiheits-
zugewinn heraus.

Im kleinen Bändchen *Die Antworten des Herrn Z.* (Quer-
furt 1997) vermerkte ich:

»Als Herr Z. ein wenig keck und undiplomatisch eine
neue ›Wende‹ einforderte, wurde er von den Mächtigen des
Landes undemokratischer Umtriebe bezichtigt, was ihm außer Medienschelte die üblichen Beschimpfungen per Post
und Telefon einbrachte. Einem tapfren Briefschreiber, der
sogar seinen richtigen Namen nannte, antwortete Herr Z.:
›Sehr geehrter Herr Plätzsch, guten Dank für Ihre Beleidigungen. Ich gebe sie nicht zurück. Sie bestärken mich nur
darin: Wir benötigen eine nächste Wende ins Menschliche.‹

Als Herr Z. hörte, ausgerechnet die Bonner Bundestagspräsidentin, die ihn 1995 wegen seiner Wendeforderung
streng gerügt hatte, forderte im Oktober 1996 eine ›geistig-
moralische Wende‹, begann er die Luther-Bibel nach dem
Wort ›Höllengelächter‹ zu durchforschen.«

Manchmal, geht's ums Herzblut, brauchst du einen festen inneren Halt. Im Osten nahm ich mir Trotzki zur Stütze, später Bloch, beide halfen auch im Westen. Inmitten des ausgerasteten Bundestags kam mir ein schönes Wort von Margarete Susmann über den jungen Bloch in den Sinn, der ihr 1921 sein Thomas-Müntzer-Buch widmete. Sie sagt: »Er war ein gegen alles Bürgerliche gewaltsam sich auflehnender Mensch.« Fast verspürte ich in Bonn ein wenig Verständnis für die kochende Volksvertreterseele und für die Abgeordneten und Politiker, die sich im Geiste noch im Ersten Weltkrieg fern jeder Schuldeinsicht befanden. Bloch: »Aber ich weiß, diesmal ist die verführungsvollste Idee der Menschheit an das Ende des Kampfes gestellt, die Vernichtung der Gewalt. Gewalt soll das Ende aller Gewalt erzwingen.«

Was sagte ich, im Plenum habe keiner gesessen, der es anders sah als die aufgestachelte Mehrheit? Aber nein, in allen Reihen gab es Wissende. Christen, Freidenker, Sozialdemokraten und Grüne mit noch nicht gänzlich verabschiedetem sozialem und linkem Engagement erkannten schon, wie verderblich das Einschwören auf die unverrückbare Linie wirkte. Der kollektive Zwang schüchterte sie ein. Im trotzigen Applaus besiegelten sie ihren gemeinsamen Willen zum linkenfreien Parlament. Streit ja, aber nicht um Alternativen, nur als Gerangel zwischen Personen um Machtfragen.

Am Abend jenes turbulenten 30. Juni saßen wir spät beim Abendessen in der Bundestagskantine. Graf Einsiedel kam auf das unglückliche Frankfurter Paulskirchen-Parlament von 1848 zu sprechen. Wir sahen einander an, und jeder dachte wohl das gleiche. Was hatten Stefan Heym, Graf Einsiedel und ich in Bonn zu suchen? War es nicht der tagtägliche Abschied von einem Bundestag, der sich in unaufhaltsamen Trippelschritten von seiner Aufgabe freiheitlicher Volksvertretung verabschiedete?

1848 siegten die Fürsten, mit der Vereinigung von 1990 gelangten modernere Potentaten an die Macht, die das Parlament zum Vollzugsorgan des Kapitals degradieren. SPD und Grüne probten immer offener den Gestaltwandel, neue Kriege wurden führbar, während der letzte Krieg noch die Seelen verschattete.

Das Volk? Es lebte dahin in seinem Alltag, den zu bewältigen es genug zu tun hatte.

Zu meinem Geburtstag Anfang des Monats, am Sonnabend vor Pfingsten, war Ingrid nach Bonn gekommen. Sonst reisten wir um diese Zeit auf die Balearen zum Schwimmen. Dieses Jahr konnte ich nicht weg von Bonn. Aus Oberreifenberg brachte Ingrid Post und Druckfahnen mit. Am Nachmittag dröhnte uns der Kopf, wir gingen die Uferpromenade entlang, wenn schon nicht das Mittelmeer, dann der Rhein, so nahe am Wasser fühlten wir uns gleich besser. Der Himmel blau, die Luft angenehm, wie frisch gewaschen. An der Dampferanlegestelle blieben wir stehen und schauten uns den Aushang an. Du kannst heute umsonst 'ne Schiffsreise machen, sagte Ingrid, am Geburtstag hat man freie Fahrt. Wir spazierten weiter, kehrten um und enterten den Dampfer gerade noch vor der Abfahrt. Ich zeigte meinen Ausweis vor: Ein etwas älteres Geburtstagskind, dem der Mann an der Kasse gratulierte. Kindische Freude über die Freifahrt nach Remagen/Linz und zurück. Ende der fünfziger Jahre hatten wir dort mal gewohnt. Die Leute auf dem Schiff saßen ringsum fröhlich beim Essen und Trinken. Meine naive Freude an der kostenlosen Dampferpartie steigerte sich. Die untergründige Unlust am Leben in Bonn wollte begütigt sein. Mach dich zum Kind, das du warst, und die feindselige Erwachsenenwelt erscheint so harmonisch, daß die kollektive Bestie ihre langen Zähne verliert. Wie schandbar waren sie unserem Grandseigneur Stefan Heym als Alterspräsidenten des Bundestages begegnet. Klebten in ihren Sitzen voller Hochmut und ohne jede Scham. Ein falsch Zeugnis vom Amt in Berlin war pünktlich zur Stelle gewesen, den Autor und Abgeordneten zu demütigen, ein Lügenpapier, behördlich besiegelt und um so übler.

Die Rheinfahrt-Idylle mit Ingrid lag am 30. Juni gute drei Wochen zurück. Zeit genug, die konventionelle Sklavensprache aufzukündigen. Es tat wohl, offen und direkt auszusprechen, was Sache war. Von wegen verordneter Antifaschismus, den sie uns ständig ankreideten. Den brauchte uns keiner zu verordnen. Da klebten Schweiß und Blut dran, der war schwer genug errungen. Schon das Wort *verordnet* ist Verrat. Die PDS trat viel zu wenig selbstbewußt auf. Es galt, ein plurales Deutschland durchzusetzen gegen den

Trend zur rechtsgeneigten Einheit, wie sie die nationalen Banalitätenhändler erstreben. Jetzt zum Jahrhundert-Ende wollten sie immer noch nicht akzeptieren, was der Mord von 1919 an Luxemburg und Liebknecht bedeutete und welche Folgen er nach sich zog: 1933 – 1939 – 1945. Wir bleiben dabei: Wer ins fremde Haus eindringt, ist ein Einbrecher. Wer die Bewohner tötet, ist Mörder. Kein Grund, es anders zu sehen, ist das fremde Haus ein fremdes Land. Die DDR unseligen und seligen Angedenkens war der verzweifelte Versuch, im Reich blauäugiger Judenmörder und Linken-Liquidatoren ein Gegen-Land zu schaffen, ein Bloch-Land, wie viele sich erhofften. Die Morde von 1919 hatten auf Umwegen zu einer DDR in babylonischer Gefangenschaft geführt. Eingeklemmt zwischen Moskau und Adenauers Weststaat sollen die Ostdeutschen noch im Nachhinein abbüßen, was Monarchie, Weimarer Republik, Drittes Reich und Bonner Republik angerichtet hatten.

Das Parlament in Bonn wurde mir der Gegenpol zum Leipziger Institut für Philosophie. Wenn wir damals eine Pause einlegten zum Luftschnappen, gingen wir um den quadratischen Gebäudekomplex herum und näherten uns dem früheren Reichsgericht, das dann Dimitroff-Museum hieß und den Namen van der Lubbe evozierte, der 1933 den Reichstag angezündet haben sollte und dafür geköpft wurde. Wenn ich in Bonn pausierte, waren es andere Figuren, die sich einstellten – ein MdB, der 1990 als DDR-Minister auf Geheiß Bonns den ehemaligen Volksarmee-Kasernen die Benennung nach antifaschistischen Widerstandskämpfern verbot. Daß Bundeswehrkasernen an Erzfaschisten und Antisemiten wie General Dietl erinnerten, störte den vormaligen erklärten DDR-Pazifisten weniger, dessen Vater als SS-Mann und KZ-Wächter Dienst getan hatte. Kein Sohn ist für seinen Vater verantwortlich, doch die Real-Symbolik spricht für sich. Als ein Bundeswehr-Kommandeur im Verteidigungsauschuß so begeistert wie blauäugig von den vorbildlichen, tapferen und religiösen Traditionen der Göringschen Fallschirmjäger schwärmte und ich direkt und undiplomatisch konterte, war ich ein böser Friedensstörer und dieser dumm daherquatschende Kommißkopp der gute Geist von der Hardthöhe.

Eine grüne Abgeordnete schilderte in offener Debatte und unter Tränen ihren Schrecken, als Jugendliche habe sie daheim im Keller einen Koffer mit der sorgfältig verpackten schwarzen SS-Uniform des verehrten Vaters gefunden. Ihr Entsetzen wirkte so glaubhaft wie das fehlende Entsetzen der wortführenden Herrn. Sie bestimmten die Debatten und traten als Musterdemokraten auf, wie ihre Herren Vorgänger Musternazis gewesen waren oder unter dem Kommando von Musternazis pflichterfüllend funktioniert hatten. Mein Vater fiel in Stalingrad, aber er war ein tüchtiger Soldat und kein Verbrecher, so ein in seiner Naivität schon wieder possierlicher Ex-Minister in argloser Vater- und Vaterlandsverteidigung. Dafür wäre der Mann wegen seiner Einfalt am Leipziger Institut schlicht ausgelacht worden, hier in Bonn paßte der tumbe Tor glänzend ins gewünschte Sprachmuster.

Von den fünftausend deutschen Freiwilligen der *Internationalen Brigaden* im Kampf gegen Franco schaffte es nicht ein einziger unter die Gründer der Bundeswehr, wo hohe Offiziere der *Legion Condor* den Ton angaben, die auf Befehl Hitlers für den spanischen Diktator kämpften. Weltbekannte Intellektuelle wie Hemingway, Arthur Koestler, Alfred Kantorowicz, George Orwell, André Malraux standen ein für die spanische Republik. Malraux wurde später in Paris Minister wie Globke in Bonn Staatssekretär. Da liegt der kleine Unterschied. Ein konsequenter Bruch blieb aus. Der Vorhof der Hölle sollte mit dem zuvor tätigen Personal gereinigt werden. Heraus kam ein Sturm im Wasserglas. Massenmörder wurden per Akten zur Unauffindbarkeit befördert und abgelegt. Für die Berliner Republik steht die Frage, wie sie mit den Besiegten des Ostens umgeht. Statt Freiheitszuwachs setzt es Hohn, statt Freude Gewinnsucht und Raffgier. Ein Land, das gestern Weltreich war und an seiner besudelten Nationalhymne starrsinnig festhielt, als wäre Brechts Kinderhymne nicht vorhanden, diese permanent minderregierte Republik ist stets bereit, die Hochzeitsschleppe zu liefern, wenn politische Hinterwäldler Rotkäppchen mit dem Wolf verheiraten.

Eine Provinz voller Hinkefüße, die in Talkshows als alerte Tausendfüßler auftreten und per Mundwerk fleißig feilbieten, was sie könnten, wenn sie nur könnten. High-fidelity-Versager und von besiegten Generälen abstammende Militärberater für die ganze Welt beweisen täglich neu, daß sie sich als Menschen in ihrer umfassenden Unsicherheit auf die Macht der Waffen, die sie so reichlich produzieren, reduzieren. So unbelehrt und unbelehrbar entkamen sie den von ihnen und ihren Vorgängern angerichteten Kriegskatastrophen, unwillig zur Katharsis, die sie durch modernste Hygienetechnik in Bad und Küche ersetzen zu können glauben, Figuren mit der Sklavenpsychologie neureicher Kammerdiener, dahintrottelnd in affigem Luxus, kulturell auf konservativen Konformismus getrimmt wie die alljährlichen Pilgerzüge der Prominenz nach Bayreuth oder zu den Burda-Festspielen. Die Kamarilla ist permanent unwillig, ja unfähig zum aufrechten Antifaschismus, der eine tatsächliche intellektuelle Umkehr erforderte. Statt ihre beschränkten Westhirne mit östlichen Weisheiten zu vervollständigen und den Okzident damit zu vereinigen, verrennen sie sich in den luziferischen Abgründen kleinlichen Hasses und hybrider Verachtung. Und alles im Namen abendländischen Christentums, diesem hölzernen Eisen.

Fragt sich nur, ob Ideologie und Politik wirklich so banal bleiben müssen wie uns demonstriert wird. So ahnen sie nicht mal, welch ein Geschenk ihnen mit dem Philosophen ins Haus stand, der schon im Ersten großen Krieg eine Botschaft an die Wand schrieb, die ihre Großväter und Väter mißachteten, so daß nach einem Zweiten Großkrieg den Söhnen und Enkeln der Dritte bevorsteht.

Gestiefelt und gerüstet sind die neuen Krieger gleich ihren Urahnen bereit zum Marsch in die Welt. Hohe Zeit also, ihnen die angesagte Sklavensprache in den Hals zurückzustopfen.

Lieber Ernst Bloch, wie hätten wir von Leipzig aus allen diesen militärischen und politischen Tölpeln heimleuchten können, wären wir nicht von Stalins Tölpeln schon an der Pleiße geschlagen worden.

Als Stefan Heym sein Mandat aufgab und sich mit einer kleinen Abendrunde von Bonn verabschiedete, tranken wir uns ein wenig verloren zu. Einer sagte: Jetzt sind wir wieder heimatlose Linke.

Bei Kriegsende 1945 trug der Emigrant Heym die Uniform der US-Army. Einsiedel und ich saßen in sowjetischen Gefangenenlagern. Das lag nun ein Halbjahrhundert hinter uns. Es war unser Leben, für das es in Bonn keinen legitimen Platz gab. Wir waren und blieben die unangepaßten Fremden.

Ein letztes Mal zur bildschönen Erinnerung der Marx-Satz: »Wir, unsere Hirten an der Spitze, befanden uns immer nur einmal in der Gesellschaft der Freiheit, am Tage ihrer Beerdigung.« Das steht so in *Die Heilige Familie* und ist menschenfreundlich zu dementieren mit Immanuel Kants Aufforderung zum »Ausgang aus selbstverschuldeter Unmündigkeit«.

Abspann mit Tiefenbohrung: Die Blochianer

Wie die Ostdeutschen um einen Philosophen betrogen wurden und die Westdeutschen nichts davon wissen wollten

Christ ist, wer getauft wurde und an das Sakrament glaubt. Jude ist, wer von einer jüdischen Mutter geboren wurde und sich zum Judentum bekennt. Marxist ist, wer sich an Marx orientiert.

Wer aber, zum Teufel, ist Blochianer?

Bloch-Schüler sind wir nicht. Er nannte uns seine entlaufenen Schüler. Blochianer bedauern die verlorenen Revolutionen von 1848, 1918, 1953, 1956, 1968, 1989, die heißen und kalten Kriege, die Konterrevolutionen von 1813, 1871, 1933, 1990.

Als der Gymnasiast Ernst Bloch zum Ende des 19. Jahrhunderts die märchenhafte Realistik der Philosophiegeschichte entdeckte, begann seine universale Erzählung, die im 20. Jahrhundert verfolgt und verleugnet wurde. Sie im 21. Jahrhundert fortzusetzen ist eine Lust. Blochianer kann jeder sein, der sich dazu bekennt. Wer es nicht will, bleibt eben, was er geworden ist.

Helmut Seidel sagt am Ende seiner *Thesen über Feuerbach*, Walter Markov zustimmend: »Wir sind keine Blochianer, wohl aber Freunde der Blochschen Philosophie.«

Die Staatssicherheit der DDR zitiert bei der Wohnungs-
durchsuchung im Beschlagnahme-Protokoll vom 9. 9. 1957
aus einem meiner Briefe an Ernst Bloch (25. 10. 56) den Satz:
»... Diese meine Meinung zwingt mich dazu, Blochianer zu
sein.« Hier benutze ich den Begriff zum ersten Mal. (Der
Brief als Ganzes ist bisher nicht wieder aufgetaucht.) Hans
Pfeiffer sagte in seiner letzten öffentlichen Rede 1997 auf
dem Leipziger Kolloquium: »Als Bloch dann später trotz
seines Treuebekenntnisses die DDR verließ, wirkte er trotzdem weiter in mir fort. Ich fühlte mich als eine Art Kryp-
to-Blochianer, mit dem inneren Auftrag, Blochs Gedanken
lebendig zu erhalten.«

Pfeiffer, dem Tode schon so nahe, daß er nach seinem
Vortrag einen Schwächeanfall erlitt, hatte ein Programm
formuliert, wie es Ingrid und ich erst in Leipzig, dann im
Westen zu realisieren versuchten. Strategisch ging es darum, den Staat DDR gegen diejenigen zu verteidigen, die ihn
auslöschen wollten. Um wirksam standhalten zu können,
hätte sich diese DDR jedoch von innen heraus verändern
müssen. Im Westen dann dieselbe Strategie bei variierter
Taktik, denn hier waren Geschichts-Revisionisten, Ausbeu-
tungs-Apologeten, imperiale Kriegs-Planer, erklärte Konterrevolutionäre und Sozialdarwinisten am Werk. Gelangten
sie an die Macht, würde die gesamte bürgerliche Moderne,
angefangen von der Großen Französischen Revolution, für
null und nichtig erklärt, so daß ein Kapitalfaschismus drohte, der keinen Hitler nötig hätte, weil sein Potential direkt
aus Banken, Großindustrie und Medien stammte.

Soviel zur Gegenseite.

Auf der eigenen Seite gibt es, unterschieden voneinander, Bloch-Schüler, Freunde der Blochschen Philosophie und
eben Blochianer. Frage: Sind Blochianer eine Art linker Frei-
maurer? Oder bloße marxistische Revisionisten? Soll man
in ihnen sehen, was Trotzki politisch war – permanent-re-
volutionäre Philosophen?

Am Sonnabend, dem 28. Februar 2004 gab die *FAZ* im
Vorabdruck die Tränen des Helmut Kohl anläßlich der Erinnerung an seinen ermordeten Freund Hanns Martin Schleyer heraus. Titel des Kapitels: »Meine schlaflosesten Nächte«,
Titel des fünf Tage später erscheinenden Kohl-Werkes: *Erinnerungen 1930-1982.* Der Name Schleyer paßt gut, denn
wir schließen das erste Kapitel unseres Buches, »Vorspiel in

Heidelberg anno 2003 und 1911«, mit den Worten ab: »Als er 1977 im Deutschen Herbst von der RAF ermordet wird, ist er Arbeitgeberpräsident und hatte doch schon 1933 in Heidelberg Herz und Verstand verloren.« Wir erinnerten dabei an die unheilvolle Rolle des studierten Juristen, SS-Mitglieds und Industrie-Nazis im besetzten Prag.

Findet das in Kohls Erinnerungen an seinen engen Freund auch statt? Wieviel Platz hatte es wohl in Schleyers eigenen Erinnerungen? Bernt Engelmann, der die Fakten beizeiten nachfragte, stieß nur auf frivole Abwehrreflexe der Kameradschaften, die schon vor 1933 Hitlers Reich bereiteten, dann die Blumen des Bösen in vollen Zügen genossen und nach 1945 auf der Karriereleiter weiter so unbeschwert und glorreich hinaufstiegen, wie sie es in der Weimarer Republik begonnen hatten.

Es ist das unbestrittene, wenn auch nicht gute Recht des schlafgestörten Helmut Kohl, seinen Freund zu betrauern. Obwohl die Steigerung schlaflos – schlafloser - am schlaflosesten auf einen unbewußten Defekt schließen ließe. Wir betrauern stattdessen die unbetrauerten Opfer, und als erstes nannten wir nochmals Emil Julius Gumbel, der schon vor 1933 seinen Platz an der Heidelberger Universität räumen mußte, als Hitlers junge Helden dort einfielen und systematisch alle jene verdrängten, die aus rassistischen, politischen oder religiösen Gründen stigmatisiert wurden. Erst Schleyer, dann Globke. So waren die zeitlichen Konsequenzen. Kohl nennt die RAF-Gruppe, die Schleyer entführte und tötete »terroristische Mörder«. Was ist eigentlich die SS, der Schleyer so früh schon angehörte, was ist die Wehrmacht, die ihm seinen Posten als Industrieboß im besetzten Prag garantierte? Kohl: »Erschrocken war ich nach wie vor über die Brutalität der RAF-Leute, über die generalstabsmäßige Planung und Ausführung der Entführung, über die Hartnäckigkeit der Erpresser.«

Das läßt sich Wort für Wort auf Hitlers Partei und Wehrmacht samt Generalstab anwenden, womit als Parallele zur RAF der brutale Waffengebrauch zu konstatieren wäre, durch Führung und Generalstab angeordnet und gehorsam befolgt von Parteigenossen und auf ihren Eid sich berufende Soldaten. Indem Kohl diese Blutlinie ausblendet, erscheint die RAF als einsame terroristische Mörderbande. Daß sie sich als bewaffnete Gruppe so illegitim das Recht zum Morden nahm wie vordem das Deutsche Reich, bleibt unbenannt. Morden gehört zum gewohnten Geschäft des Führungspersonals, das sich selbst dazu legitimiert. Der Grundfehler der RAF bestand in der Hybris, sich der Herrschaft zuzurechnen.

Und so betrauert Kohl seinen Kameraden und Lebensfreund. Die vorabgedruckten Tränen des Ex-Bundeskanzlers finden in der *FAZ* ihren rechten Platz wie einst das Hindenburgsche Tannenberg-Denkmal in Ostpreußen. Aber unrecht Gut gedeihet nicht.

Was hat das mit Bloch zu tun? Alles. Die von ihm während des Ersten Weltkriegs erhobene Forderung nach Metanoia, also Umdenken und Umkehr, in der Bibel mit Buße übersetzt, blieb unbeachtet. Stattdessen lief die Geschichte zu einer Blutrechnung auf, die selbst im Jahrhundert danach noch fortgesetzt wird von einer Spezies Christen, die aus lauter Angst vor Revolutionen den Erdball mit Kriegen überziehen, als geschehe das auf ihres Gottes Geheiß.

In der *FAZ* gab der amtierende Sieburg-Nachfolger zum Kohlschen Gericht seinen Senf dazu. Denn der postmoderne Feuilletonismus spielt gern Akrobat auf den glatten Glatzen seiner Herrn. »Ein deutscher Arbeitsplatz« lautet die Botschaft. Darüber das Foto des Verfeierlichten, der als Koloß von Oggersheim im Kellerraum fast sympathisch erschiene, drechselte Schirrmacher nicht apokryphe Anmerkungen dazu: »Im Keller: Helmut Kohl zeigt sich nach Abschluß der Arbeit noch einmal an dem Platz, wo er seine Erinnerungen verfaßte.« Autoren verfassen Bücher. Kohl verfaßt seine Erinnerungen.

Das Martyrium für den Leser wurde am 1. März 2004 mit dem nächsten Vorabdruck gesteigert. Unter der Überschrift »Wir christlichen Patrioten« betont der Ex-Kanzler seine Vaterliebe: »Der Nationalsozialismus konnte keinen Eingang in mein Elternhaus finden. Hier gab es keinen Nährboden für totalitäre Ideologien. Mein Vater trat nach 1933, obwohl er damit seinem beruflichen Fortkommen sicher geschadet hat, aus dem *Stahlhelm* aus, dem deutschnationalen Bund der Frontsoldaten, in dem er sich bis dahin auch als engagierter Wähler der katholischen Zentrumspartei wohl gefühlt hatte. Er sah mit Hitlers Machtergreifung einen zweiten Weltkrieg kommen, und er fürchtete ihn.« Kohl senior also als tapferer Nazi-Gegner, der sogar die-

Stahlhelm-Partei verließ. Ach du liebe Güte, wie ist der Papa denn reingeraten in diesen schwarzbraunen Kampfbund, dem Hitler zu links war, bis der Führer die Stahlhelmer einfach eingemeindete? Ja, wenn unsere großen Politiker an autobiographischen Alterssymptomen leiden, patrioten sie herum und tapezieren noch die Hölle himmlisch aus, und ein hochgehievter Feuilleton-Chef rührt den Kleister dazu an. Unsereiner denkt an den aller Ehren werten katholischen Attentäter Georg Elser und den protestantischen Kriegsverweigerer Hermann Stöhr, die ihr Christentum mit dem Leben bezahlen mußten. Zu große Töne gespuckt, Herr Ex-Bundeskanzler. Das hat Methode. Es fehlt der radikale Bruch mit der falschen Vergangenheit.

Als ich vor Jahren las, ein Sohn Ernst Jüngers sei als Soldat in Italien nahe unserem Frontabschnitt gefallen, versöhnte es mich fast mit dem Vater, den ich mir einst zum Kriegs-Idol erkoren hatte in der Hoffnung, dem Leben und Sterben bei der Wehrmacht einen Sinn abzulauschen.

Auf die stählerne Schlachthaus-Philosophie Jüngers konnte ich schon nach kurzer Infanteristen-Zeit verzichten. Mein skeptischer Blick Richtung kriegerische Intelligentsia verschärfte sich.

Das Volk ist nicht verantwortlich. Seine Denker, Sprecher und Führer sind es. Als mir 1994 angeboten wurde, als Parteiloser für die PDS in den Bundestag zu gehen, mangelte es mir an Lust, die Freiheit des ungebundenen, engagierten Schriftstellers aufzugeben.

Dann dachte ich an Bloch, der mit 64 Jahren hoffnungsvoll und animiert dem Ruf an die Leipziger Universität gefolgt war, also machte ich mich als Neunundsechzigjähriger auf ins Bonner Parlament. Als ich es vier Jahre später wieder verließ, wußte ich, denen war nicht zu helfen. Am tiefsten enttäuschte mich mein Geburtsland Sachsen, das im innigen Bund mit Bayern die Rehabilitierung der Wehrmachtsdeserteure zu verhindern suchte, obwohl allein in der sächsischen Stadt Torgau mehr als tausend Deserteure erschossen worden sind. Im Bundestag die dumpfen Verlautbarungen meiner regierenden Landsleute lesend, erklärte ich mich zum bewußt distanzierten Sachsen im Ausland.

In Dresden bauten sie die 1945 zerbombte Frauenkirche wieder auf. Neue Illusionen blühn aus den Ruinen, deren realen Anblick die Königs-Sachsen nicht mehr ertragen wollten, während sie ihre Söhne von Volksarmisten zu Bundeswehrsoldaten umkleiden ließen. Das Ausland vom Balkan bis zum Hindukusch harrte der Landesverteidigung durchs deutsche Heer. So beglückte man uns wieder mit romantischen Zapfenstreichen wie in früheren Wehrmachtszeiten.

Mitten in Bonn erlebte ich hymnische Lobreden auf jene Hitler-Generäle, von denen ich mich 1944 unter Lebensgefahr fahnenflüchtig entfernt hatte, wofür mich mein Geburtsland Sachsen am liebsten noch heute abstrafen möchte.

Die den Führer überlebenden hohen Militärs sind erfüllt vom Stolz auf ihre mörderische Pflichterfüllung und den Gehorsam beim Zuliefern für den Holocaust. Sie fühlen sich durch die Öffentlichkeit bestätigt als zeitüberdauernde Vorbilder. Den bombenlegenden Widerständler Stauffenberg ehrend, ehrt man zugleich einen General, der, in Treue neben Hitler stehend, von der Explosion leicht verletzt wurde, was den fabelhaften Nazi-Gefolgsmann nicht hinderte, später in der Bundeswehr im Schmuck seiner blutbefleckten Orden als Spitzenkraft weiter brav Dienst zu tun. Nichts ist vergangen. Die Nachfahren zwischen Rhein und Elbe höre ich unverdrossen schwärmen von unserer großen Kriegsvergangenheit. Sie präsentieren ihre Schießgewehre als wären sie der Nabel.

Der gottesfürchtige CSU-Abgeordnete Kurt Rossmanith verkündete seine Weisheit: »General Dietl war und ist auch heute noch ein Vorbild in menschlichem und soldatischem Handeln.« Das über einen General, der in öffentlicher Rede erklärte: »Der Frontsoldat weiß, ... daß sich die Juden der ganzen Welt zusammengeschlossen haben zur Vernichtung Deutschlands und ganz Europas.« Vielleicht wußte Rossmanith nichts vom Hitler-Programm in Dietls Generalsschädel?

Weit gefehlt, er war von uns genau informiert worden, doch sein Vorbild wankte nicht.

Rossmaniths Fraktionskamerad Norbert Geis kehrte Hitlers Aggressions-Feldzug glatt um in »Stalins Vernichtungskrieg« (Bundestagsprotokoll vom 9. Mai 1996). »Nürnberg war ein Siegergericht, das sich ausschließlich gegen die Besiegten richtete.« So Alfred Dregger. Welche Erkenntnis.

Sollten dort etwa Leute angeklagt werden, die Hitler besiegt hatten?

Laut Bundeswehr-Generalmajor Jürgen Reichardt hatte der Geist der deutschen Fallschirmjäger »seine tiefsten Wurzeln in unserer deutschen Militärgeschichte, in unserer abendländischen Kultur und in unserer christlichen Ethik ...« Und noch eins drauf: »Das ist der Segen der Tradition.« Die mahnte Arnulf Baring an: »Der erforderliche Wandel im Denken und Verhalten der deutschen Soldaten wird zugleich uns allen die Frage stellen, welche Werte, welche Lebensformen uns wirklich so wichtig sind, daß wir für sie notfalls zu sterben, andere in den Tod zu schicken bereit sind« (*Europäische Sicherheit* 1/96).

Da war die tüchtige *FAZ* schon einen Schritt weiter, als sie am 8. 2. 1991 einen Artikel der rasanten Philosophin Dr. Barbara Zehnpfennig druckte, in dem gefragt wurde:»Was macht eigentlich das Leben so lebenswert, warum soll man es unter allen Umständen erhalten?« Ja, warum wohl, du christliches Abendlandjuwel?

Ingrid erinnern diese Zehnpfennig-Sätze an islamische Fundamentalisten, die dem Westen verkünden:»Ihr liebt das Leben. Wir lieben den Tod.« Innerhalb weniger Tage lud Ingrid so viele christliche, kriegerische Schmuckstücke aus dem Internet herunter, daß sich ganze Leitzordner damit füllen lassen. Was ist bloß mit einem Land los, dessen Intellektuelle es fertigbringen, nach anderthalb Jahrhunderten Massenmörderei weiterhin die Kriegstrompete zu blasen? In Krisenzeiten steigt die Aggressivität an, gewiß doch, aber warum immer in die Hirne der führenden Köpfe? An mangelnder Schul- und Universitätsbildung kann's ja nicht liegen. Bloch: »Ärzte haben Menschen für eine Hölle gesund und leistungsfähig zu machen ... Lehrer, Künstler, Schriftsteller finden keine Kultur mehr auf dem Boden des Kapitals ...« (*Erbschaft dieser Zeit*, Seite 403).

Die Kriegsapologetik unserer Intelligentsia weiter anzuführen, hieße weniger Eulen nach Athen als Aufklärung in borniert verschlossene Politschädel zu tragen – der Konflikt wurzelt in der Ungleichzeitigkeit, wie Bloch das strukturelle Muster nennt. Die Abgeordneten und Politiker befinden sich am Ende des 20. Jahrhunderts noch im Ungeisteszustand des Ersten Weltkrieges. Von den Erkenntnissen der seither verflossenen acht Jahrzehnte unbeeindruckt, orakeln sie ihre Kriegsgesinnung in den Luftraum über Katheder und nationalstolze Stammtische.

Bloch ist die Revanche der Geschichte für den Mord an Luxemburg und Liebknecht. Der im Schweizer Exil sich mühsam über Wasser haltende Luxemburgianer und Kriegsgegner entging den Mordaktionen der Noske-Ebert-SPD und denen der anschließenden NSDAP. Vor Stalins Mordorgien schützte ihn das USA-Exil, den bürokratischen Zwangsmaßnahmen Ulbrichts in der DDR konnte er durch Übersiedlung in die BRD ausweichen. Über Jahrzehnte hin ein Exempel für Hegels List der Geschichtsvernunft, die einer beizeiten erspüren und befolgen muß.

Im Essay *Der undiskutierbare Krieg. Exkurs zur Genese der Blochschen Ungleichzeitigkeitstheorie* beginnt Dr. Elke Uhl gleich mit der Umwertung Blochs vom klischierten Hoffnungsdenker zum weithin unbekannten Konfliktforscher und Diagnostiker deutscher Psychopathologien. Folgerichtig verknüpft Frau Uhl Blochs Sonderstellung bei der Faschismus-Analyse mit dem Urkonflikt des Ersten Weltkriegs, die Schlußfolgerungen zitierten wir bereits im Kapitel »Doppelblick«. Von der Höhe dieser Reflexionsphilosophie aus gesehen, delirierte Deutschland sich in den Zweiten Weltkrieg hinein. Und es reicht bis in die heutige Zeit. Die Bewußtseinstrübungen bei Bundestagsabgeordneten vor wie nach der Jahrhundert- und Jahrtausendwende lassen sich als typische Fallbeispiele nachwirkender Störungen infolge Ungleichzeitigkeit definieren. Diese Politiker befinden sich auf dem Stand des Soziologen Alfred Weber, der Ernst Bloch 1920 als Vaterlandsverräter beschimpfte. Die Parallele bezeugt das Mißverhältnis zwischen Intelligenz und Vernunftfähigkeit. Alfred Weber erwies sich als hochgebildeter, verwissenschaftlichter Politversager.

Ein Exempel für den Typ des Ungleichzeitigen ist bei Rudolf Augstein zu finden, der im *Spiegel* Nr. 41/1986 zum Buch *Zweierlei Untergang* von Andreas Hillgruber angemerkt hatte: »Wer so denkt und spricht, ist ein konstitutioneller Nazi, einer, wie es ihn auch ohne Hitler geben würde.« Augsteins luzide Definition wurde schnell vergessen. Bloch allerdings dekliniert den völkischen Typ durch alle staatlichen Wechseljahre hindurch, was die kapitale Distanz zu unserem Philosophen erklärt. Nach einem Abwehrzauber suchend, flüchten die betroffenen Intellektuellen zu ihren angebeteten Hausheiligen Martin Heidegger, Ernst Jünger, Carl Schmitt oder Arnold Gehlen, lauter ihnen im Geiste näherstehende Figuren, während der linke Bloch stets auf Seiten der Kriegsgegner blieb.

Nun ja, heißt es, der Mann war Jude, das mag seine Haltung verständlich machen. Aber dieser Denker wäre auch als Nicht-Jude ein Revolutionär und klassischer Kommunist geworden, ohne sich unterzuordnen, ganz erfüllt vom erhebenden Freiheitstraum, der nicht an Rasse, Klasse, Parteibuch gebunden ist, aber eine Haltung personifiziert, die aufrecht zu nennen nur den äußeren Eindruck skizziert. Daß einer zu sich kommen kann, ohne den bequemen Weg zu wählen, bleibt denen nicht nachvollziehbar, die ihr Leben als ausgebaute Hauptstraße zur Pensionskasse der Oberklasse planen. Kein Damaskus-Erlebnis wirft sie je aus der Spur. In Presse und Talkshows rühren sie das regierungsamtlich Erbrochene zur Volksküchenspeisung neu an – es gibt Suppe für die Kasper der öffentlichen Meinung. Ihre Ahnen von 1914 – 1918, diese behelmten Mamelucken, verweigerten jede Einsicht in die Niederlage, und so kam ihr Hochmut vor jedem neuen tiefen Fall. Im Jahrhundert danach noch leiden sie, wo Katharsis geboten ist, lediglich am bürgerlichen Stockschnupfen. Unerschrocken erweisen sie sich als bloße Imitate ihrer Vorgänger. Ja, sie sind Imitatoren statt Initiatoren und zugleich grausige Wiedergänger der Kriegsgespenster. Nach jedem totalen Zusammenbruch heulen sie beleidigt auf und erneuern die Rüstungsindustrie. Über Brechts Warnung vor den drei Kriegen Karthagos – nach dem ersten ist es noch mächtig, nach dem zweiten noch bewohnbar, nach dem dritten unauffindbar – schütteln sie sich vor Lachen und ahnen nichts vom Wiedehopf-Gestank aus ihrem Rachen. Des Kaisers Generäle verloren einen Krieg und bauten die Reichswehr zur Wehrmacht für den nächsten um. So verloren sie und ihre gehorsamen Kammerdiener auch den zweiten Krieg, dessen überlebende Super-Militärs dann die Bundeswehr aus der Taufe hoben. Die Genealogie der Marschälle ist eine Kette von Imitaten. Von einem Kataklysmus marschieren sie zum nächsten, als wären es Kinderspiele. Und über jeden Abgrund hinweg bauen sie Brücken aus Millionen von Toten – von der Infantilität direkt in die Senilität, die anerzogene und vorgezogene Demenz macht's möglich, Heimat deine Sterne. Goethes Dr. Faustus hat Strategie und Taktik studiert und wurde zum Dr. Alzheimer, der sich hoffentlich bald in eines der modernen Raumschiffe begibt, um sich übern Mond auf den Mars, seinen Lieblingsplaneten, schießen zu lassen.

Wie die Militärs, so die Politiker. Ludendorff marschierte 1923 mit Hitler zur Feldherrenhalle, Hindenburg, der mit Ludendorff den Ersten Weltkrieg glorreich verlor, übergab 1933 die Staatsmacht an Hitler. Adenauer teilte Deutschland, das im Westen aufblühte, bis es sich vereinigte und nun seine Krisen in Asien verteidigt. Politiker und Militärs stehen stets bereit, auf die Lehre des jungen Philosophen Bloch aus dem Jahr 1918 zu spucken: »Noch nie sind sie auf dem Schlachtfeld wahr geworden, die großen Ideen: nur auf den Scheiterhaufen, am Kreuz und am Märtyrerpfahl, immer dort nur, wo ein einzelner sie vorbildlich ans Ende lebte. Nie wo die Masse siegte, Kanonen gegen Kanonen« (*Kampf, nicht Krieg*, Seite 307).

Soviel Originalton Bloch als Demonstration des Verhältnisses von Sklavensprache und Revolte. Das Zitat als Bruch mit der Sklavensprache und als offener Protest. Da das damalige Deutschland nicht revoltieren wollte, kehrte die unterdrückte Wahrheit in Gestalt von Krieg und Verwüstung ins Zentrum der Aggressionen zurück. Bloch profilierte sich immer klarer als Philosoph der Ungleichzeitigkeit. Immerhin war er den Politikern der Vorvereinigungszeit nicht ganz unbekannt, auch wenn er vielen nur als Zumutung erschien. Den nachfolgenden Machthabern in Industrie, Banken, Heer und Parlament ist der Philosoph ein fremdes und unbekanntes Wesen. Sie sind Pragmatiker, d. h. sie planen und begehen ihre Schandtaten so ungerührt wie ihre militanten Vorfahren und bedienen sich einer speziellen Sklavensprache. Notfalls hilft ein Nietzsche-Wort weiter.

Vom brandenburgischen Innenminister und General a. D. stammt der Satz, daß die DDR an ihrer Grenze Menschen wie Hasen abknallen ließ. Seine Generalskameraden brachten es im Ersten Weltkrieg auf mehr als zehn Millionen Abgeknallte, im Zweiten Weltkrieg auf über fünfzig Millionen. Selbst in den fünfzehn Jahren der Weimarer Republik wurden mindestens dreimal so viele Menschen totgeschossen wie in den vier Jahrzehnten DDR. Der Tunnelblick Schönbohms richtet sich allein auf diesen zweiten

deutschen Staat, die perspektivische Verengung ist so zeit-
wie deutschtypisch.

Helmut Kohl lieferte ähnliche Hochleistungen, von denen mir mein alter Freund Fritz Bauer erzählt hatte. Die
Szene war mir entfallen, bis ich durch einen Bericht der
Frankfurter Rundschau vom 20. 12. 1993 wieder darauf gestoßen wurde. In einem Artikel von Norbert Leppert ist
da unter der Überschrift »Hinweise auf besonders traurige Kapitel deutscher Schäbigkeit – In Frankfurt erinnerte
der Fritz-Bauer-Kongreß an den Auschwitz-Prozeß und die
beunruhigenden Normalitäten« zu lesen: »Einer, der sich
keine Illusionen machte, war Fritz Bauer, Hessens früherer
Generalstaatsanwalt, ohne den der Auschwitz-Prozeß nicht
zustandegekommen wäre. Bauer sagte damals, was er dachte: Daß ›die deutsche Jugend immer noch keine liberalen
und demokratischen Standpunkte finden kann‹. Und auf
die Frage eines dänischen Reporters, ob Hitler heute leichtes Spiel mit dem deutschen Volk hätte: ›Ich glaube nicht,
daß die junge deutsche Demokratie stark genug wäre, ihn
abzuweisen.‹ Das war Anfang 1963, und ein Aufschrei der
Entrüstung ging durch die Bundesrepublik.

Oder der Skandal um Bauers Vortrag über ›Die Wurzeln
faschistischen und nationalsozialistischen Handelns.‹ Als
der Landesjugendring von Rheinland-Pfalz den Text druk-
ken ließ und ihn an den höheren Schulen verteilen lassen
wollte, schritt der damalige Kultusminister ein und verbot
es. Besonders ein Landtagsabgeordneter der CDU tat sich
bei der Verteidigung des Verbots hervor: Es war – wie sich
der Journalist Conrad Taler anläßlich des Kongresses erinnerte – Helmut Kohl, der Bauer rüde belehrt habe, es sei
viel zu kurz her, um über den Nationalsozialismus ein ab-
schließendes Urteil zu fällen. Das war im Herbst 1962, und
der junge Abgeordnete sollte dann als Bundeskanzler das
Wort von der ›Gnade der späten Geburt‹ erfinden.«

Die vom jungen Abgeordneten Kohl dem verfolgten jüdischen Antifaschisten Bauer zugemutete Belehrung manifestiert den verheerenden Geisteszustand eines zur Macht
drängenden Politikers. Wer 1962 kein Urteil über den Nationalsozialismus zu fällen vermochte, hätte wohl besser
weder Amt noch Mandat erhalten.

Blochs Vorwärtsstrategie mit seinem Impuls, das »Noch-
nicht-Seiende« oder »Noch-nicht-Gewußte« zu erforschen,

wirkt auf unsere prä- und postmodernen Rückwärts-Apologeten als unerträgliche Provokation. Fällt das Wort »Stalingrad«, trauern sie um ihre Toten, schwafeln von der Sinnlosigkeit des Krieges und bereiten im selben Atemzug neue Sinnlosigkeiten vor. Beim Wort »Luftkrieg« fallen ihnen automatisch »alliierte Terrorangriffe« ein. Deutscher Terrorpiloten gedenken sie ehrfurchtsvoll, denn Mölders war ein ritterbekreuzter katholischer Fliegerheld, und bei der Beerdigung des Super-Luftkämpfers Hans Ulrich Rudel (mehr als 2 500 Feindflüge) waren Bundeswehrjäger mit ihren mit den Tragflächen wackelnden Maschinen zu sehen, womit sie das Siegeszeichen für den von Hitler hochgeschätzten Gruppen-Kommandeur im erfolgreichen gloriosen Schlachtfliegergeschwader signalisierten.

Rudel berichtet, daß er, wegen Ordensverleihung zu seinem Führer bestellt, sehr bekümmert war, weil er kein frischgewaschenes, gebügeltes Hemd im Koffer hatte. Was für eine Tragödie – mußte er doch durchgeschwitzt beim *Gröfaz* antreten, um die Brillanten zum Ritterkreuz entgegenzunehmen. Schnupperte Adolf den Heldenschweiß? Danach ging's hopplahopp zurück in die Schlachtmaschine und mit Karacho rein in die Eisenbahnwaggons der russischen Züge und drauf auf die fliehende Bevölkerung, die dem deutschen Adler zu entkommen suchte. Wehe aber, die Bolschewiken aus dem Osten oder die Plutokraten aus dem Westen richteten ihr Rattata auf brave deutsche Flüchtlingstrecks, da werden heute noch Tränenströme vergossen über die alliierten luftterroristischen Verbrecher.

Während ich über diesem abschließenden Kapitel sitze, bringt Ingrid ein Zitat, sauber abgeschrieben, doch ohne Quellenangabe: »Die Deutschen sind aber bisher nur von einem Faulpelz nicht geschlagen worden. Seit die Welt steht, sind die Deutschen von allen geschlagen worden. Von ihnen keiner. Nur einander haben sie geschlagen.« Die Text-Auswahl ist hinterhältig, keine Eigennamen, die auf die Spur helfen könnten. Eine wahrhaft prophetische Aussage, nicht wahr? kommentiert Ingrid, weiß aber nicht, daß ich schon vor einigen Tagen bemerkte, zu welcher Lektüre sie geflüchtet ist. *Krieg und Frieden*, sie hat sich wieder mal den Tolstoi vorgenommen. Im Abstand von einigen Jahren greifen wir aufs neue zum russischen Klassiker, wenn das Thema Krieg und Frieden aktuell ist, und aktuell ist es immer. 1866 beendete Tolstoi seinen Roman, sagt Ingrid, 1870/71 gewann Deutschland den Feldzug gegen Frankreich, für die folgenden großen Kriege trifft seine Bemerkung zu. In längst vergangenen pazifistischen Zeiten der 68er kursierte im Westen der schöne Spruch: »Wir haben den Krieg verloren, hoffentlich finden wir ihn nicht wieder.«

Kein Gedanke daran bei unseren Politikern und Generälen, gestern wurden sie in Stalingrad und vor Moskau eingepackt, daß jeder vollsinnige Mensch glaubte, sie hätten etwas gelernt, und heute stehen sie am Hindukusch, in Afghanistan und bald sonstwo in der stolzen Hoffnung, vergangene, totale Niederlagen mit neuen Verbündeten endlich in Siege zu verwandeln.

Wenn Bloch die Ungleichzeitigkeit durch die Worte illustriert, daß Deutschland »zugleich fault und kreißt«, so hat es sich jetzt offenbar zum Verfaulen entschlossen. Wer Sozialabbau als Reform deklariert, schlägt genau diesen Weg ein. Wiesen deutsche Politiker empört und erschreckt Blochs Satz aus dem Jahre 1976 zurück »Es kann keine Revolution geben, die nicht 1789 in den Knochen hat«, drehen sie sich jetzt im Karussell von Krisen und Kriegen. Norbert Blüm, als Minister a. D. im Abseits und nicht genügend ausgelastet durch die TV-Sendung *Was bin ich?*, begann in Bonn mit Vorlesungen über Aristoteles. So schön es sein mag, wenn sich die Schwarzen mit Philosophiegeschichte beschäftigen, sie sind als Katholiken eben Peripathetiker und müssen die gewaltige Wegstrecke von zweieinhalbtausend Jahren hinter sich bringen, um in der Moderne anzukommen. (Anmerkung IZ: Wenn ich den Namen Blüm sehe, wird mir etwas bänglich zumute. Vor längerer Zeit schenkte uns ein befreundetes Frankfurter Lehrer-Ehepaar, Wolfgang und Gisela Thaetner, das die Monate Juli/August regelmäßig hier im Hochtaunus verbrachte, ein Norbert-Blüm-Buch mit dem gefälligen Urlaubstitel *Sommerfrische – Regentage inclusive.* Auf Seite 134 lese ich da: »Götz von Berlichingen war fast genauso weit. Schiller hat dem wackeren Ritter in einem Drama ein Denkmal gesetzt.« Nun ja, das Stück ist nicht von Schiller, sondern von Goethe, es ist auch kein Drama, sondern ein Schauspiel. Man fragt sich nur, wenn Blüm schon mit unseren Klassikern so ins Schwimmen gerät, wie wird er dann die antiken Philosophen anordnen? Der CDU-Politiker Norbert B. war durchaus noch einer der

Erträglicheren, wagte es sogar, mit Gerhard während dessen MdB-Zeit drei freundliche Sätze zu wechseln und ihn nicht zu behandeln, als hätte er die PDS-Pest. Als Autor ist der Mann nicht ganz taktfest. Gutzuschreiben ist ihm, daß er eine Seite weiter an Thomas Müntzer und den Bauernkrieg sowie Müntzers Enthauptung 1525 in Mühlhausen erinnert. Der Verweis zeigt, unter den Schwarzen ist Blüm ein weißer Rabe. Die Müntzer-Erwähnung hätte Ernst Bloch gefreut.)

Von Blüm zu Heiner Geißler: Er ist mit seinem Bestseller *Was würde Jesus heute sagen* schon näher an die Gegenwart herangerückt.

Beim Durchforsten älterer Videokassetten stießen wir auf die Bundestagssitzung vom 30. 6. 1995, in der erst die PDS und dann ich allein die Wut des ganzen Parlaments zu spüren bekam.

Die Kamera zeigt sie alle, wie sie gegen die Abweichler toben. Mitten in der dröhnenden Runde ist ein Heiner Geißler zu sehen, der nicht in die feindseligen Bekundungen einstimmt. Schau an, denke ich, ein Christ.

Es mögen an diesem Tag so um die vierhundert aggressiv aufgeladene Abgeordnete im Parlament gesessen haben, die Zahl schlug mir aufs Gemüt. An die vierhundert SED-Kulturarbeiter hatte die SED-Führung Leipzig im Frühjahr 1957 mit Bussen zur Kongreßhalle karren lassen, um mit Erich Loest und mir abzurechnen. Als der unselige Kultursekretär seine Angriffe vortrug, erhielt er den erwarteten kollektiven Applaus. Als ich, seinen Attacken zu begegnen, mein Gedicht im Zusammenhang vortrug, das er fragmentiert und mit Gift durchsetzt zitiert hatte, sah ich eine erstarrte, eisig schweigende Masse vor mir.

Zwischen den beiden schönen Erlebnissen lagen 38 Jahre unvergangener Zeit und Konflikte – Ungleichzeitigkeiten eben. Man muß die herrschenden Kollektive aushalten können, und sei es nur durch Überleben. Es ist recht unterhaltend, die Kaulquappen bei ihren ruckartigen Tänzen zu beobachten und zu wissen, es werden noch richtige quakende Frösche daraus, wie Lichtenberg anmerkte.

Der seelische Flurschaden nachwirkender Verwüstung besteht nicht primär in der Rückkehr des Hitlerismus, der vor allem eine eskalierende Folge des unbewältigten Urkonflikts aus dem Ersten Weltkrieg war. Für Deutsche, die den konsequenten Bruch mit ihrer Geschichte scheuen, verwandeln sich die Niederlagen von 1918 und 1945 samt der Zeit danach in individuelle Niederlagen, geprägt von feindlicher Bosheit und Intrige. Auch wo daraus weder Neonazismus noch die schleichende Verseuchung derer entsteht, die aus ihren Minderwertigkeitskomplexen heraus grenzrevisionssüchtig agieren, ballt sich doch etwas zusammen, das jeder rationalen Politik als Bleigewicht an den Füßen hängt. Wer Niederlagen als pure und ungerechtfertigte Verluste empfindet, durchtränkt seine Seele mit Revanchegefühlen. Selbst wer daraus keine Rachegedanken und Rachetaten entwickelt, bedarf als Gestörter der Therapie. Wenn es keine Religion schafft, hier zu heilen, so steht das Universum der Philosophie zur Verfügung, dessen sich unsere ewigen Krieger allerdings recht parteiisch zu bedienen pflegen. Jedenfalls favorisieren sie die ihnen geistesverwandten Schwadroneure und verachten den Wärmestrom von Marx bis Bloch. Wann immer sich in Deutschland Menschen erhoben, die eingefrorenen Machtstrukturen zum Schmelzen zu bringen, erwiesen sich die eiskalten Machthaber als stärker. Mußten sie partiell einmal nachgeben, stellten sie bald die alten Verhältnisse wieder her. Widerspenstige werden verfolgt und gehetzt wie Georg Büchner.

Weil die Geschichte des Landes von Konterrevolutionen geprägt ist, findet der humane Enthusiasmus seiner Bewohner weder Raum noch Halt. Nach wie vor werden lieber Kriegshelden auf die Sockel gehievt. Revolutionen erscheinen als Teufelszeug. Ungescheut plärren die Idioten jene Nationalhymne weiter, die zur Feier der Nazi-Siege und in den Vernichtungslagern gespielt wurde. Das blutbefleckte Lied im angeblich von Grund auf veränderten Deutschland beizubehalten ist ein Hohn für die Opfer des Dritten Reiches.

Erinnerungen: Erst Jahrzehnte später erfuhren wir, wie elend es Ernst Bloch und seiner damaligen Ehefrau Else im Schweizer Exil ergangen ist. Ihre Armut war unbeschreiblich. Die einst wohlbetuchten Eltern konnten ihrer Tochter wegen der Kriegs- und Revolutionswirren kein Geld mehr schicken, und dem jungen Philosophen gelang es selten, durch Schreiben etwas zu verdienen. In Tübingen erinnerte sich Bloch, nie mehr so gehungert zu haben wie in jenen Jahren, da er von der Schweiz aus gegen den Krieg anschrieb. Während Kollegen wie Heidegger zu Weimars wie Hitlers Zeiten sich ihres geregelten Einkommens erfreuten, schrieb der Zukunftsdenker die meiste Zeit seines Lebens für die Schublade, eine Arbeit, die ihm keinen Pfennig eintrug. In der Brieftasche manifestiert sich der Unterschied zwischen dem rechten und dem linken Leben.

Es gibt eine Art, sich zu Nietzsche zu bekennen, die den Bekennenden als ebenso triumphierenden wie verschämten Sadisten ausweist. Man rühmt den Stilisten und glaubt damit Respektabilität zu erlangen. Der Satz »Ihr sollt den Frieden lieben als Mittel zu neuen Kriegen. Und den kurzen Frieden mehr als den langen« nimmt auf den Lippen gefällig Zitierender die Aura von Weisheit an. Dabei ist es, in welcher Interpretation auch immer, nichts als ein Kondensat von Aggression und Angst feiger Zyniker. Oder wir wenden den Satz »Der gute Krieg ist es, der jede Sache heiligt« zum Kampf gegen diejenigen um, die ihn heiligen, indem wir ihre Waffen vernichten und die Träger revolutionär mattsetzen. Solange Generationen erneut Väter hervorbringen, die bereit sind, ihre Söhne zu opfern, als sei Abraham nicht schon durch Gott daran gehindert worden, muß Vatermord das vornehmste Gebot sein.

Blochs Kriegsverweigerung von 1917-1919 war der Versuch, Kants Schrift *Vom ewigen Frieden* unter den Bedingungen des 20. Jahrhunderts zu realisieren. Sie gelten im 21. Jahrhundert noch ebenso, auch wenn gefällige Astrologen aus den Sternen auf den Schulterstücken ihrer Supermilitärs neuerliche Kriegsideologien herauslesen.

Vor knapp fünfzig Jahren gab es in der DDR einen Aufstand der Intellektuellen, der im Osten zerschlagen und vergessen gemacht, im Westen erst durch die Medien ausgenutzt, später ignoriert wurde. Aufmerksamkeit erregten die Urteile gegen Wolfgang Harich, Walter Janka, die *Sonntag*-Redakteure und Erich Loest, sowie die Vertreibung Blochs vom Leipziger Lehrstuhl. Die prominenten Einzelfälle verdecken bis in die jüngste Gegenwart den Fraktions-Charakter der Revolte samt ihren sozialistischen Zielen und Chancen. Schon der Versuch eines Aufbruchs war strafbar in der DDR. Die heutige Berliner Republik verdrängt die 56er ebenso wie anderthalb Jahrhunderte Arbeiterbewe-

gung. Dazu spielt ein Parlament ohne Opposition Volks-
kammer, und zur gefälligen Unterhaltung gibt es läppische,
personenfixierte Streitereien mit TV-Begleitung, genannt
Talk. Die behauptete Pluralität wird von Charaktermasken
im Schlagschatten entstaatlichter Kapitalmächte dargestellt,
obwohl jede politische Vielfalt längst zum Teufel ging. Das
Land ohne Alternative will nicht an die DDR-Revolte von
1956 erinnert werden, als eine sozialistische Alternative
möglich schien, bis sie von den Feinden in damals zwei
deutschen Staaten gemeinsam erledigt wurde.

Es gab aber vor den 68ern und ihren nahtlos anschließenden Opportunismen einen Aufstand intellektueller Genossen und Genossinnen. Freilich in einer DDR, von der
auch in der Erinnerung nichts bleiben soll als die Löcher
im Käse bourgeoiser Geschichtsbetrachtung Deutschland/
West.

Die Geschichte und Verfolgung des Bloch-Kreises wurde bisher nicht aufgearbeitet, obwohl sehr viele Unterlagen,
jetzt nicht mehr geheim, beim Bundesarchiv zur Verfügung
stehen. Im neobürgerlichen Ostdeutschland fehlt das Interesse an den Vorgängen um eine sozialistische Opposition.
In Westdeutschland ist das verlagsprivatisierte Interesse
nur virulent, läßt sich daraus Kapital schlagen oder werbe-
trächtiger Imagegewinn erzielen.

Versuchen wir anhand unseres Materials, den jetzigen
Wissensstand soweit zu erhellen, wie das zwei einzelnen
Autoren möglich ist, die über ein Halbjahrhundert hinweg
mit dem Verlauf befaßt waren, ganz exakt terminiert ab
dem 15. Juli 1952.

Inzwischen aufgefundenen Geheim-Akten sowie Unterlagen von Staat, Partei und Universität ist zu entnehmen, daß bis zum Dezember 1956 nicht beabsichtigt war,
Ernst Bloch zu repressieren. Die Gründe dafür sind ebenso
vielfältig wie die für seine plötzliche Entfernung von der
Universität im Frühjahr 1957. Dennoch wurde bis Anfang
1958 versucht, das gespannte Verhältnis zu harmonisieren.
Bloch vermied es, darauf einzugehen, indem er nicht mehr
wie zuvor das Gespräch mit dem ZK suchte, sondern seine
vollständige Rehabilitierung verlangte, was die DDR-Führung verweigerte.

Die Modalitäten des Umgangs bestimmte seit 1956 Walter Ulbricht. Begonnen hatte es mit einem Brief, den er als

erster Sekretär des ZK der SED an den ersten Sekretär der Leipziger SED-Bezirksleitung Paul Fröhlich richtete. Mit Datum vom 28. 11. 1956 wird vor ideologischen Einflüssen aus Polen und Ungarn gewarnt. Gleich zu Beginn ist Ernst Bloch genannt.

Das Schreiben, im Ton gemäßigt, bezieht sich auf bereits übermittelte »Materialien« und fordert zur ideologisch-politischen Abklärung auf. Handschriftlich ist angefügt: »Auch eine Besprechung mit Professor Markov wäre von Nutzen«, was friedvoller klingt als es ist. Markov war wegen Titoismus aus der Partei ausgeschlossen worden.

Leipzig ist alarmiert. Bereits am 15. 12. 1956 wird ein umfangreicher »Bericht« über Blochs Philosophisches Institut fertiggestellt, an dessen Erarbeitung sich Partei und Staatssicherheit beteiligten. Die Mischung aus Tatsachen und flüchtigen Fehlern wie auch schwerwiegenden Irrtümern gibt von jetzt an die Linie der Verfolgung für das ganze Jahr 1957 vor.

Ulbrichts Hinweis so radikal wie möglich interpretierend, setzte Fröhlich den Philosophen wiederum an die Spitze der Verdächtigen, womit Bloch in allen Untersuchungen von vornherein zum Hauptbelasteten erklärt werden konnte. Jetzt erst schwenkte Ulbricht um und behauptete auf dem geheimen 33. Plenum im Oktober 1957, Bloch habe »konterrevolutionäre Stimmungen ... erzeugt.« Auf eine nicht befriedigende Antwort Kurt Hagers folgte laut Protokoll ein Zuruf, der wahrscheinlich auch von Ulbricht stammt: »Er hatte doch seinen Plan für die Konterrevolution« (zitiert nach der Beilage zu *Das Parlament* vom 18. 12. 1957).

Der verschärfte Vorwurf ist durch die streng vertraulichen, dem Plenum vorliegenden Informationen nicht völlig gedeckt. Auch wird unterschieden zwischen »A. Die staats- und parteifeindliche Gruppierung Harich-Janka« und »B. Ideologische Bastionen feindlicher Art«, worunter Bloch und seine Schüler gerechnet werden, was darauf deutet, daß Ulbrichts Bemerkung über einen konterrevolutionären Plan Blochs nicht strafrechtlich, sondern im ideologischen Sinne gemeint war. Die Liste führt Namen und Verdächtigungen aus dem früheren Leipziger »Bericht« vom 25. 12. 1956 auf, angereichert durch neuere Vorwürfe, wie sie sich aus den Vernehmungen des in der Zwischenzeit inhaftierten Günter Zehm sowie aus der Haussuchung bei Zwerenz und dessen Flucht in die BRD ergaben.

Der Berliner Zeitgeschichtler Prof. Siegfried Prokop, dem wir Material und Hinweise verdanken, schrieb uns am 29. 3. 2001 über das 33. Plenum:»In der Diskussion mußten Becher, Bredel, Dahlem und Hager ›Selbstkritik‹ üben. Sie hatten aus der Sicht Ulbrichts alle eine falsche Position zu der ›konterrevolutionären Gruppenbildung‹ Blochs. Als ›Beißhund‹ schickte Ulbricht Paul Verner ins Rennen. Über Paul Verner hatte mir Alfred Neumann gesagt: ›Ich sage Dir, Paul Verner war ein spezieller Typ, den man nur mit der Zange anfassen konnte.‹

In diesem Zusammenhang ist für Sie vielleicht noch ein Fakt von Interesse, den ich im Gauck-Archiv im Harich-Bestand fand. Bloch wohnte während der 3. Parteikonferenz bei Harich.«

Es sind oft Details, die eine Geschichte so dekorieren wie dekuvrieren. Im Laufe des Jahres 1957 entwickelte Ulbricht sich vom zurückhaltenden Bloch-Gegner zum radikalen Feind. Abgesehen von subjektiven Gründen sind dafür zwei andere Faktoren bestimmend. Erst die gezielte Zuarbeit durch die Leipziger Parteiführung ermöglichte es, Bloch zum Hauptfeind aufzubauen. Damit sah Ulbricht sich imstande, seine Berliner Widersacher in Politbüro wie ZK zu bedrängen und anzugreifen. Das 33. Plenum im Oktober 1957 festigte Ulbrichts Position durch Schwächung seiner Gegner.

Seltsamerweise, aber aus einer gewissen Logik heraus blieben Walter Ulbricht die Ideen Blochs nicht so fremd, wie man bisher anzunehmen geneigt war. In einem am 21. 1. 1971 verfaßten geheimen Schreiben suchten dreizehn Politbüromitglieder ihren Ersten Sekretär des ZK der SED beim Moskauer Politbüro anzuschwärzen und loszuwerden. Ihr Vorwurf lautete, Ulbricht fordere »bisher Nichtgedachtes einzuschätzen und zu bilanzieren«. Der Ausdruck Nichtgedachtes ist schierer Bloch. Das Wort zu benutzen mußte Ulbricht schaden und fällen, wie er anderthalb Jahrzehnte zuvor Bloch gefällt hatte. Bisher nicht gedachte Gedanken widerstrebten der Partei, aus ihnen konnte neue Praxis entstehen, es war jedoch Stillstand verordnet, ohne Rücksicht darauf, daß eine Gesellschaft ohne Entwicklung und Veränderung verkümmern muß. Ulbricht hatte fünfzehn Jahre verspätet »Schach statt Mühle« zu spielen versucht, da waren die Kreml-Genossen noch nicht so weit, wie Ulbricht 1956/57 noch nicht so weit gewesen war. Die zahlreichen Studenten und Leipziger Bürger allerdings, die damals zu Blochs Vorlesungen in den Hörsaal 40 strömten, hatten verstanden, worum es ging. Indem Partei und Staat administrativ eingriffen und den Philosophen vom Lehrstuhl verbannten, stießen sie lernfähige, gutwillige und aufnahmebereite Menschen ins Schweigen zurück. Die Ostdeutschen wurden damit um Bloch betrogen.

In den fünfziger Jahren hatte es an Aufbruch und Hoffnung nicht gemangelt. In *Kopf und Bauch – Die Geschichte eines Arbeiters, der unter die Intellektuellen gefallen ist,* erschienen 1971 im *S. Fischer Verlag,* ist ein »Zwischenbericht von der hoffnungslosen Lage an der Fakultät der guten Hoffnung« eingefügt. Das Buch war in den sechziger Jahren geschrieben worden, als die DDR der fünfziger Jahre noch deutlich genug präsent war. Neben den Konflikten und Verfolgungen werden unsere euphorischen Stimmungen erinnert. Es heißt da in fröhlichem Optimismus:

»Was das Ende betrifft, beginnt die Aufhebung des Verschweigens.

Bloch in Leipzig: Veränderungspotenz.

Bloch in Tübingen: Kulturheros.

Einen Augenblick nur nachlassen, und die Väter stehen in dir auf, du infiziert von ihrem Leichengift.

Du mit deiner Gespenstersippschaft im Blut.

Du mit deinen verbrauchten Ahnen im Kreislauf.

Wo sind sie, die unverbrauchten, frischen Familien, die ihre Söhne und Töchter delegieren.

Alarmiere ich genug Spott und Verachtung? Verletze ich die Gedemütigten spürbar genug? Wir sind nun zu alt, als daß wir noch lange auf Revolutionen warten könnten.

Ja, wir kommen, aufgepaßt, ihr akademischen Traditionstrottel und Universitäts-Erbhofbesitzer, eure Exklusivität ist im Eimer, eure Zeit läuft ab. Aufgepaßt, WIR KOMMEN, kriechen aus den Gullys, den muffigen Mietskasernen, Hinterhofpißwinkeln, Kellerlöchern, Wanzendachkammern, kommen aus letzten Landschaften, die vor Jahrhunderten vergessen worden sind, aus beschränkten Kleinstädten und Kaffs, entlaufen Fabriken, Meistern, Maschinen, Besitzern. Wir kommen. Die seit Ewigkeit Kolonisierten des europäischen Herrenkontinents, der seine Sklaven und Knechte versteckte und den Arbeitern die Klassenlosigkeit des Freiheit genannten Kapitalismus predigte, sie desto nachhaltiger auszuquetschen, zu peinigen, zu enteignen. Wir kommen nicht mit einem Male, in gewohnten Ordnungen und Bildern, als Steppe, Untermenschen, Faule, Arbeitsscheue, Minderrassige, Farbige; wir kommen anders, sickern einzeln ein, bleiben ungreifbar zu Anfang, keine Klasse, doch krepiert ihr daran.

Wir kommen. Wir holen euch ab, wenn ihr ausgeweidet, ausgenommen, ausgeschlachtet seid, so hohl, wie es euch in Wahrheit entspricht. Wir sind längst dabei, euch auszuhöhlen. Wir kommen und sind längst gekommen, einzeln am Tage oder nachts in kleinen Gruppen. Schon sind eure feinen Bürgersöhne keine feinen Bürgersöhne mehr, ein leichtes Zucken des Augenlids, ein Blinzeln, wir haben uns verständigt. Es ist höchste Zeit, euch abzuholen, euch abzufahren. Wir sind gekommen. Wir werden immer mehr. Andere kommen zu uns herüber, und wir gehen gemeinsam zu euch hinüber, und DRÜBEN sind wir WIR, WIR SIND GEKOMMEN, wir haben uns hervorgewagt, hervorgeschwindelt, hervortaktiert, hervorgeschlagen, hervorgebüffelt. Wir lehnen keine List ab, keine Gewalt, keinen Umweg, keine Tarnung. WIR KOMMEN IMMER NOCH. Wir nehmen euch in Besitz, ihr ängstigt euch noch vor der Revolution von gestern, wie IHR EURE Armeen auf den Krieg von gestern trainiertet. WIR ABER KOMMEN. In Ost und West und West und Ost. Wir sind unerfahrener als IHR, ungebildeter, ungeduldiger, unwissender, unwilliger, unbekannter, unberechenbarer, ungezügelter, unvermögender. Wir sind schroff, armselig, abhängig, unkonventionell, keine Augenweide, wir sind bösartig, verletzend, nach Gerechtigkeit rufend und nach Rache dürstend, sind nicht fein, nicht gut und nicht zu haben, wir vergreifen uns an euch, wir machen nicht mit, wie ihr denkt, was ihr wollt, verlangt. Wir vergiften euch, wir gehen euch an die Gurgel. Wir sabotieren euch. WIR KOMMEN.«

Soviel zum Osten. Jetzt zum Westen: Bevor die kenntnisreiche, glänzend geschriebene Bloch-Biographie *Der Hintern des Teufels* im *Elster Verlag*, Baden Baden, erschien, hatte sich der Autor Peter Zudeick bei *Suhrkamp* erkundigt, ob man dort an seinem Buch interessiert sei, außerdem fragte er wegen diverser Abdruckrechte an. Eine Antwort blieb aus, Telefonate trugen nur hinhaltende, nicht durchschaubare Auskünfte ein. Schließlich brachte *Elster* die Biographie heraus, Siegfried Unseld las sie und reagierte auf den Titel äußerst pikiert. An Zudeick schrieb er: »Ich muß Ihnen sagen, daß ich ihn wirklich schrecklich finde und der Sache abträglich.« Ein Bloch-Zitat als Titel einer Bloch-Biographie erregte soviel Mißfallen bei Blochs wichtigstem Verleger, daß daran sogar eine geplante Taschenbuch-Ausgabe bei *Suhrkamp* scheiterte, denn der Autor weigerte sich mit Recht, den Titel zu ändern.

Zudeick beschreibt in der Biographie auch die Leipziger Zeit des Philosophen, soweit damals vorhandenes Material es gestattete. Daß ab 1989 mit dem Ende der DDR noch ganz andere, geheimgehaltene Vorgänge eruierbar wurden, ließ den Hausverlag des Philosophen kalt. Bloch war längst von allen DDR-Schlacken gereinigt worden, sein lebenslanges, revolutionäres Sozialismus-Projekt war nur mehr eine exotische Arabeske in der sakrosankt-sterilen *Suhrkamp*-Kultur.

Die hochnäsige West-Überheblichkeit hat unleugbar ihre tiefenpsychologischen Ursachen. Im verbalen Krieg, den der Sohn Joachim Unseld via *Stern* am 4. 3. 2004 seinem bösen Übervater Siegfried erklärte, wird das schöne Bloch-Wort »Ins Gelingen verliebt« glattweg den Säuen vorgeworfen. Auf den *Stern*-Verweis, in der Interpretation des Sohnes könne die Sentenz auch von Hitler stammen, antwortet Joachim Unseld: »Natürlich. Aber alle beten diesen Spruch von Bloch nach, weil mein Vater ihn verbreitet hat.«

Die penetrante Fehldeutung Blochs nutzt Unseld Junior zur Attacke auf den Senior, der als überlebenslanger Hitler-Junge erscheint. Da wird der Vater zusammen mit »Reich-Ranicki, Walter Jens oder Martin Walser« einer »Generation« zugeordnet, »die eine abgebrochene Kindheit und Jugend« hat. »1945 kam für sie der Riesenbruch, den sie mit einem gewaltigen Über-Ich kompensiert haben, das alles Spontane darunter hat verkümmern lassen, ein riesiges Narzissmus-Spektakel wurde da aufgeführt.«

Was soll das heißen? War der »Riesenbruch« für Reich-Ranicki identisch mit dem von Jens oder Walser? Rätsel über Rätsel ohne Lösung. Die Liebe zum Gelingen entfremdet ins Mißlingen.

Joachim U. weiter mit einer Frage: »Wollen Sie mal sehen, womit mein Vater gespielt hat?« Der *Stern* weiß es bereits: »Das ist eine Burg voller Soldaten mit Nazi-Uniformen und Nazi-Fahnen.« Und der Sohn kommentiert: »Das ist seine Kindheit. Mein Vater, 1924 geboren, ging durch diese ganze Nazi-Geschichte, wurde dann ins Wirtschaftswunderland entlassen. Er konnte nicht über sich selbst sprechen.«

Das liebliche Erzeuger-Porträt schneidet einem ins Herz. Junior schließt messerscharf, Senior habe sich auch aus frustrierter Führerliebe gegen ihn gewandt: »Jetzt spiele ich deinen Hitler und enttäusche dich! ... so wie Hitler mein Vater war, der mich enttäuschte.« Ein Trost, daß vermutlich weder Ernst noch Karola Bloch von dieser fatalen Genealogie erfuhren, zu deren Lebzeiten Siegfried Unseld seinen tiefen Schmerz über den verlorenen Vater Hitler wohl nicht so unverblümt aussprach.

Warum aber mußte Joachim Unseld in seiner wütenden Abrechnung mit dem Senior ein luzides Bloch-Wort pervertieren? Mag sein, für den *Suhrkamp*-Verleger war der Philosoph ein Therapeutikum, ein kultureller Gegen-Hitler, nur wurde er als bloßes Mittel gegen HJ-Erinnerungen benutzt, und daran krankt der ganze Laden. Siegfried Unseld lag an der Sanierung des eigenen Seelen-Haushalts, was noch akzeptabel wäre, ginge es nicht zu Lasten eines Potentials, das aus egomanischen Affekten verschleudert wird. Gesellschafts-, Kultur- und Wirkungsgeschichte interessierten höchstens soweit, wie der Verleger im gleichen Glanze mit erstrahlte. Wer von der Nazi-Bleisoldaten-Idyllik endlich Richtung Hermann-Hesse-Prosa ausbricht, hat bald große Rosinen im Kopf, für den revolutionären Bloch und seine Liebe zum Gelingen einer anderen Gesellschaft jedoch wenig Verständnis. Wie sollte dieser Verleger die Tragödie der Ostdeutschen auch nur erahnen, die um den Philosophen und sein Werk betrogen worden sind?

Ein wenig nehmen wir den Vater gegen den verletzten Sohn in Schutz. Die Edition der Werke von Brecht und Bloch bleibt ein Ruhmesblatt, so wie die Deckelung des Ostberliner *Aufbau-Verlages* durch dessen eigene Partei eine ewige Schande ist. Noch vor ihrem Ende beging die DDR Selbstmord auf Raten. Mit Recht war der Philosoph in Leipzig stolz gewesen auf den Zustrom von Hörern, der Gelehrte, weder überkandidelt noch abgehoben – ein Mann des Volkes. Die SED reagierte darauf mit Eifersucht. In Ost wie West wurden diverse Obrigkeiten ob der Wirkung Blochs nervös. *Suhrkamp* bot damals Schutz, Chance und Niveau. Man lese H. M. Enzensbergers treffliche Rezension von *Erbschaft dieser Zeit* im *Spiegel* Nr. 27/1962 und vergleiche damit die späteren Ausfälle des Autors bis hin zu dem obskuren Einfall, Hitler den Ländern der Dritten Welt zuzuordnen.

Anders Peter Handke. In *Kopf und Bauch* notierte ich 1971: »Peter Handke, der in Düsseldorf sagte: ›Du reagierst zu konsequent und böse ...‹« Drei Jahrzehnte später kann ich ihm das Kompliment zurückgeben, denn er erweist sich in Phantasie und Charakter als politisch standfest, das vitalisiert wohltuend mitten im postmodernen Panoptikum.

Nach Blochs Tod hatte Karola häufig in Frankfurt zu tun. Wenn möglich besuchte sie uns im Taunus, meist holten wir sie vom *Suhrkamp Verlag* ab und vernahmen, maßvoll interessiert, die neuesten Unseldschen Kultur-Kuriosa aus der Main-Niederung. Im Vorjahr schrieben wir dem enterbten, verstoßenen Sohn einen höflich verklausulierten Brief zum Thema Bloch, mit dessen Witwe er oft längere Gespräche geführt hatte, wie Karola uns jeweils erzählte. Gern hätten wir von ihm darüber etwas gehört.

Joachim Unseld wies verwirrt, wo nicht erschreckt unser Angebot zurück. War inzwischen selbst ein tüchtiger Verleger, doch wohl bis ins Endlose siegfriedgeschädigt. Vielleicht hätten wir ihm *Kopf und Bauch* schicken sollen, da geht's auch um die Beerdigung eines Vaters: Rein in den Sarg und Deckel drauf.

Durfte es im Hause Unseld nur Autorität, Folgsamkeit und Anbetung geben? Regierte das väterliche Kindheitsmuster weiter, das der Sohn »Narzissmus-Spektakel« nennt? Wir sehen darin eher einen typischen Lebenskonflikt der Bonner Gesellschaftsverfassung, um nicht direkt von Lebenslügen zu sprechen. Brecht und Bloch waren Kommunisten, nie jedoch parteikonform, nie kapitalkonform. Den Widerspruch nutzten sie produktiv, während dem westlichen Establishment seine Börsianer, Manager und Aufsteiger im Halse stecken bleiben. So enthüllt jede Psychopathologie ihre diagnostizierbaren Ursachen. Sohn Unseld mochte nicht begreifen, daß der Vater Achtung haben wollte vor den Träumen seiner Hitler-Jugend. Sie mußten verdrängt werden. Also kommt ein alter hinkender Ödipus ins Spiel.

Anamnese, Exploration und Analyse werden von Seelenklempnern als Therapie bereitgehalten. Die Mutter hatte sich vom Vater wegen dessen Affären scheiden lassen, an ihre Stelle rückt eine jüngere Schauspielerin, die verstörend attraktiv auftritt, und schon beginnt eine den Erdkreis bis in die Herzen der Darsteller erschütternde Tragödie. Wie ferngelenkt druckt dazu die stilvoll-boshaft kommentierende Tageszeitung *Junge Welt* am 6./7. März einen kurzen sachlichen Text über Blochs unorthodoxen, vitalen Materiebegriff, dem nicht ganz unironisch »Sex-Appeal« bescheinigt wird. Am Ende heißt es: »Der Bloch war gar nicht so blöd, wie vor allem seine Anhänger tun.« Da hat sich der Verfasser zielsicher ausgekotzt. Denn, vergessen wir nicht, immer noch steht das Bloch-Wort »Ins Gelingen verliebt« zur Disposition, das anläßlich eines Vatermordes auf Hitlers Müllhalde transportiert wird. So spielt das Leben im wilden Westen seine Irrungen und Wirrungen durch. Im Osten war Blochs Philosophie politisch in einem Maße ernstgenommen worden, daß der Staat mit volkseigenen Kanonen auf Spatzen schoß, die sich in seinen Augen zu Geiern zu mausern schienen. Im Westen langt es gerade noch zum Kleinen Fernsehspiel einer Familienserie, angesiedelt im kulturellen Milieu, und animiert schaut die glücklich vereinte Nation zu. Das eben ist Kunst.

Nehmen wir die Groteske ernst.

Joachim U. darf wissen, so mancher ehemalige HJ-Knabe mauserte sich zum aufrechten Anti-Nazi. Das Leid von Siegfried U. über den ihn enttäuschenden »Vater Hitler« hat vielleicht insgeheim doch eine Reflexionsebene erreicht, vergleichbar der Thomas Manns in seinem Essay *Bruder Hitler,* an den Ingrid sich erinnert und in dem der Romancier mit dem »unangenehmen und beschämenden Bruder« in einer Mischung von Abscheu und Faszination abrechnet. Im übrigen ist Vater Unselds Zweitfrau die vormalige Schauspielerei nicht übel anzukreiden. Beinahe hätte die Schöne, so will es ein Frankfurter *on dit* wissen, die Hauptrolle in Robert van Ackerens Kultfilm *Die flambierte Frau* bekommen, in dem Gudrun Landgrebe als Domina dann Weltruhm errang. Wo aber Nietzsches Peitschenknall zu vernehmen ist, mit der Peitsche in den richtigen weiblichen Händen, sollte Blochs Faible für elegante Kolportage, rasante Frauen und widerspenstige junge Leute nicht fern sein.

Wären Unseld-Sohn und Papas junge Witwe bei Sinnen, vereinigten sie ihre phänomenalen Energien, was wir uns ganz egoistisch wünschen, weil dann dem im Verlag vernachlässigten Ernst Bloch mindestens soviel Aufmerksamkeit zuteil würde, wie sie der von der heimatlichen Main-Metropole begünstigte Lokalphilosoph Adorno reichlich erfährt.

Der Verbund beider Energiepotentiale ist schon deshalb anzuraten, weil das unter den Fittichen des S. U. angesammelte Kollektiv nachgewachsener Talente mit dem Tod des Organisators selbst tödlich bedroht ist. Da rastet eine Firma von der Infantilität direkt in die Senilität. Ach ja, die Prosperitäts-Linken gehen schlechten Zeiten entgegen. Verunsichert proben sie den neobürgerlichen Rechtsschwenk.

Rings um den alten *Suhrkamp*-Horst aber sammeln sich die postmodernen Feuilleton-Geier, aaswittend die krummen Schnäbel wetzend. Bestürzt fragen sich die Hinterbliebenen, wer nach Siegfrieds Tod die Büchner-Preise in Darmstadt einsammeln könne. Ein neues PR-Genie wird gesucht.

Schrumpfte Bloch derart im Westen zum Studenten-Gag, ging es im Osten um die Existenz. Reden wir, Genossen und Genießer, endlich Fraktur statt Sklavensprache: Für die Bonner Republik entwickelte sich der von Leipzig nach Tübingen abgegangene Denker zur hochverehrten Verlegenheit, einerseits gefeiert und gepriesen, andererseits von Golo Mann über Joachim Fest bis zu Helmut Schelsky als Revolutionär befeindet und in seiner Wirksamkeit blockiert. Die Frage bleibt, wie Denker und Kapital einander begegnen.

War die DDR einer falschen Philosophie gefolgt, verzichtet die Berliner Republik auf alle Philosophie und zieht das Chaos neoliberaler und konservativer Irrealitäten vor. Bloch ist der Klassiker einer erneuerten Existenzphilosophie, der Archetyp der neuen Alten, die als neue Jugend antraten und es blieben. Der früheste politische Eingriff und Angriff Blochs war sein Protest gegen den Ersten Weltkrieg. Daraus erwuchs sein Paradigma des *Aufrechten Ganges* trotz *partieller Sklavensprache* und temporärer Niederlagen.

Es ist an der Zeit, die Philosophie und Geschichte Blochs neu zu lesen und zu denken, statt moribund im Konservatismus der Weltbürgerkriege zu verharren. Die deutsche Politklasse befindet sich intellektuell und seelisch noch immer in den Schützengräben von 1917/18 und schwebt in Ängsten vor dem Dolchstoß in den Rücken. Die Feinde folgen einander in Ewigkeit: Franzosen, Russen, Spartakisten, Kommunisten, jüdische Bolschewisten, Terroristen, Islamisten ... Ohne Bloch ist die deutsche Philosophie und Politik ein Kriegsversehrter, dem der linke Arm fehlt.

Die organisierte Rest-Linke der Berliner Republik hat heute die Wahl, eine durch Bloch erneuerte marxistische Philosophie zu realisieren oder sang- und klanglos wie die fehlerhaft konstruierte DDR, wenn nicht gewaltsam wie die Weimarer Republik abzutreten. Hundert Jahre Arbeiterbewegung im Schlepptau bürgerlich-imperialer Kriegspolitik sind genug. Wenn die Linke nicht die seit 1914 organisierten Weltbürgerkriege hirn- und herzlos zu kontinentalen Schlachtfesten verlängern will, ist ihr Platz an der Spitze einer europäischen, wo nicht weltweiten Friedensfront nach dem Blochschen Motto: »Kampf, nicht Krieg«.

Beim Betrachten der hunderttausend Sympathisanten, die alljährlich im kalten Januar auf den Straßen Berlins der ermordeten Rosa Luxemburg und Karl Liebknecht gedenken, fällt die deutsche Stille um Leo Trotzki auf, die nur noch der russischen Stille gleicht, ein tiefes Loch aus Unkenntnis, Desinformation, Verlegenheit und Phantasiemangel. Der von Trotzki vorausgesagte Sieg des Kapitals über das Stalinsche Modell traf ein. Allerdings wird schon der Gedanke daran nicht gedacht, denn in der alten BRD war Trotzkismus eine so minimale wie possierliche Fußnote der Zeitgeschichte, bestenfalls für Geheimdienste interessant, in der DDR aber ein überdimensional sich erstreckender weißer Fleck, wenn auch voller Drohungen mit Parteiausschluß und weit Gefährlicherem. Das Tabu wirkt weiter, nur einige Autoren von Peter Weiß bis Ernst Jünger zogen vor Trotzki hin und wieder den Hut, denn es verschaffte in intellektuellen Kreisen einen Hauch rebellischer Aura. Die Sowjetgesellschaft verlor nach Lenins Tod mit dem Sieg Stalins über Trotzki ihre revolutionäre Alternative, und der »russische National-Sozialismus« laut Trotzki breitete sich in der Folge seines Sieges über den deutschen Nazismus gen Westen hin aus, was unseren deutschen Sozialismus-Versuch von vornherein mit einer doppelten Entfremdung belastete. Die DDR startete mit Bleigewichten an den Füßen. Dies zu erkennen, macht erst die erstaunliche Leistung deutlich, die in der DDR dennoch vollbracht wurde, mit der schweren Erbschaft Hitlers im Gepäck, den Stalinschen Fesseln im Hirn und der ständigen Kapitalbedrohung vor der Tür.

Fokussieren wir unsere Aufmerksamkeit Richtung Deutschland, ist Ernst Bloch die Alternative zur Stalinschen Sowjetphilosophie. Jedenfalls sahen wir das 1956 nach Chruschtschows Antistalinrede so. Im leicht animierten Zustand hielten wir eine innere Reformation des Systems für möglich, bis der ungarische Aufstand im Oktober jeden inneren Veränderungsversuch stoppte, weil die Funktionärsklasse zum Gegenschlag ansetzte. Ab 1957 waren wir ausgeschaltet.

Walter Ulbrichts Experiment, in den sechziger Jahren die DDR zu konsolidieren und seinerseits reformerische Modernisierungs-Prozesse von oben her anzustoßen, scheiterte an der ideologischen Zwangsjacke und ließ ihn selbst scheitern. Sein Nachfolger Honecker versprach viel, erreichte einiges, leitete aber bald die Stagnation ein. Das Ende von Sowjetunion und DDR war die absehbare, logische Folge. Man muß heute die Wurzel des Übels erkennen, ohne sich selbst aufzugeben. Dabei war bisher unbekannt, daß Ulbrichts Brief vom 28. 11. 56, über den wir berichteten, sich nicht nur gegen Bloch richtete, sondern auch gegen Johannes R. Becher. Laut Aktennotiz des MfS vom 26. 11. 56 signalisierte »die KP May«, daß »von Seiten des Kulturministers Genosse J. R. Becher veranlaßt wurde, daß am 27. 11. 1956, 20.00 Uhr im Haus der Wissenschaften Leipzig C 1, Dimitroffstr. eine Aussprache von Intelligenzlern stattfindet. Genosse J.R. BECHER spricht zu dem Thema ›Aktuelle kultur-politische Fragen.‹«

Der Kulturbund des Bezirkes Leipzig wurde verantwortlich gemacht, ca. 60 – 80 Personen einzuladen. Zu den eingeladenen Personen gehören Generalintendanten, Direktoren der Hochschulen u.a. Besonderen Wert legte Genosse BECHER auf den ZWERENZ-Kreis und den Schriftsteller LOEST. Besondere Einladungen werden zu dieser Aussprache nicht verschickt. Alle Personen werden fernmündlich geladen. Genosse WAGNER, Siegfried – Bezirksleitung der SED Leipzig, wurde ebenfalls eingeladen.«

Ein Vergleich der Daten ergibt: Becher signalisierte am 26. 11. 56 von Berlin aus seinen plötzlichen Besuch für den nächsten Tag in Leipzig. Das beabsichtigte Treffen wird hintertrieben, der Kulturminister fährt enttäuscht am Morgen des 28. 11. nach Berlin zurück. Am selben Tag richtet Ulbricht seinen Brief an den Leipziger Bezirkssekretär, durch den der Konflikt mit Bloch eskaliert. Becher muß auf dem 33. Plenum für seine Leipziger Verständigungsversuche vom Vorjahr zusammen mit Hager, Dahlem und Bredel Asche auf sein Haupt streuen. Die endgültige Abrechnung mit Bloch erfolgte noch im Dezember auf der Ebene des Kulturbundes, wo der Angeklagte sich zwar fintenreich widersetzte, für die DDR aber zur Unperson schrumpfte.

Trubel und Ärger wegen Bloch ist stets mit dessen permanent revolutionären Ideen verbunden. Fand Ulbrichts Brief vom Jahr 1956 seine Antwort in der repressiven Reaktion des DDR-Staatsapparates, grassierte das Unbehagen an Bloch auch in der Bonner Republik. Am 10. 3. 1991 sandte Ingrid Zwerenz folgende Leserzuschrift an die *FAZ:* »Joachim Fest schreibt am 9. 3. 1991 in seinem Bloch-Porträt: ›Über Mangel an revolutionärer Unruhe brauchen wir keine falschen Sorgen zu haben, versicherte der Philosoph noch 1980.‹

Nun war Ernst Bloch gewiß eloquent, doch als Toter dürfte er kaum noch gesprochen haben, auch wenn Joachim Fest derlei vernommen zu haben vermeint. Bloch starb im Jahre 1977.«

Der Leserbrief blieb ohne Antwort. Wir haben verstanden: 1957 beschuldigte Walter Ulbricht den Philosophen der Konterrevolution im Osten, 1980 sah Joachim Fest, damals *FAZ*-Mitherausgeber, den Denker im Westen revolutionäre Unruhe verbreiten. So zweifach bescheinigt, ist die Unsterblichkeit des ewigen Ketzers und konterrevolutionären Revolutionärs Ernst Bloch gewiß. Wurde er im Osten administrativ verhindert, besorgte es im Westen die konservative Klasse. Die 68er aber hatten sich mit ihrer Bloch-Euphorie nur einen studentischen Jux geleistet, wie ihr rasantes Abrücken ins Vergessen erweist. Es geht immer zu wie anno 1848 – mit politischen Krämerseelen ist keine Revolution zu machen. Selbst zur intellektuellen Revolte sind studierte knieweiche Jammer-Wessis höchstens im kurzen Haschischrausch fähig.

Den klassischen Musterwessi Siegfried Unseld erlebten wir ein rundes Dutzend Mal. Beide äußerten wir uns in verschiedenen Medien darüber nicht ganz ohne Ironie. Was er nicht gut vertrug. Seine Nervosität auf Blochs Beerdigung wegen Rudi Dutschke überraschte nicht.

1973 fand in Frankfurt/Main ein Kongreß *vernünftiger schreiben – reform der rechtschreibung* statt. Eingeladen hatten die Gewerkschaft Erziehung und Wissenschaft, der Schriftsteller-Verband und das PEN-Zentrum. Bei der Podiumsdiskussion saßen Unseld und ich Schulter an Schulter. Für ein Pressefoto stellte sich der damalige Vorsitzende der Gewerkschaft, Erich Frister, zwischen dem Verleger und mir auf. Das Bild spricht Bände. Die dreiköpfige Drachenfigur fand sich reihum in den Zeitungen. Als ich das Foto sah, erfaßte ich erst den Ernst der Lage. Wir blicken drein wie beleidigte Lamas, die Speichel zum Spucken sammeln. Den Grund für soviel Unbehagen weiß ich nicht mehr, beginne ihn aber zu ahnen, schlage ich das *Fischer*-Taschenbuch von 1974 auf, das den Kongreß dokumentiert. Die Rückseite zieren freundliche Worte von Heinrich Böll: »Eine sprache verliert weder an informationswert noch poesie, wenn sie – wie die englische und dänische – von der groß- zur kleinschreibung übergeht.« Dann folgen meine luftigen Eingangssätze zum Kongreß: »Sie verlangen hier eine gemäßigte kleinschreibung, eine kleine reform, ein reförmchen, den großbuchstaben soll's an den kragen gehen. Ich bin nicht sicher, ob die buchstaben sich das gefallen lassen, viel weniger groß und viel öfter klein zu erscheinen; wer hat so was schon gern.«

Meine Ironie, die Großbuchstaben betreffend, muß Unseld wohl in den falschen Hals bekommen haben. Die beabsichtigte umfassende Reform geriet später ohne unser Zutun zu der Karrikatur, an der die schreibende Zunft noch heute leidet. Inzwischen produziert die SMS-Generation ihre ganz eigenen Sprach-Verstümmelungen, mit denen die Rückkehr zur Grunzkultur der Neandertaler garantiert ist. Denen muß Gutenbergs Druckerpresse erst noch erfunden werden.

Beim bereits erwähnten Gespräch über die geplante *Weltbühnen*-Rezension, die dann am 24. 2. 1954 erschien, legte Bloch besonderen Wert auf seinen Essay *Keim und Grundlinie* in Heft 2 der *Deutschen Zeitschrift für Philosophie,* den ich in meiner Besprechung denn auch eigens empfahl, allerdings wohl nicht mit dem Nachdruck, den sich der Philosoph erhofft hatte. Als ich *Keim und Grundlinie* später als

19. Kapitel und radikal umbenannt in »Weltveränderung oder die elf Thesen von Marx über Feuerbach« im ersten Band *Das Prinzip Hoffnung* wiederfand, blieb mir glatt die Spucke weg. Es war in Sklavensprache eingeschmuggelte, unerhörte Konterbande, entdeckt und öffentlich angeprangert jedoch erst drei Jahre darauf.

Helmut Seidel, Blochs Nachfolger auf dem Leipziger Lehrstuhl, sprach im Dezember 1997 anläßlich des Leipziger Bloch-Kolloquiums über dieses verrückte Kapitel und referierte die von Bloch vorgeschlagene Umgruppierung der Marxschen Feuerbach-Thesen. Als ich diesen Vortrag später nachlas, ließ mich die Bemerkung stutzen, das Kapitel 19 sei als Aufsatz unter dem Titel *Keim und Grundlinie* entweder »in Leipzig verfaßt, gewiß aber hier vollendet worden.« Da erinnerte ich mich wieder Blochs damaliger Erwartungshaltung und schlußfolgerte, der Text müsse in Leipzig entstanden sein, und zwar als Reaktion auf herbe Erfahrungen, die nicht im US-Exil, sondern erst in der DDR gemacht worden sein konnten.

Der Sohn Jan Robert Bloch, den wir nach den Originalschriften des Hauptwerks fragten, verwies ans Ludwigshafener Ernst-Bloch-Zentrum, wo sich die entsprechenden Manuskripte befänden. Der dortige Archiv-Leiter Dr. Karlheinz Weigand bestätigte umgehend unsere Annahme.

Abgesichert durch vier Stalin-Zitate, formulierte Bloch im Text seine Kritik an der Mißachtung jedes neuen philosophischen Gedankens und wagte Sätze wie »Das Subjekt in der Welt ist auch Welt«, welche Aussage Ingrid faszinierte, die Ideologiewächter jedoch verstörte, vom subjektiven Faktor in der Geschichte wollten sie nichts wissen. Der Philosoph tranportierte auch sein Unbehagen am weitverbreiteten mechanischen Materialismus und anderen Partei-Dogmen zu einer Leserschaft, die derart harsche Bemerkungen sonst nicht zu Gesicht bekommen hätte. Die Brisanz des Essays war mir 1954 durchaus bewußt, nicht begriffen hatte ich Blochs dringliche Aufforderung, das Thema Sklavensprache zu bearbeiten.

Weil mir erst nach und nach dämmerte, was gemeint war, begann ich es nach dem Tod des Philosophen 1977 in einer speziellen Form von Prosa-Versen zu notieren. 1988 skandalisierte mein Antikriegs-Buch mit dem Tucholsky-Titel *Soldaten sind Mörder* die Öffentlichkeit, trug mir zwei

Dutzend Strafanzeigen und Ermittlungsverfahren ein und beschäftigte mich mehr als ein Jahr hindurch mit Lesungen und Diskussionen.

Ein zweiter Band, der das Thema fortführte, erschien 1989 unter dem Titel *Vergiß die Träume deiner Jugend nicht* und war schon durchzogen von den erahnten, bevorstehenden Veränderungen der Großwetterlage. Mir schien es an der Zeit, meine zweiundzwanzig Sklavensprach-Gedichte in eben dieses Buch aufzunehmen. Blochs Philosophie würde jetzt erneut entdeckt werden, dachte ich, auf die Ideen sozialistischer Freiheit setzend. Wo ich vor Publikum die Prosa-Verse rezitiert hatte, waren sie verstanden und mit Beifall bedacht worden. Die anlaufende falsche Vereinigung jedoch bedurfte unserer schönen Weisheiten nicht. Heiner Müller las die Texte und zuckte zurück, soviel revolutionäres Blochianertum wollte er sich lieber nicht zumuten, hatte er doch gerade erst höchst animiert Ernst Jünger besucht und mit ihm gemeinsam gegen Wolfgang Harich geätzt.

Blitze der Verdammung schleuderte die *FAZ* im Oktober 1989 gegen mein unschuldiges Buch und die meine Bloch-Erfahrungen variierenden Verse. Außerdem hatte ich als Kurzgeschichte Erlebnisse zwischen den Fronten im Ostkrieg und meine Fahnenflucht im Buch präsentiert – Desertion plus Blochsche Revolution, das ging den Feuilletonpatrioten von der mainischen Heimatfront zu weit. Im Übereifer druckten die *FAZ*ken ihre als Rezension ausgegebene ruppige Abmeierei gleich an zwei Tagen hintereinander wortwörtlich ab. Soviel Luft mußten sie sich dort machen mit Hilfe eines großfressigen Luftikus. Intransigente *FAZ*-Verdikte über Autoren von Abendroth über Giordano bis Zwerenz sind dort beste Tradition.

1961 war ich ein »nicht zu übersehender Berater des Westens«, was mich ein wenig erschreckte. 1966 paßte ihnen unser Protest gegen den Vietnam-Krieg nicht, so wurde Wolfgang Neuss zum »angemaßten Volkstribun«, und ich fiel durch ein »Pamphlet« und die »aparte intellektuelle Blässe meines Gesichts« unangenehm auf. In der Tat war ich damals sehr blass, doch rührte das weniger von meinem Kopf als vielmehr von einem Zwölffingerdarmgeschwür her. So wurde ich immer mal auf verschiedene Weise bedacht. 1994 näherte sich »das Regimeopfer Zwerenz« seinen »Feinden von einst ... in der irrwitzigen Hoffnung, daß sie ihn ... in Gnaden aufnehmen, umarmen und wegküssen werden von ihm alle Wunden, die sie ihm schlugen.« Zwischendurch besaßen meine Erzählungen »Leuchtkraft« und ein Karl Korn höchstselbst billigte mir gar »viel epische Kraft und das heißt sprachliche Kraft« zu, bis ich dann wieder nur meine »bewegliche Vergangenheit vermarkten« wollte, was in der *FAZ* offenbar nur bei Angriffsgenerälen wie Erich von Manstein, nazitreuen Ostlanderoberern wie Theodor Oberländer oder emsigen Kriegshinrichtern wie Erich Schwinge erlaubt ist, während Zwerenz anders als die *FAZ*-Helden »nicht die Kunst des Schreibens« erlernte.

Die maßlose Haß-Sucht erinnert an jenen Wolgodonsker Trink-Wettbwerb, bei dem der Sieger den Preis von zehn Flaschen Wodka nicht entgegenehmen konnte, weil er sich gerade totgesoffen hatte. Fortgesetzte Lobsprüche in einem Blatt, das die permanente Artikulation zentraler Großkapitalinteressen aus dem vollen Bauch heraus betreibt, wären mir so peinlich wie unangemessen erschienen. Zudem, wir genehmigen uns die Erinnerung, leidet diese Zeitung unter stetig wachsender *Bild*-Konkurrenz. Jetzt leistete sich der Feuilletonchef gerade einen Bestseller mit Parteinahme für die Alten in der Gesellschaft. In den Jahren zuvor bekam man ihn in einigen TV-Sendungen zu Gesicht, bei Gaus z. B. vollbäuchig hingefläzt im Sessel, neuerdings überaus manierlich im gutgeschnittenen Jackett, ganz altersweiser, umgänglicher Strahlemann. Sein Buch ist gar so gut geschrieben, als stammte es von einem autarken, passablen Autor und nicht vom kommandierenden General der Welt unterm Strich. Wir gönnen ihm die Bucheinkünfte, und falls seine *FAZ* pleite geht, hat er immer noch was zu knabbern. Da macht das Altern Spaß. Unter Verzicht auf jede Retourkutsche reagieren wir mit offenem Visier auf die Maschinengewehrattacken nicht mit schwerem Säbel, sondern mit der Fliegenklatsche.

War ich einst anerkanntes »DDR-Regimeopfer«, erlaubte ich mir ab 1990, zwölf Jahre lang im mir zuvor eisern verriegelten *Neuen Deutschland* zu schreiben, und wurde deshalb von der *FAZ* auf die Analyse-Couch verfrachtet. Wir würden sogar für die *FAZ* arbeiten, befreite sie sich von ihren oberen Klassenherrschaften, wie sich das *ND* immerhin aus seinen Politbüro-Fesseln zu lösen wußte. Zur Abwechslung hier statt einer Bloch-Sentenz ein weises Nietzsche-Wort:

»Sie erbrechen ihre Galle und nennen es Zeitung.«

Wenden wir uns wieder der Welt der Erwachsenen zu: In Siegfried Prokops Buch über Wolfgang Harich *Ich bin zu früh geboren* ist dessen *Memorandum für Botschafter Puschkin* aus dem Jahr 1956 abgedruckt. In einer »Anlage 2« wird »Zur Frage der Grenzregelung im Osten« festgestellt, daß es »keine offizielle Verlautbarung der UdSSR« über die Grenze zwischen Polen und der DDR gebe. Harich regte deshalb unverfroren Grenzveränderungen an, wie sie in diesem Ausmaß kein Vertriebenenfunktionär zu formulieren wagte. Bei unvoreingenommener Lektüre fragt man sich, ob Harich klar bei Verstand gewesen sei, als er die Schrift verfaßte und dem Sowjetbotschafter zustellte. Daß er nach seiner Inhaftierung fürchtete, deswegen mit dem Tode bestraft zu werden, beweist: Harich war nun wieder im Vollbesitz seiner Denkfähigkeit, wenn auch erst als Schock-Folge.

Liest man kühlen Kopfes seine die Grenzfrage betreffenden Passagen, zeigt sich, daß ihr Autor Sicherungen eingebaut hatte. Seine Hauptsorge galt dem Bestand der DDR, die schon von der Fläche her der Bundesrepublik unterlegen sei, weshalb ihre Erweiterung zu erwägen wäre.

So marxistisch-analytisch das begründet wird, so weltfremd erscheint es angesichts der Machtlage in den fünfziger Jahren. Will man Harich nicht als monomanischen Selbstmörder einordnen, bleiben nur zwei Annahmen übrig, die sein Memorandum erklären können: entweder befand er sich im seelischen Ausnahmezustand, weil er eine Wiederholung der Konflikte vom 17. Juni 1953 und deren Eskalation befürchtete, oder er war von geheimdienstlicher Seite zu dem Projekt ermuntert worden. Letzteres mag bei seinen schwer durchschaubaren Sowjet-Verbindungen nicht ausgeschlossen sein, ich halte aber den seelischen Ausnahmezustand für näherliegend, hatte ich doch Harich im Jahr davor schon einmal bei einer außerordentlich animierten Deutschland-Schwärmerei erlebt. Betrachtet man es unter dem Aspekt von Sklavensprache und Revolte, erhellt sich das Dunkel seiner Aktionen und Reaktionen etwas. Zwar war die unangepaßte Intellektualität des jungen Philosophen durch parteiliche Disziplinierung eingeschränkt worden, doch sein anarchisches Naturell legitimierte die Ausbrüche und Grenzüberschreitungen durch Rückgriff auf die Autoritäten Lukács und Bloch, die beide von der

Partei erst in der Folge des Ungarischen Oktober 1956 zu Feinden erklärt wurden. Der Bruch, der die diversen Varianten der Sklavensprache beendet und mit klaren Worten die Revolte einleitet, war vorzeitig riskiert worden, die Macht der Partei noch zu groß, als daß sie sich zu Reformen hätte bereit finden müssen. So gesehen hatten Lukács wie Bloch die Taktik sprachlicher Tarnung zu rasch aufgegeben. Strategisch definiert erwiesen sie sich als zu früh gekommene (innere) Revolutionäre. Lukács saß in Haft, Bloch mußte privatisieren, Harich war am weitesten vorgeprellt und desillusionierte sich im Gefängnis zum Kronzeugen gegen seine ideologischen Ziehväter. Erscheint er in diesem Licht als sich selbst überschätzender Papiertiger, der mit gewaltigem Sprung gegen die Käfiggitter prallt, wird er bei anderer Beleuchtung zum Vorläufer einer Zeit, in der sich selbst Zuchthausmauern als brüchig erweisen. Negativ betrachtet waren Bloch, Lukács, Harich nur eine Art Wolkenkuckucksheim-Architekten, die einer Revolution zu dienen suchten, der diese zugelaufenen Bundesgenossen lediglich als angepaßte Propagandisten genehm sein konnten. Ihr Versuch, aktiv einzugreifen, wurde im Keim erstickt. Genau dieser Übergang von der Idee zur Aktion, von der Theorie zur Praxis zeigte das Potential der Ideengeber an. Sobald sie vom Entwurf zur Analyse und Synthese übergingen, entpuppten sie sich als zweifelhafte Kampfgenossen, mit denen die Partei, festgezurrt in ihren ideologischen Dogmen, nichts anzufangen wußte. Denn die regierende SED erlag einer Krankheit, die wir von den bürgerlichen Parteien her nur zu gut kennen: Der verbissene Kampf um die Macht führt zur Negativauslese. Was oben schwimmt, ist nicht nur fett, sondern völlig entfremdet. Westdeutschen Mißverständnissen folgend, stochern heute mediokre Philosophie-Experten in Blochs und anderen Texten herum, ohne zu ahnen, was die elfte Feuerbach-These von Marx für Bloch bedeutete. Philosophie als luxuriös angeödete Onanie jedenfalls nicht.

Das ist der bleibende Riß zwischen Ost und West, Marx und Murks, Bloch und Adorno, in den Weiterungen wird daraus: Hier Bloch und die Blochianer, dort Heidegger & Co. mit ihrer fatalen ewigen Rückwärtsspirale, die zu dementieren bleibt. Das walte Ernst.

Zu den in der *Frankfurter Allgemeinen Zeitung* feuilletonistisch exekutierten autobiographischen Schilderungen gehören Passagen über den Warschauer Aufstand und die Kurzfassung meiner daraus resultierenden Fahnenflucht am 21. August 1944. Kurz all das, was ein rechter Deutscher nie tun darf. Das ging damals so: Im Stundenabstand waren Flugzeuge in der Luft. Sieben Stukas dröhnten über uns hinweg und stießen auf die am Horizont sich abzeichnende Trümmerstadt Warschau herunter. Aus den Brandwolken auftauchend, kurvten sie ins Hinterland, neue Ladung holend. So legten sie Straßenzug um Straßenzug nieder, der Einschließungsring zog sich immer enger um den Stadtkern.

Wehrmacht, Polizeitruppe, SS und die Einheit Dirlewanger drangen in die Kellertrümmer vor. Prasselndes Kleingewehrfeuer, Schreie, Detonationen von Handgranaten.

Der verfluchte Gedanke bohrte und bohrte, dies ist nicht dein Krieg. Wenn sie uns zurückbrächten in die Stadt, wäre es zu spät. Ist der Befehl erst einmal erteilt, führt die Verweigerung vors Kriegsgericht. Ich duckte mich unterm Feuer der Roten Armee und war es froh. Lag und hoffte auf eine Lücke in der Front, durch die sich verschwinden ließe. Aber wohin. Die Stukas dröhnten heran, nahmen Kurs auf die Stadt und stießen nieder. Es ist nicht mein Krieg. Wie läßt er sich beenden. Wenn ich mich so weit durchgerungen hatte, aufzuhören, sank der Mut. Hast den Schlamassel in Monte Cassino überstanden, was hindert dich, den von Warschau zu überstehen. Der Unterschied: In Monte Cassino gab es nur Soldaten. In Warschau eine Bevölkerung. Und Aufständische, mit denen ich sympathisierte.

Ich war so entschlossen, dieser Seite der Welt, auf der die Wehrmacht und das Deutsche Reich verzeichnet standen, den Rücken zu kehren, ich hätte jeden umgelegt, der mich daran hätte hindern wollen.

In den letzten Stunden steigerte sich meine Wahnsinnswut derart, daß ich den Oberschlesier, mit dem ich das Schützenloch teilte, zum Mitgehen aufforderte. Der Junge, der ausgezeichnet polnisch sprach, allerdings als Wasserpolacke das entsprechende Idiom, versuchte mir abzuraten, weil es der sichere Tod sei.

Als er merkte, es nützte nichts, gab er mir gute Ratschläge für den Umgang mit Polen. Ich hörte zu und hörte doch nicht, was er sagte. Es war mir vollkommen gleichgültig.

Bei aller Blindheit, Entschlossenheit und trotz aller Säfte aus den Kapseln der Mohnfelder ringsum machte ich mir eine keineswegs falsche Rechnung auf: Draufgehen konntest du an der Front seit einem Jahr jeden Tag. Draufgehen kannst du in der nächsten Zeit ebenso jeden Tag, und die fatalen Chancen steigen und werden weiter steigen. Das Risiko ist also nicht geringer als das Risiko, das du jetzt eingehst. Es war nicht politisches Bewußtsein, was mich bewog, die Blutfahne zu verlassen, es war gewiß keine Tapferkeit und auch kein moralisch hochwertiger Sinn, nein, ich war so voll Zorn, Wut, Enttäuschung und Ekel, ganz wie ein Faß, in das es regnet und das endlich überläuft. Etwas dachte, nein, wütete in mir, etwa: Zu euch gehöre ich nicht. Und daß ich zu den andern, zu denen ich kommen würde, wenn ich Schweineglück genug hätte, auch nicht gehören würde, das wußte ich nicht, konnte ich noch nicht wissen, das mußte erst noch erfahren werden.

Beim Rückzug nachts in der Erdhöhle liegengeblieben, warte ich ab, bis die vorrückende Rote Armee mit Donnerschüssen, Geschrei und Panzergeklirr westwärts entschwindet. Endlich hat der Krieg die Welt verlassen. Ich robbe ans Tageslicht. Zerfetzte Bäume und niedergewalztes Gebüsch. Droben über mir und dennoch nahe genug glänzt das rollende Auge des fremden Himmels. In die östliche Richtung pirschend, lege ich lange Strecken zurück, ein einsamer Wandersmann, ein Verrückter.

Die Tränen treibt mir der Hunger in die Augen. Der Magen stülpt sich um. Zwei Stunden lang beobachte ich das starre Dorf. Nichts rührt sich. Ich schleiche zur ersten Kate. Die Tür ist geöffnet. Die Fenster sind zerschlagen. Drei Katen durchsuche ich und finde nicht einen Happen Brot. Dann stehe ich vor dem gedeckten Tisch. Er ist auf einfache Weise gedeckt. Keine Teller, keine Schüsseln. Eine eiserne Pfanne nur in der Mitte und darin, ich traue meinen Augen nicht, ein gebratenes Huhn. Ich habe es verschlungen, ich habe mich an den Tisch gesetzt und das kalte Huhn auf einen Sitz verschlungen. Als ich fertig war, ging die Tür langsam auf, und Radjonnow stakte herein. Er glotzte mich erstaunt an, sah die leere Pfanne, und eine Welle des Zorns rötete sein gutmütiges Gesicht. So wurde ich gefangengenommen. Radjonnow, dem ich mein Leben verdanke, versetzte mir einen Schlag, daß ich über den Stuhl flog. Dann führte er mich über den Hof, wo ein zweiter Soldat gerade dabei war, einer nicht mehr ganz jungen Frau die Zeit zu vertreiben. Ich wunderte mich, wo so viele Menschen plötzlich herkamen. Der Soldat ließ die Röcke der Frau fallen. Ich mußte mich an die Wand stellen, die Arme heben.

Was tust du, Towarischtsch? fragte Radjonnow. Der zweite Soldat hob die Pistole. Zorn zeichnete sein junges, rundes Gesicht: Umlegen – prosto – einfach, ohne Umstände umlegen – Radjonnow trat vor die Mündung. Er war blaß. Du wirst dich besinnen – er ist mein Gefangener. Du hast dich mit der Frau vergnügt, und ich hab Krieg geführt. Also gehört der Fritz mir. Das Weib beobachtete angespannt die Auseinandersetzung und packte den Soldaten am Ärmel. Das machte ihn wild, er riß sich los und fuchtelte Radjonnow mit der Waffe vor dem Gesicht herum.

Was willst du anfangen mit dem Njemse, he? Willst ihn vielleicht wegbringen – soll ich allein bleiben? Und unseren Befehl vergißt du, was? Mach ein Ende mit ihm, sag ich dir – prosto!

Radjonnow schüttelte beharrlich den Kopf. Seine großen Ohren röteten sich: Er ist mein Gefangener – und Genosse Stalin hat befohlen, kein Gefangener darf mehr getötet werden – ponimaju?

Der Genosse Stalin – ist er vielleicht hier, was? Hier ist niemand außer uns. – Du willst dich Stalins Befehl widersetzen? Das werde ich nicht zulassen. – Wer soll dich verstehen, Wassili, noch im vorigen Monat hast du nicht danach gefragt, bei Shitomir schickten wir die Njemses in den Himmel, da warst du nicht zaghaft, Wassili. – Damals gab es den Befehl des Genossen Stalin noch nicht, sagte Radjonnow bedächtig und schlug mit kräftiger Hand eine Mücke tot, die sich auf seiner Stirn niedergelassen hatte.

Und Radjonnow führte mich unverdrossen einen ganzen Tag lang durch das sonnendurchglühte Land. Hinter uns, als wir das Dorf verließen, vergnügte sich der zweite Soldat wieder mit der Frau. Wir trotteten den Weg entlang, die nächsten Menschen trafen wir erst am Nachmittag. Es waren drei junge Polen, und ihre von Hunger und Angst ausgehöhlten Gesichter blühten auf und glänzten eifrig, als sie sich auf mich stürzten. Ich sah, daß Radjonnow sich nicht einmischen wollte, und setzte mich zur Wehr. Bald lag ich mit dem Gesicht im Dreck. Jetzt wurde es Radjonnow zu bunt, und er jagte die drei Polen zurück. Sie ballten die Fäuste und beschimpften ihn. Radjonnow fluchte und lachte glücklich. Meine Hände und mein Gesicht bluteten. Radjonnow feuerte jauchzend einen Schuß in den Himmel; so zogen wir weiter, und meine Dankbarkeit für Radjonnow wuchs ins Grenzenlose.

Allmählich füllte sich das Land. Soldaten kamen den Weg entlang. In unordentlichen Trupps marschierten sie, die Köpfe gesenkt, Staub auf den Helmen.

Ein junger Soldat mit blondem Haar sang ein Lied: »Schiroka strana moja rodnaja«.

Als er mich sah, brach die kindliche Stimme ab. Ein Ausdruck tödlichen Schreckens trat in das Gesicht des Vorsängers. Radjonnow, der Gütige, winkte dem Jungen zu, und der sang, zögernd erst, weiter. Mit dumpfen, erstickten Stimmen fielen die anderen wieder in das Lied ein: »Ja drugoi takoi stranu nje snaju, gde tak woljen otschen tschelowek«.

So führte Radjonnow mich die Straße hin, begleitet von Flüchen und Liedern. Ich bekam Schläge und Tritte, man schenkte mir Brot und Zigaretten, lachte mir zu und beschimpfte mich. Vor den Mißhandlungen durch Panzerfahrer bewahrte mich Radjonnow. Als die rasselnden Kolosse auftauchten, verließen wir die Straße und gingen über die Felder. Dann kam das Stabsquartier in Sicht, und Radjonnow bat mich um meine Auszeichnungen. Er fluchte zufrieden und lächelnd, als ich das Blech in seine Hand legte. Er hätte mir die Orden einfach abreißen können, aber er war ein stolzer Mann und bat mich darum.

Im Stab wurde ich einer Runde höherer Offiziere vorgeführt. Sie erkundigten sich höflich nach meinem Befinden, gaben mir Wasser zu trinken und fragten, was ich von der Sowjetunion hielte. Ich war glücklich über meine Rettung. Die Herren klopften mir wohlwollend auf die Schulter, eine Ordonnanz brachte Wodka in deutschen Kochgeschirrdeckeln. Jetzt schnippte sich jeder mit dem Zeigefinger gegen die Kehle, und einer der Offiziere rief mit hartem russischem Akzent: »A votre santé!«

So tranken wir auf die deutsch-sowjetische Freundschaft. Hernach kamen zwei junge, freundliche Offiziere mit grünen Mützen. Sie führten mich zu einer Baumgruppe seitab vom Stabsquartier. Ich mußte mich ausziehen und wurde fürchterlich verprügelt. Danach begann die Vernehmung. Ich dachte immer an Wassili Radjonnow, der jetzt wieder unterwegs war zur Front und der mich hätte töten können. Die Dankbarkeit ließ mich die Schläge kaum spüren. Was sind schon ein paar Hiebe, wenn dir ein Mensch dein Leben geschenkt hat. Ich sang das Lied der in den Kampf ziehenden russischen Soldaten, die ihr Vaterland priesen: »Ja drugoi takoi strany nje snaju, gde tak wolno dyschit tschelowek ...«

Denn ich weiß kein andres Land auf Erden,
Wo das Herz so frei dem Menschen schlägt ...

Als es vorbei war, brachte mir ein Muschik ein Kochgeschirr voll Wasser. Ich spuckte meine Zähne ins Gras, trank das Wasser, blickte in den geröteten Himmel und sprach: Welch ein Glück, ich hab diesen Krieg überstanden!

Das geschah im August 1944.

Ganze 32 Jahre später, am 19.7. 1976 erfuhr ich, daß die Behörde, sie heißt amtlich »Deutsche Dienststelle für die Benachrichtigung der nächsten Angehörigen von Gefallenen der ehemaligen deutschen Wehrmacht« mich immer noch als Vermißten führte, was ich am 4.8. 1976 fröhlich dementierte. Ein nicht minder großes Vergnügen bereitete mir, daß ich nochmal zwanzig Jahre später, am 9.5. 1996 in der Debatte des Deutschen Bundestages zur Rehabilitierung von Deserteuren des Zweiten Weltkrieges eine Rede halten durfte. Ich sagte laut Protokoll:

Wie kann ich – das habe ich mir überlegt – Ihnen in drei Minuten, die mir zur Verfügung stehen, erklären, wie dem Wehrmachtsdeserteur vor mehr als einem halben Jahrhundert zumute war und wie ihm heute in diesem Haus angesichts solcher Diskussionen zumute ist? Wie kann ich – frage ich mich – bestimmten Leuten in diesem Haus erklären, weshalb ich in der Zeit an der Front mehr Scham als Angst und bei der Desertion große Angst, aber endlich keine Scham mehr empfunden habe? Ich muß gestehen, ich kann dies nicht erklären.

Deshalb nur soviel: Deutschland hat von 1939 bis 1945 einen Angriffskrieg geführt, noch dazu einen nationalistisch-rassistischen. Wer sich der Teilnahme an diesem Angriffskrieg aus welchen Gründen auch immer entzog, handelte völkerrechtsgemäß, und das heißt und kann nur heißen rechtmäßig.

Wer – wie viele Konservative in diesem Haus – dies auch nur in Einzelfällen bestreitet, sagt damit, die betreffenden Soldaten hätten die Teilnahme an diesem völkerrechtswidrigen Angriffskrieg fortsetzen müssen. Sie beglaubigen damit nichts anderes als die Marschbefehle der Wehrmacht. Sie legitimieren im nachhinein den deutschen Eroberungs- und Vernichtungskrieg.

Sie sollten sich sehr gut überlegen, ob das Ihre Botschaft an die Jugend und an die nachfolgenden Generationen sein kann und sein soll. Den Rest meiner Redezeit – es dürften noch knapp zwei Minuten sein – stelle ich Ihnen zum Nachdenken über diesen unglaublichen Fall von Verspätung zur Verfügung. Danke.

(Lebhafter Beifall bei der PDS – Beifall beim Bündnis 90/
Die Grünen sowie bei Abgeordneten der SPD)

Am 8. 3. 2004 lese ich in der *FAZ:* »Anders als Hitler, mit dem er im rein militärischen Ziel der Niederwerfung der Sowjetunion übereinstimmte, war Oberländer der Ansicht, daß dies mit einer Versklavungs- und Ausbeutungspolitik nicht zu erreichen sei.« Eine moderate Eroberung also sollte es sein. Am Ende der Eloge wird die »Ehre von Theodor Oberländer« erwähnt. Der in der Wolle gefärbte Erznazi als honoriger Mann. Schwer ist es, Pazifist zu bleiben, geht einem das Messer in der Tasche auf. Zu beneiden sind da sanftmütige Christen, die bei ihrem Gott Beistand gegen alle Versuchungen finden.

Am 18. 9. 03 las ich im selben Blatt gegen Polen gerichtet: »Doch daß die Wunden, die sich Europas Völker im vergangenen Jahrhundert schlugen, weiter schwären und schmerzen, zeigt sich immer dann, wenn jemand an der dünnen Schicht der staatlich erzeugten Formelkompromisse ... kratzt ...«

So wird Kriegsschuld ausgeglichen, Angreifer oder Überfallener – wer schert sich noch um den kleinen Unterschied?

Ich muß an Warschau im August 1944 denken, an den Aufstand und die Nacht, in der ich, meine Waffe entsichernd, Richtung Osten davonging und erkenne beschämt: Der alte Feind steht mitten im Land und hat nichts dazugelernt. Seine Unfähigkeit zum autarken Antifaschismus resultiert aus der Unfähigkeit zur reflektierten Humanität. Emsig sind sie beschäftigt, die Welt zu weimarisieren. Ihre Scheu gilt unserer Widerstandsphilosophie. Kein Wunder bei einem Parlament ohne linke Gegenkraft. Das kulturelle Erbe der Arbeiterbewegung mitsamt ihren politischen Traditionen verlottert. Unser DDR-Kulturerbe ist mit dem Staat abgeschafft worden, postmoderne Hampelmänner mit austauschbaren Gehirnen suchen den Verlust vergessen zu machen. Konterrevolutionäre Sklavensprache dröhnt aus den Medien. Aufgepeppte Heilige werden von Fans belagert, bis sie ihr durch Gebrauch signiertes Toilettenpapier verstreuen, das die Anhängertrupps sich daheim übers Bett kleben. So macht mancher noch aus Scheiße Goldene Schallplatten.

Genug davon. Wer zu tief bohrt, kommt auf der anderen Erdseite als sein eigener Antipode heraus.

Was also sind Blochianer? Sie entziehen sich dem Ausbruch der Vulkane, die statt kochender Lava ausgekochte Gangster hervorschleudern. Da ist kein Mitmachen, Mitlaufen, Mitsingen, kein Vertuschen, Vertauschen, Verdummen, da sind wir Ungläubigen dem polnischen Papst nahe, der zum Krieg Nein sagt und dabei bleibt. Die Kirchen und Parteien leiden am Mitgliederschwund. Blochianer brauchen weder Kirchen noch Parteien, können aber drin sein, wenn's beliebt. Wenn jeder Politiker sich als Sonne ausgibt, und Planeten um sich sammelt, ist es Zeit, als Komet oder Sternschnuppe zu überraschen. War Hitler der Bauchredner des deutschen Volkes, bieten die Anhänger des Philosophen dagegen ihr Prinzip Bloch an. Nicht zum Nachahmen, aber zum Nachdenken, Nachfühlen und zum überleben. Bloch wurde bisher nur zum Teil entschlüsselt. Die machthabende Elite verträgt keine plurale Klarheit. Es gibt keine Gemeinsamkeit zwischen unserem Projekt Bloch und dem Krieg. Es sei denn zur revolutionären Abwehr.

Revolutionäre Tragik, die zur roten Melancholie führt, wie Fritz J. Raddatz bemerkte, ermächtigt niemanden, unser sozialistisches Projekt DDR als absolut mißlungen abzutun. Arnulf Barings Prophezeiung, die DDR werde bald vergessen sein, ist so grundfalsch wie der schräge Fleiß vormaliger 68er, sich per Rechtsdrall auf die leergeräumten Sessel ihrer einst verdammten Eltern zu hieven. Da steht der alte, ewig junge Bloch quer im Wege und die akademisierten Verräter ihrer eigenen besseren Vergangenheit hüpfen gespenstisch um ihn herum, lauter Schlemihls, die außer ihren Schatten das ganze Leben verkaufen. Schopenhauer war jahrzehntelang vergessen, bis seine Sprachkunst und schöne Traurigkeit begriffen wurden. Blochs tragischer Optimismus mag in heutigen Weltzuständen so disparat erscheinen wie der individuelle Anstand normaler Menschen, es bleiben Person und Werk. Was vermag dagegen eine Nachkommenschaft auszurichten, der die Mühen der Verleugnung ins Gesicht geschrieben stehen?

2006 werden exakt fünfzig Jahre seit Ulbrichts Bloch-Verbot vergangen sein und hundert Jahre seit Blochs erster originärer Veröffentlichung, in der er zu Nietzsche anmerkte, der habe die richtigen Fragen gestellt, aber die falschen Antworten gegeben. Um die Antworten Blochs werden die Fragenden noch immer betrogen. Denn die deutschen Intellektuellen besteigen mit Vorliebe den falschen Dampfer: 1914 Kriegs-Euphorie, 1918 Horror vor der Revolution, 1933 Begeisterung für Hitler und erneuter Kriegsmarsch, 1945 Unschuldsbeteuerung, anschließend Staatsteilung und Vereinigung, gekrönt durch blindes Engagement für die militärische out-of-area-Politik.

Die Revitalisierung von Marx durch Bloch dagegen soll einfach nicht stattfinden. Der Anti-Kriegskurs wird belächelt und beschimpft, als ginge es nicht um die blanke Existenz. In zwei Kriegen und einem Kalten Krieg versagten die deutschen Politiker samt ihren Beratern. Die Denker und Dichter schwenken im beflissenen Gehorsam ein. Wer sich weigert, wird kaltgestellt. Einige versuchten per Sklavensprache, die Revolte so vorzubereiten, daß sie den idiotischen Lauf der Geschichte zu unterbrechen imstande wäre. Das ruft die fleißigen multimedialen Apologeten auf den Plan, die jede Veränderung schon im Ansatz abblocken. Bloch wollte das nie hinnehmen. An ihm scheiden sich nach wie vor die Geister.

Wenn das im dritten Jahrtausend nicht mehr begriffen werden kann, weil die Sklavensprache auf Regierungsbeschluß zur Sprache kollektiver Sklaverei erstarrt, rufen wir die Zeitzeugen von Grimmelshausen bis Alfred Andersch aus dem Totenreich auf und von den Lebenden die verläßlichen Charaktere von Karlheinz Deschner über Rolf Hochhuth, Jörg Schröder und Peter Handke bis zum innovativen jüdischen, gleichwohl israelkritischen Verleger Abraham Melzer, dem seine Position Angriffe einträgt und den grotesken Vorwurf des Antisemitismus.

Originalton Wolfgang Borchert: »Sag NEIN!« Das ist die Basis der Blochschen Subversions-Philosophie, die zum Tod Nein und zum Leben Ja sagt. Am 1. April 2004 war in der *Frankfurter Rundschau* wieder einmal die Rede von Blochs »seltsam angepaßtem Verhalten in der DDR der fünfziger Jahre«. Wir beliefern in unseren Notizen der Erinnerung die Szene mit bisher unbekannten oder absichtlich ignorierten Vorgängen, obgleich wir wissen, die sauren Spitzköpfe sind ins Mißlingen verliebt. In der *FR*-Rezension ein Bloch-Zitat: »Ich bin. Wir sind. Das ist genug. Nun haben wir zu beginnen.« Das wird zugleich zensiert mit einem Verdikt gegen Blochs Bücher: »Ihr expressionistisches Pathos (ist) kaum noch erträglich.« Wir wiesen auf die Varianten des Bloch-Satzes hin. Am liebsten ist uns die nüchterne Fassung vom Anfang der *Spuren*: »Zu wenig: Ich bin. Aber ich habe mich nicht. Darum werden wir erst.« Diese Antwort Blochs auf Nietzsche und die possierlichen Postmodernen von heute könnte als Motto über dem vergangenen Halbjahrhundert der Blochianer stehen, denn sie scheidet die Rückgratlosen von den Engagierten, das westliche Konsumdenken vom östlichen Leben auf Distanz. In allen Deutschlanden besiegte bisher die rechte Front die linke. Wir wollen keine Herrschaft der Linken. Nur ihr Lebensrecht. Ein vorerst letztes Bloch-Wort: »Sterbende treten ab, als was?«

PS.: Der Text »Die Blochianer« war ursprünglich nur als kurzes Nachwort geplant. Daß er sich etwas auswuchs, ist den darin enthaltenen unvorhergesehenen Ereignissen geschuldet.

Es hat uns Freude bereitet.

Taunus im April 2004

Anmerkungen

Der Bloch-Kreis: Den Begriff »Bloch-Kreis« – analog zum »George-Kreis« – benutzte Gerhard Zwerenz erstmals 1957, weil Bloch und seine Anhänger als »Gruppe« diffamiert wurden, was nach sowjetischer Manier seit 1921 als »Gruppenbildung« (Fraktionsverbot) mit schweren Strafen sanktioniert war. Bestand der engere Bloch-Kreis aus einigen Dutzend Schülern und Freunden des Philosophen, erweiterte die Repression ihn auf Hunderte und Tausende von Anhängern. Blochs Lehrtätigkeit, in Leipzig verboten, traf danach in Tübingen auf den Widerspruch des dortigen Theologie-Professors und späteren römischen Kardinals Joseph Ratzinger. Eine Gruppen-Bildung wurde in Tübingen ebenso verhindert wie in Leipzig, wenn auch mit eleganteren Mitteln.

Anmerkung zur Herstellungsweise: Unser Buch ist in sieben Bücher unterteilt wie die Katze sieben Leben hat, und es ist doch das eine. Jedes einzelne Buch ist thematisch in sich abgeschlossen, alle sieben aber bilden einen dramaturgischen Bogen. Was sich dabei wiederholt, ergibt einen jeweils anderen Blickwinkel und Zusammenhang. Die verschiedenen Einzelnotizen ließen sich auch gleich einem Puzzle jeweils neu ordnen. Das gesamte Material ist Teil unseres in fünfzig Jahren angesammelten Archivs. Da kommt ein Heinrich-Heine-Satz aus der Vorrede *Zur Geschichte der Religion und Philosophie in Deutschland* gerade recht, er lautet: »Das gegenwärtige Buch, trotz seiner inneren Einheit und seiner äußeren Geschlossenheit, ist also nur das Fragment eines größeren Ganzen.« Im Text finden sich deliziöse Einfälle: »Die Köpfe, welche die Philosophie zum Nachdenken benutzt hat, kann die Revolution nachher zu beliebigen Zwecken abschlagen.«
Potzblitz! In Deutschland besorgt dieses Geschäft aller Erfahrung nach die Konterrevolution.

Radikale Verweigerung: Geht es um die semantische Entschlüsselung der Sklavensprache, behilft sich das akademische Fachpersonal mit der üblichen Dekonstruktion, die allerdings eine Gefahr der Unschärfe enthält. Die ontologische Wort-Analyse bedarf subtilerer Mittel und der Differenzierung zwischen revolutionärer und konterrevolutionärer Sklavensprache. Siehe dazu die Reflexionen in der paradigmatischen Geschichte des Kapitels *2 x 2 = 5.* Davon zu unterscheiden sind die Einwirkungen geheimer Dienste auf den Sprachgebrauch. Sie werden gewöhnlich unterschätzt oder gar negiert, worin sich deren Einfluß erweist. Moderne Geschichte ist zu fünfzig Prozent geheim bewegt. In der politischen Philosophie sind zwei Emotionen, wo nicht Affekte zu konstatieren: Die Neigung zum Mißlingen und die Liebe zum Gelingen der tagtäglichen Revolte.

Die Sklavensprache: Es wurde beschrieben, was sich aus Blochs Werk ergibt. Eine Untersuchung aus logischer, philologischer und phänomenologischer Sicht steht noch aus. Lebensphilosophische Anwendungen legte G. Z. in den Sklavensprach-Texten vor, enthalten im 1989 erschienenen Buch *Vergiß die Träume deiner Jugend nicht,* das die *FAZ* umgehend zu torpedieren versuchte. Es gelang, weil die zugleich ausbrechende luftige Romantik der Wiedervereinigung im Oktober 1989 die Herzen ergriff, den Verstand mattsetzte und die Vernunft sabotierte. Als Gegenprobe hier der Text:

SKLAVENSPRACHE XII

Sie beherrschten die Bildschirme, die
Lehrpläne, Ministerien, die Zeitungen und
Buchdruckereien, die Armee sowie
das Freiwilligenheer der Höflinge.

Der Slang der Technik floß aus ihren
ständig geöffneten Mäulern. Ihren
Nutzen berechneten sie bis auf
tausend Stellen hinterm Komma.

Im Parlament beriefen sie sich züngelnd
auf den Gemeinnutzen. Bescheidenheit
predigten sie, mit salbungsvollen
Bibelsprüchen jonglierend.

Die heimlichen Schweinepriester, die
Maden im Speck. Wozu sich aufregen, sprach
der Filosof. Fallen wir denen nicht in
den Arm, die sich ihr Grab selber schaufeln.

Personenregister

A

Abälard, Pierre 150
Abendroth, Wolfgang 26, 94, 313, 519
Ackeren, Robert van 512
Adenauer, Konrad 92, 94, 170, 207, 303, 365, 426, 443, 449, 476, 485, 497
Adorno, Theodor W. 6, 38, 43, 55, 88, 146, 249, 307, 313, 342, 347, 352, 356 f., 377, 379, 393, 467, 513, 522
Ahnert, Oberst der VP 320
Allen, John L. 306
Amery, Jean 99, 249, 313
Anaxagoras 149
Anders, Günther 196
Andersch, Alfred 530
Andrießen, Carl 301
Arendt, Hannah 294 f.
Aristoteles 105, 150, 182, 266, 346, 411, 500
Aron, Raymond 329
Auerbach, Erich 418
Augstein, Rudolf 174, 313, 392, 495
Avicenna 411
Avneri, Uri 88

B

Baader, Andreas 261
Bach, Johann Sebastian 298, 301, 359
Bacon, Francis 150
Baeumler, Alfred 115
Bahr, Egon 377 f.
Bahro, Rudolf 130, 214, 289, 472, 478
Balzac, Honoré de 13, 174
Baring, Arnulf 380, 476, 494, 529
Barth, Walter 67
Barthel, Kurt 195

Bauer, Fritz 68-70, 99, 313, 498
Bauer, Leo 99, 166 f., 226, 313, 478
Baumann, Ludwig 243
Baumgartens, Arthur 400
Becher, Johannes R. 47, 98 f., 198, 203, 215, 279 f., 306 f., 335, 506, 515 f.
Beckett, Samuel 218
Behrens, Fritz 289, 296, 347, 420, 426, 428 f., 472
Benda, Julien 90, 332, 358
Benesch, Edvard 456
Benjamin, Walter 156, 182, 249, 353, 360
Benn, Gottfried 69, 247
Benseler, Frank 223
Berkéwicz, Ulla 512
Berg, Hermann von 377
Bergson, Henri 104, 384 f.
Berija, Lawrenti 476 f.
Berija, Sergo 476 f.
Bernhard, Thomas 218
Berthold, Werner 66
Bias 148
Bieler, Manfred 286
Biermann, Wolf 28, 88 f., 101, 188 f., 235, 239 f., 243 f., 255, 287, 289
Bismarck, Otto von 144, 392
Blittkowski, Ralf 177 f.
Bloch, Jan Robert 16, 47 f., 56, 157, 166, 226, 277, 326, 335 f., 339, 343, 356, 369, 518
Bloch, Josef 158
Bloch, Karola 12, 14-16, 21, 27, 30, 35, 44, 47-55, 75, 128, 137, 150, 166, 212, 227, 276, 280-283, 302 f., 314, 323, 326, 329, 339, 367, 370 f., 384, 477, 510 f.
Bloch, Werner 158
Bloch von Stritzky, Else 125, 425, 473, 502
Blüm, Norbert 86, 500 f.
Boehlich, Walter 48, 212
Bohlen, Dieter 371
Bohley, Bärbel 477-479

534

Böll, Heinrich 77, 250, 383, 517
Bonhoeffer, Dietrich 225
Borchert, Wolfgang 531
Böttger, Johann Friedrich 262
Bourdieu, Pierre 369, 444
Brandt, Heinz 94, 433, 448
Brandt, Willy 167, 207, 378, 458, 467
Braun, Eberhard 178 f.
Braun, Eva 35, 175
Braun, Volker 237
Brecht, Bertolt 47, 170, 172 f., 185, 200, 260, 267, 278, 287, 319, 335, 388, 407, 411, 467, 486, 496, 510 f.
Bredel, Willi 506, 516
Brentano, Clemens 218
Brod, Max 419
Broder, Henryk M. 88 f., 95-97
Bruno, Giordano 453
Bubis, Ignatz 248
Büchner, Georg 13, 104, 119 f., 159, 376, 466, 502, 513
Buhr, Manfred 131, 190, 226 f.
Bukowski 378
Burgert, Christa 270
Burisch-Wieler, Wolfram 323, 341
Bush, George W. 82, 86, 452, 457

C

Caldwell, Peter Carl 375
Carsten, Francis C. 195
Cases, Cesare 170 f.
Cassirer, Paul 365, 413
Caysa, Volker 73, 330
Chamford, Nicolas 177
Christiansen, Sabine 85
Christie, Agatha 369
Chruschtschow, Nikita S. 71, 75, 77, 93, 134, 173, 196, 200, 222, 287, 289, 306, 312, 315, 318, 328 f., 343, 364 f., 391 f., 394 f., 439, 470, 476, 515
Churchill, Winston 120
Chwostow, W. M. 436
Clausewitz, Carl von 5, 80-83, 233

Clinton, Bill 429
Cohn-Bendit, Daniel 85, 391, 451
Corino, Karl 188
Courtois, Stéphane 228, 432-434, 446
Czaja, Herbert 451

D

Dahlem, Franz 506, 516
Dahmer, Helmut 214
Darwin, Charles 120
Demokrit 309, 311
Deppe, Frank 161
Descartes, René 150, 176
Deschner, Karlheinz 434, 530
Deutscher, Isaak 433
Dibelius, Otto 303
Dieckmann, Friedrich 336, 339
Diestel, Peter Michael 236
Dietl, Eduard 485, 493
Dietschy, Beat 47, 112, 370
Diogenes 36, 192
Djilas, Milovan 433, 472
Dos Passos, John 267
Dostojewski, Fjodor 239, 241
Dregger, Alfred 65 f., 74, 123, 244, 313, 493
Dreyfus, Alfred 478 f.
Dubček, Alexander 451
Duncker, Hermann 281
Dutschke, Rudi 25 f., 47 f., 85, 287, 313, 517
Duve, Freimut 480
Dwars, Jens Fietje 203

E

Ebert, Friedrich 392, 453, 456, 495
Eckart, Meister 214, 363
Ehrenburg, Ilja 89, 450
Eichmann, Adolf 295
Eickworth, Alfred 62-66, 68, 72, 254 f., 260
Einsiedel, Heinrich Graf von 74, 483, 487
Einstein, Albert 214, 249

Gropp, Rugard Otto 67, 211, 336-338, 341, 370, 375 f., 379, 382
Gründgens, Gustaf 460
Guderian, Heinz 244
Gumbel, Emil Julius 11, 490
Gutenberg, Johannes 517
Gutschke, Irmtraud 191
Gysi, Gregor 235 f., 244, 253, 431, 477-479

H

Habermas, Jürgen 236, 342
Haffner, Sebastian 313, 378, 382 f., 453
Hager, Kurt 195, 236, 270, 274, 278, 280-282, 402, 424, 505 f., 516
Hallmeyer, Rudolf 72, 254
Hammerstein-Equort, Kurt von 447
Hampf, Kathrin 126
Handke, Peter 248, 511, 531
Harich, Wolfgang 7, 14, 19, 23, 25, 27 f., 32, 41, 44 f., 47, 51, 75 f., 114, 116, 127 f., 134-136, 141 f., 145, 167 f., 201, 204, 206, 214, 226-228, 235 f., 244, 259 f., 274, 276, 286, 289, 298, 301 f., 312, 320, 328, 347, 393 f., 397 f., 401, 448, 453, 471, 473-475, 477 f., 503, 505 f., 519, 521 f.
Haug, Wolfgang-Fritz 297 f.
Hausmann, Manfred 244
Havel, Václav 451
Havemann, Robert 15, 130, 289, 472
Hay, Julius 433
Hebel, Peter 111
Hedeler, Wladislaw 476
Hegel, G.W. F. 9, 22, 31, 40, 46, 52-54, 87, 90 f., 110 f., 122, 138, 156, 159, 161, 210, 231, 267, 278, 298, 310, 324, 331, 333, 343, 356, 367, 376, 388, 398, 429, 432, 464, 495
Heidegger, Martin 8, 51, 53, 69,

91, 149, 153 f., 294 f., 303 f., 342, 388, 467, 496, 503, 522
Hein, Christoph 128-130
Heine, Heinrich 54, 73, 88, 109, 165, 273, 398, 468
Heinemann, Gustav 303, 313, 452
Heinemann, Ute 452
Hemingway, Ernest 364, 486
Henniger, Gerhard 198-203, 284
Heraklit 149
Herden, Reinhard 83
Hermlin, Stephan 88, 107, 192, 247, 248, 449
Herzberg, Guntolf 328 f.
Herzfelde, Wieland 191
Hesse, Hermann 510
Heusinger, Adolf 206, 244, 247
Heuss, Theodor 10 f., 349, 443
Heydrich, Reinhard 35
Heym, Stefan 88, 249, 289, 477 f., 483 f., 487
Hiller, Kurt 147
Hillgruber, Andreas 495
Hindenburg, Paul von 70, 373, 453, 456, 491, 497
Hitler, Adolf 11, 35, 46, 55, 64 f., 69 f., 73-75, 79, 89, 94, 103, 115 f., 118, 120-123, 139, 143, 146, 163-166, 174 f., 195 f., 206, 228, 231, 243 f., 247 f., 253 f., 256, 287, 293 f., 314, 322, 328, 335, 349, 351, 356, 368, 373, 377, 386, 390, 392 f., 408, 423, 434, 439-445, 447, 452-454, 456 f., 472, 478, 486, 489-495, 497-499, 503, 509, 510-512, 515, 528-530
Hitzer, Friedrich 470
Hochhuth, Rolf 140, 229, 530
Höfer, Werner 244
Hoffmann, E.T.A. 218, 380
Hohmann, Martin 463
Hölderlin, Friedrich 9, 31, 36, 149
Holthusen, Hans Egon 247
Holz, Hans Heinz 40, 343
Homer 354
Honecker, Erich 79, 123, 205, 207, 240, 458, 474 f., 481, 515

Stöhr, Hermann 492
Stoiber, Edmund 65, 86, 236
Stolpe, Manfred 478
Strasser, Johano 191
Strauß, Franz Josef 15, 17, 85, 123, 461
Strindberg, August 119
Stülpnagel, Otto von 351
Subok, L. I. 436
Susmann, Margarete 483
Süssmuth, Rita 479

T

Taler, Conrad 498
Taylor, Telford 245
Teller, Jürgen 137, 211, 220 f., 274
Tendrjakow, Wladimir 169
Thadden-Trieglaff, Reinold von 303
Thaetner, Gisela 500
Thaetner, Wolfgang 500
Thales 148
Thälmann, Ernst 164, 363
Thierse, Wolfgang 236, 243
Thomasius, Christian 150
Toller, Ernst 249
Tolstoi, Leo 448, 499 f.
Torberg, Friedrich 189
Toynbee, Arnold J. 401
Trifonow, Jurij 169
Troeltsch, Ernst 10
Trotzki, Leo 2, 70, 74, 87, 89, 130, 139, 141 f., 156, 164 f., 168, 180, 188, 196 f., 205, 256, 259 f., 269, 282, 299, 310, 316-318, 335 f., 343, 346, 361, 364, 374, 376, 382, 453, 472 f., 483, 489, 514
Tucholsky, Kurt 2, 5, 37, 44, 46, 54, 73, 80 f., 83 f., 100, 249 f., 273, 278, 308-310, 315, 321, 443, 467, 481 f., 518
Tyndall, John 149

U

Ueding, Gerd 369

Uhl, Elke 385, 495
Ulbricht, Walter 55, 77, 79, 153, 170, 173, 193-195, 198, 200 f., 206 f., 213-215, 234, 239, 259, 308, 312, 376, 379, 382 f., 391, 394, 478, 495, 504-507, 515 f., 530
Ullmann, Wolfgang 453
Unseld, Joachim 509-513
Unseld, Siegfried 13, 47-49, 248, 509-513, 516 f.
Urbach, Gerhard 2, 308-310

V

Verner, Paul 506
Vilmar, Fritz 16, 316, 425
Voltaire 150

W

Wagenbach, Klaus 15
Wagner, Richard 89, 145, 167, 174 f., 190, 194, 200, 206, 270, 271, 301, 427, 448, 515
Wagner, Siegfried 77-79, 167, 190, 194, 196, 200, 270 f., 280, 427, 448, 515
Wagner, Winifred 175
Wallraff, Günter 44
Walser, Martin 86, 244, 248-252, 331, 457, 509
Wandel, Paul 77, 281
Weber, Alfred 471, 495
Weber, Max 10 f.
Wehner, Herbert 167, 458
Weigand, Karlheinz 518
Weinert, Erich 401
Weinkauff, Hermann 68-70
Weiskopf, Franz Carl 170
Weiß, Peter 514
Wendt, Erich 270
Wenzel, Jochen 169, 203, 280 f., 319-321
Wenzel, Liane 320 f.
Werth, Nicolas 430, 435, 437, 439
Werthebach, Eckart 236

ca. 400 Abbildungen
Duplex auf Kunstdruckpapier
Mit vom Herausgeber ausgewählten
zeitgenössischen und eigenen Texten
272 Seiten
Format 21 x 29 cm
Festeinband mit Schutzumschlag
ca. 34,50 EUR / 61,40 sFr
ISBN 3-937738-15-0

Günther Drommer
Im Kaiserreich
Alltag unter den Hohenzollern 1871 - 1918

Der erste Band einer Bilderchronik der vergangenen 130 Jahre deutscher Alltagsgeschichte:
Die fast vierhundert Bilder aus den Jahren 1871 bis 1918, die zum Teil Werke bekannter
Fotografen sind, geben - als wären sie ein Fotoalbum der Nation - Auskunft über das
Leben unserer Urgroßeltern, und Auskunft über die Entwicklung der Schwarz-Weiß-
Fotografie: Herrschten 1871 noch die gestellten Familienfotos mit der Stativkamera vor,
so wagte man im neuen Jahrhundert bereits spontane Schnappschüsse. Die größtenteils
unveröffentlichten Fotografien stammen aus bedeutenden Stiftungsarchiven sowie kleinen
Privatsammlungen.

Schwartzkopff Buchwerke

ca. 400 Abbildungen
Duplex auf Kunstdruckpapier
Mit vom Herausgeber ausgewählten
zeitgenössischen und eigenen Texten
272 Seiten
Format 21 x 29 cm
Festeinband mit Schutzumschlag,
ca. 34,50 EUR / 61,40 sFr
ISBN 3-937738-12-6

Günther Drommer
Die ruhelose Republik
Alltag zwischen Gewalt und Hoffnung 1918 – 1933

Für lange Zeit herrschte in der Weimarer Republik Terror. Die Wirtschaft lag am Boden, Reparationen drückten, die Armen wurden ärmer, die Reichen reicher und dann oft ebenfalls arm. Extreme prallten aufeinander und entluden sich in Straßenkämpfen und Gewaltdemonstrationen. Manche Bürger spürten davon allerdings wenig, träumten sich in die »gute alte Zeit« zurück und schoben die Schuld am verlorenen Krieg auf die anderen. Doch auch in dieser Zeit vergnügten sich die Menschen im Alltag. Kino, Mode, Kunst, Glamour, Technik verschönerten das Leben derer, die es sich leisten konnten. Im Januar '33 änderten sich die Zustände, jedoch ohne dass eine Mehrheit die drohenden Konsequenzen sofort bemerkte.

Schwartzkopff Buchwerke

ca. 400 Abbildungen
Duplex auf Kunstdruckpapier
Mit vom Herausgeber ausgewählten
zeitgenössischen und eigenen Texten
272 Seiten
Format 21 x 29 cm
Festeinband mit Schutzumschlag
ca. 34,50 EUR / 61,40 sFr
ISBN 3-937738-12-6

Günther Drommer

Gleichgeschaltet
Alltag unterm Hakenkreuz 1933 – 1945

Die Nazi-Zeit fing für viele Deutsche so schlecht gar nicht an: Es gab wieder Arbeit, bescheidenen Wohlstand auch für die Armen – die Reichen lebten ihr Leben sowieso. Und so freute man sich an der Olympiade, der Automobilausstellung, kam in den Genuss von Volksempfänger und »Kraft durch Freude«. Wenn nur diese Widerständler nicht gewesen wären – die erst in den KZ endgültig verstummten. Das Ende rückte näher. Millionen Männer mussten in den Krieg. Die Frauen mussten Männerarbeit machen. Dann, über den Trümmern, zwei verschiedene Neuanfänge.

Originalausgabe, 272 Seiten
Format 12,5 x 20,5; Softcover
ca. 15,00 Euro / 26,70 sFr
ISBN 3-937738-06-1

Enno Stahl
2Pac Amaru Hector

Eine mittelalterliche Burg im Rheinland: Der deutsch-japanische Konzern Telematics hat zahlreiche Politiker und Wirtschaftsvertreter zur Weihnachtsfeier geladen. Die »Rheinische Bewegung Tupac Amaru« und ihr charismatischer Anführer Hector Pandotero nehmen mehrere hundert Menschen als Geiseln und verschanzen sich auf der Festung. Pandotero gelingt es, seine Operation als popkulturellen Akt, als eine Art Terrorismus light zu inszenieren. Bis ein beispielloses Medienspektakel das neue Jahr einläutet. Enno Stahl entwirft seinen Roman als brillante Mischung aus Thriller und Mediensatire. Hier gerät endlich wieder die politische Wirklichkeit in den Blick der Literatur.

Originalausgabe, 232 Seiten
Format 12,5 x 20,5; Softcover
ca. 12,00 Euro / 21,40 sFr
ISBN 3-937738-01-0

Susanne Bartsch
Campingsaison

Die Menschheit ernährt sich seit Jahrtausenden von Fleisch. Doch was passiert, wenn es auf der Erde keine Tiere mehr gibt? In Susanne Bartschs Roman müssen geklonte Gen-Menschen als natürliche Fleischquelle herhalten. Als die Protagonistin auf einen entflohenen Gen-Menschen stößt, nimmt sie ihn in ihren Campingwagen auf. Was als kurzfristige Übergangslösung gedacht war, wird zu einem längeren Aufenthalt. Die Ich-Erzählerin erkennt Tag für Tag, dass Gen-Menschen – entgegen der Beteuerungen der Fleischindustrie – sehr wohl Gefühle haben und lernfähig sind. Gemeinsam mit ihrer Freundin sagt sie der Fleischmafia den Kampf an. Die Campingsaison beginnt und mit ihr die spannende Frage nach Ethik und Moral in unserer Zeit.

Schwartzkopff Buchwerke

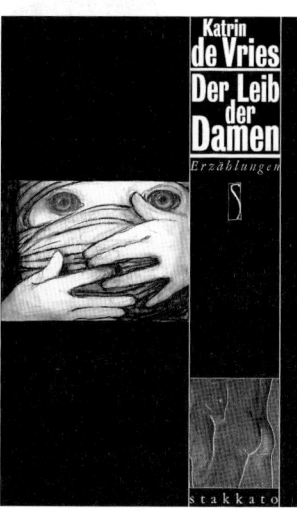

Katrin de Vries
Der Leib der Damen

Rätselhaft vertraut sind uns die geheimnisvollen
Spielorte der Erzählungen: verfallene Klöster, Park-
decks oder Schneehäuser, Gärten und Innenhöfe, in
denen Paare zusammenschlüpfen, wo Seancen und
bizarre Rituale abgehalten werden.
Archaischer Schrecken und zarte Komik liegen dicht
beieinander in diesen Geschichten um Heldinnen auf
hoher See, Männer in verführerischen Cowboykostü-
men, grimmige Kriegerinnen, größenwahnsinnige
Meisterschwimmer, Liebeskranke und Liebestolle,
geschwänzte Teufel und Königinnen, die unter Wasser spazieren gehen. Sie entführen in eine Welt, die
kein Wort zu viel benötigt, um unsere Phantasie zu
entzünden.

Originalausgabe, 132 Seiten
Format 12,5 x 20,5; Softcover
ca. 12,00 Euro / 21,40 sFr
ISBN 3-937738-02-9

Matthias Penzel
TraumHaft

TraumHaft handelt von der Rock-Band ShamPain, die
kurz vor dem ganz großen Durchbruch steht. Die vier
Musiker folgen über London, N.Y. bis L.A. dem Treck
jener, die ihre Träume schließlich in den Studios von
Hollywood verpackten und verkauften. Bis sich eines
Tages der Bassist Niet die Frage stellt, ob sein jetziges
Leben wirklich den Jugendträumen entspricht.
TraumHaft ist ein Rock'n'Roll-Roman, eine Liebesge-
schichte über Musik, Kunst, Freundschaften und mehr.
Ein Mood-Roman, jedes Kapitel wie ein neuer Song.
Nicht zwingend von vorne nach hinten zu lesen. Ein
Ulysses für Motörhead-Freaks.

Originalausgabe, 556 Seiten
Format 12,5 x 20,5; Softcover
ca. 18,00 Euro / 32,00 sFr
ISBN 3-937738-04-5

Phyllis Chesler
Der neue Antisemitismus
Die globale Krise seit dem 11. September

Phyllis Chesler zeigt auf, wie ein als überholt geltender Antisemitismus heute wieder aktuell und unter dem Deckmantel der Israel- oder Zionismuskritik sogar politisch korrekt zu werden scheint. Besonders nach dem 11. September ist dieser neue Antisemitismus, der keineswegs an nationalen, religiösen oder ethnischen Grenzen Halt macht, zu einem globalen Problem geworden. Die Autorin schlägt Möglichkeiten vor, wie dem Phänomen von jüdischer wie auch von nicht-jüdischer Seite begegnet werden kann.

Aus dem Amerikanischen übersetzt von Stephanie Kramer

Neuerscheinung, 292 Seiten
Format 12,5 x 20,5; Softcover
ca. 18,00 Euro / 32,00 sFr
ISBN 3-937738-09-6

Jürgen Leskien
Langer Schatten Waterberg
Afrikanische Nachtgespräche

Erstmals kommen »Afrikaner deutscher Zunge«, Namibia-Deutsche, öffentlich zu Wort. Sie erzählen von ihren Hoffnungen, aber auch von ihrem Umgang mit dem schwierigen Erbe deutscher Kolonialgeschichte. »Dunkler Schatten Waterberg« enthält bewegende Geschichten von Liebe und Verrat, von Hoffnung und Verzweiflung vor dem Hintergrund eines unendlich weiten Landes im Süden Afrikas.

Originalausgabe, 332 Seiten
Format 12,5 x 20,5; Softcover
ca. 18,00 Euro / 32,00 sFr
ISBN 3-937738-10-X

Schwartzkopff Buchwerke

Per Torhaug
Das Waldkommando

Per Torhaug erzählt in lakonischer, zuweilen poetischer Sprache vom Leben und Sterben im Arbeitskommando eines deutschen Konzentrationslagers. Nicht so sehr die Schreckensbilder selbst werden heraufbeschworen; vielmehr geht es um die Frage nach der Möglichkeit, auch unter unmenschlichen Bedingungen menschlich zu bleiben. Dazu gehört in Torhaugs, auf eigenem Erleben beruhender Erzählung der unbeugsame Wille zur Humanität, aber auch die Fähigkeit, trotz des alltäglichen Terrors kleine, kaum mehr alltägliche Freuden genießen zu können.

Originalausgabe, 272 Seiten
Format 12,5 x 20,5; Softcover
ca. 15,00 Euro / 26,70 sFr
ISBN 3-937738-07-X

Aus dem Norwegischen übersetzt von Sabine Richter
Mit einem Nachwort von Anette Storeide

Der Roman »Stubbebrytere« erschien erstmals 1961 in Oslo.

Henri Barbusse
Das Feuer
Tagebuch einer Korporalschaft

Henri Barbusse erzählt die Geschichte jener Gruppe von Kameraden, in der er selbst als einfacher Soldat den Ersten Weltkrieg durchlebt hat. Das Leben im Labyrinth der Schützengräben, endloses Ausharren in Hitze, Schlamm, Kälte, das kleine Glück im Ruhequartier, gefolgt von den todbringenden Sturmangriffen im feindlichen Sperrfeuer: Die Wirklichkeit des Krieges ist Thema dieses Romans. Die Frage nach dem Sinn des Krieges mündet in einem visionären Umdenken, das Vorzeichen eines dauerhaften Friedens werden könnte.

Deutsche Bearbeitung von Curt Noch, Paul Schlicht

Der Roman »Le Feu« erschien erstmals 1916 in Paris,
auf deutsch zuerst 1918 in Zürich.

Originalausgabe, 332 Seiten
Format 12,5 x 20,5; Softcover
ca. 18,00 Euro / 32,00 sFr
ISBN 3-937738-10-X

Schwartzkopff Buchwerke

ISBN 3-937738-11-8

1. Auflage
© 2004 Schwartzkopff Buchwerke
Hamburg Berlin
Druck: Druckhaus Gera GmbH
Bindung: Kunst- und Verlagsbuchbinderei Leipzig GmbH

www.schwartzkopff-buchwerke.de